PROTAGONISMO DE LAS VŸCTIMAS DE HOY Y MAÑANA

(Evolución en el campo jurídico penal, prisional y ético)

PROTAGONISMO DE LAS VÏCTIMAS DE HOY Y MAÑANA

(Evolución en el campo jurídico penal, prisional y ético)

ANTONIO BERISTAIN

Catedrático Emérito de Derecho Penal
Fundador y Director H. del Instituto Vasco de Criminología

tirant lo blanch

Valencia, 2004

© ANTONIO BERISTAIN

© TIRANT LO BLANCH
  EDITA: TIRANT LO BLANCH
  C/ Artes Gráficas, 14 - 46010 - Valencia
  TELFS.: 96/361 00 48 - 50
  FAX: 96/369 41 51
  Email:tlb@tirant.com
  http://www.tirant.com
  Librería virtual: http://www.tirant.es
  DEPOSITO LEGAL: V -
  I.S.B.N.: 84 - 8442 -
  IMPRIME: GUADA IMPRESORES, S.L. - PMc

A todas las víctimas, cruentas e incruentas, directas e indirectas, del 11 de Marzo de 2004 (Madrid) con sumo respeto y profunda compasión.

Con el deseo de declarar el 11 de marzo "Día europeo de las víctimas del terrorismo"

También con la esperanza de una justa sanción humana, reparadora.

Índice

PR‚ LOGO DE ESTHER GIMÉNEZ-SALINAS 15

PRESENTACI‚ N 21

Parte primera
LA VICTIMOLOGŸA HUMANIZA EL DERECHO PENAL Y LA ÉTICA

I. LAS MACROVŸCTIMAS DEL TERRORISMO CREAN UN NUEVO
SENTIDO DEL VIVIR Y DEL MORIR 33
1. *Quiénes son* las víctimas del terrorismo? 34
2. Qué pueden *saber f* las macrovíctimas del terrorismo? 35
3. Qué *hacen* las macrovíctimas del terrorismo? 36
4. Qué *esperan* las macrovíctimas? 37

II. EL JUEZ *PROH BE* AL VICTIMARIO SU APROXIMACI‚ N A LAS
VŸCTIMAS Y LE *OBLIGA* A ATENDERLAS? (ARTŸCULOS 57 Y 49
DEL C‚ DIGO PENAL) 39
1. Dedicatoria welzeliana 39
2. Las víctimas continúan olvidadas, sobre todo las indirectas 40
3. El artículo 57 crea nuevos derechos de las víctimas y nuevas obligaciones de los victimarios 43
4. Límites e insuficiencias del alejamiento-prohibición 46
5. Trabajos en beneficio de la comunidad (art. 49) o de las víctimas? 50
6. El misterio tremendo metarracional da sentido a la sanción reparadora 57
7. El olvido está lleno de memoria. A modo de conclusión 59
8. Bibliografía citada 60

III. LA NUEVA ÉTICA INDISPENSABLE EN LOS CREADORES DE
LA NUEVA PAZ (APORTACIONES DEL DEVENIR EN LA JUSTI-
CIA, LA CRIMINOLOGŸA, LA VICTIMOLOGŸA Y LA
EUTONOLOGŸA) 65
1. Lo nuevo desde Heráclito: continuo devenir y progreso, con interrupciones 65
2. Tecnoética agápica, autónoma, rememorativa y victimal 68
3. Estamos capacitados y obligados a crear la paz, sin terrorismo, sin
tantas diferencias económicas 70
4. Paz, fruto de la nueva justicia y política restaurativa 72
5. Nuevos derechos de las víctimas reconocidos en el proceso penal.
Parlamento Europeo 2001 74
6. Conclusiones discutibles 76

7. Bibliografía 79

IV. PROCESO PENAL Y VÏCTIMAS: PASADO, PRESENTE Y FUTU-
RO 82
1. Tres etapas del proceso penal 83
2. Las víctimas en el proceso penal vindicativo de ayer 85
   2.1. Su protagonismo ilimitado, irracional 85
   2.2. Su neutralización profesional 87
3. Presencia de las víctimas en el proceso penal hodierno, reparador
   (Legislación europea y latinoamericana) 88
4. Protagonismo controlado de las víctimas en el proceso penal futuro,
   recreador 95
   4.1. *In dubio pro victima*, más que *pro reo* 96
   4.2. Estadísticas victimológicas, más que criminológicas 97
   4.3. Proceso en dos fases: *Conviction-Sentencing* 103
   4.4. Oficinas de asistencia a las víctimas 105
   4.5. Hermenéutica comprensión de lo escatológico 107

V. ALGO MEJOR QUE LA DESACRALIZACIȮN DEL DERECHO PE-
NAL KANTIANO (PROTAGONISMO DE LAS VÏCTIMAS) 110
I. Un estudio interdisciplinar con 23 glosas de especialistas 110
II. Siete reflexiones desde otra perspectiva 112
   II.1. Crítica criminológico-victimológica merecedora de comentario 112
   II.2. Urge la alternativa radical desde la Justicia restaurativa 112
   II.3. La sanción puede y debe evitar la vindicta 113
   II.4. Todo delito causa varias víctimas 114
   II.5. Protagonismo de las víctimas 114
   II.6. Olvidamos el gran influjo negativo y positivo de las religio-
         nes? 115
   II.7. Riqueza argumental y bibliográfica 116

VI. EL DERECHO PENAL PROTECTOR DE LAS VÏCTIMAS DEL DELI-
TO 117

Parte segunda
POLÏTICA CRIMINAL VICTIMOLȮGICA

VII. EVOLUCIȮN DESDE EL DERECHO PENAL A LA CRIMINOLOGÏA
Y LA VICTIMOLOGÏA (APROXIMACIONES DIACRȮNICAS Y SIN-
CRȮNICAS A LA POLÏTICA CRIMINAL) 121
1. Política criminal penalista 122
2. Política criminal criminológica 123
3. Política criminal victimológica 126
   A) Las víctimas 128
   B) Los delincuentes ya condenados 131
   C) La sociedad y el poder judicial 132
4. Política criminal transdisciplinar 132
5. Recapitulación sincrónica-metafísica 134

VIII. INMIGRACI›N/XENOFOBIA ANTE LAS INSTITUCIONES CULTU-
    RALES Y RELIGIOSAS 136
    1. Urge avanzar e *inventar* más y en dirección contraria*f* 136
    2. Realidad sociológica-epistemológica 138
    3. Perfil de los inmigrantes (y refugiados) 147
        3.1. Cuántos inmigrantes cometen delitos graves? Estadísticas
              victimológicas 148
        3.2. Los inmigrantes macrovíctimas allí y aquí^a e *in itinere* 151
        3.3. Agentes morales hoy y mañana. Integración intercultural 154
    4. Desde la no discriminación *de lege lata* hacia la discriminación
        positiva *de lege ferenda* 156
    5. Bibliografía 161

 IX. LO POLEM› GENO Y LO IRENOL› GENO EN EL DERECHO, LA
    CULTURA Y LAS RELIGIONES ANTE LOS J› VENES (ALGUNOS
    CON PERSONALIDAD ANTISOCIAL Y PSICOPATÏA) 167
    1. Introducción: método criminológico, innovador e inexorable 168
    2. Tres tesis y antítesis 170
        2.1. Lo polemógeno y lo irenológeno en el Derecho Penal 170
        2.1 bis. El Derecho Penal del amigo 173
        2.2. Lo polemógeno y lo irenológeno en la cultura 175
        2.3. Lo polemógeno y lo irenológeno en las religiones 176
        2.3 bis. Lo espiritual 178
    3. Síntesis: superación del relativismo con protagonismo social de las
        víctimas 180
    4. Bibliografía 182

  X. DESAPARECE LA PENA DE MUERTE TAMBIÉN EN ILLINOIS?   187
    1. Los hechos y su importancia internacional 187
    2. Principales argumentos y experiencias de Ryan: 188
        2.1. Método pluri, inter y transdisciplinar 189
        2.2. Errores judiciales 190
        2.3. Prejuicios raciales 191
        2.4. Menores de edad y enfermos mentales 191
        2.5. Mayor consenso abolicionista en la extradición 192
        2.6. La legislación internacional frena la pena capital 192
        2.7. Influjo de la Unión Europea 193
        2.8. Las víctimas, olvidadas 193
        2.9. El hombre ante el hombre, cosa divina 194

 XI. INNOVADOR PALACIO DE JUSTICIA PARA J› VENES Y VÏCTIMAS
    (SUS COLUMNAS: EDUCACI› N, REPARACI› N, VÏCTIMAS, VALO-
    RES) 195

XII. LA PAZ ES FRUTO DE LA JUSTICIA, ANTES Y M S QUE DEL
    DI LOGO 198

XIII. UNA NUEVA JUSTICIA MUNDIAL 203

Parte tercera
EL SISTEMA PRISIONAL ESCUCHA A LAS VÏCTIMAS

XIV. DERECHOS Y DEBERES HUMANO-FRATERNALES EN LAS PRI-
SIONES? (DESDE EL RADICALISMO ÉTNICO A LA PAZ EN EL PAÏS
VASCO) 207
   1. Política penitenciaria *fundamental* 207
      1.1. Fraternidad en las cárceles? 207
      1.2. Urgen reformas en las prisiones de todo el mundo?) 209
   2. Política penitenciaria *aplicada* 217
      2.1. Pro y contra el acercamiento de los presos de ETA?) 217
   3. Soluciones desde otra política penitenciaria *alternativa* 231
      3.1. Instituciones de prevención y readaptación social 231
      3.2. Profesionales-Técnicos innovadores 234
      3.3. Esperanza, futuro y utopía como derechos-deberes del preso.. 236
   4. Anexos: 244
      La superación de la cárcel 244
      Decálogo del Voluntariado 249
      Ubicación de los presos de ETA   mayo 1999 250

XV. PROTAGONISMO DE LAS VÏCTIMAS EN LA EJECUCI› N PENAL
(HACIA UN SISTEMA PENITENCIARIO EUROPEO) 251
   1. Atendamos a Abel más que a Caín 252
   2. Finitud y culpabilidad: Tenemos las manos manchadas 253
   3. La reparación a las víctimas atenúa la sanción: abrevia la privación
      de libertad ....
   4. La satisfacción de las responsabilidades civiles a las víctimas como   255
      llave para la suspensión de la ejecución de la sanción privativa de 258
      libertad 259
   5. Deben las víctimas mediar en la *Sentencing*? ....
   6. Evitar el desarraigo social de los condenados por terrorismo? 261
   7. Intervienen las víctimas en las alternativas a la prisión? ....
   8. Pueden las víctimas   entrar*f* en la prisión? ....
   9. Juez de Vigilancia *versus* Director de Recursos Humanos de las 262
      víctimas? 263
   10. Estadística de Víctimas de los diversos delitos en España 264
   11. A modo de miniconclusiones, desde Francia 266
                                     268
XVI. EVOLUCI› N IMPARABLE DE LA *RESTORATIVE JUSTICE* 269

Parte cuarta
UNIVERSIDAD E IGLESIAS ANTE LAS VÏCTIMAS

XVII. EL PAPEL DE LA UNIVERSIDAD, LA JUSTICIA Y LAS IGLESIAS
ANTE LAS VÏCTIMAS DEL TERRORISMO EN ESPAÑA 273
   1. Datos objetivos del fenómeno terrorista en España 273
   2. Cátedra innovadora de Victimología en las Universidades 275
   3. La Justicia crea una norma victimológica superadora del destie-
      rro 281

4. Frente al fanatismo religioso reaparece el Buen Samaritano 283
5. Referencia bibliográfica 288

XVIII. OBSERVACIONES SOBRE ÉTICA VICTIMOLÓGICA EN LA IGLE-
SIA VASCA 292

XIX. LA IGLESIA VASCA DEBE PEDIR PERDÓN PÚBLICAMENTE 295

Parte quinta
ENALTECER LA MEMORIA DE LAS VÍCTIMAS

XX. NECESITAMOS EL PREFERENCIAL PROTAGONISMO PÚBLICO
DE LAS VÍCTIMAS 301

XXI. ACUERDO POR LAS LIBERTADES, CONTRA EL TERRORISMO Y
POR LAS MACROVÍCTIMAS? 304

XXII. JUSTICIA RESTAURATIVO-AGÁPICA, NO VINDICATIVA 307

XXIII. UN MONUMENTO A LAS VÍCTIMAS EN BERLÍNª Y EN EL PAÍS
VASCO 310

XXIV. RECTORES UNIVERSITARIOS Y LA ASOCIACIÓN DE FISCALES
EN EL PAÍS VASCO 313

XXV. EL PREMIO SAJAROV 2000 DEL PARLAMENTO EUROPEO AL
COLECTIVO BASTA YA*f* 316

XXVI. LAS VÍCTIMAS TAMBIÉN LAS ANÓNIMAS ACRECEN LA CON-
VIVENCIA? 318

XXVII. EL ARTE Y LA ÉTICA DE IBARROLA TRANSFORMAN EL TERRO-
RISMO 322

XXVIII. VÍCTIMAS CRUENTAS E INCRUENTAS ANTE LOS JURISTAS Y
TEÓLOGOS 325

XXIX. LAS VÍCTIMAS, AGENTES ÉTICOS DE LA CONVIVENCIA 328

EPÍLOGOS: FAMILIA DE LUIS PORTERO, y PEDRO CASTÓN BOYER,
S.J. 331

ANEXOS: 345
˘ Resolución de la Comisión de Derechos Humanos del Consejo Econó-
mico y Social de las Naciones Unidas, de 18 de enero de 2000, sobre
Los derechos civiles y políticos, en particular las cuestiones relacio-
nadas con: la independencia del poder judicial, la Administración de
Justicia, la impunidad; (El derecho de restitución, indemnización y

rehabilitación de las víctimas de violaciones graves de los derechos
humanos y las libertades fundamentales)ƒ....................................... 345

˘ Decisión Marco del Consejo de la Unión Europea, de 15 de marzo de
2001, relativa al estatuto de la víctima en el proceso penal 356

˘ Decisión Marco del Consejo de la Unión Europea, de 13 de junio de
2002, sobre la lucha contra el terrorismo... 363

ÏNDICE ANALÏTICO 371

PUBLICACIONES DE ANTONIO BERISTAIN 387

Prólogo

Confieso que escribir este prólogo al libro *"Protagonismo de las víctimas de hoy y ma ana (Evolución en el campo jurídico penal, prisional y ético)"* de Antonio Beristain es todo un reto. Pero antes de continuar quiero decir que había escrito ya un prólogo, del cual estaba más o menos satisfecha y, cuando ya lo daba finalmente por acabado, esta maravillosa herramienta que utilizamos todos y todos los días me refiero, claro, al ordenador , como por arte de magia lo borró todo, TODO. Las personas que trabajaban en el Rectorado acudieron a mis gritos, desde el Vicerrector, Dr. en Informática, hasta el resto de los técnicos: qué había hecho? Imposible saber, pero el prólogo, por más esfuerzos que hicimos, se perdió en este complicado mundo de la informática que me domina mucho más que yo a él. Había trabajado con entusiasmo y dedicación; al perderlo mi desespero fue tal que no podía apenas recordar lo que había escrito. Aquí está, pues, mi segundo prólogo, que con toda seguridad no será tan acertado como el primero.

A pesar de mis desgracias, déjenme que recuerde cuál fue la razón por la que acepté encantada escribir esta presentación: sencillamente porque Antonio es mi amigo. Un amigo nacido en la madurez pero capaz de generar una amistad de adolescente. Un amigo en el que la necesidad de verse es casi un alimento, un amigo que es capaz de reír y llorar contigo, porque se alegra de tus éxitos y es maestro en enseñarte que de los fracasos también se aprende. *"Todo contribuye al bien de los que aman"* es una de sus frases favoritas cuando le explicas que estás pasando un momento difícil.

Sólo esto sería motivo más que suficiente para escribir el prólogo de todos y cada uno de sus 60 libros y de los cerca de 400 artículos que Antonio Beristain ha escrito a lo largo de su vida. Pero hay más, mucho más, pues no son sólo razones personales, sino también razones científi-cas las que me impulsan a realizar este trabajo sin duda arduo y difícil.

La victimología, como bien dice el Profesor Antonio Beristain, ha dado un giro de noventa grados al Derecho penal. Si es cierto, como se ha afirmado siempre, que la razón de existir del Derecho penal no puede ser otra que la protección de las más elementales normas de convivencia social, el papel de la víctima no puede estar relegado a un segundo plano.

La reacción penal frente al delincuente no ha de ser monopolizada por el Estado dejando al margen a la víctima, robándole*f* su protagonismo e impidiendo que ésta se exprese. Devolver el protagonismo a las víctimas no es fomentar la venganza privada, sino tener muy presente su realidad, la realidad de las víctimas *hoy y ma ana* como reza el título de esta obra.

El estudio de las víctimas nos ha permitido recuperar una vieja idea, la del dolor; porque la delincuencia es esencialmente un dolor. El delito produce en la mayoría de las ocasiones un gran sufrimiento, y estamos obligados a luchar contra él de una forma inteligente, pero también llenos de humanidad. En este sentido el hecho de contribuir, aunque sea muy modestamente con este prólogo, a difundir el pensamiento del Dr. Beristain supone para mí una gran satisfacción.

El dolor, en palabras de Nils Christie, criminólogo noruego, pero también en boca de muchos psicólogos y psiquiatras, hace crecer a la gente, la hace más madura, más próxima a las personas, las hace más solidarias. Se dice que se experimenta un mayor gozo si desaparece el dolor y según algunas creencias religiosas puede incluso acercar más a Dios. Decía Machado que quien habla sólo espera hablar a Dios un día*f*. Y la víctima a veces ni habla: tanto dolor agrupa en su costado que por doler le duele hasta el aliento, que diría M. Hernández. El olvido de las víctimas silencia su sufrimiento y lo aumenta.

Por eso también muchas veces el dolor tiene el efecto contrario: atrofia, detiene el crecimiento, hace perversas y duras a las personas, el dolor impide la imaginación y la alegría. Willigis Jäger, de quien el Profesor Beristain es un gran admirador, dice en su libro *La ola es el mar*, que es de suma importancia dar un trato correcto a los sentimientos heridos y a los traumas, porque muchas personas arrastran heridas desde la infancia que las hacen prisioneras de su propio dolor.

Este es un libro que quiere devolver el protagonismo a las víctimas, protagonismo que en realidad nunca deberíamos haberles quitado. Esta afirmación tan sencilla podría tener probablemente un amplio consenso. Pero cuando empezamos a definir estrategias y modos de actuación, los acuerdos ya no son tan fáciles. Existe por así decir un cierto miedo entre muchos penalistas de que una mayor atención a la víctima vaya en detrimento de las garantías penales y procesales de los delincuentes.

En los últimos 50 años hemos asistido a una importante corriente en defensa de los derechos humanos de los delincuentes, así como una mejora del tratamiento penitenciario. De todas maneras, a la luz de los últimos acontecimientos en la prisión de Abu Ghraib en Irak, no parece desde luego que hayamos avanzado mucho en materia de derechos humanos. La aparición de torturas en un mundo y en una época que las creía totalmente superadas ha puesto de manifiesto la fragilidad de los sistemas penitenciarios. Parece pues como si resultara extremadamente fácil que en determinados momentos y ocasiones las personas involucionáramos a estadios primitivos; de ahí la necesidad de extremar la cultura de los derechos humanos. La brutalidad de los hechos, junto a la vergüenza de que nuestra condición humana no sea suficientemente capaz de frenar tales barbaries, es una lección que no podemos olvidar.

Pero todo ello no es óbice para recordar que la víctima, como ha repetido hasta la saciedad Antonio Beristain, es la eterna olvidada. Por esto quizás vale la pena recordar que no basta con luchar por un derecho penal mejor sino que hay que buscar otro derecho penal. En definitiva, nos urge un sistema penal en que tenga cabida la reparación y donde, de un modo preferente, la sanción esté orientada a compensar a la víctima por el daño sufrido.

Mirando al futuro, como dice el Prof. Beristain, nadie tiene interés en una Justicia vindicativa, una Justicia en la que todo el mundo sale perdiendo. La frase del Prof. Beristain *"in dubio pro victima"* en lugar de *"in dubio pro reo",* va ganando fuerza en estos últimos tiempos. Junto a ello hay que tener en cuenta que el sistema penal tradicional aleja al delincuente de su posición natural junto a la víctima. Las sanciones suelen incrementar la pasividad e indiferencia del delincuente respecto al daño cometido. En general podría decirse que hasta anula el ya poco sentido de responsabilidad que acostumbra a tener el delincuente tanto hacia la víctima como hacia la sociedad.

Cuando alguien como el Profesor Beristain decide escribir un libro como éste tiene que tener unas convicciones muy profundas, un dolor muy intenso y un gran deseo y necesidad de comunicar. De hecho, su dedicatoria va dirigida a todas las víctimas, cruentas e incruentas, directas e indirectas, del 11 de Marzo del 2004 en Madrid*f.* Así como su propuesta de declarar el 11 de Marzo Día europeo de las víctimas del terrorismo*f.*

En realidad podríamos decir que se ha convertido en el gran apóstol de la reparación. Él afirma una y otra vez que la reparación forma parte de la vida, de los movimientos en los que estamos inmersos; en realidad nos pasamos la vida reparando. Sólo que el delito, y más si es grave, es mucho más difícil de olvidar y, por supuesto, de perdonar.

Hay en este libro un capítulo titulado El olvido está lleno de memoria ƒque él mismo escribe recordando los poemas de Mario Benedetti; por ello quisiera reproducir aquí una corta estrofa de este espléndido poeta:

> El olvido está tan lleno de memoria
> que a veces no caben las remembranzas
> y hay que tirar rencores por la borda
> en el fondo el olvido es un gran simulacro
> nadie sabe ni puede/aunque quiera/olvidar
> un gran simulacro repleto de fantasmas
> esos romeros que peregrinan por el olvido
> como si fuese el camino de Santiago.

Seguramente no está exento de razón cuando el profesor Beristain nos dice que las víctimas del terrorismo en el País Vasco deberían ser canonizadas porque nunca han respondido con violencia a la violencia. Contra lo que muchos creen, dice Antonio Beristain que las víctimas de ETA no piden venganza, pero sí esperan contribuir a crear un mundo mejor y a innovar el sentido del vivir y del morir. Esperan la disminución del dolor y la implantación de una Justicia que camine hacia la Paz

El libro dividido en cinco partes considera que la Victimología es el mejor instrumento para humanizar el derecho penal. En algún aspecto llama poderosamente la atención, como por ejemplo su posición frente a los inmigrantes, donde reclama la discriminación positiva por entender precisamente que, al ser uno de los sectores más desprotegidos, debemos prestarles una especial atención.

Los extranjeros inmigrantes no son pues sólo ni principalmente los delincuentes perversos ƒ que aparecen en los medios de comunicación. Más allá de constatar la dureza del sistema penal con los extranjeros y su hiperrepresentación en las cárceles españolas (en la actualidad son ya alrededor de un 28% de la población penitenciaria cuando muros afuera ƒ son tan sólo un 5%). En este largo capítulo dedicado a los extranjeros Antonio Beristain analiza también la otra cara de la moneda, una cara mucho menos conocida y por ende mucho más desprotegida. Habla así cuando se refiere al extranjero como víctima, sin duda como la peor de las víctimas, porque su situación de ilegalidad no le permite siquiera acceder a ese *status*. Un extranjero ilegal no puede ni denunciar los hechos por miedo a la expulsión. Frente a ello pide imaginación al poder porque estamos obligados a inventar nuevas leyes, instituciones y costumbres que fomenten la discriminación positiva de los inmigrantes ƒ.

Pionero de casi todo, es difícil imaginarse a Antonio Beristain callado, y no me refiero a las palabras sino al silencio de las ideas. Nunca se da por vencido, nunca deja de pensar que podemos llegar más allá y así, junto a la lucha casi quijotesca de buscar e investigar en un derecho penal reparador, Antonio Beristain reclama que la reparación sea el eje central del derecho penal.

Reparar, conciliar, mediar, reformar, educar, humaniza. Influido por el pensamiento de Tony Peters y de la experiencia belga, Antonio Beristain se mete en los muros de la prisión y nos dice que también es posible la mediación y la reparación una vez que el delincuente está cumpliendo la condena. El ojo por ojo que nos hace a todos ciegos, como nos recordaba Gandhi, no sirve, es un mal para todos, y así llega a pedir también el día internacional de la persona privada de libertad f para que todos nosotros seamos capaces de comprender qué significa la prisión. Recordemos cuando Foucault, al intentar explicar la pena de prisión, nos decía que en lugar de castigar el cuerpo, ahora de lo que se trataba en el futuro es de castigar el alma.

El presente libro está bien construido y científicamente fundamentado, pero es un libro lleno de controversia, la misma que ha acompañado durante toda su vida a Antonio Beristain. En realidad podríamos decir que es un libro extraordinariamente fiel a la persona y pensamiento de su autor. Por eso no tengo la menor duda que el libro invita a la polémica.

Quisiera por último acabar con un texto de Eduardo Chillida pronunciado en la Real Academia de Bellas Artes de San Fernando en 1994 cuando dice:

> "Creo que el ángulo de 90° admite con dificultad el diálogo con otros ángulos, sólo dialoga con ángulos rectos.
> Por el contrario los ángulos entre los 88° y 93°, son más tolerantes, y su uso enriquece el diálogo espacial.
> ¿No son por otra parte los 90° una simplificación de algo muy serio y muy vivo, nuestra propia verticalidad?"

Con el deseo de ser ángulos de tolerancia, amor, y fraternidad.

Esther Giménez-Salinas

Rectora de la Universidad Ramón Llull
Barcelona, junio de 2004

Presentación

GÉNESIS, CONTENIDO Y FINALIDADES DE ESTE LIBRO

(Milagro impar: las víctimas de ETA nunca se vengan)

> "La injusticia separa, la vergüenza, el dolor, el daño que se hace a los demás y el crimen separan". (Kaliayev).
> …"Dios une". (La Gran Duquesa).
>
> Albert CAMUS, *Los Justos*, Acto IV.

Ya desde las primeras páginas, conviene declarar por qué he preparado este libro, qué cuestiones he incluido en él, qué frutos deseo que cosechen sus lectores, y a quiénes se lo deben agradecer.

Los motivos empezaron a germinar hace ya casi cuarenta años, cuando en el País Vasco[1], y en el resto de España, el terrorismo de ETA comenzó a matar los cuerpos de miles de personas y a emponzoñar el espíritu y a inyectar odio en la mente y el corazón de más miles de personas. Desde entonces, muchas veces he sentido compasión por esos victimarios, por sus encubridores y por sus cómplices. Y, no menos por sus millones de víctimas directas e indirectas, cruentas e incruentas, ancianos y niños, militares y civiles[a] , pero nunca religiosos, ni religiosas.

Muchos días, al amanecer o al anochecer, he procurado meditar un rato en soledad silenciosa, en presencia contemplativa más que discursiva de Dios[a] he sentido un desgarramiento (*nadry*, como titula DOSTOIEVSKI el libro IV de *Los hermanos Karamazov*) y una compasión profunda por tantos terroristas y tantas víctimas. También me he acordado de lo que A. CAMUS, *Los Justos*, Acto IV, pone en boca de

---

[1] Tomemos en serio, como pide J. SOBRINO, S.J., *Terremoto. Terrorismo. Barbarie y Utopía*, Trotta, Madrid, 2002, pp. 87 ss., la ayuda hermenéutica del lugar en el que se escucha la palabra de la realidad, de los signos de los tiempos y de la *geografía* del terrorismo. De acuerdo con esto último, Ignacio ELLACURŸA (Trabajo no violento por la paz y violencia liberadora*f*, *Concilium*, núm. 215, 1988, pp. 85-94) anatematiza totalmente el terrorismo en el País Vasco frente a cierta violencia en países tercermundistas.

SKURATOV: El odio?ª   A partir del momento en que sienta vergüenza, desearé vivir para *repararf* (subrayo). Me he acordado del odio que
fomentan los escritos de Sabino Arana (Iñaki EZKERRA, *Sabino Arana
o la sentimentalidad totalitaria*, Belacqva, Barcelona, 2003) y muchos
de sus continuadores[2] (John R. SCHAFER, Joe NAVARRO, The Seven-
Stage Hate Model. The Psychopathology of Hate Groupsf, *FBI Law
Enforcement Bulletin*, U.S. Department of Justice. Federal Bureau of
Investigation, March 2003, pp. 1-8). He deseado vivir para investigar
seriamente las ciencias sociales relacionadas con el terrorismo, compa-
rable   aunque menor   con el holocausto nazi. He decidido escribir este
libro con finalidad reparadora, unitiva   Dios unef , compasiva,
desde la primera a la última letra, sin olvidar mi parte de culpa.

Continúo descubriendo y cultivando la dimensión educativa de la
reparación (Philippe MILBURN, La réparation à l égard des mineurs:
éléments d analyse sociologique d une mesure de justice restaurativef,
Archives de Politique Criminelle, pp. 147-160 [150, 154]), y sus facetas
distintas de la mediación (Ch. LAZERGES y J.P. BALDUYCK, Réponses
à la délinquance des mineurs. Rapport au prévention et le traitement de
la délinquance des mineursf, *La documentation Fran aise*, Paris, 1998).
Y la dimensión positiva de la no-venganza. A veces, me asalta la idea de
que las víctimas del terrorismo vasco deberían ser   canonizadasf
porque llevan decenas de años realizando el milagro impar de no
responder con la menor violencia a la macrovictimación que están
padeciendo sin cesar. Nada similar sucede en parte alguna del mundo,
ni en Irlanda, ni en Israelª

****

La parte primera, LA VICTIMOLOGÝA HUMANIZA EL DERECHO
PENAL Y LA ÉTICA, estudia el perfil de las macrovíctimas del terrorismo   macrodelito   de ETA, que no deben confundirse con los otros dos
conceptos, o perfiles, de víctimas: las víctimas de delitos (comunes) y del
abuso de poder, por una parte, y las víctimas de accidentes casuales,
involuntarios, por otra. Desde 1985 estos tres conceptos de víctimas
tienen algo común, algo nuevo, algo estructurado dentro de una ciencia
que empieza a emerger el año 1973. Ese algo, sumamente importante,

---

[2]   Como lamenta Eduardo Chillida, en Susana CHILLIDA (Comp.), *Elogio del horizonte. Conversaciones con Eduardo Chillida*, Destino, Barcelona, 2003, p. 75: ya
está bien que uno por ser vasco tenga que odiar a los demásf.

no se conocía antes en el Derecho penal, ni en la Criminología, ni en el sistema prisional, ni en la Política criminalᵃ , ni en la cultura. En un futuro inmediato las víctimas cumplirán aun sin quererlo una función esencial en el control del delito, ya que es a través de la denuncia donde se ejercita una buena parte del control social∫ (Esther GIMÉNEZ-SALINAS I COLOMER, La conciliación víctima-delincuente: hacia un Derecho penal reparador∫, *Cuadernos de Derecho Judicial. La Victimología*, T. XV, Consejo General del Poder Judicial, Madrid, 1993, p. 353).

El nacimiento de esos tres tipos∫de víctimas humaniza ahora todas las ciencias sociales e incluso la Ética, pero lo consigue en ámbitos y con talantes muy diversos. Aquí se analizan los avances innovadores de las obligaciones que los Códigos penales deben imponer a los victimarios para que respeten totalmente a sus víctimas directas e indirectas. Se estudian también los nuevos derechos de las víctimas reconocidos en el proceso penal por la Decisión Marco del Consejo de la Unión Europea, de 15 de marzo de 2001, que se transcribe en los Anexos finales. Se comentan la evolución heracliana *panta rei*, todo fluye desde el pasado hacia el futuro, en el proceso penal y en toda la teoría y praxis acerca de la victimación primaria, secundaria (Myriam HERRERA MORENO, *La hora de la víctima. Compendio de Victimología*, Edersa, Madrid, 1996, pp. 313 ss.) y terciaria, acerca del proceso y la sanción∫, acerca del tradicional y tan respetado excesivamente respetado derecho penal kantiano. Hoy, DORADO MONTERO y todos los operadores de la Justicia pueden proclamar que el Código penal es el protector de los criminales. Pero, deben añadir que más es el protector de las víctimas. *In dubio pro victimas.*

La parte segunda comenta, desde complementarios puntos de vista, la evolución de la POLÏTICA CRIMINAL VICTIMOL› GICA, con especial atención sobre la inmigración o migración actual. Nos atrevemos a criticar el límite hasta hoy propuesto como ideal de la *no discriminación* de los inmigrantes. Exigimos, *de lege ferenda*, su discriminación *positiva* puesto que los vemos, en gran medida, como agentes morales de hoy y de mañana. Estudiamos el actual relativismo en el ámbito de los valores y de las ciencias sociales, reconocemos lo negativo, lo polemógeno, del Derecho (discrepamos del maestro IHERING), de la cultura y de las religiones. Sin embargo, argumentamos en favor de su mayor e indudable faceta positiva, irenológena. Aupamos el protagonismo social de las víctimas y las personas marginadas (por los terrorismos, por la delincuencia común y el abuso del poder, y/o por los accidentes no culpables;

sin olvidar a los pobres, víctimas paradigmáticas dentro de la teología cristiana: Sermón del Monte, Evangelio de Mateo, cap. 5, Profeta Isaías, cap. 52, 13). A continuación, pedimos la abolición total, universal, de la sanción capital, porque, como piensa y dice el Gobernador de Illinois, George RYAN, mantener la pena de muerte supone mantener el caduco dogma de HOBBES, *homo homini, lupus*. Nosotros, en cambio, sabemos que *homo homini, sacra res*, el hombre es realidad divina, intocable, rebosante más de cosas dignas de admiración que de desprecio, como también concluye A. CAMUS en *La Peste*. Al finalizar este capítulo, probamos que la paz es fruto de la Justicia, antes y más que del diálogo.

Las dos partes siguientes, EL SISTEMA PRISIONAL ESCUCHA A LAS VICTIMAS, y UNIVERSIDAD E IGLESIAS ANTE LAS VICTIMAS, sorprenderán algo a determinados lectores porque transitan en campos minados f que urge neutralizar y fertilizar: Dentro de los muros carcelarios (no les denominamos penitenciarios, pues nada deben tener de penitencia) pueden entrar las víctimas, aunque esto exige y presupone cambios radicales en las agencias de poder. Afortunadamente, el *X Congreso Internacional de Victimología*, celebrado en Montreal el año 2000, patentizó que en algunos países, por ejemplo, en Bélgica, gracias a los estudios teóricos y prácticos del equipo dirigido por el Catedrático Tony PETERS, en todos los establecimientos penitenciarios belgas trabajan ya equipos de especialistas encargados de preparar y llevar a cabo visitas de algunas víctimas a sus victimarios, dentro de la prisión, para desarrollar un proceso tendente a la mediación y/o reconciliación, para abreviar (o, en algunos casos, omitir) el proceso judicial y conseguir que, como ha argumentado en diversos estudios la actual Rectora de la Universidad Ramón Llull, en Barcelona, Esther GIMÉNEZ-SALINAS I COLOMER, el aparato judicial no robe f al victimario y a la víctima lo que es suyo. Las víctimas dicen cosas que interesan a todos, y nos brindan una manera positiva de entender el Derecho, y ésta sería la de la reparación a las víctimas (Esther GIMÉNEZ-SALINAS I COLOMER, La mediación: una visión desde el Derecho comparado f, AA. VV., *La Mediación Penal*, Generalitat de Catalunya, Departament de Justicia-Centre d Estudis Jurídics i formació Especialitzada, Instituto Vasco de Criminología, Barcelona, 1999, p. 107).

Urge que nuestra Alma Mater cree (y los medios de comunicación divulguen y todos los ciudadanos conozcamos) conceptos básicos claros de qué es la Victimología y qué son las víctimas. Nuestra ciencia puede definirse sumariamente como la ciencia y el arte pluri, inter y transdisciplinar que   en íntima relación con la investigación y la praxis del Derecho Penal, la Criminología, la Sociología, la Filosofía y la Teología   investiga la victimación primaria, secundaria y terciaria, así como sus factores etiológicos, sus controles, sus consecuencias y sus respuestas superadoras de los conflictos y la delincuencia. Presta atención al análisis bio-psico-social de las diversas clases de víctimas, no sólo las directas e inmediatas. Está ejerciendo cada día más influencia en el campo tradicional de los delitos y de las sanciones. Un ejemplo concreto ha encontrado ya carta de ciudadanía: la sustitución del principio fundamental del sistema procesal democrático *in dubio pro reo* por el revolucionario*f in dubio pro victima*.

Ya es hora de que la Universidad española abra sus puertas con más amplitud a la ciencia victimológica. Es lamentable que todavía no haya en nuestra Alma Mater una Facultad de Victimología, ni tan siquiera un Instituto, ni una Cátedra de Victimología. Los necesitamos, también, para cumplir científicamente los créditos de docencia victimológica que exige la Licenciatura en Criminología, recientemente creada por R.D. 858/2003.

Especial transcendencia concedemos a comentar académicamente, con riguroso *método científico* y con documentación nacional e internacional   teniendo en cuenta el nuevo paradigma victimológico, inexistente antes del Primer Simposio Internacional de VICTIMOLOGÝA, de 1973   los *tres conceptos básicos de víctimas* que, con excesiva frecuencia, se equiparan y confunden:

1. Las víctimas de los delitos (comunes) y del abuso de poder, que define la Declaración de las Naciones Unidas, de 1985,

2. Las víctimas de los terrorismos, las macrovíctimas,

3. Las víctimas de los accidentes involuntarios, casuales. Por ejemplo, un terremoto, como explicita largamente J. SOBRINO, *Terremoto. Terrorismo. Barbarie y Utopía*, Trotta, Madrid, 2002, pp. 93-106, etcétera.

****

Acerca de la iglesia vasca, transcribo lo que respondí en la entrevista del año 1999 sobre su obligación de pedir perdón públicamente porque ha debido y debe hacer mucho más en favor de las macrovíctimas de ETA. En sentido parecido se han manifestado, por ejemplo, las excelentes publicaciones del sacerdote y Catedrático de Teología, Rafael AGUIRRE, en los medios de comunicación y en su libro *El t nel vasco. Democracia, iglesia y nacionalismo* (Ediciones

Oria, Alegría   Guipúzcoa , 1998). También el libro de Iñaki EZKERRA, *ETA pro nobis. El pecado original de la iglesia vasca* (Planeta, Barcelona, 2002), el de Jesús BASTANTE, *Los curas de ETA* (La esfera de los libros, Madrid, 2004), Juan Antonio ESTRADA, S.J., *Imágenes de Dios. La filosofía ante el lenguaje religioso*, (Trotta, Madrid, 2003, pp. 61 ss., 177, 263 s.) Aurelio ARTETA, *Fe de Horrores,* (Ediciones Oria, Alegría Guipúzcoa , 1999) y Fernando GARCÏA DE CORT ZAR, *Los mitos de la historia de Espa a* (Planeta, Barcelona, 2003, p. 325).

Ahora, añado que, a veces, he sentido compasión de mis conciudadanos terroristas, de mis conciudadanos cómplices y encubridores (en las iglesias y también en las casas de sacerdotes y religiosos, con conocimiento y aprobación de los superiores inmediatos y mayores, nacionales e internacionales, en España y en Roma). También he sentido compasión con dosis de vergüenza*f* al constatar que algunos teólogos, aunque pocos, equiparan públicamente (con argumentos bíblicos serios, pero fanáticamente descolocados y tergiversados) a los terroristas con Jesucristo. Me refiero, por citar un caso, a la homilía del sacerdote que presidió el funeral de José Miguel Beñaran (Argala), destacado militante de ETA(m), en la parroquia de Arrigorriaga (Vizcaya), el 24 de diciembre de 1978, que transcribo a continuación (cfr. revista *Herria 2000 Eliza*, enero 1979, p. 37, y César EGIDO SERRANO, *Euskadi. El crimen y las sombras. Una novela sobre los autores morales del terrorismo vasco*, Ediciones B, Barcelona, 2002, pp. 115-118):

"Aquí en esta iglesia vacía no estamos solos. Nos acompañan miles y miles de euskaldunes identificados con las ideas y sentimientos y la lucha de José Miguel. Este espacio está frío y vacío sólo aparentemente. Está lleno de luchadores por una Euskal Herria independiente, reunificada, socialista y euskaldun. Tampoco estamos solos porque aquí hay alguien que nos acompaña y nos comprende perfectamente en este momento dramático, pero también histórico, del asesinato de nuestro hijo, hermano y compañero entrañable José Miguel. Dios es perfectamente humano y amigo de los hombres. Dios es el buen samaritano que comprende y ayuda en el drama de la vida y la muerte. Dios es el padre del hijo pródigo, que sólo sabe perdonar, ir a nuestro encuentro, abrazarnos y entendernos. Dios es Jesús mismo perdonando a la mujer adúltera y a decenas de pecadores públicos. Dios no es justo. Dios sólo es misericordioso, lleno de ternura y debilidad por el hombre. Dios es el mejor padre y la mejor madre que hayan podido pasar por este mundo. Yo estoy totalmente convencido de que Dios ha recibido perfectamente a José Miguel y le ha aceptado sin ninguna reserva.

Para mí es un consuelo saber que José Miguel ha hecho de una forma privilegiada historia de Euskadi y ha influido decisivamente en la historia de nuestro Pueblo. Él es ya un capítulo de la historia vasca. Su paso por esta vida no ha sido vacío, inútil. Ha dejado en nuestra comunidad nacional una huella importante, por su gran inteligencia, por su enorme lucidez mental, por la llamativa limpieza de su vida. José Miguel ha sido sin duda uno de los vascos más importantes de estos últimos años y esto, en medio de la dramática tragedia de estos momentos, es un consuelo y es un estímulo.

Incluso la lucha armada, con sus enormes contradicciones como toda obra humana, no es ajena a Dios y al Evangelio de Jesús. Jesús mismo vivió personalmente esta cuestión. Él perteneció a un pueblo pequeño de una enorme conciencia nacional, pueblo de larga historia de nacionalismo, siempre a la defensa desesperada de su identidad nacional, de su soberanía siempre en peligro. Jesús vivió la ocupación de su pueblo por el romano extranjero y fue testigo y actor de los esfuerzos de liberación nacional, tenaces y frecuentes de la nacionalidad hebrea.

Junto al problema nacional Jesús vivió a fondo la cuestión social. Tomó partido por los pobres, los excluidos, los enfermos, los muertos, las viudas, los niños, los pecadores públicos. Es decir, por aquellos que tenían absoluta necesidad de liberación. Qué estupendo que Dios mismo haya asumido en Jesús los mismos problemas nacionales y sociales en que se debate nuestro pueblo. Aparentemente José Miguel no tenía nada que ver con la religión y la Iglesia, pero sólo aparentemente. Yo estoy convencido de que José Miguel vivió intensamente los valores más fundamentales del Evangelio de Jesús. No los vivió, ciertamente, de forma religiosa y eclesial, pero sí laica y militantemente.

Los valores del Evangelio son los de la crítica, la justicia, la libertad, la liberación, la consecuencia hasta la muerte misma. Y José Miguel se identificó con las ideas y los valores básicos del Evangelio. En estos días José Miguel se ha identificado con la muerte de Jesús que no fue una muerte religiosa, sino un asesinato político a manos del poder militar de ocupación. A Jesús no le acusaron de blasfemo, de renovador religioso, sino de perturbador político. "Si no le matas no eres amigo del César" le dijeron los judíos a Pilatos. Y también "Éste lo perturba y subleva todo desde Galilea hasta Jerusalem". Dios a través de Jesús ha experimentado en su propia carne lo que es la persecución policial, la detención, la tortura y el asesinato. El Dios de esta religión ha pasado por las experiencias humanas más drásticas y difíciles que puedan vivirse.

En este sentido, merece la pena dejarse orientar en esta vida por los valores que para ese Dios son importantes. Con la liquidación de José Miguel vivimos hoy un trauma terrible, pero no nos dejemos robar la esperanza y el valor, porque la lucha en que ha caído nuestro gudari Argala tendrá éxito y conseguiremos ese Euskadi independiente, reunificado, socialista y euskaldun, una de cuyas etapas históricas ha vivido José Miguel con la máxima intensidad posible. La recuperación nacional y social de nuestro pueblo será posible porque todos tenemos hombres como él. Él los habrá hecho posibles.

Que el Dios que se comprometió personalmente en la larga historia de recuperación de su propio pueblo nos comprenda, nos estimule a la lucha, nos aliente con la fuerza de sus valores fundamentales, nos acoja y nos perdone como ha acogido y aceptado a nuestro hijo, hermano, compañero y gudari José Miguel".

También se han pronunciado homilías semejantes en otras ocasiones, como el día 20 de agosto de 2000, en Marquina (Vizcaya), en el funeral por Francisco Rementería, militante de ETA, fallecido cuando preparaba un atentado mortal. Concelebraron nueve sacerdotes (mientras que en muchos funerales por las víctimas de ETA sólo ha celebrado un sacerdote). Se impidió la entrada a periodistas, excepto a una alemana. (Cfr. Constanze STELZENMÜLLER, *Er war einer von uns∫*, *Die Zeit*, Hamburgo, 31 agosto, 2000, pp. 7 s.).

Considero que   frente a la equivocada aplicación de la teología a favor de los terroristas   las verdaderas, grandes religiones, contienen energía positiva que pueden inyectar dentro de las víctimas la experiencia de la fuerza regeneradora   *ex radice*, desde lo más íntimo hasta lo más superficial   del perdón de Dios y de la cercanía de Dios, que hace nuevas todas las cosas, que puede incluso borrar *f* el peso de la culpa (Antonio BERISTAIN, La dimensión religiosa en la Filosofía de la Política Criminal. El Derecho penal del *homo pius f*, en IDEM [Comp.], *Estudios Vascos de Criminología*, Mensajero, Bilbao, 1982, pp. 330-346; Miguel RUBIO, *La fuerza regeneradora del perdón*, PS editorial, Madrid, 1987; Antonio BERISTAIN, *Criminología y dignidad humana (Diálogos)*, Depalma, Buenos Aires, 1989, pp. 159 s.; IDEM, Recreative penal Justice: contrasting Retributive and Recreative Cosmovisions *f*, en Ezzat Fattah and Tony Peters [Comps.], *Support for Crime Victims in a Comparative Perspective. To the Memory of Prof. Frederic McClintock*, Leuven, University Press, 1998, pp. 111-125; IDEM, Le mal causé par le délit, est-il réversible et/ou irréversible? Rapports entre le Droit, la Théologie et l Éthique *f*, en John Vanacker [Ed.], *Herstel en detentie. Hommage aan Prof. Dr. Tony Peters*, Politeia NV, Bruselas, 2002, pp. 29-39).

Este sentimiento no encuentra acogida en eminentes tratadistas que afirman la irreversibilidad, la imborrable marca de Caín *f* (Rafael S NCHEZ FERLOSIO[3], Victoria CAMPS[4], y el psiquiatra y Miembro de Número de la Real Academia de la Lengua Española Carlos CASTILLA

---

[3]   Rafael S NCHEZ FERLOSIO (1996): La señal de Caín *f*, *Claves de razón práctica*, N 64, julio-agosto. Dios puso una señal sobre Caín para que nadie lo matara: la impunidad de Caín expresa la impunibilidad o inexpiabilidad de la culpa en cuanto obra, que es lo que está en correspondencia con la naturaleza del remordimiento. [a] Dios ha hecho a Caín perpetuo portador de la culpa[a] del remordimiento y la culpa moral *f* (p. 5)[a]   Un niño, entre nosotros, es un absoluto inconmensurable, sin valor alguno, y su muerte es por tanto irreparable y totalmente ajena a la racionalidad que fundamenta la indemnización *f* (p. 14)[a]   el dolor es absolutamente irreparable *f* (p. 15).
Mi colega y amigo el catedrático de Derecho penal de la Universidad de Giessen, Arthur KREUZER (1998): Kain und Abel. Kriminalwissenschaftliche Betrachtungen zu einem Menschheitsthema *f*, en Libro-Homenaje al Prof. Günther Kaiser, *Internationale Perspektiven in Kriminologie und Strafrecht*, Duncker & Humblot, Berlin, Volumen I, pp. 215-235, patentiza, con amplia bibliografía, que a la señal de Caín se le han atribuido múltiples y diversos significados; no sólo uno.

[4]   Victoria CAMPS (1996): Sobre el derecho y la moral. Apostilla a Rafael Sánchez Ferlosio *f*, *Claves de razón práctica*, N 66, octubre, pp. 76 s.

DEL PINO[5]), la perennidad del peso de la culpa por el daño grave, el mal, inferido al otro.

La iglesia vasca   y, en grado menor, también la iglesia española y extranjera   omite con excesiva frecuencia el recuerdo del Siervo sufriente*f*, en el profeta ISAÝAS, capítulos 50 y siguientes, donde se enaltece sobremanera a las víctimas. Se olvida, a veces, con frecuencia que esta figura supera en importancia y oportunidad a la parábola del Buen Samaritano, del Evangelio de san Lucas, X, 30 ss. Por lo tanto, en las celebraciones cúlticas y en las publicaciones eclesiales debe recordarse y comentarse con más frecuencia, aunque y porque suscita controvesias. Con acierto concluye J. M. CASTILLO su libro *Dios y nuestra felicidad*, DDB, Bilbao, 4 edición, 2001, pp. 235 s.: la cuestión determinante para los cristianos está en buscar a Dios y creer en la transcendencia de Dios *desde la solidaridad con las víctimas   Y esto es tan serio que no hay otra forma ni otro medio de encontrar a Dios*f. En sentido parecido avanzan importantes nuevas interpretaciones de los escritos de D. BONHOEFFER (Nikolaus KLEIN, Widerstand und Polyphonie des Lebens*f*, *Orientierung*, 15 marzo 2004, pp. 49 s.), y del polémico jesuita F. von SPEE, al cual tanto recuerdo (de palabra y por escrito) y procuro seguir sus huellas.

****

La parte final, ENALTECER LA MEMORIA DE LAS VÍCTIMAS, recapitula varios artículos breves que comentan los homenajes que se han celebrado, en diversos lugares y momentos, a las víctimas de ETA y a las personas y/o instituciones que trabajan y se comprometen en favor de esas víctimas. A mí, desde mi primera juventud, algo parecido a Stefan ZWEIG (*El mundo de ayer. Memorias de un europeo*, trad. de J. Fontcuberta y A. Orzeszek, Alcantarillado, Barcelona, 2003, p. 322), nunca me había dejado de preocupar el problema de la superioridad anímica del vencido*f*.

Serán de utilidad, en muchas ocasiones, los textos oficiales que se recogen en las últimas páginas: los ANEXOS. El del Consejo de Europa que contiene la definición del delito de terrorismo. El de las NN.UU. que proclama la urgencia de establecer y celebrar homenajes en conmemoración a las víctimas del terrorismo, etc.

---

[5]   Carlos CASTILLA DEL PINO (1991): *La culpa*, 3 ed., Alianza Editorial, Madrid, pp. 163, 256 ss., 273 ss. Estas páginas describen con inteligente sensibilidad las cuestiones de la pesadumbre por lo hecho, la reparación, el arrepentimiento, la inferencia de lo religioso, lo jurídico-penal, etc.

****

Entre las diversas FINALIDADES que pretende este libro destaca la importancia y urgencia de dar fe pública   más que de Notario   ante Europa y el mundo, de que las víctimas de ETA nunca han pretendido tomarse la justicia por su mano. Nunca debe olvidar el lector que ni una sola víctima de ETA ha infringido el artículo 455 del código penal que tipifica como delito la realización arbitraria del propio derecho: El que, para realizar un derecho propio, actuando fuera de las vías legales, empleare violencia, intimidación o fuerza en las cosas, será castigado con la pena de multa de seis a doce meses. Se impondrá la pena superior en grado si para la intimidación o violencia se hiciera uso de armas u objetos peligrosos*f*.

He escrito este libro desde y hacia la universidad y el pueblo. Es decir, que está inspirado en   y dirigido a   la comunidad científica y el hombre de la calle. A los primeros, les agradezco lo que me han enseñado de la Ciencia y la Justicia (sin esto, no vamos a ninguna parte*f*, volvemos a nuestros ancestros cuadrúpedos), pero les critico que se mantiene demasiado anclados en el ayer, que olvidan el todo fluye*f* de Heráclito, que idolatran la dogmática teórica, de espaldas a la realidad cotidiana. Por ejemplo, cuando   ante la sentencia injusta que niega la indemnización a la viuda y la huérfana de un asesinado   se cruzan de brazos y se limitan a decir nada podemos hacer porque es sentencia firme*f*(A. BERISTAIN, Hoy y mañana de la Política criminal protectora y promotora de los valores humanos*f*, Consejo General del Poder Judicial, *Cuadernos de Derecho judicial. Política criminal comparada, hoy y ma ana*, T. IX, Madrid, 1999, pp. 54 s.)[6].

Deseo recordar a quien corresponda   también a la ONU   que en el siglo XXI no podemos permitir prisiones como la de Guantánamo[a]   en las que el poder pisotea diariamente lo más intocable de la dignidad humana inherente a toda persona, aunque sea autor de delitos terroristas.

---

[6]   Afortunadamente, y gracias a la valiente, numantina, defensa de los abogados donostiarras José M Múgica Heras, Fernando Múgica Heras y Rubén Múgica Heras (con su Demanda de Juicio Declarativo de Menor Cuantía contra Fernando Elejalde Tapia, aceptada en la Sentencia N 038, en San Sebastián a dos de febrero de dos mil uno) se consiguió anular la sentencia ya firme. Y lograron que se condenase al autor del asesinato a pagar la indemnización (50.000.000 pts.) a la viuda y a la hija.

Finalmente, me atrevo a pedir que las personas y agencias judiciales, económicas, universitarias y eclesiales   y los medios de comunicación   abran los ojos para ver la *evolución* imparable, los signos de los tiempos de las ciencias y praxis victimológicas que hoy, ya hoy, deben encontrar mayor acogida porque la *nueva* injusticia difusa, con los *nuevos* terrorismos y la *nueva* justicia restaurativa, lo exigen para contribuir a la defensa y desarrollo de los derechos humanos de todos, especialmente de los niños, los pobres[a] las víctimas.

****

Ahora, aunque debí hacerlo antes, he de manifestar mi GRATITUD a las muchas personas e instituciones que tanto me han ayudado en la preparación de este libro. He de agradecer especialmente a tantas víctimas de los tres perfiles antes indicados, en concreto a las macrovíctimas de ETA. También a las víctimas en las instituciones prisionales,   tan polemógenas, aunque más irenólogenas . A ellas les debo agradecer yo su afecto, su lección de humanismo[a] más que ellas a mí. Sin embargo, en diversas ocasiones, me escriben en sentido de gratitud. Por ejemplo, Juan José MORENO CUENCA (El Vaquilla), del cual con emoción he leído y recuerdo las palabras que me dirige en la dedicatoria de su libro biográfico, *Hasta la libertad* (Ediciones B, Barcelona, 2001): A los que sufrieron la ausencia de la libertad[a] Al profesor Antonio Beristain, por su laboriosa constancia para que no nos dejaran morir sin aliento f.

Asimismo, les manifiesto mi gratitud a la *Sociedad Internacional de Criminología*, a la *Asociación Internacional de Derecho penal*, a la *World Society of Victimology* y la Asociación *Víctimas del Terrorismo en el País Vasco* (COVITE). Dentro del Instituto Vasco de Criminología-Kriminologiaren Euskal Institutua, recuerdo a mis alumnas y alumnos; al PAS que, con impar amabilidad y eficacia, nos brindan ilimitada ayuda, y más que ayuda: Inmaculada Iraola, Itziar Aristizabal, María Frías, Isabel Germán, Izaskun Orbegozo, Leire Rodríguez, Ainhoa Brión, Lourdes Ruiz, Fernando Bermejo. Especialmente a las y los colegas Jocelyne Castaignède, José Luis de la Cuesta, Enrique Echeburúa, Francisco Etxeberría, Javier Ezquiaga, Carlos Fernández de Casadevante, Reyes Goenaga, Joaquín Giménez, Antonio Giménez Pericás, Virginia Mayordomo, José Luis Munoa, Ignacio Muñagorri, Luis Navajas, Carlos M. Romeo, César San Juan, Carlos Suárez, Ignacio Subijana, Gema Varona y a los colegas y PAS de mi Facultad de Derecho.

No puedo omitir a muchos compañeros del resto de España: Alberto Alonso Rimo, Javier Boix, Francisco Bueno Arús, Cándido Conde-

Pumpido Ferreiro, Manuel Gallego, S.J., Antonio García-Pablos, Jaime Garralda, S.J., Vicente Garrido, Joaquín Giménez, Myriam Herrera Moreno, Ana Iracheta, José Luis Manzanares, Lorenzo Morillas, Francisco Muñoz Conde, Enrique Orts Berenguer, Raimon Panikkar, José Juan Toharia, ngel Torío, Javier Urra y Tomás Vives Antón. Del extranjero recuerdo, en Europa, a Pierre-Henri Bolle, Robert Cario, Albin Eser, Joachim Herrmann, José Hurtado, Hans-Heinrich Jescheck, Günther Kaiser, Gerd F. Kirchhoff, Friedhelm Mennekes, S.J., Ana Messuti, Reinhard Moos, Reynald Ottenhof, Tony Peters, Georges Picca, Dieter Rössner, Horst Schüler-Springorum, Michael Sievernick, S.J., Denis Szabo, Otto Triffterer, Peter Waldmann, Andrzej Wasek (†), etc. Y, en América, a Cherif Bassiouni, Francisco Galván, Sergio García Ramírez, M Luz Lima Malvido, Hernando Londoño, Moisés Moreno, Elías Neuman, José Luis Pérez Guadalupe, Víctor Pérez Valera, S.J., Luis Rodríguez Manzanera, Julio Sampedro, Antonio Sánchez Galindo y Raúl Zaffaroni.

También deseo mostrar mi agradecimiento a Salvador VIVES, mi amigo y director de la prestigiosa Editorial Tirant lo Blanch, por su eficacia inteligente y generosa en la preparación de este libro. Estas líneas finales las dedico a mi querida y admirada familia de Luis PORTERO, Fiscal Jefe del Tribunal Superior de Justicia de Andalucía (vilmente asesinado por ETA el día 9 de octubre de 2000) que, con Pedro CAST› N, S.J., han tenido la amabilidad de aceptar mi petición de escribir el Epílogo, y a la Rectora de la Universidad Ramón Llull, Esther GIMÉNEZ-SALINAS I COLOMER, que prologa con su fraternal y maternal afecto esta obra. Sin su amistad y magisterio nunca hubiera podido yo ni empezar esta publicación.

Parte 1ª
La victimología humaniza el Derecho penal y la ética

I. LAS MACROVÍCTIMAS DEL TERRORISMO CREAN UN NUEVO SENTIDO DEL VIVIR Y DEL MORIR[*]

SUMARIO: 1.- ¿*Quiénes son* las víctimas del terrorismo? 2.- ¿Qué pueden "*saber*" las macrovíctimas del terrorismo? 3.- ¿Qué *hacen* las macrovíctimas del terrorismo? 4.- ¿Qué *esperan* las macrovíctimas?

Excelentísimas autoridades, queridas amigas y amigos:

Con profundo agradecimiento y emoción recibo —de manos de Pilar RUIZ, madre de Joseba PAGAZAURTUNDUA— el premio internacional de Covite, que supera ampliamente mis méritos. No sé si podré corresponder dignamente a tanta generosidad, pero procuraré hacerlo.

En este acto, al que tanta solemnidad concede la presencia de ustedes, y la de muchas personas a quienes ustedes representan (que, por haber sido asesinados, ya no están corporalmente entre nosotros), en este acto al que tanto humanismo conceden quienes lo recibieron el año pasado (Artificieros de la Guardia Civil, Cuerpo Nacional de Policía y Ertzaintza)... En este acto, y en las actuales circunstancias harto trágicas que estamos viviendo, parece oportuno argumentar una afirmación muy consoladora: "Las macrovíctimas del terrorismo crean un nuevo sentido del vivir y del morir". Comentaré ahora estas palabras, en la línea de los intelectuales internacionales en su reciente manifiesto, en la línea de Mario Onaindía el pasado martes día 6 en el Homenaje que

---

[*] Palabras de agradecimiento al recibir, en el Palacio de Miramar de San Sebastián, el 10 de mayo de 2003, el II Premio Internacional del Colectivo de Víctimas del Terrorismo (Covite) a la actuación a favor del recuerdo y apoyo a las víctimas del terrorismo. Cfr. *El Ciervo*, año LI, núm. 632, noviembre 2003, pp. 16 s.

le rindió la Fundación López de Lacalle, en la línea de los sacerdotes que se han presentado en las listas de los partidos constitucionalistas, y en la línea de eminentes especialistas de las ciencias jurídicas, sociales y teológicas.

Recordamos cómo en el campo de concentración Auschwitz, julio de 1941, los internos matan a un soldado vigilante. Inmediatamente se les reúne a todos los internos y se ordena que el último de cada diez dé un paso adelante, para ser torturados y ejecutados. Uno de los señalados muestra un dolor extraordinario porque tiene esposa e hijos. El que está junto a él, en el número 9, Maximiliam KOLBE, se ofrece al capitán del ejército alemán para ser ejecutado en sustitución del padre de familia. El capitán acepta y Maximiliam KOLBE, encerrado en la celda de castigo, muere de hambre y de sed.

Algunas personas, conocedoras de este acto heroico, aplicamos al santo polaco y a las víctimas del terrorismo las cuatro preguntas fundamentales de Emmanuel Kant: 1) ¿Quiénes son hoy Maximiliam KOLBE? ¿Quiénes son las víctimas?; 2) ¿Qué pueden saber las víctimas?; 3) ¿Qué hacer?; 4) ¿Qué esperar?

1. *Diré ahora unas palabras acerca de* quiénes son *las víctimas del terrorismo*

A continuación veremos qué saben, qué hacen y qué esperan. La Criminología nos enseña que, por desgracia, la sociedad desconoce (2ª victimación) a estas personas en toda su dignidad, aunque ya empiezan a aparecer algunos libros que nos informan de ellas, como el de Cristina CUESTA (*Contra el olvido. Testimonios de víctimas del terrorismo*, Temas de Hoy, Madrid, 2000). Merecen un calificativo muy distinto al tradicional de sujeto pasivo del delito o damnificado; su nombre es distinto, más noble; su amplitud numérica mayor, y su contenido más trágico. Así lo patentizan eminentes tratadistas. También los miembros de la "Sociedad Mundial de Victimología" y, en lo fundamental, la Declaración de las Naciones Unidas "*Sobre los principios fundamentales de justicia para las víctimas de delitos y del abuso de poder*", de 29 de noviembre de 1985.

Por lo tanto, actualmente, en vez de referirnos al "sujeto pasivo del delito", debemos referirnos a la "víctima". Y, en el caso concreto del terrorismo, más que hablar de "víctima", en singular, conviene hablar de "víctimas", en plural, puesto que cada crimen terrorista causa varias víctimas: la directa y muchas más indirectas.

Por desgracia, las estadísticas empequeñecen la realidad. Si investigamos cuántas son las víctimas del terrorismo en España, generalmente nos dirán que 817 asesinadas y 77 secuestradas. Estas cifras se refieren sólo a las víctimas directas, pero olvidan las indirectas, que son más, casi inabarcables: sus familiares y amigos, etcétera. Por lo tanto, conviene saber que todo delito terrorista produce muchas víctimas, en plural; no una víctima, en singular. Y —lo que nos interesa especialmente— conviene proclamar que todos los delitos de terrorismo son de una gravedad trágica mucho mayor que los similares delitos del mismo género (un asesinato terrorista es más grave que un asesinato). Por eso, sus víctimas merecen el nombre de *macrovíctimas*. No se las puede equiparar con las víctimas de cualquier otro delito.

Los especialistas investigan el perfil de ellas. Comprueban que sus gestos, sus palabras, son venas auríferas que emanan significados metarracionales, hipersimbólicos. Son pebeteros ígneos que nos regalan su luz y su calor; son agentes morales de la convivencia más humana, rebosante de hospitalidad (Diego SÁNCHEZ MECA, "Del egoísmo a la hospitalidad: Lévinas o la intempestividad de un pensador judío", *Signa*, Revista de la Asociación Española de Semiótica, UNED, núm. 5, 1996, pp. 76 ss.), libertad y fraternidad.

2. ¿Qué pueden "saber" las macrovíctimas del terrorismo?

Nuestros pebeteros ígneos saben y sienten que el ideal vale más que la vida. Saben y sienten el axioma del filósofo Emmanuel LÉVINAS: "Mi responsabilidad por el otro se impone antes que toda decisión, antes que toda deliberación. Es una pre-razón, una cognición, anterior al comienzo, una obligación anterior al presente".

Si alguien nos dice que él no se responsabiliza por las macrovíctimas porque vive ideales de más importancia, respondámosle que se equivoca. Que la responsabilidad por el otro no es un ideal, es un axioma incontrovertible, un absoluto independiente.

Nuestros héroes saben y "sienten" con toda su corporeidad espiritual que muchos medios de comunicación comentan estos temas en su sección de "Política", aunque, de acuerdo con el filósofo lituano de la transcendencia, estas cuestiones son pre-políticas y meta-políticas. Por lo tanto, en este campo todo ciudadano debe considerarse liberado de las propuestas de su partido político, de sus filósofos, de sus teólogos (es una clave pre-política, pre-filosófica y pre-teológica).

Nuestros agentes morales desplazan de su yo al "otro" el significado de la vida y de la muerte; la ofrenda, la compasión. Recuerdan los sólidos argumentos del Papa, en Loyola (1982), como en Madrid (2003), cuando expresa que "el cristianismo comprende y reconoce la noble y justa lucha por la justicia frente al odio y la muerte a todos los niveles". En sentido parecido podemos leer la autorizada crítica a los que se callan, a los que con su silencio se hacen cómplices y encubridores de atrocidades y de asesinatos y de silencios consentientes, criminógenos: "Enfangados en la vileza de mirar a otro lado y decir que no han visto nada". Ignorar lo que sucede es una frecuente y grave tentación, como proclaman el Manifiesto de los intelectuales del pasado día 7. SETIÉN puede escribir en su último libro que "el silencio ante el terrorismo no significa siempre y necesariamente un modo de aceptación del mismo". Pero, también puede escribir —y, que yo sepa, nunca lo ha hecho— que el silencio ante el terrorismo implica una omisión totalmente negativa de la moral elemental de todas las religiones, y es éticamente reprochable, y quizás objeto de un delito a tenor de los artículos 1, 10, 11, 407, 408, 412, 450 del Código penal[1].

3. ¿Qué hacen *las macrovíctimas del terrorismo?*

Realizan una acción muy compleja. Por una parte, dan la vida por la justicia y su fruto (la paz), y por la libertad. Ellas dan su vida, algo así como Jesucristo, cuando dijo: "yo doy mi vida por mis ovejas, nadie me la quita". Las macrovíctimas, sobre todo las que han sido amenazadas previamente, dan su vida, puesto que no abandonan el barco, y siguen viviendo como antes de haber sido amenazadas.

---

[1] *Addenda*: La afirmación formulada en las líneas anteriores, de que el silencio ante un delito grave se critica y condena en la ética de todas las religiones y que, a veces, conlleva sanciones jurídico penales queda corroborada y robustecida en la ponencia que el Presidente del "Instituto Borja de Bioética", Francesc Abel, S.J., ha presentado en el *VI Encuentro de Responsabilidad Sanitaria*, en el que argumenta que "todo profesional sanitario tiene obligación de denunciar los hechos ante un posible caso de maltrato a un menor... El médico que incumpla este deber podrá incurrir en responsabilidad administrativa e incluso penal". *Diario Médico*, del 23 de mayo de 2003, p. 11. Más información en *www.diariomedico.com*.

Pero, por otra parte, no desean que les quiten la vida. Sería erróneo estigmatizar a las víctimas como personas de poca autoestima, como personas alienadas. No debe interpretarse en ese sentido el friso magnífico de OTEIZA, en Aránzazu: los apóstoles, como las macrovíctimas, dan su vida por los demás pero tienen una autoestima muy grande, quieren vivir. Por lo tanto, no se les puede acusar de victimismo. (Lo saben especialmente sus escoltas, a los que manifiestan —y nosotros también ahora— un muy merecido agradecimiento).

En la misma cosmovisión de *Amnistía Internacional,* fomentan la urgente necesidad de evitar la impunidad de los delitos terroristas. La necesidad de evitar que se presente como solución fundamental el diálogo, como si sólo se tratase de un conflicto. Como si los autores fuesen delincuentes de conciencia. (Estos se autocuestionan sus actos, sus infracciones. A veces con angustias. En cambio, los terroristas no; sino que obedecen a sus jefes, ciega y tranquilamente, sin conciencia).

Algo extraordinario hay que *no hacen* las macrovíctimas: El milagro de que ninguna haya adoptado una postura vengativa. Respetan la Justicia. Reconocen que la solución fundamental del terrorismo no es el diálogo, sino la sanción justa, humana y resocializadora, que ya desde el Derecho romano —que quizá no ha afectado al País Vasco— es la piedra sillar, básica, de la política; al contrario de lo que opinan numerosos profesores universitarios de la Comunidad Autónoma Vasca.

4. ¿Qué esperan *las macrovíctimas?*

Esperan, con sólidos fundamentos, que el bien triunfe sobre el mal. Esperan, y alcanzan ya ahora, el más allá del morir, una realidad más valiosa que la presente e inmediata.

Contra lo que muchos opinan, las macrovíctimas no esperan la venganza, ni la indemnización. Nada esperan para ellas egoísticamente. Sí esperan contribuir a crear un nuevo e innovador sentido del vivir y del morir. Esperan la disminución del dolor y del sufrimiento. Esperan la implantación de la justicia, que es camino de la paz. Esperan la implantación de una convivencia nueva e innovadora. Esperan, más que John RAWLS (*Justicia como equidad*, Tecnos, Madrid, 1999), promover y alcanzar la realidad utópica.

Esperan y desean tener un rol social, un protagonismo, un estatus social... que nos beneficiará. Sin embargo, muchas personas e instituciones se lo niegan. El miedo inconsciente a ser víctimas les cierra los ojos a muchas personas bienintencionadas. Por ejemplo, a quien escribe: "No hagamos de la condición de víctima un estatus social y de su ejercicio un rol social". Y a quien afirma: "Las víctimas no pretenden tener ningún protagonismo". Guste o no guste, las víctimas son protagonistas, y más aún que los políticos (A. BERISTAIN, *Victimología, nueve palabras clave*, Tirant lo Blanch, Valencia, 2000, pp. 465 ss.). Sin duda, en un día no muy lejano conmoverán a Europa, como indica el Manifiesto antes citado.

Antes de terminar, ¿Qué debemos hacer nosotros?: Para dar voz a las macrovíctimas debemos erigir monumentos elocuentes a su memoria, debemos crear canales institucionales que les sirvan de foro público nacional e internacional, como acaban de exigir los trece intelectuales europeos y americanos en su reciente Manifiesto "*Ante las elecciones del 25 de mayo en el País Vasco*", aparecido en los medios de comunicación el 7 de mayo de 2003.

Podemos recordar a Dietrich BONHÖFFER, con su compromiso contra el nazismo y su colaboración con las víctimas. Frente a él, las iglesias alemanas se sometieron al nazismo. Renunciaron a la defensa de la dignidad de los seres humanos por mantener su estatuto privilegiado y librarse de la persecución nazi. Aceptaron la protección del Führer mientras sus hermanos de la resistencia eran detenidos, acusados de alta traición y ejecutados, como fue el caso de BONHÖFFER. En un clima así —escribe Juan José TAMAYO-ACOSTA ("Dignidad y liberación: Perspectiva teológica y política", *Concilium*, núm. 300, abril 2003, pp. 260 s.)—, y en medio de la incomprensión de no pocos hermanos cristianos y colegas teólogos, BONHÖFFER convierte la colaboración con las víctimas en el centro de la fe cristiana, de su vida, de su reflexión teológica y de su ética. Por eso él, en su libro *Resistencia y sumisión* escribe: "La Iglesia sólo puede cantar gregoriano, si al mismo tiempo levanta su voz a favor de los judíos", señalando con el dedo acusador a la Iglesia alemana instalada cómodamente en el sistema.

Concluyo. Debemos agradecer a los miles de macrovíctimas directas e indirectas del terrorismo que nos enseñan un nuevo sentido del vivir y del morir, nos enseñan a responsabilizarnos del otro (como proclama LÉVINAS) y a hacernos cargo, como escriben ELLACURÍA y SOBRINO, de las víctimas.

Son las personas más dignas de nuestra sociedad, las más nobles. Merecen nuestra veneración, no menos que Maximiliam KOLBE. Como las reliquias de éste se colocan en los altares de muchas iglesias, así los recuerdos de nuestras macrovíctimas están colocados en el centro de nuestros corazones. Y junto a su recuerdo, el recuerdo de sus familiares y amigos… que sois vosotras y vosotros: Contad con la gratitud de todas las personas de buena voluntad en el mundo entero, hoy y mañana. Os agradecemos porque hacéis prevalecer el ideal paradigmático de que el otro, el más vulnerado, es la clave de la nueva justicia, es el alfa y la omega de todos los ciudadanos, de las instituciones políticas, pero también de las culturales, económicas y, no menos, las religiosas.

A nuestras macrovíctimas brindamos nuestro profundo respeto y nuestra cordial gratitud y, ahora en pie, el aplauso más sentido.

II. EL JUEZ *PROHÍBE* AL VICTIMARIO SU APROXIMACIÓN A LAS VÍCTIMAS Y ¿LE *OBLIGA* A ATENDERLAS? (ARTÍCULOS 57 Y 49 DEL CÓDIGO PENAL)*

SUMARIO: 1.- Dedicatoria welzeliana. 2.- Las víctimas continúan olvidadas, sobre todo las indirectas. 3.- El artículo 57 crea nuevos derechos de las víctimas y nuevas obligaciones de los victimarios. 4.- Límites e insuficiencias del alejamiento-prohibición. 5.- ¿Trabajos en beneficio de la comunidad (art. 49) o de las víctimas? 6.- El misterio tremendo metarracional da sentido a la sanción reparadora. 7.- El olvido está lleno de memoria. A modo de conclusión. 8.- Bibliografía citada.

1. *Dedicatoria Welzeliana*

Al Amigo y Profesor José CEREZO MIR, en recuerdo festivo de nuestra perenne amistad desde que —por los años cincuenta— paseábamos y disfrutábamos juntos, como alumnos de don Juan del ROSAL, en la Facultad de Derecho vallisoletana; y, por los años sesenta, estudiábamos en la Universidad alemana, como becarios del Profesor Hans WELZEL, en Bonn (BERISTAIN, 1962), y en el Max-Plank Institut de

---

*   Cfr. J.L. Díez Ripollés, C.M. Romeo, L. Gracia y J.F. Higuera (Comps.), *La ciencia del Derecho penal ante el nuevo siglo. Libro Homenaje al Profesor Doctor Don José Cerezo Mir*, Tecnos, Madrid, 2002, pp. 1029-1047.

Freiburg (con las alegres ardillas en el jardín), como becarios del Profesor Hans-Heinrich JESCHECK; y por los años setenta (exactamente el 69) oposit ábamos —sin "trinca" alguna— en la Complutense de Madrid; y en los ochenta viajábamos juntos —y con su amable esposa Bella y sus dos encantadoras hijas— a las diversas Universidades donde se celebraban las Jornadas de penalistas; y en los noventa nos intercambiamos nuestras publicaciones; y en el tercer milenio nos felicitamos por nuestros discípulos —en los diversos campos de las ciencias y praxis penales, dentro y fuera del Alma Mater— inteligentes y agradecidos que nos enseñan (ellos a nosotros) cómo se descifran los enigmas de la epistemología y técnica Cibernética...

También en testimonio de mi admiración académica por su paradigmática docencia e investigación (rebosante de información), conocimiento y aprecio de la dogmática jurídica —especialmente la española y la alemana— en defensa y desarrollo de los derechos humanos, principalmente de las personas menos favorecidas. Con profundo respeto y cordial agradecimiento.

2. *Las víctimas continúan olvidadas, sobre todo las indirectas*

> "Las concepciones ético-sociales desempeñan un papel primordial, pues el Derecho penal castiga generalmente como delito las infracciones más graves de las normas de la Ética social. Las concepciones ético-sociales son cambiantes a lo largo de la historia y ello explica la diversa regulación de algunas figuras delictivas..."
>
> J. CEREZO MIR, 1996, 15.

Al cambiar a lo largo de los años las concepciones ético-sociales que juegan un papel decisivo en el Derecho penal, como indica CEREZO MIR, es lógico que se tipifiquen nuevas figuras delictivas. Y también es lógico que cambie —más o menos— la estructura toda del Derecho penal. Las innovaciones importantes de la Criminología y la Victimología de los últimos 50 años son debidas en gran parte a la profunda evolución de las cosmovisiones en diversos campos económicos, tecnológicos, culturales, morales y filosóficos, sin olvidar los teológicos (M. GARCÍA DONCEL, 59 ss.; J. GARCÍA MARTÍNEZ; G.K. MAINBERGER, 261 s.; C.M. ROMEO CASABONA, H.R. SCHLETTE, 93 ss.; J. SOBRINO, 72 ss., 317 ss.). Las transformaciones que la Victimología y la justicia restaurativa han introducido en la dogmática y política jurídico-penal están logrando liberar a la nave de la justicia penal del varamiento en que se encuentra por su neutralización de las víctimas. Los penalistas no podemos seguir olvidándolas. Tampoco a sus derechos violados y, por lo tanto, memorables derechos pendientes; la " razón anamnética" de las víctimas no debe desaparecer aplastada bajo las actuales capas de desarrollo económico, técnico y/o político. No cabe un Derecho penal, ni una Criminología, de espaldas a Auschwitz, de espaldas a las Torres Gemelas troceadas el once de septiembre de 2001. Los derechos violados deben ser restaurados. No basta la satisfacción escatológica y teológica tradicional. Cabe construir una satisfacción filosófica y jurídica, dentro de la justicia penal (R. MATE, 210). (No tratamos aquí de las víctimas en cuanto coautoras del resultado injusto. No tratamos de los casos en los que el resultado delictivo es consecuencia tanto de la conducta típica del autor como de la conducta inadecuada de la víctima: los supuestos de *confluencia de conductas*. M. CANCIO MELIÁ; M. HERRERO MORENO, 134 s.).

Muchos especialistas se hacen eco de esta evolución positiva en favor de las víctimas. Así, los más de trescientos Delegados representando a más de un millón de Miembros de Amnistía Internacional de todo el mundo, después de 9 días de reunión aprobaron en Dakar, octubre 2001, mantener la misión fundacional a favor de los presos de conciencia, contra la tortura y contra la pena de muerte; pero haciéndose eco del nuevo *ethos* victimológico decidieron ampliar más la misión incluyendo el trabajar a favor de otras víctimas de violaciones de derechos humanos (AMNISTÍA INTERNACIONAL, 2001, 13 s.). Por eso, también, el Décimo Congreso de las Naciones Unidas proclamó "que había aumentado el interés por las víctimas. Ello se había debido en parte al mayor interés por la justicia restitutiva, que a su vez había recibido un impulso sustancial de la crisis penitenciaria de los últimos años...". "Si bien no todos los participantes consideraban que la justicia restitutiva representaba un cambio paradigmático para la justicia penal, hubo consenso respecto a su conveniencia". (NACIONES UNIDAS, 2000, 37, número 13; CH. BASSIOUNI; E. GIMÉNEZ-SALINAS, 1996). Este progreso axiológico puede y debe avanzar más. Por ejemplo, en vez de referirse a "la víctima" en singular, conviene referirnos preferentemente a "las víctimas", en plural; no sólo a la víctima directa. Ya desde 1973, el Primer Simposio Internacional de Victimología, en Jerusalén, al tratar del sujeto pasivo del delito a la luz de las nuevas ciencias victimológicas, consideró necesario reflexionar sobre el fenómeno del crimen y concluir que en la mayoría de los casos éste causa varias víctimas, no una sola. Por eso se recalcó que el delito produce siempre una o varias víctimas inmediatas y además, salvo casos difíciles de imaginar, muchas mediatas. Con frecuencia, diez veces más.

En sentido parecido y con más precisión, las Naciones Unidas en su *Declaración sobre los principios fundamentales de justicia para las víctimas de delitos y del abuso de poder*, de 29 de noviembre de 1985, comienza su apartado primero "A" refiriéndose a "Las víctimas de delitos. 1. Se entenderá por *víctima* las personas que individual o colectivamente, hayan sufrido daños, inclusive lesiones físicas o mentales, sufrimiento emocional...". Y en el apartado segundo "B" se refiere a "Las víctimas del abuso de poder. 18. Se entenderá por *víctimas* las personas que, individual o colectivamente hayan sufrido daños, inclusive lesiones físicas o mentales, sufrimiento emocional...". Dicho con otras palabras, se ajusta más a la realidad estudiar y comentar las cuestiones victimológicas alrededor de las víctimas en plural que hacerlo en torno a la víctima en singular. Esto último induce a diversos errores, también estadísticos. Por ejemplo, el de creer y decir que ETA ha causado únicamente tantas víctimas como son las personas asesinadas, cuando en realidad supera notablemente ese número, pues ha causado, además, muchos miles de víctimas indirectas.

Cada día más penalistas y criminólogos confirman nuestra opinión, como el Profesor Sebastián SCHEERER (2001a, 135-144) de la Universidad de Hamburgo, en su "réplica" a los comentarios que 23 colegas hemos formulado a su multidisciplinar estudio crítico de la razón punitiva, "Kritik der strafenden Vernunft", en la revista *Ethik und Sozialwissenschaften*. (BERISTAIN, 2001, 88-90. Cfr. el artículo "Algo mejor que la desacralización del Derecho penal kantiano (protagonismo de las víctimas)", pp. 110-117). (Le agradezco al colega alemán su carta personal del 1º de mayo de 2001 en la que aprecia mi insistencia acerca de las víctimas indirectas, indicándome que, ese mismo día, en su Seminario "he tenido ocasión de comentar su importante referencia de que debemos hablar de *las víctimas*, en plural, más que de *la víctima* en singular": "Heute hatte ich Gelegenheit, auf Ihren wichtigen Hinweis in meinem Seminar eingehen zu duerfen, dass wir besser von *den Opfern* als von *dem Opfer* sprechen sollten").

Concluyo estas líneas con las palabras de la Europarlamentaria Carmen CERDEIRA MORTERERO, ponente del Informe relativo al *Estatuto de la víctima en el proceso penal* (PARLAMENTO EUROPEO, 36): "Es inexcusable la creación de un auténtico *Estatuto de las víctimas de los delitos*, común para el conjunto de los Estados miembros que componen la Unión Europea".

3. El artículo 57 del Código Penal español crea nuevos derechos de las víctimas y nuevas obligaciones de los victimarios

"Preocupa hoy a los penalistas y criminólogos en Europa y fuera de Europa el fracaso de las instituciones estatales en lo referente a la asistencia a las víctimas... La sociedad, mientras tanto permanece o parece permanecer impasible. Apenas interviene. La zona amplísima existente entre el Estado y el individuo aislado está prácticamente vacía. El medio campo tan importante en muchos deportes y en la vida política, a veces, no lo ocupa nadie o lo ocupan ciertos sectores en precario. De ahí la preocupación del Consejo de Europa por potenciar las Asociaciones y situar en posición privilegiada a aquellas que nacen para defender a las víctimas".

Enrique RUIZ VADILLO, 1999, 133.

La Ley Orgánica 14/1999, de 9 de junio (BOE nº 138, de 10 de junio), "de modificación del Código penal de 1995, en materia de protección a las víctimas de malos tratos y de la Ley de Enjuiciamiento Criminal", reforma notablemente los artículos 33, 39, 48, 57, 153, 617 y 620 del Código penal, que supone, entre otras innovaciones, incluir, como pena accesoria de determinados delitos, la prohibición de acercarse el victimario a sus víctimas, y actualizar, desde horizontes radicalmente nuevos, las tradicionales sanciones del extrañamiento, el confinamiento y el destierro. Aquí nos interesa especialmente el artículo 57 que dice así: "Art. 57. Los Jueces o Tribunales, en los delitos de homicidio, aborto, lesiones, contra la libertad, de torturas y contra la integridad moral, la libertad e indemnidad sexuales, la intimidad, el derecho a la propia imagen y la inviolabilidad de domicilio, el honor, el patrimonio y el orden socioeconómico, atendiendo a la gravedad de los hechos o al peligro que el delincuente represente, podrán acordar en sus sentencias, dentro del período de tiempo que los mismos señalen que, en ningún caso, excederá de cinco años, la imposición de una o varias de las siguientes prohibiciones:

a) La de aproximación a la víctima, o a aquellos de sus familiares u otras personas que determine el Juez o Tribunal.

b) La de que se comunique con la víctima, o con aquellos de sus familiares u otras personas que determine el Juez o Tribunal.

c) La de volver al lugar en que se haya cometido el delito o de acudir a aquel en que resida la víctima o su familia, si fueren distintos.

También podrán imponerse las prohibiciones establecidas en el presente artículo, por un período de tiempo que no excederá de seis meses, por la comisión de una infracción calificada como falta contra las personas de los artículos 617 y 620 de este Código".

De este artículo 57 merecen destacarse ahora, entre otras facetas, su innovadora atención protectora a las víctimas y su amplísimo campo de aplicación, teórica y práctica, especialmente respecto al terrorismo y al régimen penitenciario. También merece indicarse que *de lege ferenda* debía imponerse como pena principal en varios delitos y faltas de los Libros segundo y tercero de nuestro Código.

Las tres posibles prohibiciones inciden con notable transcendencia de cariz victimológico en muchos campos de la dogmática teórica y práctica de la sanción y también, sí también, del delito, pues acogen la nueva cosmovisión de que hoy las coordenadas de ambos (delito y sanción), dentro de la cada día más aceptada Justicia restaurativa, se refieren principalmente a las personas de carne y hueso, más que al Estado y/o la sociedad en general.

Estas nuevas prohibiciones a los victimarios, crean importantes derechos de las víctimas. Capacitan a los Jueces y Tribunales para que impidan a los victimarios (condenados por, prácticamente, todos los delitos contra la persona y sus derechos y el orden socioeconómico) que continúen agrediendo —potencial o realmente— a las víctimas con su presencia, su cercanía, su comunicación, etcétera.

Afortunadamente, este artículo y sus nuevos criterios han de tenerse en cuenta con harta frecuencia. Siempre que se interpreten, comenten o apliquen muchas e importantes decisiones legales y jurisprudenciales españolas y extranjeras que estén relacionadas, por ejemplo, con los artículos siguientes: 25. 2 de la Constitución; 33.4 b) bis, 48 y 153 del Código penal, y los modificados arts. 13 y 109 de la Ley de Enjuiciamiento Criminal y el nuevo 544 bis, que persiguen el objetivo de facilitar la inmediata protección de las víctimas en los delitos de referencia, mediante la introducción de una nueva medida cautelar que permita el distanciamiento físico entre el agresor y las víctimas, medida que podrá y deberá acordarse entre las primeras diligencias. También ha de tomarse en consideración el art. 57 cuando se apliquen el art. 2º.2 del Reglamento de ejecución de la Ley 32/1999, de 8 de octubre, de solidaridad con las víctimas del terrorismo (Real Decreto 1.912/1999, de 17 de diciembre, por el que se aprueba. BOE, nº 305, de 22 de diciembre), y el art. 12.1 de la LO 1/1979, General Penitenciaria, y los arts. 116.3, y 273 e) de su Reglamento (Real Decreto 190/1996, de 9 de febrero). No menos está relacionado con el art. 8.1 del Convenio Europeo de Derechos Humanos, en vigor desde el primero de noviembre de 1998, y con los artículos 103 a 111 del Estatuto de Roma de la Corte penal Internacional, de 18 de julio de 1998: (*"A sentence of imprisonment shall be served in a State designated by the Court..."*) y con la *Decisión Marco relativa al estatuto de la víctima en el proceso penal*, adoptada por el Consejo de la Unión Europea el 15 de marzo de 2001 (Cfr. Anexo 2), y, por fin, con los capítulos 5 y 6 de *Green Paper on Compensation to crime victims*, adoptado por la *Commission of the European Communities*, el 28 de septiembre de 2001. Estas y otras normas nacionales e internacionales, merecen conocerse, divulgarse y estudiarse con atención y pupila victimológica. En concreto, si se interpretan y aplican en relación con el artículo 57 quedan enriquecidas y abren caminos para que se reconozcan y/o se creen nuevos elementales derechos de las víctimas, que transforman la estructura básica del tradicional *ius puniendi*.

Ante tan amplio campo de aplicación de este artículo 57, me limito ahora a subrayar brevemente su incidencia respecto al terrorismo nacional e internacional (más grave y más necesitado de esta sanción desde el once de septiembre de 2001) y el derecho penitenciario. Por desgracia, actualmente, en el País Vasco padecemos tal coyuntura de degradación ético-jurídica que muchas personas y algunas autoridades consideran el asesinato terrorista como un delito menos grave, lo que ellos denominan *delito político*, y gran parte de los ciudadanos y gobernantes piden públicamente que los terroristas condenados e internados sean trasladados a establecimientos penitenciarios (Basauri, Martutene y Nanclares de la Oca) del País Vasco, donde reside la mayoría de sus víctimas mediatas. Ante tal exigencia de que cese la dispersión de los presos de ETA, que se inició con el gobierno socialista, siendo ministro de Justicia el actual Defensor del pueblo, Enrique MÚGICA, me sentí obligado a publicar, en el diario *La Ley*, un estudio sobre este tema, con argumentos de Derecho penitenciario nacional y comparado (sin olvidar el parágrafo 8 de la Ley penitenciaria alemana y su jurisprudencia), que niegan ese derecho, *de lega lata* y *de lege ferenda* (BERISTAIN, 2000, 131 ss.; 1999 a; 1998, 125 ss.).

Parece evidente que la normativa penitenciaria ha de tener en cuenta el art. 57. Si los Jueces o los Tribunales imponen a un condenado la prohibición de aproximación a la víctima, o a aquellos de sus familiares u otras personas que ellos determinen, se ha de deducir que las autoridades penitenciarias y el Juez de Vigilancia, cuando —a tenor de los artículos 63, 65, 76-78 de la Ley General Penitenciaria y de los artículos 100 a 109 y 111 de su Reglamento— decidan a qué establecimiento le destinan o trasladan, están obligadas (aun en caso de duda, *in dubio pro victimas*) a respetar esa prohibición del Juez o Tribunal, y no pueden destinarle a un establecimiento cercano a sus víctimas.

Al terminar este capítulo conviene repetir —lo que hemos indicado antes— que *de lege ferenda* esta sanción debía imponerse como pena principal en varios delitos y faltas de nuestro Código. Según éste, los Jueces o Tribunales tendrán en cuenta la gravedad de los hechos delictivos, o el peligro que el delincuente represente, y sólo podrán imponer esta sanción en cuanto pena *accesoria* por un tiempo inferior a los cinco años. Sin embargo, esta pena —en cuanto pena grave *principal* del artículo 33. 2. g— carece de tiempo máximo de duración pues la LO 14/1999, de 9 de junio, no modificó el artículo 40 del C. penal, en el que hubiera debido indicarse el límite temporal, sin que quepa a este respecto el recurso a la analogía, según explica acertadamente el "Informe sobre la aplicación del nuevo Código Penal", del Pleno del Consejo General del Poder Judicial, del 12 de julio de 1999, página 157. Permítaseme opinar que considero menos acertado este Informe cuando añade que tal laguna o imperfección legal carece de importancia práctica pues esa sanción *principal* no está establecida, de hecho, *de lege lata*, para ningún delito. Olvidan los informantes que esta pena debería imponerse *de lege ferenda* en varios artículos del Libro segundo de nuestro Código. Por ejemplo, en los delitos de terrorismo (arts. 571-580).

4. *Límites e insuficiencia del alejamiento-prohibición*

"Aunque la Ley Orgánica reguladora de la responsabilidad penal de los menores de 12 de enero de 2000 no haya seguido, formalmente, aunque sí en el fondo, el llamado sistema de la responsabilidad, que propugna María del Carmen Alastuey, en ella no se introduce la reparación como consecuencia penal autónoma, sino que se integra como instrumento de desjudicialización…"
J. CEREZO MIR, "Prólogo", en M. Carmen ALASTUEY DOBÓN, 2000, 21.

El artículo 57, si no se interpreta con amplitud, si no se modifica para acrecer su contenido, puede dar pie a creer que el juez, cuando aleja al victimario de las víctimas, ya ha cumplido su deber. Sería lamentable este criterio de "ultima ratio", "garantista" en el peor sentido de la palabra. Hoy, en el tercer milenio, se puede avanzar más en la dimensión restaurativa: caer en la cuenta de que los daños causados por el delito son reparables; que el victimario puede hacerlo total o parcialmente, incluso en la prisión (no es tan utopía como parece); que su reparación queda enmarcada dentro del Derecho penal.

Nuestra insistencia en favor de la Justicia restaurativa se apoya en la convicción de que el daño causado por el delito, generalmente, es reparable, en cierto sentido. También cuando se trata de pérdidas aparentemente irreversibles. Nunca son del todo irreparables. Incluso aunque se haya producido una muerte, las víctimas pueden recibir alguna reparación; a veces, muy notable. Lo que el victimario ha des-hecho puede ser re-hecho por él, puede ser recreado, reparado. La lesión, como todo lo humano, no es perpetua, ni eterna; puede transformarse, según afirma HERÁCLITO, aunque lo niegan PROTÁGORAS y PLATÓN. El dios del tiempo, Saturno, que devora a sus hijos, también hace desaparecer los males y los daños hechos. Estos en cuanto esencia intemporal (*Wesen*, en alemán) permanecen en el tiempo pasado (*gewesen*), pero pueden no permanecer en el acto, *ser* existencial tempo-ral actual (*sein*). (Reyes MATE, 209 ss.). Con otras palabras más sencillas, si se me permite, "el tiempo todo lo cambia".

Actualmente el Derecho penal y los jueces deben llegar más adelante, deben imponer sanciones que, además (o como medio) de lograr las metas fundamentales que requiere la tutela judicial proclamada en el artículo 24 de la Constitución de 1978, exijan una reparación positiva del victimario a las víctimas, mayor y de otra calidad, distinta *toto coelo* de la reparación, generalmente tan deficiente, del *ius puniendi* tradicional. (Que impongan, por ejemplo, a los victimarios una obligación de trabajar en beneficio de las víctimas, como explicaremos en el apartado siguien-te).

Ante las transformaciones antropológicas sociales y éticas de la sociedad actual, opinamos que el artículo 57 y muchos de los relaciona-dos con él deben romper y superar los límites actuales, deben extender su campo de acción y, en cierto grado, cambiar su naturaleza jurídica. Las reformas que propugnamos *de lege ferenda* buscan que al autor de determinados delitos no sólo se le prohíba seguir victimizando (con su presencia o cercanía o relación, etcétera) a sus víctimas, sino que se le obligue a (o se le brinde la posibilidad de) hacer positivamente algo concreto en favor de ellas. No basta prevenir nuevas victimaciones. No es suficiente evitar que el victimario se acerque y hostigue a sus víctimas. Exigimos que él repare directamente a ellas el daño que les causó. Sólo en los casos y en aquella faceta en que él no pueda, se acudirá a la reparación subsidiaria del Estado.

Se pretende percibir y programar un nuevo sistema de Política criminal desde el horizonte prioritario de un bien jurídico *personal* de las víctimas, con nombre y apellido, más que de un bien jurídico *general*, social, impersonal, estatal o comunitario (aunque no se excluye a éste). Además, opinamos —y esto merece particular atención— que ese bien jurídico de tales y cuales individuos concretos a los que ha lesionado el victimario, puede ser reparado por éste (mejor que por el estado o la comunidad) y en beneficio de aquéllos (mejor que en beneficio del Estado o la comunidad). Se pretende también la "recolocación" en la sociedad de los expulsados a la prisión (SCHEERER, 2001 b).

Deseamos reconocer o configurar la reparación como una solución comunicativa, no meramente represiva, pero enmarcada dentro del Derecho público (BERISTAIN, GIMÉNEZ PERICÁS, 765 ss.; L. EUSEBI, 100 s., 110 ss.) como una sanción de carácter penal y, consecuentemente, estructurar penas y medidas recreadoras que superen la tradicional dimensión retributiva y vindicativa. Incluso las privativas de derechos y/o privativas de libertad girarán principal —no exclusivamente— alrededor de una Política criminal reparadora en el sentido más amplio de la palabra "reparadora", de la tercera vía, *die dritte Spur*, de J. van DIJK, del Proyecto alternativo alemán, de ROXIN (2001, 9, "reparación del daño, reconciliación autor-víctima, trabajo de utilidad pública"; ROXIN, 2001 a, "...en el futuro será necesaria una reaproximación entre el Derecho penal y el Derecho civil", 8), de LÓPEZ BARJA DE QUIROGA (117 s.), etcétera.

El Libro verde de la Comisión de las Comunidades Europeas *Sobre la indemnización a las víctimas de delito*, de 28 de septiembre de 2001, además de describir los sistemas de la correspondiente indemnización estatal en los estados miembros, procura activar "los derechos de la víctima a la indemnización *del delincuente*" (subrayado mío) y pretende intensificar la justicia reparadora para, así, construir una piedra angular fundamental en la edificación de un espacio de libertad, seguridad y justicia, creando un nivel básico de protección para todos los residentes de la Unión Europea, fácilmente accesible independientemente del lugar de la Unión en el que pueden convertirse en víctimas de un delito (COMMISSION, 30, 40 s.).

Estas tendencias y/o ideas "de favorecer, en lo posible, a la víctima" (I. VALLDECABRES ORTIZ, 334 ss.), cada día más extendidas, no son mera utopía. También en este campo caben científicamente hoy paradigmas antes inexistentes y/o criticados (Thomas KUHN). Hay, en concreto, experiencias con resultados óptimos. En diversos países se practica esta reparación, incluso en las prisiones. Ya desde finales del siglo XX establecimientos penitenciarios de Bélgica y de otras naciones (sobre todo anglosajonas) acogen en su interior a personas del funcionariado y/o del voluntariado laico o religioso para ocuparse de que los internos (aunque carezcan de medios económicos) cumplan, lo más y mejor posible, sus deberes reparadores (V. FRANCIS, 8; A. MACE, 6; NACIONES UNIDAS, 2000, 37, Número 13). El Director del *International Centre for Prison Studies*, Universidad de Londres, A. COYLE (7 s.), en la *IV Conferencia de la Asociación Internacional de Capellanes de Prisiones*, celebrada en Dreibergen, Holanda, afirmó "Es posible y necesario introducir en la teoría y la praxis del régimen penitenciario la cosmovisión de la justicia restaurativa".

El gráfico siguiente ilustra la teoría y praxis del equipo presidido por Tony PETERS, en Bélgica.

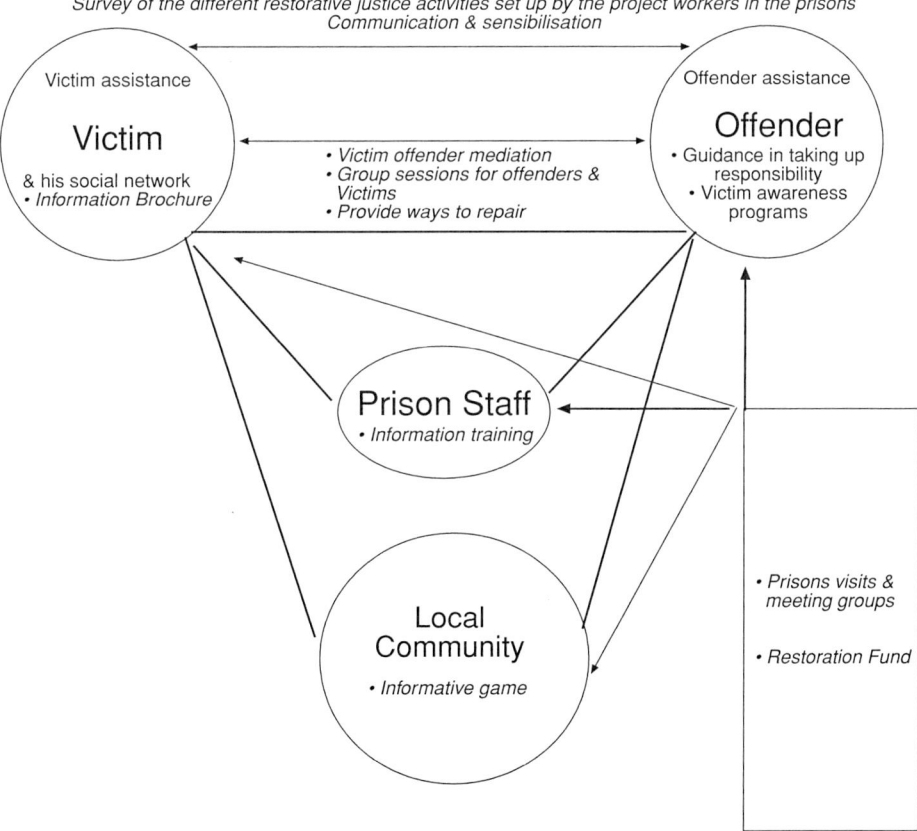

Restorative Justice: An Overview-Tony F. MARSHALL-March 1998. Introducing Restorative Justice in Belgian Prisons. Montreal. X[m] International Symposium on Victimology.

Por desgracia, muchos Tribunales españoles y no españoles afirman con excesiva facilidad y rapidez que el condenado es insolvente; prescinden de sus circunstancias personales y sociales; se despreocupan de ellas. Olvidan la obviedad de que, en un sentido importante, toda persona condenada es más o menos solvente porque es capaz de hacer algo (no sólo, ni principalmente, en lo económico) en favor de sus víctimas. Hará mucho si hace todo lo que puede.

Esta satisfacción del daño causado por el condenado debe ser el centro —alfa y omega— de las respuestas a los delitos. Los fines de la pena, en sus tres campos —prevención especial, prevención general negativa y prevención general positiva— se logran con mayor eficiencia a través de la reparación inmediata, y directa —en cuanto sea posible— entre el victimario y sus víctimas. Esa reparación pertenece al ámbito de lo penal, o con formulación del Consejo de la Unión Europea, "Las medidas de ayudas a las víctimas de delitos, y en particular las disposiciones en materia de indemnización y de mediación, no afectan a las soluciones que son propias del proceso civil". (Preámbulo de la *Decisión marco relativa al estatuto de la víctima en el proceso penal*). También, según SUBIJANA (1999, 180), debe "configurarse la reparación del daño a las víctimas como una finalidad propia del Derecho penal y no como una cuestión privada que sólo atañe a los damnificados por el hecho criminal, permitiendo, con ello, que el operador judicial pueda adecuar su resolución a la realidad del daño producido, sin funcionar con el límite que supone la petición del Ministerio Fiscal". (Autorizados penalistas hispanos opinan en sentido distinto, con argumentos desde otras coordenadas: M.C. ALASTUEY DOBÓN, 1998, 401 ss.; L. GRACIA MARTÍN, 1996, 40 ss.; W. HASSEMER, F. MUÑOZ CONDE, 2001, 206; MUÑOZ CONDE, GARCÍA ARÁN, 56 s., 587 s.).

También se fomentan otras nuevas similares instituciones en el ámbito procesal penal —no vindicativas, pero eficaces— como la mediación, el acuerdo entre víctimas e inculpado, la reconciliación, etcétera, que acoge y fomenta el Consejo de la Unión Europea en su *Decisión marco* del 15 de marzo de 2001. (CONSEJO, 2001, artículo 10; T. PETERS, I. AERTSEN, 229 ss.).

5. ¿Trabajos en beneficio de la comunidad (art. 49) o de las víctimas?

"...recientemente se ha suscitado un interés muy considerable por el problema de la protección de los derechos de las víctimas de los delitos, tanto a nivel científico, como político, nacional e internacional. Incluso, algunos destacados juristas han llegado a fundamentar la existencia misma del Derecho penal en la necesidad de reparar el daño causado a la(s) víctima(s)".

Parlamento Europeo, C. CERDEIRA, 2000, 36.

Desde los inicios del Derecho penal el trabajo ha figurado entre sus sanciones —ya antes del Derecho romano: *ad metalla*— y ha ido evolucionando a lo largo de los siglos en sentido progresivo frente a sanciones anteriores menos respetuosas de la dignidad personal: primero se imponía los trabajos forzados, para sustituir a las penas corporales; después para beneficio económico del Estado (con mínima remuneración al preso trabajador); después para la resocialización del condenado; hoy en beneficio de la comunidad; y en un mañana muy próximo, —como indicaremos en las líneas siguientes— trabajos en beneficio preferencial de las víctimas. Esta propuesta *de lege ferenda* se fundamenta en la convicción cada día más admitida de que la pena no es —o no debe ser— sólo la imposición de un mal y/o de privaciones de derechos sino también, y sobre todo, la imposición de trabajos, tareas, obligaciones, *konstruktive Leistung*, en beneficio de la comunidad y primordialmente en favor de las víctimas, sobre todo en cierta clase de criminalidad muy frecuente.

Según estudios y encuestas internacionales (E. HOEGE, M. BRIENEN) esta sanción encuentra acogida digna de mención en diversos países. Merecen destacarse las estadísticas que publica UNICRI. United Nations Interregional Crime and Justice Research Institute (A. ALVAZZI DEL FRATE, 111). Los encuestados responden a la pregunta "¿Qué sanción opina usted que debe imponerse a un delincuente de 21 años autor de un segundo robo?".

TABLA 41: Sentencia/Condena por delito de robo a un joven de 21 años reincidente, en seis zonas diferentes del mundo, 1992-96.

	Multa	Prisión	Servicios en beneficio de la Comunidad	Suspensión de condena
Europa occidental	12.8	30.1	41.4	7.2
Nuevo Mundo	7.2	38.2	39.2	5.9
Países en transición	9.9	38.7	33.9	6.6
Asia	7.7	76.8	6.5	1.2
África	9.9	69.9	10.7	1.6
América Latina	7.7	49.5	30.7	3.9

Del libro publicado por UNICRI (compilado por O. HATALAK, A. ALVAZZI DEL FRATE y U. ZVEKIC, 476, 266, 237, 78) entresacamos las estadísticas relativas a Rusia, Hungría, Georgia y Belarus.

TABLA 11: Actitudes adoptadas ante la sanción (% del total de encuestados). ➡ **RUSIA**

Tipo de condena	% de encuestados	
	1996	**1992**
Multa	6.4	8.9
Servicios en beneficio de la Comunidad	26.9	25.5
Suspensión de condena	2.6	1.2
Prisión	48.8	45.5
Pena de muerte	0.03	-

TABLA 34: Tipo de condena. ➡ **HUNGRÍA**

	Número	**%**
Multa	83	11.1
Prisión	249	33.0
Servicios en beneficio de la Comunidad	309	40.9
Suspensión de condena	36	4.7
Otras condenas	42	5.5
Desconocido	36	4.7
Desaparecido	1	0.1
Total	756	100

TABLA 6: Sentencia/Condena por delito de robo a un joven reincidente. ➡ **GEORGIA**

	%
Multa	22.9
Prisión	36.3
Servicios en beneficio de la Comunidad	20.4
Suspensión de condena	13.8
Desconocido	5.5

TABLA 56: Sanción para el delito de robo*. ➡ **BELARUS**

	%
Multa	15.1
Prisión	39.4
Servicios en beneficio de la comunidad	28.9
Suspensión de condena	1.8
Otras condenas*	3.6
Desconocido	10.8
Desaparecido	0.3

Después de esta sobria insinuación histórica y de derecho comparado, digamos algo acerca de su legislación y praxis en España: sus antecedentes, sus obstáculos y ventajas, y también sus deseables mejoras en la línea de la justicia restaurativa.

Nuestra actual sanción de trabajos en beneficio de la comunidad brotó por la maduración de las concepciones ético sociales y por su aceptación en derecho comparado, sobre todo en el anglosajón, el francés y el alemán (CONDE-PUMPIDO FERREIRO, 17 ss.; J.L. de la CUESTA ARZAMENDI, 1985). La *Community service* nació en el Reino Unido hace 30 años, y de allí ha pasado a diversos países europeos y de otros continentes, como pena y/o como medida de seguridad. Constituye una novedosa sanción para la pequeña y mediana criminalidad, como alternativa a la privación de libertad y a la multa, etcétera. (JESCHECK, WEIGEND, 27, 36, 104, 747, 776, 841. KAISER, 1996, parágrafos 93 y 94).

El Código penal de 1995 dio un salto cualitativo al introducir esta pena, pero sólo se atrevió a aplicarla como sustitutiva del arresto de fin de semana cuando éste es pena principal, o de la responsabilidad civil subsidiaria por impago de multa, según los artículos 88.2 y 53.1 y 2. A la nueva sanción se refieren también los artículos 33.3.j), 33.4.e), 39 g), 40, 49, y el Real Decreto 690/1996, de 26 de abril, por el que se establecen las circunstancias y modalidades de su ejecución (y también del arresto de fin de semana). Su duración va de noventa y seis a trescientas ochenta y cuatro horas como pena grave, y de dieciséis a noventa y seis horas como pena leve (art. 33, 3 y 4). Sería deseable que no siga concibiéndose tan limitadamente. Tiene pleno sentido calificarla como pena principal grave o menos grave, no sólo como accesoria. (MUÑOZ CONDE, GARCÍA ARÁN, 51 ss., 587, 647).

En sus antecedentes —artículo 106 del Código penal de 1928 ("Los Tribunales, en los delitos contra las personas, atendiendo a la gravedad de los hechos, y al peligro que el delincuente represente, podrán acordar en sus sentencias la prohibición de que el reo vuelva al lugar en que hubiere cometido el delito, o en que resida la víctima o su familia, si fueren distintos, después de extinguida la pena, dentro del período de tiempo que el mismo Tribunal señale, según las circunstancias del caso"), artículo 67 del Código de 1944 y art. 53 del Anteproyecto de 1992— sobresalía el carácter de medida de seguridad cautelar, pero su evolución posterior ha transformado la naturaleza híbrida de esta sanción. Ahora no es medida de seguridad, sino pena. (A. ASÚA BATARRITA, 320 ss.; J.L. MANZANARES SAMANIEGO, ORDÓÑEZ SÁNCHEZ; N. SANZ MULAS, 342 ss.; E. URBANO CASTRILLO, 3, 13).

El antes citado *Informe del Consejo General del Poder Judicial* le dedica media docena de páginas, en las que detalla que, en España, desde el comienzo de su aplicación hasta el mes de julio de 1999, los jueces han impuesto esta pena en 606 sentencias. Se dispone de muchas más plazas o puestos permanentes: 1.668. Realmente la oferta es un múltiplo de esta cifra pues una plaza puede ser ocupada por varios penados a lo largo del año, en función de la respectiva duración de la pena. Es de lamentar la falta de concreción administrativa en la mayoría de las Comunidades Autónomas y la inexistencia de reales medidas materiales que permitan su aplicación generosa.

Lógicamente esta sanción, desde sus comienzos, tropieza con algunos obstáculos. Principalmente la posibilidad de que se la considere —y sea— un trabajo forzoso, prohibido en el actual mundo laboral. Este obstáculo lo supera el artículo 49 cuando exige el consentimiento del penado. También objetan algunos que actualmente, ante la carencia en el mercado de trabajo, consideran contraindicado que el art. 57 conceda preferencia a los delincuentes. Esta dificultad puede superarse por inteligentes medidas administrativas.

Entre sus facetas positivas destaca el hecho de que el condenado no ingresa en prisión y no deja de trabajar. Tampoco pierde el contacto con su mundo circundante, y la sanción se estructura como una tarea positiva, no como una prohibición (sólo se le prohíbe ganar dinero por su trabajo. Esta prohibición más que castigo es una medida pedagógica que le enseña a trabajar gratuitamente para reparar los perjuicios causados). El Defensor del Menor, Javier URRA (1995, 17 ss.), comenta los buenos resultados que se han obtenido, con algunos infractores jóvenes, a través de esta sanción, aplicada en las diversas formas de la Ley Orgánica 4/1992. Y subraya la necesidad de llevar más adelante su teoría y su praxis (URRA, 1995 a, 138 ss., 213 ss.). Ante las ventajas que conlleva esta pena parece deseable que se rubrique también como sanción principal, que se promocione más y que se cree una Comisión *ad hoc*, a nivel nacional o autonómico para facilitar su mayor y mejor aplicación (MANZANARES SAMANIEGO, 1997, T. I, 1051). También que se modifiquen el artículo primero de la Ley Orgánica General Penitenciaria y el correspondiente artículo 2º del Reglamento de 1996 cuando proclaman que las Instituciones penitenciarias "tienen como fin primordial la reeducación y reinserción social de los sentenciados...". Quizás será necesario reformular ese fin primordial para incluir preferencialmente la restauración de los daños causados a las víctimas. Si se mantiene el texto actual, conviene interpretarlo de manera que aparezca claro que la mejor manera de lograr ese fin es que los sentenciados reparen el daño producido a sus víctimas.

Estimo poco acertado que el Código (arts. 32, 39. g) etiquete esta pena como privativa de derechos, pues lo medular de ella no es la privación sino la tarea positiva, el trabajo gratuito en servicio a la comunidad, la *konstruktive Leistung*, como escriben JESCHECK, WEIGEND (27, 36, 747), comentando la *gemeinnützige Arbeit*. Nuestro Código la califica así quizá porque la gratuidad del trabajo supone la pérdida del derecho al salario (MUÑOZ CONDE, GARCÍA ARÁN, 587). Permítaseme proponer otra denominación más de acuerdo con lo nuclear de esta pena, que no se encuentra en la prohibición al condenado de cobrar por su trabajo, sino en la imposición de una obligación, tarea o deber —trabajar en beneficio de la comunidad— similar (no igual) a "las obligaciones o deberes" del artículo 83, etcétera, y las *Auflagen* del derecho penal alemán (JESCHECK, WEIGEND, 80 s., 369, 746, 840 ss., 860). Acertadamente nuestro artículo 49 proclama que estos trabajos *le obligan* al penado. Es decir le imponen obligaciones. Lo que éstas principalmente pretenden y logran, es beneficiar a la comunidad, y resocializar al condenado, mucho más que privarle de derecho alguno (ROXIN, 2001, 5 ss.: "composición autor-víctima, reconciliación, esfuerzos personales del condenado..., transformaciones en la idea de resocialización por las que abogo"). (Entre paréntesis lamento que algunas ediciones del *Código penal* y algunos libros de Derecho penal, en su índice analítico, no hacen referencia a las diversas obligaciones, deberes, trabajos, etcétera, que se regulan como respuesta y sanción en no pocos artículos. Lo critico porque, si hiciesen referencia a esas obligaciones, etcétera, y a los artículos que las establecen, algunos lectores "descubrirían" que la pena contiene también facetas positivas. No es siempre y sólo un mal, o una venganza. (BERISTAIN, 2001, 88 b; 1999, 219 ss.).

Los artículos configuradores de esta innovadora sanción exigen, *de lege ferenda*, encontrar su eco, acogida y complemento en otros artículos del Código, por ejemplo, en el 32, que debe añadir una nueva clase de penas. Podrían denominarse "reparadores" o "impositivas de obligaciones o deberes o tareas". La evolución de la doctrina y la dogmática comparada y española exige ésta y otras nuevas reformulaciones. La ya tan extendida Justicia restaurativa (CUESTA ARZAMENDI, 1998, 69 ss.; GIMÉNEZ-SALINAS I COLOMER, 1999, 15 ss.; 1996, 35 ss.) nos permite mirar al Derecho penal como institución que pretende algo más que privaciones contra el delincuente. Es algo más que "protector de los criminales", de DORADO MONTERO. Algo protector de todos, preferencialmente de las víctimas. Al tercer milenio, creador de tantas transformaciones, compete reconstruir la naturaleza de la pena no sólo como privación de derechos. No sólo, ni principalmente, como un mal; aunque así la definan muchos autorizados especialistas. No todos. (H.-J.ALBRECHT, G. JAKOBS, D. RÖSSNER, Nils CHRISTIE... Cfr. S. SCHEERER, 2001, 69-144).

Si, conscientes de la evolución progresiva de las penas, miramos a un mañana próximo, comprenderemos que los trabajos en beneficio de la comunidad deben transformarse en trabajos restauradores, en atenciones personales, en favor de las víctimas. Estas pueden considerarse como satisfacción de la responsabilidad civil en sentido tradicional. Pero parece más acorde con la mentalidad victimológica destacar y desarrollar sus contenidos propios de la moderna pena, no vindicativos, sino punitivo-restaurativos, de satisfacciones victimológicas.

Urge reorientar esta sanción de manera que se aplique a mayor número de casos, y su finalidad principal sea el beneficio de las víctimas, antes y más que "de la comunidad", antes y más que "actividades de utilidad pública", del artículo 49. Hoy, cuando el Consejo de la Unión Europea, en su *Decisión marco*, de 15 de marzo de 2001, relativa al estatuto de la víctima en el proceso penal, proclama como prioritario el interés de las víctimas, parece oportuno que el delincuente trabaje en favor, ante todo, de las víctimas. Estos nuevos destinatarios implicarán notables ventajas. Por ejemplo, al consistir en tareas que pretenden tener atenciones reparadoras de los daños causados a personas concretas, nada o poco mermarán el mercado de trabajo, al que antes nos referíamos como obstáculo. Por otra parte, al no consistir en prestaciones económicas, podrán llevarse a cabo por muchos victimarios en situación de insolvencia —no sólo *de iure*—, que siempre podrán hacer algo personalmente en beneficio de sus víctimas, o de otras víctimas semejantes: ancianos, mujeres, niños…

En pocas palabras, pretendemos y esperamos transformar esencialmente los fines de la pena en general y, sobre todo, de esta pena concreta. La nueva sanción de trabajos para beneficio de la comunidad significa, tanto fuera como dentro de España, un notable avance en la teoría y praxis de la justicia penal. Rebasa las estructuras y denominaciones tradicionales. Más que privativa de derechos es resocializadora del delincuente *que y porque restaura los daños causados*. Actualmente, según el artículo 49, sus coordenadas destacan la utilidad pública y sus defensores pretenden principalmente que —mediante esta sanción alternativa— disminuya el número de las personas privadas de libertad. En un futuro inmediato, *de lege ferenda*, primará "la compensación del delito por el delincuente" (H.-H. JESCHECK, 1985, 40), la atención a las víctimas más que la disminución de la población privada de libertad, y dará preferencia a los trabajos, los quehaceres, las atenciones del victimario en beneficio de sus víctimas o de otras víctimas similares. La obligación de reparar el daño causado a las víctimas y de esforzarse por una reconciliación con ellas puede influir muy positivamente en la actitud social del condenado. Si se ha de ocupar personalmente del perjuicio causado se verá obligado a una confrontación interior con su comportamiento, que puede contribuir a una modificación de su deficiente orientación social. Esa experiencia de poder hacer algo socialmente constructivo y de remediar las consecuencias de una mala acción mediante buenas acciones, puede ayudarle, y mucho, a llevar en el futuro una vida conforme a la legalidad (ROXIN, 2001 a, 4 ss.).

6. *El misterio tremendo metarracional da sentido a la sanción reparadora*

"…ce qu'on apprend au milieu des fléaux, qu'il y a dans les hommes plus de choses à admirer que de choses à mépriser"

A. CAMUS, *La peste*, última página.

La sanción, en cuanto a su raíz y cúspide ético-espiritual, en cuanto a su profundo sentido y valor humano, es el gran tema ausente y desprestigiado en el discurso jurídicopenal, criminológico y victimológico del siglo XX. ¿Pensamos que existe algún fenómeno humano sin dimensión ético-espiritual? ¿Niega alguien el "misterio tremendo" al que se refieren K. POPPER y J. ECCLES, al final de su libro *El yo y su cerebro* (p. 632), cuando concluyen que "La ciencia tiene mucho éxito en su campo limitado de problemas; pero los grandes problemas, el *misterium tremendum* en la existencia de cuanto conocemos, eso no es explicable de ninguna manera científica...Vivimos con misterios que hemos de reconocer si queremos ser seres civilizados que nos enfrentamos a nuestra existencia"?

Después de haber leído algunos libros sobre cómo trabajan en las prisiones las personas que integran las capellanías de pastoral penitenciaria (A. COYLE, 10; P. LANDENNE; E. NEUMAN; J.L. PÉREZ GUADALUPE; J.A. SAMPEDRO) y después de acercarme a ellas durante muchos años, considero que esas mujeres y esos hombres atienden, entienden y conocen de verdad a los internos en una prisión, y viven la virtud de la esperanza y el misterio tremendo metarracional. Si leyesen nuestro epígrafe de CAMUS lo traducirían libremente así: "muchos delincuentes quieren causar daño y lo causan... pero, si se acercan al dolor de las víctimas, e intentan repararlo, aprenden que también pueden repararlo. Y lo repararán".

Voy a referirme ahora a un caso concreto que confirma mi creencia y manifiesta la posibilidad de lograr los efectos positivos que propugna la sanción que impone los trabajos en favor de las víctimas. Manifiesta, como decíamos antes, que estas nuevas ideas y propuestas *de lege ferenda* no son mera utopía, y que las convicciones y experiencias religiosas inyectan significado a las atenciones en servicio a las víctimas.

Transcribo el relato de una experiencia transcendente de solidaridad reparadora de un interno del Centro penitenciario alavés, en Nanclares de la Oca. Le escribe a una mujer que le visita como "voluntaria de y por convicciones religiosas", para que lo publique en los Cuadernos *Cristianisme i Justícia* de los jesuitas catalanes: "Hola, me llamo Antonio y soy de Santander, estoy cumpliendo una condena en Nanclares desde hace once años, o sea tratando de redimir los pecados" (interrumpo la cita para criticar esta equiparación de la justicia humana con la divina, y para exigir —como catedrático de Derecho penal— un signo diferencial entre lo teológico y lo jurídico que pueden avanzar unidos pero no confundidos) "de juventud, bueno, pues una vez más se me ofreció la posibilidad de realizar un Campo de Trabajo en la Residencia San Patricio de Vitoria, para acompañar y trabajar con las personas mayores que viven allí, a esto accedí en principio porque a nivel personal la relación que se entabla con los ancianos es enriquecedora y me hace darme cuenta de lo que son las cosas como la enfermedad, la soledad, el abandono, la inanición o la muerte, y también me reconforta al ver cómo ellos agradecen nuestras visitas y nuestro trabajo, pues al principio, cuando llegamos están como ausentes y tristes por la monotonía y la falta de calor en sus vidas, y en el transcurso de los días van, vamos, despertando, riendo, hablando, y agradeciendo que les dediques tu tiempo …, aprendes a dar sin esperar y con esto disfrutas. He aprendido una cosa importante, lo grande que es una sonrisa, es un lenguaje que todos los seres humanos entienden y es capaz de romper todos los muros y cárceles que crecen a nuestro alrededor. El ponerme a trabajar también me ha llevado a sentir agobio e inseguridad, pero los sentimientos que mueven el corazón lo pueden todo. Me siento yo también persona, algo imposible en los muros de la cárcel". (Cfr. Teresa PEÑA, 29 s.).

7. El olvido está lleno de memoria. A modo de conclusión

"Las voces de quienes han sido asesinados por motivos políticos, las de quienes han 'desaparecido' para siempre, y las de los familiares y amigos que lloran su ausencia, piden que los autores de los abusos comparezcan ante la justicia. Debemos atender esa demanda fundamental"
Pierre SANÉ, Secretario general de Amnistía Internacional, *Informe 2000*.

Para terminar rememoro las líneas con las que concluía mi ponencia en las Jornadas sobre "La víctima y sus derechos. Un objetivo para la Política criminal" en Las Palmas de Gran Canaria (6-9 junio 2000), que escribí influido por el libro de Mario BENEDETTI *El olvido está lleno de memoria*, y que me agrada recordar. Mi texto decía así: Hoy, lunes 5 de junio de 2000, cuando me dispongo a enviar la documentación por Fax a la Secretaría de las Jornadas, me inunda una profunda tristeza. Ayer al mediodía, los pistoleros de ETA han cometido otro delito terrorista, en Durango (Vizcaya). Han asesinado a Jesús Mª PEDROSA URQUIZA, de 57 años, concejal del Partido Popular. También lo han asesinado los encubridores (arts. 451-454 del Código penal de 1995. Cfr. A. VIVES ANTÓN, 280) y los cómplices de los autores directos, como los "verdugos voluntarios" de los años 30 en Alemania, según certera formulación del historiador del genocidio alemán, Daniel J. GOLDHAGEN —"éstos apuntan, los otros disparan"—, o, como reconoce el Código penal en su artículo 28… "También serán considerados autores: a) Los que inducen directamente a otro u otros a ejecutarlo. b) Los que cooperan a su ejecución con un acto sin el cual no se habría efectuado". Todas estas personas han causado una víctima directa, pero, además también han causado muchas víctimas indirectas: su esposa, sus dos hijas y miles de otras personas. Miles de ciudadanos y ciudadanas, totalmente inocentes (con y sin escolta), que en el País Vasco, y en el resto de España, desde hoy sufren más carencia de paz y de libertad para andar por la calle y para dormir en su casa, como lo manifiesta Cristina CUESTA en su libro *Contra el olvido. Testimonios de víctimas del terrorismo.*

Deseo añadir un comentario que bulle en mi interior, pero me faltan palabras. He de limitarme a recordar la afirmación del eximio jurista Enrique RUIZ VADILLO (1991, 579): "Quien da la vida para que otros vivan, o para que otros vivan con dignidad humana, realiza la Justicia con plenitud de significado porque al ideal de justicia ha sacrificado su propia existencia".

8. *Bibiliografía citada*

ALASTUEY DOBÓN, M.C. (2000): *La reparación a la víctima en el marco de las sanciones penales*, Tirant lo Blanch, Valencia.

ALASTUEY DOBÓN, M.C. (1998): en L. GRACIA MARTÍN, *Lecciones de consecuencias jurídicas del delito...*

ALVAZZI DEL FRATE, A. (1998): *Victims of Crime in the Developing World*, UNICRI, Publication nº 57, Roma.

AMNISTÍA INTERNACIONAL (2000): *Informe 2000*, editorial Amnistía Internacional, Madrid.

AMNISTÍA INTERNACIONAL (2001): "Un nuevo mandato para el sigo XXI", Revista bimestral para los países de habla hispana, nº 51, noviembre, 13 ss.

ASÚA BATARRITA, A. (1984): "El trabajo al servicio de la comunidad como alternativa a otras penas", *Estudios de Deusto*, XXXII/2, 305-333.

BASSIOUNI, Ch. (2000): "The Need for International Accountability and the Protection of Victims in the Context of International Humanitarian Law", en CENTRO NAZIONALE DI PREVENZIONE E DIFESA SOCIALE, *Contribution to the Tenth United Nations Congress on the Prevention of Crime and the Treatement of Offenders*, Roma, 17-53.

BENEDETTI, M. (1995): *El olvido está lleno de memoria*, ed. Visor, Madrid.

BERISTAIN, A. (2001): "Etwas Besseres als Informalisierung der Strafe. Die neue Hauptrolle der Opfer", *Ethik und Sozialwissenschaften*. Streitforum für Erwägungskultur, núm. 12, 88-90.

BERISTAIN, A. (2000): *Victimología. Nueve palabras clave. Principios básicos. Derechos Humanos. Terrorismo. Criminología. Religiones. Mujeres y Meno-*

res. *Mediación-Reparación. Derecho penal. Política criminal*, Tirant lo Blanch, Valencia.

BERISTAIN, A. (1999): *Nuevas soluciones victimológicas*, Centro de Estudios de Política Criminal, México.

BERISTAIN, A. (1999 a): "¿Derechos y deberes humano-fraternales en las prisiones? Desde el radicalismo étnico a la paz en el País Vasco", *La Ley*, Madrid, 1999, Volumen 5, Doctrina-213, 1743-1758.

BERISTAIN, A. (1998): *De los delitos y de las penas desde el País Vasco*, Dykinson, Madrid.

BERISTAIN, A. (1962): "Objetivación y finalismo en los accidentes de trafico", *Revista General de Legislación y Jurisprudencia*, 794-855.

BERISTAIN, A.; GIMÉNEZ PERICÁS, A. (1999 b): "Artículo 21.5", en *Comentarios al Código penal*, tomo II, Edersa, Madrid, 763-791.

CANCIO MELIÁ, M. (1998): "La exclusión de la tipicidad por la responsabilidad de la víctima. (Imputación a la víctima)", *Revista de Derecho penal y Criminología*, Universidad Nacional de Educación a Distancia, Madrid, Nº 2, 2ª época, julio, 49-99.

CEREZO MIR, J. (1996): *Curso de Derecho penal español. Parte general* tomo I, Introducción. 5ª edición, Tecnos, Madrid.

CEREZO MIR, J. (2000): "Prólogo", en M. C. ALASTUEY DOBÓN, *La reparación a la víctima en el marco de las sanciones penales*, Tirant lo Blanch, Valencia, 19-22.

CHRISTIE, N. (2001): "The Galows", en S. SCHEERER *et alii* (2001), 95-97.

CONDE PUMPIDO FERREIRO, C. (2000): en *Código penal. Doctrina y Jurisprudencia. Actualización*, Trivium, Madrid.

COYLE, A. (2001): "Restorative Justice in the Prison Setting". Ponencia en la "IV Conferencia de la Asociación Internacional de Capellanes de Prisiones", celebrada en Driebergen, Holanda, del 8 al 14 de mayo de 2001. Agradezco a Jaime GARCÍA NORIEGA, del Departamento de Pastoral Penitenciaria, en la diócesis de Vic, que me ha facilitado el texto.

COMMISSION OF THE EUROPEAN COMMUNITIES (2001): *Green Paper on Compensation to crime victims*, Bruselas, 28 de septiembre.

CONSEJO GENERAL DEL PODER JUDICIAL (1999): *Informe del Pleno sobre los aspectos relativos a la aplicación del nuevo Código Penal*, (Madrid, 12 de julio).

CONSEJO DE LA UNIÓN EUROPEA (2001): *Decisión marco relativa al estatuto de la víctima en el proceso penal*, del 15 de marzo, Bruselas.

DE LA CUESTA ARZAMENDI, J.L. *et alii* (1998): "The treatment of victims of crimes and offences in the Spanish system of justice", en E. FATTAH, T. PETERS (Comps.), *Support for crime victims in a comparative perspective*.

A collection of essays dedicated to the memory of Prof. Frederic McClintock, University Press, Leuven, 69-81.

DE LA CUESTA ARZAMENDI, J.L. (1985): "La sanción de trabajo en provecho de la comunidad", *La Ley*, 1194, 2, 1067-1075.

CUESTA, C. (2000): *Contra el olvido. Testimonios de víctimas del terrorismo*, Temas de hoy, Madrid.

EUSEBI, L. (1990): *La pena "In Crisi". Il recente dibattito sulla funzione della pena,* Morcelliana, Brescia.

FRANCIS, V. (2001): "Restorative Practices in Prison. A Review of the Literature. Paper one: Work with Victims" (febrero 2001).

GARCÍA DONCEL, M. (2001): *El diálogo Teología-ciencias hoy*: I. Perspectiva histórica y oportunidad actual, Ed. Cristianisme i Justícia, Barcelona.

GARCÍA MARTÍNEZ, J. (2000): *Sociología del hecho religioso en prisión*, Universidad Pontificia de Salamanca.

GIMÉNEZ-SALINAS I COLOMER, E. (1999): "La mediación y la reparación. Aproximación a un modelo", en D. RÖSSNER, E. GIMÉNEZ-SALINAS *et alii*, *La mediación penal*, Centre d'Estudis Jurídics i Formació Especialitzada, Generalitat de Catalunya, Barcelona, 15-30.

GIMÉNEZ-SALINAS I COLOMER, E. (1996): "La justicia reparadora", *Prevención, Quaderns d'estudis i documentació*, Barcelona-San Sebastián, núm. 12, 35 ss.

GRACIA MARTIN, L.; BOLDOVA, M.A.; ALASTUEY DOBÓN, M.C. (1996): *Las consecuencias jurídicas del delito en el Código penal español*, Tirant lo Blanch, Valencia.

HASSEMER, W.; MUÑOZ CONDE, F. (2001): *Introducción a la Criminología*, Tirant lo Blanch, Valencia.

HATALAK, O.; ALVAZZI DEL FRATE, A.; ZVEKIC, U. (Comps.) (1998): *The International Crime Victim Survey in Countries in Transition. National Reports*, UNICRI, Publication nº 62, Roma.

HERRERA MORENO, M. (1996): *La hora de la víctima. Compendio de Victimología*, Edersa, Madrid.

HOEGE, E. and BRIENEN, M. (2000): *Victims of Crime in 22 European Criminal Justice Systems*, Nimega, Wolf Legal Production.

JAKOBS, G. (2001): "Die ultima ratio der Personen", en SCHEERER, S. *et alii*, 107-109.

JESCHECK, H.-H. (1985): "Alternativas a la pena privativa de libertad en la moderna política criminal", *Estudios Penales y Criminológicos*, nº 8, Universidad de Santiago de Compostela, 14-42 (Traducción J.L. de la Cuesta).

JESCHECK, H.-H.; WEIGEND, T. (1996): *Lehrbuch des Strafrechts*, 5ª ed., Duncker & Humblot, Berlín.

KAISER, G. (1996): *Kriminologie. Ein Lehrbuch*, C. Müller, Heidelberg.

KUHN, T.S. (1962): *The Structure of Scientific Revolutions*, University of Chicago; traducción castellana: *La estructura de las revoluciones científicas*, Fondo de Cultura Económica, México, 1971.

LANDENNE, P. (1999): *Résister en prison. Patiences, passions, passages...*, Lumen Vitae, Bruselas.

LÓPEZ BARJA DE QUIROGA, J. (1999): "La tercera vía", en D. RÖSSNER, E. GIMÉNEZ-SALINAS *et alii, La mediación penal*, Centre d'Estudis Jurídics i Formació Especialitzada, Generalitat de Catalunya, Barcelona, 109-121.

MACE, A. (2000): "Restorative principles in the prison setting. A vision for the future", Londres, (Noviembre). (Comunicación personal).

MAINBERGER, G.K. (2000): "Karfreitag des christlichen Europa", *Orientierung*, Zürich, 257-262.

MANZANARES SAMANIEGO, ORDÓÑEZ SÁNCHEZ (1996): "La ejecución de las penas de trabajo en beneficio de la comunidad y el arresto de fin de semana: el Real Decreto 690/1996 de 26 de abril", *Actualidad penal*, nº 27, 485 ss.

MANZANARES SAMANIEGO, J.L. (1997): en Cándido CONDE-PUMPIDO FERREIRO, (Direcor) *Código penal. Doctrina y* Jurisprudencia, Tomo I, Madrid, Trivium, 1044-1053.

MATE, R. (1991): *La razón de los vencidos*, Anthropos, Barcelona, 1991.

MUÑOZ CONDE, F.; GARCÍA ARÁN, M. (2000): *Derecho Penal. Parte General*, 4ª ed., Tirant lo Blanch, Valencia.

NACIONES UNIDAS (2000): A/CONF.187/15/Rev. 1: *Décimo Congreso de las Naciones Unidas sobre prevención del delito y tratamiento del delincuente (Viena, 10 a 17 de abril de 2000)*, Informe preparado por la Secretaría, New York.

NEUMAN, E. (1995): *Victimología supranacional. El acoso a la soberanía*, Editorial Universidad, Buenos Aires.

PARLAMENTO EUROPEO (2000): Carmen CERDEIRA MORTERERO, Ponente del *Informe sobre Estatuto de la víctima en el proceso penal*, Estrasburgo.

PEÑA, M.T. (2000): "La experiencia de solidaridad con nuestros hermanos del cuarto mundo", en Cuadernos *Cristianisme i Justícia*, Nº 98, Barcelona, 29-30.

PÉREZ GUADALUPE, J.L. (2000): *La construcción social de la realidad carcelaria*, Pontificia Universidad Católica del Perú, Lima.

PETERS, T.; AERTSEN, I. (1998): "Mediation for reparation: the victim's perspective", en E. FATTAH, T. PETERS (Comps.), *Support for crime victims in a comparative perspective. A collection of essays dedicated to the memory of Prof. Frederic McClintock*, University Press, Leuven, 229-251 (248).

POPPER, K.R.; ECCLES, J.C. (1993): *El yo y su cerebro*, trad. C. Solís, 2ª ed., Labor, Barcelona.

ROMEO CASABONA, C.M. (ed.), y CARRASCOSA LÓPEZ, *et alii* (1997): *Dogmática penal, política criminal y criminología en evolución*, Centro de Estudios criminológicos, ed. Comares, La Laguna/Granada.

RÖSSNER, D. (2001): "Strafrecht als Schutzshild der Menschenrechte", en S. SCHEERER *et alii*, 112-115.

ROXIN, C. (2001): "Transformaciones de la teoría de los fines de la pena". (Comunicación personal).

ROXIN, C. (2001 a): "Pena y reparación", Méjico. (Comunicación personal).

RUIZ VADILLO, E. (1999): "El futuro inmediato del Derecho penal", en *"Estudios criminológico-victimológicos de Enrique Ruiz Vadillo", Eguzkilore*. Nº 13 extraord.

RUIZ VADILLO, E. (1991): "San Ignacio de Loyola. La presencia actual de su doctrina en la Justicia y en el Derecho", en J. CARO BAROJA y A. BERISTAIN, *Ignacio de Loyola Magister Artium en París, 1528-1535*, Kutxa, San Sebastián, 1991, 575-582)".

SAMPEDRO, J.A. (2000): "Reflexión sobre la posición de las víctimas del delito en el proceso penal", Revue Internationale de Droit Penal, nº 71, 3ème et 4ème trimestres, Eres, Toulouse.

SANZ MULAS, N. (2000): *Alternativas a la pena privativa de libertad. Análisis crítico y perspectivas de futuro en las realidades española y centroamericana*, Colex, Madrid.

SCHEERER, S. *et alii* (2001): "Kritik der strafenden Vernunft", *Ethik und Sozialwissenschaften. Streitforum für Erwägungskultur*, editorial Lucius, Lucius, Stuttgart, Jg. 12/2001, Heft 1, 69-144.

SCHEERER, S. (2001 a): "Protective, restaurative und transformative Alternativen zur Strafe", *Ethik und Sozialwissenschaften. Streitforum für Erwägungskultur*, editorial Lucius, Lucius, Stuttgart, Jg. 12/2001, Heft 1, 135-144.

SCHEERER, S. (2001 b): "Kriminologie und sozialer Ausschuss", *Kriminologisches Journal*, 33. Jahrgang/Heft 3, 161-165.

SCHLETTE, H.R. (2001): "Vom Opfer zur Gabe", *Orientierung*, 30 Abril, 93 95.

SOBRINO, J. (1999): *La fe en Jesucristo. Ensayo desde las víctimas*, Trotta, Madrid.

SUBIJANA ZUNZUNEGUI, I. (1999): "Los derechos de las víctimas: su plasmación en el proceso penal", *Revista del Poder Judicial*, Tercera época, núm. 54, segundo trimestre, 165-210.

URBANO CASTRILLO, E. (2001): "El alejamiento del agresor en los casos de violencia familiar", *La Ley*, 15 febrero, 1-14.

URRA PORTILLO, J. (1995): *Adolescentes en conflicto. Un enfoque psicojurídico*, Edic. Pirámide, Madrid.

URRA PORTILLO, J. (1995 a): *Menores, la transformación de la realidad. Ley Orgánica 4/1992*, edit. Siglo XXI de España, Madrid.

VALLDECABRES ORTIZ, I. (1996): en T.S. VIVES ANTÓN, *Comentarios al Código penal de 1995*, vol. I (arts. 1 a 233), Tirant lo Blanch, Valencia, 293-358.

VIVES ANTÓN, T.S. (Coord.) (1996): *Comentarios al Código penal de 1995*, vol. I (arts. 1 a 233), Tirant lo Blanch, Valencia.

III. LA NUEVA ÉTICA INDISPENSABLE EN LOS CREADORES DE LA NUEVA PAZ* (Aportaciones del devenir en la Justicia, la Criminología, la Victimología y la Eutonología)

DEDICATORIA:
A las víctimas directas, indirectas y anónimas del totalitarismo terrorista y de sus cómplices, en el País Vasco.

SUMARIO: 1.- Lo nuevo desde Heráclito: continuo devenir y progreso, con interrupciones. 2.- Tecnoética agápica, autónoma, rememorativa y victimal. 3.- Estamos capacitados y obligados a crear la paz, sin terrorismo, sin tantas diferencias económicas. 4.- Paz, fruto de la nueva justicia y política restaurativa. 5.- Nuevos derechos de las víctimas reconocidos en el proceso penal. Parlamento Europeo 2001. 6.- Conclusiones discutibles. 7.- Bibliografía.

1. Lo nuevo desde Heráclito: continuo devenir y progreso, con interrupciones

"Quien no se preocupa de los problemas de la vida y de la muerte no pasa de ser un cuadrumano con pretensiones".

S. RAMÓN Y CAJAL, *Charlas de café*, IV.

Durante muchos siglos una parte de la cultura occidental ha aupado el "creacionismo" por encima del "darwinismo", la cosmovisión estática

---

* Estas páginas reproducen algunos puntos de mi exposición oral en el Seminario organizado por la Pontificia Universidad Javeriana, sobre "Etica, Reconocimiento y Justicia: Los Derechos de las víctimas y la Construcción de la paz en Colombia" (Santafé de Bogotá, 21 mayo 2001), con oportunas correcciones de estilo y referencias bibliográficas. Cfr. *Cuadernos de Política Criminal*, núm. 79, 2003, pp. 29-45.

de PARMÉNIDES por encima de la dinámica de HERÁCLITO. Pero, actualmente el rápido desarrollo de la tecnología y de las ciencias, así como las hondas transformaciones sociales, están patentizando, cada día más, la necesidad de admitir y tener en cuenta que todo fluye, *panta rei*, como proclamó HERÁCLITO. Los descubrimientos de los "árboles filogenéticos" de la materia y/o de los minerales nos prueban con sólidos argumentos que el mundo desde el comienzo de su existencia, desde el primer *big-bang*, evoluciona en progresión, aunque con interrupciones lamentables. Por eso debemos mirar al futuro con esperanza, conscientes de que la macrovictimación actual pasará, arrastrada por la corriente que avanza y se perfecciona. Nuestro optimismo no se apoya en *Un mundo feliz* de Aldous Leonard HUXLEY sino en los datos objetivos de la evolución progresista, que patentizan los especialistas como MACARULLA (pp. 54 ss. y figura 1), ROJAS MARCOS (pp. 216 ss.), etcétera. Afirmamos con inexorable convicción científica que la energía del bien supera a la del mal. Si el hombre fuera lobo para el hombre, como escribió HOBBES, *homo homini lupus*, hace muchos años habría desaparecido la humanidad. Nos hubiéramos comido unos a otros.

Sin embargo, gran parte de la ciudadanía e incluso de la intelectualidad

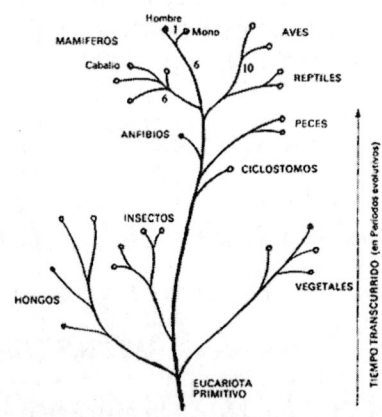

FIGURA 1
ÁRBOL FILOGENÉTICO CORRESPONDIENTE AL
CITROCROMO C DE MUCHAS ESPECIES DIFERENTES

(y de la iglesia cristiana) se resiste a caer en la cuenta de esta imparable evolución radical de las coordenadas sociales, culturales e incluso de los valores éticos, sin olvidar los jurídicos, políticos y económicos. Lógicamente, conviene investigar sobre la ética, el conocimiento y la justicia como realidades nuevas, frontalmente distintas de las que comentan los tratados políticos y gubernamentales o los libros universitarios y los documentos de las instituciones religiosas.

La aceleración de la evolución —y, mejor dicho, del progreso— durante el siglo XX ha sido exponencial en múltiples campos. Se ha pasado de la sociedad agraria a la urbana, y de ésta a la saturada de sofisticadas herramientas humanas. Este avance ha producido también cambios en la cosmovisión. Por eso hoy se considera que todo es mejorable, y nada para siempre (¿ni el matrimonio?). Hoy domina la mentalidad del cambio, de la provisionalidad... Ha cambiado el espacio (las distancias son menores) y el tiempo. Debemos adaptarnos a nuevas situaciones mucho más rápidamente. Los jóvenes que disponen de nuevos conocimientos y técnicas se consideran superiores a los mayores, cosa antes inconcebible pues la autoridad correspondía al hombre con experiencia (J. CARRERA, pp. 52 ss.).

Merece la pena conocer el resumen gráfico de L. MARGULIS, R. GUPTA y H. MOROWITZ, autorizados biólogos evolutivos, en el que manifiestan su teoría, sólidamente argumentada, en un campo clave de la evolución ("El País", Madrid, 14 marzo, 2001).

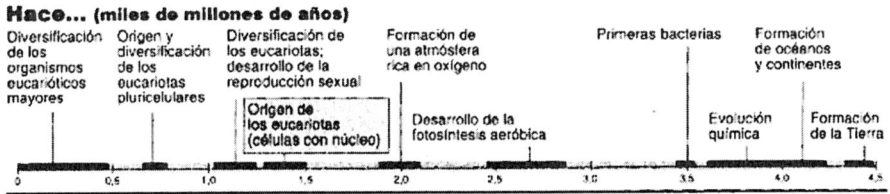

Por la ignorancia de muchas personas acerca del constante (desde hace miles de millones de años) y profundo devenir, corremos el peligro de intentar dialogar y discutir con ellas y con sus instituciones que manejan discursos que hace decenios perdieron toda o casi toda su vigencia. Personas e instituciones que intentan bañarse dos veces en el mismo río. Ignoran que los ríos de ayer ya no existen, los de hoy son otros nuevos. Ignoran que la paz de ayer ya no existe, la de hoy es otra nueva; debemos transformarla. Que la religión de ayer ya no existe, la de hoy es otra nueva. La política de ayer ya no existe, la de hoy es otra nueva. La ética estática de ayer ya no existe, hoy es nueva, mejor dicho nosotros tenemos la noble misión de transformarla, recrearla. Debemos y podemos crear una ética nueva, dinámica... tecnoética, rememorativa de las víctimas, creadora de la paz.

En pocas palabras, frente a las muchas personas e instituciones que continúan manejando cosmovisiones y herramientas tradicionales de ética, conocimiento, justicia y paz, nosotros estamos obligados a crear nuevas cosmovisiones y nuevas herramientas forjadoras de la nueva justicia restaurativa, y la nueva paz, sin terrorismo, sin neoliberalismo, que en Colombia y en el mundo entero hambreamos urgentemente.

Acertó RILKE en su primera Elegía de Duino cuando cantó el carácter dialéctico del pensar y del ser humano: "Para nosotros, en cambio, allí donde pensamos en/Una cosa, del todo/se siente ya el despliegue de lo otro... para el dibujo de un momento,/se prepara un fondo de contraste".

2. *Tecnoética agápica, autónoma, rememorativa y victimal*

"Única manera de equivocarse: hacer sufrir a los otros"
Albert CAMUS, *El hombre rebelde*

El hombre, el *zoon politikon*, el animal político, —a diferencia de los demás primates— no está predeterminado genéticamente a dar respuestas concretas ante cada paso que avanza en su vida cotidiana. La especie humana está pergeñada con una carencia de programación, con una estructura inconclusa de las tendencias o "ferencias" que la posibilita a tener preferencias, o la condena a elegir preferencias en cada momento de su cotidianidad, en todos sus actos humanos, que no sean meros actos del hombre. La ciencia y arte que estudia este nuestro estar condenados a ser libres y a elegir entre comportamiento humano o animal, feliz o desgraciado, se llama ÉTICA. De ella deseamos comentar ahora su definición, su novedad, su necesidad, sus límites, así como sus relaciones con las ciencias y técnicas (sin olvidar la Victimología) que nos capacitan para fomentar una justicia restaurativa creadora de la paz sin terrorismo.

Podemos definir la ética, en general, como la ciencia que estudia sistemáticamente el conjunto de las conductas y normas sociales, las convicciones, los valores y los comportamientos humanos, acerca del bien y del mal de las personas. Con frecuencia se equipara y se confunde la ética con la moral. ARANGUREN las distingue acertadamente según sus antecedentes helénicos. Con otras palabras, consideramos la ética, en general, como la parte de la filosofía que reflexiona sobre la moral y las obligaciones de la persona y de las instituciones sociales. Su objeto es el carácter de bondad o de malicia de las acciones humanas según la relación que guardan con el deber. Brevemente, la ética nos ilumina y resuelve los problemas de la moral. Y a ésta la definimos —dentro de un cristianismo sapiencial y del *homo, sacra res*— como el arte de vivir y ser felices y hacer felices a los demás, a la luz del Sermón del Monte (evangelio de San Mateo, cap. 5) y de la "última cena" de Jesús con sus discípulos, cuando proclamó su deseo de gozo pleno para todos, *"ut gaudium vestrum sit plenum"*, que repetirá el Concilio Vaticano II, en la *Gaudium et Spes*, Gozo y esperanza, como clave del mensaje bíblico.

Con orientación parecida desarrolla Fernando SAVATER, en su libro *Ética para Amador*, y describe, con profundidad científica y con inteligente humor, las líneas básicas de la ética. Merecen comentarse, al menos, dos aspectos: la justicia y el amor. En la página 140 exige que el comportamiento éticamente bueno necesita ajustarse a la *justicia*. Habla del primero de los derechos humanos, el derecho a no ser fotocopia de nuestros vecinos, a ser más o menos *raros*, y, con Bernard SHAW, nos pide: "no siempre hagas a los demás lo que deseas para ti. Ellos pueden tener gustos diferentes". Además, el filósofo donostiarra añade que, para entender del todo lo que los otros pueden esperar de nosotros, no basta con que cumplamos la justicia; no hay más remedio que *amarle* un poco porque también es humano el amar... Ese pequeño pero importantísimo amor ninguna ley instituida puede imponerlo. Quien desea vivir éticamente bien debe ser capaz de una justicia empática o de una compasión justa. En el mismo sentido, si recordamos a CAMUS, afirmamos que la mejor manera de ser ético es hacer felices a los otros, especialmente a las víctimas. También RUIZ VADILLO insiste en esta dimensión agápica de la ética y la justicia. La que Henri LABORIT denomina eutonológica.

Para iluminar los temas y los problemas que nos preocupan en este artículo, nos interesa comentar un par de facetas de la ética "nueva": su autonomía, su mayoría de edad, es decir, su relación con las ciencias sin sumisión a los paradigmas religiosos, y su dimensión victimológica.

La autonomía postula que los especializados en ética no permanezcan sometidos a los dogmas eclesiales, pues hoy los saberes teológicos no les bastan, e incluso les pueden obstaculizar, en algunos supuestos. Nadie niega que, desde las religiones se ha organizado y se organiza una fuerte resistencia a la tecnociencia, como consecuencia del tradicional conflicto entre religión —con su carga simbólica— por una parte, y las ciencias por otra. Nadie se extraña de la hostilidad o desconfianza de las teologías con respecto a las tecnociencias (G. HOTTOIS, pp. 174 s.). Por esta deseada autonomía, la tecnoética necesita relacionarse fuertemente con todas las ciencias, incluso las ciencias "duras". Sin olvidar la economía y, sobre todo, las nuevas técnicas, en el sentido amplio del vocablo (BONE, pp. 116 ss., LADRIERE, pp. 76 ss.). Por eso hablamos de tecnoética y de ética civil.

Las reflexiones de las religiones con sus éticas correspondientes resultan sin duda imprescindibles a la ética mundial (Hans KÜNG, pp. 111 ss.), pero también resultan insuficientes. A esa cultura tradicional han de añadir, los éticos (como ha escrito Paul RICOEUR, refiriéndose a los filósofos en general), el conocimiento y el cultivo de las aportaciones, las dudas y las afirmaciones de todas las ciencias. Por ejemplo, la existencia de un sistema judicial eficiente que constituye una precondición indispensable para el pacífico desenvolvimiento de toda actividad económica y política (J. J. TOHARIA, p. 31 s., y T. MUÑOZ ROJAS, pp. 2 s.). También las últimas investigaciones, metodologías y herramientas técnicas, como las que se están llevando a cabo en el campo de la ingeniería genética y de la utilización de células madre que revoluciona la neurobiología, etcétera.

Además, llegamos ahora a la segunda faceta antes anunciada, la victimal, todo especialista de ética tiene que conocer también otra novedad en el devenir de su ciencia y praxis, quizás la más importante e incluyente de todas las demás: la tecnoética *victimológica*. Por desgracia, los cultivadores tradicionales de la ética, del derecho penal y la criminología, han olvidado a las personas que deben ser sus protagonistas: las víctimas. Ellos, durante siglos, han desatendido "la razón de los vencidos", como argumenta M. Reyes MATE. La tecnoética del tercer milenio, después de Auschwitz, debe ser rememorativa y construirse —transformarse— sobre las cenizas del Holocausto nazi y de otros holocaustos.

3. *Estamos capacitados y obligados a crear la paz, sin terrorismo, sin tantas diferencias económicas*

"Corresponde a los poderes públicos promover las condiciones para que la libertad y la igualdad del individuo y de los grupos en que se integra sean reales y efectivas;

remover los obstáculos que impidan o dificulten su plenitud y facilitar la participación de todos los ciudadanos en la vida política, económica, cultural y social".

Constitución española de 1978, artículo 9º. 2.

Quienes vemos a través de la pupila de la evolución, constatamos que debemos y *podemos* crear la paz nueva cada día. Como ha escrito E. RUIZ VADILLO, "el Derecho busca incansablemente la armonía social, es decir la paz". Podemos lograr que desaparezcan los enemigos mortales de la paz: la desigualdad económica, el totalitarismo y el terrorismo. Las hodiernas aportaciones de la Ética, el Derecho y la Justicia nos brindan instrumentos para lograr una paz básica, como se entiende en los países actuales democráticos herederos de la cultura helénica, romana y medieval. Hoy debemos superar la paz de Atenas, que se encuentra vinculada a la compensación de derechos y a la legislación —justicia del bienestar social dentro de la ciudad— y está íntimamente unida a la acción de los dioses, quienes al fin y al cabo regalan y aseguran toda bonanza material al respecto. Todavía más, está en nuestra mano superar la paz de los romanos, con sus esclavos, sus ejércitos (si quieres la paz, prepara la guerra) y su regulación jurídica que canta VIRGILIO en la Eneida: "Tú, romano, pacificas los pueblos con tus leyes". También nos compete rebasar la paz del medievo, de los teólogos salmantinos con su guerra justa. Sí, podemos crear la paz que actualmente disfrutan los países democráticos, sin grandes diferencias económicas, sin terrorismo, sin totalitarismo, como postula la UNESCO, en sus documentos y en su "Proyecto de la Declaración de Oslo sobre el Derecho del hombre a la paz". (A. BERISTAIN, 1999, pp. 29 ss.).

Hemos de crear la paz porque es condición indispensable para el logro del bien común nacional e internacional. Y podemos crearla porque la antropología moderna confirma con creces la evolución innovadora heracliana. Y porque la paz que esperamos no es algo utópico, sino realmente posible, como la que ahora han conseguido tantos países. Se basa en una ética y antropología dinámica y creativa: el *homo creator*. Exige que la justicia, la equidad y la igualdad dominen las relaciones entre los ciudadanos y entre las instituciones nacionales, regionales, municipales y familiares. (De las relaciones internacionales no tratamos ahora, por limitación de espacio. Empecemos por "barrer nuestra casa" en la que todavía encontramos personas —desplazados, inmigrantes— en situación de pobreza extrema, semejante casi a la esclavitud). Prestemos más atención a la educación desde la infancia, con miras a cultivar el respeto y desarrollo de los derechos humanos de la primera, la segunda y la tercera generación. Recordemos la exigencia inexorable de la igualdad y el desarrollo económico de los individuos y los sectores menos favorecidos. Ello implica la obligatoriedad de que las personas y los grupos privilegiados se desprendan —nos desprendamos— de las riquezas desorbitadas. Urge lograr una clase media mucho más amplia. El principio de la solidaridad humana obliga a los estratos dominantes de nuestra sociedad a desprenderse de sus privilegios. A preocuparse —fraternalmente— de las necesidades ajenas, individuales o colectivas o estructurales. Y renovarlas en igualdad, aunque conlleve sacrificios dolorosos.

No olvidemos que el destino social de los bienes de la tierra es para el uso igual de todos los hombres y mujeres, según las normas de la justicia y de la caridad. La caridad entre todos los conciudadanos exige que se cumpla la norma elemental de comportarse fraternalmente todos los seres humanos (*Declaración de Derechos Humanos*, art. 1º). Exige evitar las desigualdades. Merece recordarse la norma antes indicada de SAVATER. La justicia es necesaria, pero no basta, tenemos que añadir algo de amor a todos los ciudadanos, aunque no sean buenos, ni perfectos. En el mismo sentido se manifiesta RUIZ VADILLO en su discurso de ingreso en la Real Academia de Jurisprudencia y Legislación (pp. 116, 247, 250).

En el tercer milenio, cada día es mayor el número de especialistas que, como C. PERELMAN (pp. 30, 108) y H. HENRION, consideran indispensable concebir la justicia integrada en, e integrante de, la noción de igualdad: "*à chacun la même chose*", a cada uno la misma cosa (H. HENRION, p. 29).

4. *Paz, fruto de la nueva justicia y política restaurativa*

"Los pobres son débiles, frágiles y victimizados porque carecen de capacidad de autoprotección, pero también porque quienes tenemos capacidad para protegerlos no lo hacemos. Quizás no vemos en ellos personas como nosotros, creadas por las mismas manos"

M. Cherif BASSIOUNI, De Paul University, Chicago.

Recordemos que todas las realidades fluyen y, por lo tanto, son —más o menos— reversibles y, lógicamente, restaurables. Especialmente las realidades axiológicas y energéticas, como la paz. El significado de la "buena convivencia", de los valores y de las conductas humanas deriva o emerge de la interacción simbólica que cada cual mantiene con los circunstantes y con las circunstancias. El significado no acaba en lo material y objetivo, sino que pertenece a su estructura fenoménica. Ni la psicología ni la sociología moderna consideran el significado como agotado en la "cosa permanente", sino como resultante de un proceso, de un interaccionismo simbólico, en continua evolución. También aquí hemos de recordar el aforismo de HERÁCLITO, aunque lo niegue PARMÉNIDES.

Esta evolución exponencial postmoderna de la realidad y del significado, de la *physis* y del *logos*, ha invadido también —afortunadamente— el campo de la justicia. Ha arrinconado la justicia expiatoria y vindicativa. Ha generado grandes cambios en toda la vida pública. Ha creado la nueva justicia restaurativa, verdaderamente innovadora. Su centro deja de ser el crimen-castigo del Derecho penal clásico de CARRARA, y/o el delincuente-resocialización de la criminología de LOMBROSO, FERRI y GARÓFALO. Hoy su centro no se ubica en Caín sino en Abel, en la reparación total de los daños causados a las víctimas directas e indirectas. Si culturas pasadas proclamaban que la paz era fruto de la justicia vindicativa y de la punitiva, con mucha mayor razón puede y debe afirmarse hoy que la justicia restaurativa trae en sus brazos la paz. Ésta nunca acompaña a la impunidad.

Dicho desde otra perspectiva, la justicia rememorativa y victimal crea una paz peculiar, dinámica. Mira al pasado, al recuerdo, no para castigar sino para cicatrizar las heridas, darles nuevo significado, fortalecerlas —paradójicamente— desde su debilidad, su victimación. Como proclama la biblia, *virtus in infirmitate perficitur*, la fortaleza se robustece en la debilidad, en la enfermedad. Iluminados por RILKE, vemos que de las cenizas de los asesinados brotan llamas vivas, pebeteros ígneos.

La justicia restaurativa tan extendida ya en todo el planeta (E. GIMÉNEZ-SALINAS; T. PETERS) puede cumplir una tarea muy eficaz en el campo policial, judicial y penitenciario, pero también, como indican BENZVY MILLER y SCHACTER (pp. 408 ss.) en el ámbito de la política gubernamental superadora del terrorismo. La Criminología, con su innovación radical metodológica, con su paradigma inductivo (que supera el deductivo del Derecho penal), nos prueba que ayer la sanción penal era venganza, pero hoy no. Ayer era el mal que se infiere al delincuente por el mal que él causó al ofendido: *Malum passionis propter malum actionis*, en formulación de GROCIO (*De Jure belli*, Lib. II, cap. XX, & 1, 1). Hoy, en cambio, es restauración, armonía de derechos y deberes, es configuración de la paz (A. BERISTAIN, 2001).

5. Nuevos derechos de las víctimas reconocidos en el proceso penal. Parlamento Europeo 2001

El 24 de noviembre de 2000, la Comisión de Libertades y Derechos de los Ciudadanos, Justicia y Asuntos Interiores, del Parlamento Europeo, presentó un *Informe* para la adopción de una "Decisión marco" que regule un innovador ESTATUTO DE LAS VÍCTIMAS EN EL PROCESO PENAL, que deberá aplicarse también en España. Este documento se puede comparar a una pirámide egipcia, triangular: la cara norte formula las coordenadas de una justicia penal no vindicativa, radicalmente humanista, restaurativa; otra cara pide que, urgentemente, se reconozcan a las víctimas sus derechos (hasta ahora desconocidos) durante y después del proceso penal; y la tercera impone a los Estados miembro varios deberes en favor de esas víctimas, que esperamos se transformen en las protagonistas del proceso, de la sanción y de todo el Derecho. Este Estatuto muchos juristas, criminólogos y sociólogos lo equiparan en importancia al *Corpus iuris*, compilado por Mireille DELMAS MARTY (Paris, 1997), e incluso a la Convención de los Derechos del Niño, de las Naciones Unidas. También al *Informe*, de 2001, del Comisario GIL ROBLES, sobre la situación del País Vasco, aprobado por unanimidad en el Consejo de Ministros del Consejo de Europa, en el que están representados 43 Estados. Sin duda, este Estatuto tendrá notable influencia en muchas leyes nacionales e internacionales. Por ejemplo, obligará a mejorar algunos artículos de la pionera Ley Orgánica española 5/2000, reguladora de la responsabilidad penal de los menores, pues nuestra ley coloca como interés superior los derechos del niño infractor. En cambio, esta *Decisión marco* concede rango mayor al interés superior de las víctimas. Actualmente en España si un joven de 17 años viola a una joven de su misma edad, en supuestos de duda, se beneficia al infractor, porque rige el axioma *in dubio pro reo*. Pero la Decisión Europea exige que los Tribunales apliquen el principio opuesto *in dubio pro victima*.

La ponente de la Comisión, Carmen CERDEIRA MORTERERO proclama que el Estatuto se apoya en sólidos argumentos jurídicos y previos documentos internacionales. Sobre todo las conclusiones del Consejo Europeo de Tampere, de octubre de 1999, con sus apartados 5, 10, 31 y 38. Si somos conscientes de que millones de personas en todo el mundo sufren daños como consecuencia de la delincuencia, organizada o no, en particular del terrorismo, la trata de seres humanos y los delitos contra los niños, lógicamente comprenderemos que los derechos de estas víctimas deben ser objeto de un reconocimiento legislativo más eficaz y más justo que los actuales, tanto en los Estados miembro como desde la Unión Europea. El Estatuto pretende cubrir lagunas trágicas en el ámbito de la justicia, la ética, la solidaridad y la paz. Desea se mejore sustancialmente la situación de las víctimas, incluidas expresamente las del terrorismo, pues la Comisión considera textualmente que "el terrorismo genera una categoría especial de víctimas, cuya situación no constituye un asunto de índole privado".

El texto oficial que manejo dedica 53 páginas al *Informe* de la Comisión, seguidas del proyecto de la *Decisión marco:* 17 artículos precedidos del *Considerando.* Hoy y aquí interesa destacar tres campos de ese articulado: su concepto amplio de las víctimas, los principales derechos que les reconoce, y algunos deberes que impone a los Estados miembro. Aunque el Informe con frecuencia habla de "la víctima" en singular, sin embargo, el artículo 1 explica que, además de la persona directamente afectada, dentro del concepto de víctimas debe incluirse también a otras personas, como los parientes cercanos, viudos o viudas y huérfanos. Y pide que esta pluralidad se mantenga al formular la definición de víctimas, así como al adoptar medidas dirigidas a facilitarles todas las ayudas materiales y no materiales necesarias. Por desgracia, esta noción fundamental para la teoría y praxis victimológica no ha encontrado todavía el debido reconocimiento en muchos países. Con frecuencia la doctrina, la legislación y la jurisprudencia continúan hablando de "la víctima", en singular. Quizás la confunden inconscientemente con el perjudicado, el sujeto pasivo del delito, propio de la dogmática penal; pero no de la Victimología. Ésta, como indica el Ministro de Justicia holandés, tan preocupado por todo lo cristiano, Hans BOUTELLIER (pp. 62 ss.), ha puesto en marcha un proceso de "victimalization of morality" que patentiza la transformación de las piedras sillares del Derecho penal, la Moral e incluso la Teología.

El legislador parlamentario conoce que los especialistas exigen facilitar a las víctimas medios eficaces para que, ya desde el comienzo del proceso, sepan cómo se desarrolla éste y puedan tomar parte en él. Además, la Comisión, consciente de que el proyecto abarca un espacio geográfico tan amplio, pide que se concedan ayudas extraordinarias a las víctimas para superar las dificultades de traslados a otros países, problemas lingüísticos, etc. Pide también que se reconozca su derecho a recibir información para el correcto desarrollo del proceso ya desde el primer contacto con la policía, e incluso con posterioridad a la sentencia. Reclama que se asegure a las víctimas la asistencia de letrado y el asesoramiento jurídico gratuito. Particular mención merece el artículo 8 cuando propugna tomar las medidas indispensables para la protección íntegra a las víctimas, y en particular la relativa a su intimidad e imagen. También, al reconocer su derecho a prestar declaración en privado o mediante videoconferencia, grabación en vídeo u otro medio adecuado, cuando fuere necesario, sin perjuicio de lo dispuesto en el básico artículo 6 del *Convenio Europeo para la Protección de los Derechos Humanos y de las Libertades Fundamentales*. Dos avances dignos de mención brindan los artículos 9 y 10 al proclamar que la indemnización deberá estipularse en el Derecho penal correspondiente, prestando especial atención a la sensibilización del condenado respecto a las consecuencias de su acto en la vida de las víctimas. Y al permitir nuevas instituciones procesales que solucionen algunos litigios por vía de *mediación*, con el beneplácito de las víctimas.

Varios artículos (9-14) estipulan amplias obligaciones de los Estados miembro respecto a garantizar que las víctimas residentes en otro Estado participen en el proceso, de manera que afecte lo menos posible al desarrollo normal del mismo. También, desean la creación y mejora de redes de cooperación, servicios especializados y organismos de apoyo, formación profesional de personas que intervienen en el proceso y que están en contacto con las víctimas, condiciones prácticas relativas a la atención de las que residen en otros Estados miembro, ya se trate de las existentes en el sistema judicial, ya de las basadas en organizaciones privadas.

A pesar del necesario laconismo en la formulación del articulado, se introducen algunos detalles de rico humanismo, por ejemplo cuando se expresa la importancia de la "acogida correcta, sobre todo en un primer momento... condiciones en el local de espera", etcétera. No menos merece subrayarse que el artículo 3 exige, en concreto, aplicar medidas adecuadas a las víctimas que sean especialmente vulnerables por razón de su edad, sexo u otra circunstancia. Este precepto subsana la negligencia de muchos juristas que todavía en 2002 no hemos caído en la cuenta de nuestra multisecular carencia de la debida sensibilidad respecto a las mujeres y los niños.

6. *Conclusiones discutibles*

1.- En contra de PARMÉNIDES, con HERÁCLITO (y en cierto sentido con T. de CHARDIN, S. J.) miramos *esperanzados* al futuro porque creemos que nadie puede bañarse dos veces en el mismo río, que todo fluye, todo cambia y generalmente prospera. También la Ética, la Justicia, la Paz y, lógicamente, los Derechos Humanos de las Víctimas.

2.- En contra de la tesis de HOBBES, con ROJAS MARCOS y otros especialistas, constatamos que el hombre generalmente no es lobo para el hombre sino colaborador solidario del continuo e imparable —aunque no constante— crecimiento y progreso humano. Según las estadísticas cada año hay más pobreza, se cometen más estafas, violaciones y asesinatos, pero sin embargo, paradójicamente, las personas buscan y logran, cada día más, ser felices y hacer felices a los demás.

3.- La nueva Ética del tercer milenio, como ciencia y práctica del bien y del mal, debe iluminar a los ciudadanos cuál es el camino para respetar y desarrollar los derechos humanos de la primera, la segunda y la tercera generación. Su respeto y desarrollo aboca a la creación de la paz y a la experiencia de la satisfacción y alegría personal y comunitaria.

4.- La nueva Ética nos enseña dónde se halla el límite integrador entre la necesaria resistencia, oposición, contra la injusticia, y la igualmente necesaria resignación, sumisión (no arrancar la cizaña), ante el mal inminente e imparable. La nueva tecnoética gira alrededor de dos polos: don Quijote y Sancho Panza. Es decir, resistencia y sumisión. Don Quijote simboliza la prosecución de la resistencia hasta el absurdo, incluso hasta la locura. Sancho Panza representa el acomodamiento satisfecho y astuto a una situación de extorsión injusta. Enseguida encuentra la disculpa y el descargo de un estado de necesidad justificante. Él paga el dinero que le piden los terroristas... pero no se arruina (D. BONHÖFFER, p. 158).

5.- La paz justa ha de ser también compasiva. Contra la doctrina de Hugo GROCIO y los penalistas del *just desert*, de la justicia penal retributiva y expiacionista, nosotros con SAVATER y RUIZ VADILLO proclamamos que la justicia necesita ir acompañada de la equidad (Código civil español, art. 3.1), de una dosis pequeña pero indispensable de amor. Dicho desde la otra orilla, la compasión ha de ser justa.

6.- Compete a las Universidades investigar y renovar, sin cesar, el conocimiento y el fomento de los preferenciales derechos de las víctimas a una reparación rápida y completa que contribuye eficazmente a la construcción de la paz. *"In dubio pro victima"*. Lógicamente, la legislación nacional e internacional coincide en aprobar la dispersión de los presos de ETA, en España. Carecen de fundamento las protestas en contra (cfr. artículo 57 del actual Código penal español. A. BERISTAIN, 1997).

7.- A los medios de comunicación compete informar y formar a los ciudadanos. Han de convencer a éstos de que la energía de la justicia es mayor y supera a la energía de la criminalidad. Han de evidenciar a las víctimas que ellas siempre logran la victoria, aun cuando aparecen como vencidas. ANTÍGONA triunfa sobre el victimario CREONTE. También GANDHI, Maximiliam KOLBE, Alfred DELP, S.J., Dietrich BONHÖFFER, los seis millones del Holocausto, etcétera.

8.- En la actualidad, especialmente a partir de la firma del Convenio para la Constitución del Tribunal Penal Internacional (Roma, 18 julio 1998), la doctrina, legislación y jurisprudencia nacional e internacional insiste en la necesidad de imponer sanciones penales a los victimarios autores de delitos de terrorismo y/o genocidio. (Cfr. la condena a privación de libertad durante más de doce años a dos religiosas católicas de Ruanda, en el mes de junio de 2001). Ningún asesinato admite justificación. Tampoco puede calificarse como delito "político", o "de conciencia", en terminología de Amnistía Internacional.

9.- Si es cierto que 300.000 niños y niñas están enrolados en grupos armados en diversos países (6.000 niños entre los 9 y los 17 años, en Colombia, según *El Mundo-País Vasco*, 10 abril 2001), debemos comprometernos en campañas eficaces que extirpen este cáncer y sus metástasis-cómplices. Urge que frenemos y reduzcamos el neoliberalismo capitalista. Para lograrlo, la Ética, como la Filosofía y la Criminología, exigen complementarse e integrarse con investigaciones científicas y técnicas de aplicación inmediata. Preferencialmente en la Economía nacional e internacional.

10.- Mensaje a las víctimas directas e indirectas de la actual victimación: Es posible que a muchas víctimas indirectas les inquiete la duda que le inquietaba a Dietrich BONHÖFFER, p. 98: saber si realmente era la causa de Cristo la que le había motivado y le motivaba a tomar las decisiones y opciones fundamentales que le habían conducido a sufrir a él y también les hacían sufrir aflicciones a sus familiares y amigos. Pronto superó la tentación y adquirió la certeza de que su misión —el significado de su vivir y morir— consistía precisamente en provocar y soportar esas situaciones extremas, con toda su problemática. Se alegraba de ello, sin cesar, recordando la carta 1ª de san Pedro, cap. 2, 20, cap. 3, 14, "...Si hacéis lo bueno y además soportáis el sufrimiento, esto ciertamente es aprobado delante de Dios". "También si alguna cosa padecéis por causa de la justicia, bienaventurados sois. Por tanto, no os amedrentéis por temor de ellos, ni os conturbéis".

7. Bibliografía

AMBOS, Kai (1999): *Impunidad y Derecho Penal Internacional*, 2ª ed. actualizada y revisada, editorial Ad-Hoc, Buenos Aires.

ARANGUREN, José Luis L. (1983): *Ética*, 3ª edic., Alianza Editorial, Madrid.

ARENDT, Hannah (1996): *La condición humana*, Paidós, Barcelona.

BENZVY MILLER, S. y SCHACTER, M. (2000): "From restorative justice to restorative governance", *Canadian Journal of Criminology*, July, pp. 405-420.

BERISTAIN, Antonio (2001): "Etwas Besseres als Informalisierung der Strafe. Die neue Hauptrolle der Opfer", *Ethik und Sozialwissenschaften*. Streitforum für Erwägungskultur, Stuttgart-Paderborn, Jg. 12/2001, Heft 1, pp. 88-90.

BERISTAIN, Antonio (2000): "La eutanasia como excepción. Desde la bioética, la biomedicina y el bioderecho", *Claves de razón práctica*, mayo, Nº. 102, Madrid, pp. 27-36.

BERISTAIN, Antonio (2000): *Victimología. Nueve palabras clave*, Tirant lo Blanch, Valencia.

BERISTAIN, Antonio (1999): "Hoy y mañana de la Política criminal protectora y promotora de los valores humanos. La paz desde la Victimología", en *Política criminal comparada, hoy y mañana*, Cuadernos de Derecho Judicial. T. IX, Consejo General del Poder Judicial, Madrid, pp. 9-85.

BERISTAIN, Antonio (1997): "El Código penal de 1995 desde la Victimología", *La Ley*, Tomo III, d) 152, pp. 1813-1827.

BONE, Edouard (1988): "La bioética, nuevo producto de una civilización de ciencia y de tecnología", en BONDE, BONE et alii, *Los grandes Avances del Conocimiento*, Universidad de Deusto, Bilbao, pp. 115-136.

BONHÖFFER, Dietrich (2001): *Resistencia y sumisión. Cartas y apuntes desde el cautiverio*, trad. J. J. Alemany, ed. Sígueme, Salamanca, pp. 13-22, 29, 51, 70, 98, 121, 215, 230, 263.

BOUTELLIER, Hans (2000): *Crime and Morality, The Significance of Criminal Justice in Post-modern Culture*, Kluwer Academic Publishers, Dordrecht/Boston/London.

Nota. Por falta de espacio no puedo comentar algunas obras de BRANCUSI, *El hijo pródigo*; CHAGAL, *La otra claridad*; CHILLIDA, *Las manos del Buen Samaritano*; GOYA, *Saturno devorando a su hijo*; IBARROLA, *El bosque de Oma*; MIGUEL ÁNGEL, *La creación de Adán*; RODIN, *La mano de Dios*.

BUSTOS, Juan, LARRAURI, Elena (1993): *Victimología: Presente y futuro. Hacia un sistema penal de alternativas*, PPU, Barcelona.

CARRERA, Joan (2001): "Ética y tecno-ciencia", *Cuadernos Cristianisme i Justicie*, Nº. 105 extra, Barcelona.

CONSEJO DE EUROPA (2001): *Proyecto de Recomendación* del futuro Código Policial de Europa.

CONSEJO GENERAL DEL PODER JUDICIAL (1997): *Libro Blanco de la Justicia*, Madrid.

CORTINA, Adela (1994): *La ética de la sociedad civil*, Anaya, Madrid.

CUESTA, José Luis de la (1990): *El delito de tortura. Concepto. Bien jurídico y estructura típica del art. 204 bis del Código Penal*, Bosch. Barcelona, 235 pp.

ESER, Albin (comp.) (1992): *Lexikon Medizin, Ethik, Recht*, Herder, 1287 pp.

GARAPON, Antoine (1998): *Bien juger. Essai sur le rituel judiciaire*, Odile Jacob, Paris.

GARRIDO, Vicente (2000): *El Psicópata. Un camaleón en la sociedad actual*, Algar, Alzira (Valencia).

GIMÉNEZ-SALINAS, Esther (1999): "La mediación y la reparación. Aproximación a un modelo", en AA.VV., *La Mediación penal*, Centre d'Estudis Jurídics i Formació Especializada, Departament de Justícia de la Generalitat de Catalunya, en colaboración con el Instituto Vasco de Criminología, pp. 15-30.

HENRION, H. (2001): "L'article préliminaire du Code de Procédure pénale: vers une 'théorie législative' du procès pénale?", *Archives de Politique criminelle*, Nº 23, Paris, pp. 13-52.

HOTTOIS, Gilbert (1991): *El paradigma bioético. Una ética para la tecnología*, trad. del francés M. Carmen Monge, Anthropos, Barcelona, (pp. 101, 175).

INSTITUTO VASCO DE CRIMINOLOGÍA, San Sebastián, *www.sc.ehu.es / ivac*

JIMÉNEZ, Emiliano Borja (2001): *Introducción a los fundamentos del Derecho penal indígena*, Tirant lo Blanch, Valencia.

JONAS, Hans (1995): *El principio de responsabilidad. Ensuyo de una etica para la civilización tecnológica*, trad. de *Das Prinzip Verantwortung*, Introducción de A. Sánchez Pascual, Herder, Barcelona.

JONAS, Hans (1995): *Técnica, medicina y ética*, Paidós, Barcelona, traducción del alemán.

KLEINIG, John (1996): *The Ethics of Policing*, Cambridge University Press, USA.

KÜNG, Hans (1999): *Una ética mundial para la economía y la política*. Introducción de Gilberto Canal, Trotta, Madrid.

LABORIT, Henri (1989): *La vie antérieure*, Bernard Grasset, Paris.

LADRIERE, Jean (1988): "¿A dónde va el hombre?", en BONDE, BONÉ *et alii*, *Los grandes Avances del Conocimiento*, Universidad de Deusto, Bilbao, pp. 67-82.

LANDENNE, Philippe (1999): *Résister en prison. Patiences, Passions, Passages,…*, Lumen Vitae, Bruselas.

MACARULLA, José Mª. (1988): "Origen y continuidad de la vida", en BONDE, BONÉ *et alii*, *Los grandes Avances del Conocimiento*, Universidad de Deusto, Bilbao, pp. 45-65.

MATE, M. Reyes (1991): *La razón de los vencidos*, Anthropos, Barcelona.

MORA CASTILLO, Enrique (1991): "Una de las formas de control social en América Latina: la religión", *Criminología y Derecho Penal*, revista dirigida por A. ZAMBRANO, Biblioteca Edino, Guayaquil, Nº 1, pp. 126-138.

MUÑOZ ROJAS, Tomás (1999): "Ética, equidad y proceso jurisdiccional", *La Ley. Revista Jurídica Española de Doctrina, Jurisprudencia y Bibliografía*, año XX, núm. 4910, Madrid, 21 octubre.

NACIONES UNIDAS, Internet: *http://www.un.org*.

PERELMAN, Chaim (1990): *Ethique et droit*, Ed. Université de Bruxelles.

PÉREZ DEL VALLE, Carlos (1994): *Conciencia y Derecho Penal*, Comares, Granada.

PETERS, Tony, FATTAH, Ezzat (eds.) (1998): *Support for crime victims in a comparative perspective (A collection of essays dedicated to the memory of Prof. Frederic McClintock)*, Leuven University Press, Lovaina (Bélgica), pp. 111-125.

POPPER, Karl R., ECCLES, John C. (1993): *El yo y su cerebro*, 2ª edición, Traducción C. Solís Santos, Labor, Barcelona.

RILKE, Rainer M. (1984): *Elegías de Duino*, traducido por José Mª Valverde, 2ª edición, Lumen, Barcelona. (Original en alemán, 1923); IDEM (1987): *Los Sonetos a Orfeo*, traducido por Eustaquio Barjau, Cátedra, Madrid.

RODRÍGUEZ DELGADO, José Manuel (1988): *La Felicidad. Dónde se siente y cómo se alcanza. Cómo cultivar y aumentar la felicidad personal*, Temas de Hoy, Madrid.

ROJAS MARCOS, Luis (1995): *Las semillas de la violencia*, Espasa-Calpe, Madrid.

RUIZ VADILLO, Enrique (1996): *Exigencias constitucionales en el proceso penal como garantía de la realización de la justicia. La grandeza del Derecho penal*, Discurso del académico electo Excmo. Sr. D. Enrique Ruiz Vadillo, leído en el Acto de su recepción pública el día 17 de junio de 1996, Real Academia de Jurisprudencia y Legislación, Madrid.

SAMPEDRO, Julio Andrés (2003): *La humanización del proceso penal. Una propuesta desde la Victimología*, Legis, Bogotá.

SAMPEDRO, Julio Andrés (2000): "Reflexión sobre la posición de las víctimas del delito en el proceso penal", *Revue internationale de Droit pénal*, 3º y 4º trimestre de 2000, pp. 355-283.

SAVATER, Fernando (1993): *Ética para Amador*, 16ª edic., Ariel, Madrid.

SOBRINO, Jon (1999): *La fe en Jesucristo. Ensayo desde las víctimas*, Trotta, Madrid.

TOHARIA, José Juan (2001): *Opinión pública y Justicia. La imagen de la Justicia en la sociedad española*, Consejo General del Poder Judicial, Centro de Documentación Judicial, con bibliografía.

UNAMUNO, Miguel de (1982): *Paz en la guerra*, edición del Banco de Bilbao, de la 2ª edición, de 1923, Bilbao.

VIDAL, Marciano (1992): "Ética civil", en *Nuevo Diccionario de Teología* Moral, adaptado por M. VIDAL, edic. Paulinas, Madrid, pp. 656-666, con bibliografía.

ZAFFARONI, E.R., ALAGIA, A. y SLOKAR, A. (2000): *Derecho penal. Parte General*, Ediar, Buenos Aires.

IV. PROCESO PENAL Y VÍCTIMAS: PASADO, PRESENTE Y FUTURO[*]

DEDICATORIA: A las muchas víctimas del terrorismo, con profunda condolencia... y algo de esperanza espiritual.

También a todas las personas que condenan el terrorismo, pero nada hacen en favor de sus miles de víctimas. Les pido que prescindan de condenas estériles, pero que sientan interiormente algo de compasión, y exteriormente den un paso REPARADOR hacia adelante, a la luz de la nueva doctrina victimológica.

SUMARIO: 1.- Tres etapas del proceso penal. 2.- Las víctimas en el proceso penal vindicativo de ayer (2.1. Su protagonismo ilimitado, irracional; 2.2. Su neutralización profesional) 3.- Presencia de las víctimas en el proceso penal hodierno, reparador (Legislación europea y latinoamericana). 4.- Protagonismo

---

[*] Estas páginas reproducen la conferencia (21 septiembre 2000) pronunciada en el marco de las I Jornadas 'Víctimas del terrorismo y violencia terrorista' —organizadas por el colectivo de Víctimas del Terrorismo en el País Vasco, en San Sebastián— con someras correcciones de estilo y las oportunas referencias bibliográficas. Cfr. AA.VV., *Política criminal, Derechos Humanos y sistemas jurídicos en el siglo XXI. Volumen de Homenaje al Prof. Dr. Pedro R. David*, Depalma, Buenos Aires, 2001, pp. 123-148.

controlado de las víctimas en el proceso penal futuro, recreador (4.1. *In dubio pro victima*, más que *pro reo*; 4.2. Estadísticas victimológicas, más que criminológicas; 4.3. Proceso en dos fases: *Conviction-Sentencing*; 4.4. Oficinas de asistencia a las víctimas; 4.5. Hermenéutica comprensión de lo escatológico).

1. Tres etapas del proceso penal

El proceso penal a lo largo de la historia ha experimentado profundas transformaciones. Pero siempre ha sido una pieza clave para la realización de la justicia, y para el conocimiento y progreso de la Victimología, como comenta Enrique RUIZ VADILLO, al pedir como "tarea del Derecho tratar desigualmente a los desiguales, para obtener una cierta igualdad"[2].

En un principio el proceso se reducía a la mínima expresión; prácticamente no existía: el ofendido o su clan se tomaba la justicia (mejor dicho, la venganza) por su mano, lo más inmediata posible e ilimitada. Se consideraba que el proceso no hacía falta, pues no había nada que encausar o enjuiciar. Sobraba cualquier reflexión. Desde el punto de vista de la cultura primitiva aparecía como la cumbre de la inexorable justicia humana y divina, según MALINOWSKI, M. ELIADE, etcétera[3].

El proceso penal nace mucho después. (Todavía hoy, en algunas sociedades y circunstancias primitivas, por ejemplo, en las terroristas, no existe, y sus jefes o dictadores no quieren que exista). Al nacer el proceso llega y empieza el momento cero, inicial, de la justicia penal digna de este nombre, según formulación de Ernst BLOCH[4.]

Con el paso del tiempo los hombres lamentan el abuso de la venganza sin ponderación racional previa, y deciden que conviene reflexionar sobre cómo y cuánto se responde a cada delito, que conviene equilibrar

---

[2]   E. RUIZ VADILLO (1999), "Valor de las diligencias practicadas por la policía judicial en el proceso penal", *Eguzkilore. Revista del Instituto Vasco de Criminología*, nº 13 extraordinario, pp. 297 ss.

[3]   B. MALINOWSKI (1982), *Crimen y costumbre en la sociedad salvaje*, trad. de J. y M. T. Alier, 6ª edic., Ariel, Barcelona. (Edición original en inglés, Londres, 1926). Arthur W. CAMPBELL (1991), *Law of Sentencing*, 2ª ed., Clark, Boardman, Callaghan, New York, pp. 1 ss.

[4]   E. BLOCH (1957), *Naturrecht und menschliche Würde*, Surhkamp, Frankfurt Main, 276 ss. (Hay traducción en castellano).

el "ojo por ojo y diente por diente". Entonces empieza a surgir un proceso penal elemental: se reduce a programar racionalmente un combate inteligente, no meramente instintivo, contra el victimario, para causarle un daño parecido al daño que él causó al sujeto pasivo del delito. *Noxae vindicta*, escribió ULPIANO, venganza correspondiente al daño del crimen.

En esa situación inicial (que puede perdurar muchos años y que puede rebrotar muchas veces), el proceso aparece como una relación de contrarios, de adversarios, para que los perjudicados venzan y sometan al delincuente, al enemigo, a través de un procedimiento "debido" (*due process*), según las normas legales que va estableciendo el poder. Se promueve y fomenta el talante competitivo entre las partes. Se denuncia al delincuente y el daño causado: la lesión del bien jurídico de la comunidad; se establece la cuantía de la deuda, de la lesión, que el delincuente ha producido al Estado y a la sociedad en general. El proceso está llevado exclusivamente por profesionales gubernamentales que "combaten" en nombre y en delegación de los ciudadanos; éstos ni pueden, ni deben, intervenir directamente[5].

Actualmente este proceso tradicional está siendo fuertemente criticado por los partidarios de las ciencias victimológicas. Se propugna que el proceso penal de hoy vaya adquiriendo ciertos rasgos nuevos e innovadores, de acuerdo con las coordenadas victimológicas. Estas introducen cuñas radicales que convierten, o desean convertir, el proceso en un diálogo y una negociación normativa (pero, con apertura a la casuística), en unas "buenas relaciones" que no buscan combatir, ni vencer, ni causar daños, sino restaurar las lesiones del bien jurídico social; no es una confrontación del Estado frente al delincuente sino, ante todo, un encuentro del victimario con sus víctimas (y sólo en tercer y último lugar con la sociedad o la autoridad estatal); pretende responsabilizar, no castigar, al delincuente; se denuncia los daños causados, en el contexto moral, social, económico de las víctimas y del victimario; se deja la puerta abierta a un perdón controlado[6].

---

[5]   Cfr. Antonio BERISTAIN (1994), *Nueva Criminología desde el Derecho penal y la Victimología*, Valencia, Tirant lo Blanch, pp. 339 ss.
V. GARRIDO, P. STANGELAND, S. REDONDO (1999), *Principios de Criminología*, Tirant lo Blanch, Valencia, 669 ss.

[6]   Antonio BERISTAIN (1998), *De los delitos y de las penas desde el País Vasco*, Dykinson, Madrid, pp. 282 ss.

Mirando al *futuro*, deseamos que el proceso penal pierda definitivamente su carácter vindicativo contra el delincuente y que adquiera un
talante de justicia igualitaria, dialogal, regulada por el poder, cercana,
del victimario con sus víctimas directas e indirectas, tendente a reparar
a éstas y a repersonalizar a aquél, bajo el control o con la ayuda de una
persona y/o institución mediadora, próxima, a las dos partes. Mediante
el proceso penal se intenta que el victimario repare a las personas
concretas y difusas[7] perjudicadas por su comportamiento lesivo. Después, en el punto 4, detallaremos algunos temas concretos de interés.

Dentro de las transformaciones procedimentales a lo largo de la
historia, el factor victimológico —en germen o desarrollado— ha sido
especialmente dinámico e influyente en el proceso penal. A esta relación
de las víctimas con el proceso penal nos referimos en las páginas que
siguen.

Primero diremos algo de sus antecedentes históricos, con el
protagonismo excluyente, vindicativo sin fronteras, de las víctimas.
Después, al comentar la situación actual, constataremos la neutralización de las víctimas en las coordenadas principales del proceso penal
tradicional (ejercido por profesionales que limitan la venganza contra
quienes violan los bienes jurídicos) y su crisis en los últimos decenios.
Por fin, se resumirá cómo debemos programar su futuro: el nuevo
protagonismo de las víctimas, la preferencia a éstas en caso de duda, las
Oficinas encargadas de su asistencia, la división del proceso penal en dos
fases, la integración crítica de las cosmovisiones míticas, culturales y
cultuales…

2. Las víctimas en el proceso penal vindicativo de ayer

2.1. Protagonismo excluyente de las víctimas en el origen del proce-
so penal vindicativo ilimitado

Como hemos indicado, los historiadores afirman coincidentes que en los
tiempos más remotos las víctimas eran los únicos protagonistas de la
respuesta a los delitos. La reacción de la persona ofendida y de sus

---

[7]   Daniel I. GARCÍA SAN JOSÉ, "La configuración jurídica de las víctimas de los
       crímenes de la competencia de la Corte Penal Internacional", en Juan Antonio
       CARRILLO SALCEDO (Comp.) (2000), *La criminalización de la barbarie: La Corte
       Penal Internacional,* Consejo General del Poder Judicial, Madrid, pp. 455-479.

familiares excluía otra respuesta. Generalmente, era instintiva, irracional, vindicativa, sin frontera alguna. Lograba lo que deseaba: la venganza total.

Muy pronto, o quizás simultáneamente, se atribuye también un derecho vindicativo a los dioses y/o sus representantes. *Mihi vindictam*, a mí me pertenece en exclusiva la venganza, proclama Jehová en el Antiguo testamento[8]. Los últimos versos del coro en la tragedia ANTÍGONA declaman con fuerza que los dioses castigan sin excepción, que la justicia divina es implacable[9].

René GIRARD, en varios de sus libros, repite hasta la saciedad cómo el centro del Derecho penal, desde el comienzo de la historia, se ubica en la divinidad y en las víctimas directas y/o en las indirectas[10]. Después de muchos años, se impone la ley procesal del talión. Con este dogma, las víctimas pueden seguir vengándose, pero no ilimitadamente, sino que deben medir su respuesta, su retribución, su castigo, en la balanza de la igualdad, de la proporcionalidad. El proceso penal entra, irrumpe, en escena y da un paso de gigante hacia adelante[11].

Con el transcurso del tiempo, la maduración de la convivencia ciudadana y el desarrollo de la filosofía, el anterior *estado de naturaleza*, o los intocables *principios innatos*, son superados por la razón, como explica John LOCKE (1632-1704), en su *Of Civil Government* (traducido al castellano en 1941 y reimpreso en 1960, *Ensayo sobre el gobierno civil*), el derecho a castigar pasa, de los individuos y de los representantes de la divinidad, según la primigenia cosmovisión teocrática, a la sociedad civil para preservar a la misma de la criminalidad que perturba su paz y su seguridad. Por otra parte, los seres humanos, cansados de la defensa y venganza aislada de su libertad y seguridad, renuncian al uso individual de la venganza y encargan al Estado la protección de su vida, su libertad y sus pertenencias, por medio de la sanción racional y

---

8   *Deuteronomio*, 32, 35. SAN PABLO, *Epístola a los romanos*, 12, 19.
9   Raimon PANIKKAR (1998), "El problema de la justicia en el diálogo hindú-cristiano", en CRISTIANISME I JUSTICIA, *Religiones de la tierra y sacralidad del pobre. Aportación al diálogo interreligioso*, Sal Terrae, Santander, pp. 107-134 (119).
10   Gérard LOPEZ (1997), *Victimologie*, Dalloz, Paris, pp. 13 ss.
     Julius MAKAREWICZ (1907), *La evolución de la pena*, trad. María L. Martínez Reus, Reus edit., Madrid, pp. 78 ss.
11   José Henrique PIERANGELI (1997), "De las penas: Tiempos primitivos y legislaciones antiguas", en BAIGUN, ZAFFARONI, GARCÍA-PABLOS, PIERANGELI (comps.), *De las penas. Homenaje al prof. Isidoro de Benedetti*, Depalma, Buenos Aires, pp. 403 ss.

limitada; y consideran oportuno transmitir a los profesionales del poder su "derecho" de responder al delincuente[12]. Así, el desarrollo cultural de la Humanidad logra el descubrimiento del *proceso penal* como instrumento exclusivo de la respuesta al delito; la instauración de esta nueva forma de reacción del derecho tiene una significación fundamental. Así, se desplaza afortunadamente una serie de elementos mágicos como las ordalías; pero también se llega, paradójica y tristemente, a la neutralización de las víctimas, por medio de un sufrimiento al delincuente semejante al sufrimiento que él les ocasionó, *malum passionis quod infligitur ob malum actionis*, con palabras de Hugo GROCIO.

2.2. Neutralización de las víctimas en el proceso vindicativo, limitado y racional, de los profesionales

La nueva Filosofía jurídica y el contrato social rousseauniano dieron un paso hacia adelante, entregaron a los profesionales del Derecho, a los jueces, el proceso penal, el derecho y el deber de responder a los autores de los delitos. Este progreso conllevó, sin embargo, una postergación excesiva de las víctimas, pues quedaron olvidadas, ya que los jueces consideraron que ellos (como representantes de la sociedad) y los inculpados eran los únicos interesados. Que el objeto de protección y tutela a ellos encomendado era la seguridad de la comunidad, el "bien jurídico" del Estado que lesionan los delitos. Convencidos de estas ideas, los jueces, lógicamente, marginaron a las víctimas.

Tanto las neutralizaron que algunas Constituciones, como la mejicana (que en su artículo 17 prohíbe al ciudadano sujeto pasivo de una infracción la aplicación de las leyes penales) y algunos Códigos tipificaron como delito el tomarse la justicia por su mano, si media alguna intimidación, violencia o fuerza en las cosas. Así lo hace el Código penal español en su artículo 455[13]: "1. El que, para realizar un derecho propio, actuando fuera de las vías legales, empleare violencia, intimidación o fuerza en las cosas, será castigado con la pena de multa de seis a doce meses.

---

[12] Albin ESER (1998), *Sobre la exaltación del bien jurídico a costa de la víctima*, trad. Manuel Cancio Meliá, Universidad Externado de Colombia, Bogotá, pp. 11 ss.
Moisés MORENO HERNÁNDEZ (1993), "Penalización y despenalización en la reforma penal: Importancia del principio del bien jurídico en la creación de los tipos penales", *Criminalia*, mayo-agosto, pp. 66-70.

[13] Moisés MORENO HERNÁNDEZ (1995), " Organización y funcionamiento del Ministerio Público", *Criminalia*, sept.-diciem., pp. 25-59 (27). María J. MAGALDI

2. Se impondrá la pena superior en grado si para la intimidación o violencia se hiciera uso de armas u objetos peligrosos".

Esta prohibición generalizada de la autotutela ofrecía como contrapartida notables progresos (la tutela judicial efectiva, la interdicción de la indefensión, la intervención del Juez ordinario, etcétera), que reconoce el artículo correspondiente de todas las constituciones democráticas, como el 24 de la española.

Llega un momento en que este "olvido" de las víctimas alcanza dimensiones gigantescas, insoportables. Seis millones de judíos mueren en los campos de concentración alemanes. Y... el victimario es, para colmo de la injusticia, el garante de la justicia, el Estado. En esa fecha concreta del calendario —el holocausto nazi—, los seis millones de judíos torturados y asesinados en Auschwitz (Oswiecim), en Dachau, etcétera, exigen un giro copernicano en el proceso penal. Para colocar la "primera piedra" se celebra en Jerusalén el "Primer Symposio internacional de Victimología", en septiembre de 1973, organizado por un penalista judío, el profesor Israel DRAPKIN, con sus colaboradores; y subvencionado económicamente (como reparación del holocausto) por el gobierno de Alemania occidental[14]. En Jerusalén se establecen las coordenadas actuales de la Victimología. Allí se define quiénes son las víctimas y cuál es su misión en el proceso. Se abre la puerta a la nueva presencia de las víctimas en el proceso penal. Presencia controlada que corrige su protagonismo ilimitado de los pueblos primitivos y supera su lamentable neutralización del proceso tradicional.

3. Presencia de las víctimas en el proceso penal hodierno, reparador (Legislación Europea y latinoamericana)

"Preocupa hoy a los penalistas y criminólogos en Europa y fuera de Europa el fracaso de las instituciones estatales en lo referente a la asistencia a las víctimas... La sociedad,

---

(1992) "Algunas cuestiones en torno al delito de realización arbitraria del propio derecho", *Anuario de Derecho penal*, pp. 85-112.

L. BENEYTO MERINO (1997), en Cándido CONDE-PUMPIDO FERREIRO (Dirección), *Código penal. Doctrina y Jurisprudencia*, Tomo III, pp. 4249-4269.

[14] Gerd Ferdinand KIRCHHOFF (1997), *Victimology Worldwide. The WSV*, Mönchengladbach. A. BERISTAIN (2000), *Victimología. Nueve palabras clave*, pp. 27 ss.

Cfr. también las publicaciones en castellano de A. GARCÍA-PABLOS DE MOLINA, E. GIMÉNEZ-SALINAS, C. HERRERO HERRERO, G. LANDROVE, M.L. LIMA

mientras tanto permanece o parece permanecer impasible. Apenas interviene. La zona amplísima existente entre el Estado y el individuo aislado está prácticamente vacía. El medio campo tan importante en muchos deportes y en la vida política, a veces, no lo ocupa nadie o lo ocupan ciertos sectores en precario. De ahí la preocupación del Consejo de Europa por potenciar las Asociaciones y situar en posición privilegiada a aquellas que nacen para defender a las víctimas".

Enrique RUIZ VADILLO, "El futuro inmediato del Derecho penal", en *Eguzkilore. Cuaderno del Instituto Vasco de Criminología*, Nº 13, extraor., 1999, p. 133.

El proceso penal hodierno cada día es más respetuoso, acogedor y reparador de las víctimas. Esta nueva teoría y praxis encuentra sus bases y sus defensores en los años setenta y ochenta, concretamente entre 1973 y 1985. En especial merecen conocerse los trabajos de los Symposiums Internacionales de Victimología, la Declaración de las Naciones Unidas de 1985 y algunas publicaciones posteriores (entre las que cabría destacar el trabajo del Prof. Manfred BURGSTALLER[15], cuando afirma: "At this juncture, mention should be made that in recent years the idea of more concern for the victim has been generally gaining ground. To me, this idea is of such eminent importance —it was first voiced by the IKV as early as 1891 and has recently been supported by the AIDP— that I would like to move that *assistance to victims of crime* be recognized as a *distinct function of criminal law*, in addition to the function of prevention… All this, however, should not impede efforts to make provisions in criminal law for the victims"). Aquí nos limitamos a una referencia esquemática.

En el III Symposio Internacional sobre Victimología, de 1979, en Münster de Westfalia, se funda la Sociedad Internacional de Victimología, que desde aquel año no cesa de elaborar los nuevos conceptos básicos, y de agrupar a inteligentes investigadores y docentes en las universidades de todo el mundo. Cuenta con más de cuatrocientos setenta miembros en los principales países del planeta[16].

DE RODRÍGUEZ, H. MARCHIORI, F. MUÑOZ CONDE, E. NEUMAN, A. RIVERA LLANO, L. RODRÍGUEZ MANZANERA, A. SÁNCHEZ GALINDO, J. M. SILVA, O. N. TIEGHI, etcétera.

[15] M. BURGSTALLER (1989): "Crime Control Policy after a Century of the IKV/AIDP. A tentative assessment", en International Association of Penal Law, *Congress Proceedings. XIVth International Congress on Penal Law (1st-7th October 1989)*, pp. 129-156 (138).

[16] Gerd Ferdinand KIRCHHOFF (1997), *Victimology Worldwide. The WSV Book*, Membership Directory, Mönchengladbach.

De sus libros y revistas, así como de la Declaración de las Naciones Unidas de 1985, recogemos ahora brevemente algunas nociones fundamentales sobre el concepto y clases de las víctimas, su relación con el proceso penal y sus justas pretensiones reparadoras.

Desde la dogmática penal se considera víctima al sujeto paciente del injusto típico, o sea, la persona que sufre merma de sus derechos, en el más amplio sentido de la palabra, como resultado de una acción típicamente antijurídica, sin que sea necesario que el victimario haya actuado culpablemente. Las víctimas son, como indica HERRERA MORENO, titulares legítimas del bien jurídico vulnerado[17].

En la nueva cosmovisión "dogmática", las víctimas no equivalen al sujeto pasivo del delito (aunque lo opinen todavía algunos penalistas y magistrados) sino que, según definen las Naciones Unidas: "Se entenderá por *víctimas* las personas que, individual o colectivamente, hayan sufrido daños, inclusive lesiones físicas o mentales, sufrimiento emocional, pérdida financiera o menoscabo sustancial de los derechos fundamentales, como consecuencia de acciones u omisiones que violen la legislación penal vigente en los Estados Miembros, incluida la que proscribe el abuso del poder..." [18].

Dentro de las diversas clases de víctimas se distinguen, sobre todo, las directas o inmediatas y las indirectas o mediatas, como lo hace la *Declaración*, en su citado apartado A.

También conviene tener presentes otras clasificaciones que establecen diversos comentaristas. Por ejemplo, la que resumimos en el cuadro siguiente, similar a los de DUENKEL, GARCÍA-PABLOS, LANDROVE, NEUMAN, RODRÍGUEZ MANZANERA, RÖSSNER, etcétera[19].

---

[17] Myriam HERRERA MORENO (1996), *La hora de la víctima. Compendio de Victimología*, Edersa, Madrid, p. 332.

[18] Pedro, R. DAVID (1999), *Globalización, Prevención del delito y Justicia penal*, Zavalía, Buenos Aires, pp. 717-720: "Aplicación de la Declaración sobre los principios fundamentales de justicia para las víctimas de delitos y del abuso de poder", de 24 de mayo de 1989.
Julio Andrés SAMPEDRO (1999), "La Corte penal internacional: Aproximación al papel de las víctimas", *Cuadernos de Política Criminal*, núm. 69, pp. 635-645.

[19] A. BERISTAIN (2000), *Victimología. Nueve palabras clave*, pp. 461 ss., Frieder DÜNKEL (1990), "Fundamentos victimológicos generales de la relación entre víctima y autor en Derecho penal", en BERISTAIN y CUESTA, *Victimología*, Instituto Vasco de Criminología, San Sebastián, p. 167, Gerardo LANDROVE (1990), *Victimología*, Tirant lo Blanch, Valencia, pp. 39 ss., Elías NEUMAN (1984),

CUADRO 1

Clases de víctimas			
Víctima	**Tipo**	**Participación**	**Ejemplo**
Víctima completamente inculpable	Víctima «ideal»	Ninguna participación activa	– Bomba en establecimiento público – Persona privada de conocimiento que es robada en calle céntrica no peligrosa – Persona dormida en coche-cama, en tren no peligroso que es robada
Víctima parcialmente culpable	Víctima por ignorancia o por imprudencia	Mayor o menor contribución al hecho	Mujer que fallece al provocarse el aborto
	Víctima con escasa culpabilidad	Mayor o menor contribución al hecho	Mujer que entrega al falso contrayente matrimonial su libreta de ahorro
	Víctima voluntaria	Mayor o menor contribución al hecho	Causación de la muerte de/a enfermo incurable, por su propio deseo (homicidio-suicidio)
Víctima completamente culpable	Víctima provocadora	Contribución exclusiva de la víctima al hecho victimizante no punible	Agresor que muere «víctima» del agredido que se defiende legítimamente
	Víctima propiciadora del delito	Contribución predominante de la víctima al hecho punible	– Estafador estafado – Borracho que fanfarronea en el bar con dinero y le hurtan la cartera
	Falsa víctima (delito simulado)	Denuncia falsa	Una mujer quiere vengarse de un hombre y la acusa de violación

Victimología. El rol de la víctima en los delitos convencionales y no convencionales, Universidad, Buenos Aires, pp. 69 ss.; Luis RODRÍGUEZ MANZANERA (1996), *Victimología. Estudio de la Víctima*, Porrúa, México.

Por lo general, contra la opinión de eminentes juristas, se afirma que no hay delitos sin víctimas. Hace ya años lo argumentaba el actual Presidente de la Asociación Internacional de Derecho Penal[20]. Además, hoy muchos especialistas insisten en que los delitos, salvo supuestos excepcionales, causan daños a más de una víctima. No sólo a la víctima inmediata, sino también a otras mediatas: sus familiares, amigos, etcétera.

La ciencia y praxis victimológica está introduciendo innovaciones radicales, dignas de estudio, en el campo del proceso penal. Sobre todo, que éste deje de ser el prototipo tradicional de la venganza institucional, que no se apoye en argumentos de un cristianismo expiacionista[21], que reconozca a las víctimas su papel de protagonistas, con ayudas especiales y autónomas de la Fiscalía, de los Abogados, de los Criminólogos, Psiquiatras y Médicos Forenses en sus informes, etcétera.

Hasta finales del siglo XX, el centro del proceso lo ocupaba el delito y/o el delincuente. Hoy, en cambio, lo ocupan, cada día más las víctimas. Por otra parte, ante la policía, los Jueces y los peritos, las víctimas sufrían una segunda victimación que ahora se critica severamente, y, con frecuencia, se procura evitar. En algunos casos se llega más adelante: se va logrando que la meta principal del proceso no sea la pena al condenado sino la reparación a las víctimas[22]. Sobra decir cuán necesaria resulta una nueva e innovadora cosmovisión en algunos medios de comunicación, en algunos ciudadanos y, aunque menos, en algunos penitenciaristas, Fiscales, Jueces y Magistrados.

---

[20]　M. Cherif BASSIOUNI (1978), *Substantive Criminal Law*, pp. 83 y 355 ss.

[21]　Raimon PANIKKAR (1998), "El problema de la justicia en el diálogo hindú-cristiano", en *Religiones de la tierra y sacralidad del pobre*, pp. 128 ss. Ernst BLOCH (1975), *Naturrecht und menschliche Würde*, 2ª ed., Surhkamp, Frankfurt M., cap 23, p. 280: "Und nichts anderes als seine Aura erscheint auch in der *äusseren* Rache-Institution, in Gericht und Gerichtsprozess... wobei sogar das Kruzifix mitwirkt (ungeachtet es den berühmtesten Justizmord darstellt)".

[22]　Esther GIMÉNEZ-SALINAS I COLOMER (1994), "La conciliación víctima-delincuente: Hacia un Derecho penal reparador", en CONSEJO GENERAL DEL PODER JUDICIAL, *La Victimología*, Madrid, pp. 345-366.
Ignacio SUBIJANA (1998), "La Victimología y el proceso penal. Breves reflexiones victimológicas sobre dos sentencias de la Sala Segunda del Tribunal Supremo", *Actualidad penal*, núm. 19, 11 al 17 de mayo, pp. 379-384.
Hans Joachim SCHNEIDER (1991), "Wiedergutmachung statt Strafe. Friedenstiftung zwischen Täter und Opfer und Gesellschaft", en J. Caro Baroja, A. Beristain (comp.), *Ignacio de Loyola, Magister Artium en París 1528-1535*, San Sebastián, pp. 599-614.

Como muestra de esta transformación positiva que se está logrando en cuanto a las coordenadas y las metas del proceso penal pueden verse algunas de las legislaciones en varias naciones, por ejemplo, Alemania (*Opferschutzgesetz* de 18. 12. 1986) y países cercanos (Austria, Holanda, Polonia, Suiza)[23], Argentina (el nuevo Código Procesal Penal que entró en vigor en septiembre de 1992 y algunas modificaciones en la Constitución y el Código penal)[24], Bélgica (la ley sobre mediación penal de 10 de febrero de 1994) y Francia (Ley número 98-468 de 17 junio, de 1998, de la procédure applicable aux infractions de nature sexuelle et de la protection des mineurs victimes)[25], Bolivia (merece citarse el Anteproyecto de Código de Procedimiento Penal, elaborado por el Ministerio de Justicia, el año 1995) (cfr. nota 24), Brasil (la legislación está actualizada, aunque dispersa: Constitución Federal y su reforma de 1995, Ley 9099, sobre la conciliación; Código de Proceso Penal, artículos 5, 14, 127, 171, 225, 268-273 (sobre oficinas de asistencia a las víctimas), Código Penal, Ley de Protección del consumidor, Código penal de Tránsito, artículo 233) (cfr. nota 24), Chile (el proyecto del nuevo Código Procesal Penal ubica a la víctima como una persona que merece la atención del

---

Desde la década de los setenta, todos los nuevos códigos penales reconocen suma importancia a la reparación de los daños, por ejemplo, el brasileño. Cfr. Juárez TAVARES (1972), "Entwicklung und gegenwärtiger Stand des brasilianischen Strafrechts", *Zeitschrift für die gesamte Strafrechtswissenschaft*, Heft 4, pp. 1068-1087.

[23] Klaus ROXIN (1989), *Strafverfahrensrecht*, 21ª edición, C. H. Beck. München, pp. 405-410. Dieter RÖSSNER (1998), "Die Universalität des Wiedergutmachungsgedankens im Strafrecht", en *Festschrift für H. J. Schneider zum 70. Geburtstag*, Walter de Gruyter, Berlin, pp. 877-895.

[24] INSTITUTO IBERAMERICANO DE DERECHO PROCESAL; BERMÚDEZ, BERTOLINO, GOITIA, KRONAWETTER, SCARANCE FERNANDES, TABVOLARI OLIVEROS (1997), *La víctima en el proceso penal, su régimen legal en Argentina, Bolivia, Brasil, Chile, Paraguay y Uruguay*, Depalma, Buenos Aires. Luiz Flávio GOMES, "A vitimologia no Brasil e no mundo", *Advocacia e Justiça Criminal*, Coord. L.F. Borges D'Urso, Oliveira Mendes e Del Rey, 1997, p. 51; IDEM, "A vitimologia e o modelo consensual de justiça criminal", *RT* 745/423.
Respecto a Méjico, cfr. R. VILLANUEVA CASTILLEJA y A. LABASTIDA DÍAZ (1996), "La Procuraduría de Justicia al servicio de la víctima de delito", Instituto Mexicano de Prevención del delito e investigación penitenciaria, México, 94 pp.

[25] Tony PETERS e Ivo AERTSEN (1999), "Approche restaurative des crimes en Belgique", *Archives de Politique Criminelle*, Nº 21, pp. 161-179 (163 s.).
Jocelyne CASTAIGNEDE (1997), "L'effectivité de la protection pénale du mineur victime d'abus sexuels", en *Le mineur et le Droit pénal*, sous la direction de Roselyne NERAC-CROISIER, L'Harmattan, Paris, pp. 77 ss.

sistema de justicia penal, siguiendo y superando la línea iniciada, a fines de los años 80 por el artículo 67 introducido en el tradicional Código Procesal Penal) (cfr. nota 24), Méjico (cfr. nota 24), Paraguay (el proyecto de Ley Orgánica del Ministerio Público, presentado por la Fiscalía General del Estado, en 1995, a la Cámara de Diputados, y el proyecto de nuevo Código Procesal Penal superan notablemente la legislación vigente) (cfr. nota 24), Uruguay (el actual artículo 25 del Código de Proceso Penal ha modificado radicalmente el sistema del anterior Código de Instrucción Criminal, de 1879. El Acuerdo concretado el 9 de febrero de 1995 en la Comisión de Seguridad Pública aprobó las *Bases programáticas* relativas a la reforma de la legislación procesal penal que recogen con acierto la actual doctrina victimológica) (cfr. nota 24).

En España ha avanzado notablemente la legislación, especialmente por la Ley 32/1999, de 8 de octubre, de Solidaridad con las víctimas del terrorismo, y su Reglamento de ejecución aprobado por Real Decreto 1912/1999, de 17 de diciembre. La participación de las víctimas durante el proceso penal se puede resumir gráficamente en el esquema siguiente[26].

CUADRO 2

Participación de la víctima durante el proceso penal

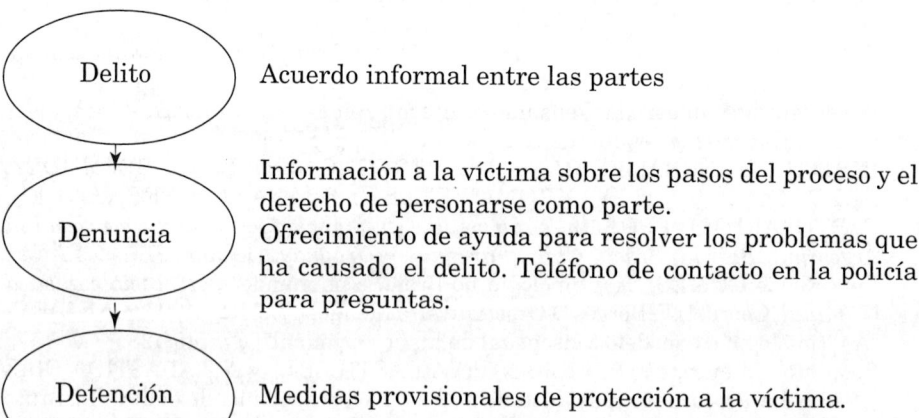

Delito — Acuerdo informal entre las partes

Denuncia — Información a la víctima sobre los pasos del proceso y el derecho de personarse como parte.
Ofrecimiento de ayuda para resolver los problemas que ha causado el delito. Teléfono de contacto en la policía para preguntas.

Detención — Medidas provisionales de protección a la víctima.

---

[26]   V. GARRIDO, P. STANGELAND, S. REDONDO (1999), *Principios de Criminología*, Tirant lo blanch, Valencia, p. 675.

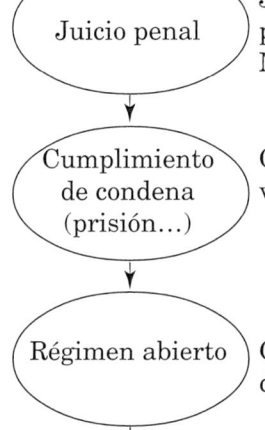

Diligencias previas o sumariales

Mediación/conciliación/restitución.
Abogado de oficio para la víctima.
Coordinación de las declaraciones y pruebas aportadas por la víctima, para evitar comparecencias innecesarias.
Declaración sobre los daños sufridos y las sugerencias de la víctima sobre la condena.
(Victim Impact Assessment-Victim Statement of Opinion).
Ayuda económica estatal a la víctima

Juicio penal

Juicio de conformidad, en caso de haber llegado a un pacto de acuerdo con el acusado.
Notificación de la sentencia a la víctima.

Cumplimiento de condena (prisión...)

Condiciones impuestas por el juez: indemnización a la víctima, servicio comunitario.

Régimen abierto

Condiciones impuestas para conseguir permisos de fin de semana, tareas de trabajo, etc.

Libertad condicional

Condiciones impuestas para conseguir la libertad condicional.

Afortunadamente, en el proceso penal de hoy las víctimas han dejado de ser los convidados de piedra, desarrollan un papel protagonista y logran que la respuesta al delito se centre, sobre todo, en la reparación personal, moral, psicológica, sociológica, médica, económica, etcétera, que ellas merecen en justicia. Y desean llegar a cumplir una misión más humana, una misión recreadora. De esto diremos algo en el apartado siguiente.

4. *Protagonismo controlado de las víctimas en el proceso penal futuro, recreador*

Quienes deseamos tener y sentir confianza, cada día mayor, en la justicia humana esperamos que, en un futuro próximo, a la ciencia y praxis victimológica se le abran horizontes amplísimos en el proceso penal. Aquí nos limitamos a insinuar cinco campos concretos: la opción preferencial por las víctimas frente al delincuente en casos de duda, la mayor atención a las estadísticas victimológicas, la división del proceso penal en dos fases, las Oficinas de asistencia a las víctimas y, finalmente, la hermenéutica comprensión de lo escatológico, es decir, el respeto progresivo a las creencias y convicciones como fuentes transcendentes de reparación y recreación de las víctimas y de los victimarios.

4.1. *In dubio pro víctima*, más que *pro reo*

Nuestra más que centenaria Ley de Enjuiciamiento Criminal, en su artículo 13, prescribe que se consideran "como primeras diligencias: las de dar protección a los perjudicados...". Actualmente, desde hace muchos años, esta norma ha caído en lamentable total desuso, según demuestra el Magistrado C. CONDE-PUMPIDO FERREIRO[27]. Urge que los tribunales reconozcan y corrijan su incumplimiento de esta norma y la tengan en cuenta de verdad, con diligencias eficaces. Que la interpreten y apliquen sobre paradigmas hermenéuticos victimológicos y que, lógicamente, den varios pasos hacia adelante. Uno de los primeros será superar el dogma tradicional *in dubio pro reo* y sustituirlo (no siempre, pero sí con frecuencia) por el de *in dubio pro victima*. Es decir, inclinar la balanza de la justicia en favor de las víctimas cuando se dude cuál de los dos platillos pesa más.

Los argumentos tradicionalmente considerados indiscutibles en favor del reo se apoyaban y apoyan en una cosmovisión impersonal y estatal del delito: enfrentamiento lesivo del acusado contra la autoridad o el Estado o el bien común, entendido éste de una manera muy difusa e impersonal[28]. Hoy, cada día más, se concibe el delito en cuanto lesión

---

[27]   Cándido CONDE-PUMPIDO FERREIRO (1999), "El impacto de la Victimología en el proceso penal: derechos de la víctima y principio de oportunidad", en *Homenaje a Enrique Ruiz Vadillo*, Colex, Madrid, pp. 107-146 (138 ss.). Vicente GIMENO SENDRA (1993), "Los movimientos de reforma del proceso penal y la protección de los derechos del hombre en España", *International Review of Penal Law*, pp. 1051 ss. IDEM, "Ponencia general española", *ibidem*, pp. 873-887 (887).

[28]   Maximiliano A. RUSCONI (1998), "Principio de inocencia e 'in dubio pro reo'" *Jueces para la democracia*, noviembre, pp. 44-58 ("Duda y decisiones durante el proceso", pp. 51 s.), con abundante bibliografía.

o daño o perjuicio que el acusado ha inferido directamente a las víctimas e indirectamente a la sociedad[29]. En la cosmovisión tradicional parece lógico que, ante la duda, el Juez se muestre partidario de la persona concreta del acusado, frente a la vaga y vaporosa "persona" jurídica de la sociedad. Pero, si caemos en la cuenta de que los delitos, especialmente algunos como los cometidos contra la libertad e indemnidad sexuales, del Código penal español de 1995 (artículos 178-194, con las reformas de 1999), son ante todo causación de daños a personas concretas, y sólo "en segundo o tercer lugar" a la sociedad en general, comprenderemos que el Magistrado debe atender y proteger preferentemente a las víctimas.

La Convención de las Naciones Unidas sobre los Derechos del Niño, de 1989, en su artículo 3, proclama como principio básico que en todas las medidas concernientes a los niños se prestará una consideración primordial a "el interés superior del niño". De manera semejante los victimólogos proclamamos como postulado fundamental que, en caso de duda, el Juez prefiera los intereses de las víctimas.

4.2. Estadísticas victimológicas, más que criminológicas

Otro paso hacia adelante están dando algunas personas e instituciones en tanto en cuanto conceden espacio y atención preferencial a las estadísticas victimológicas sobre las correspondientes a los delitos y delincuentes, por la elemental idea de que conocer el número y las particularidades de las mujeres violadas interesa más que conocer el número y las particularidades de los violadores.

En el ámbito de la justicia penal, policial y penitenciaria, las estadísticas tradicionales versaban, y todavía hoy versan, exclusiva o casi exclusivamente sobre el número y la calidad de los delitos, sobre el número y los datos personales de los delincuentes. En concreto, las estadísticas anuales internacionales de la INTERPOL sólo recogen cifras sobre delitos y delincuentes. Nada se ocupan de las víctimas. Algo similar ocurre en España: el *Observatorio de la Seguridad Pública*, en

---

[29]   Ignacio SUBIJANA (1998), "Justicia y víctimas", en *Diario Vasco*, San Sebastián, 31 diciembre. Albin ESER (1998), *Sobre la exaltación del bien jurídico a costa de la víctima*, trad. M. Cancio Meliá, Externado, Bogotá.
Moisés MORENO HÉRNANDEZ (1993), "Penalización y despenalización en la reforma penal: Importancia del principio del bien jurídico en la creación de los tipos penales", *Criminalia*, mayo-agosto, pp. 66-70.

sus dos primeros Boletines elaborados por el Instituto de Estudios de Seguridad y Policía, tampoco informa, como se desearía, del volumen de la victimación. El Boletín número dos, de mayo del año 1999, presenta ocho estadísticas: 1.- tasa de criminalidad en España desde 1980 hasta 1998, 2.- delitos y faltas conocidos, 3.- tipos de infracciones penales, 4.- tasa de criminalidad por Autonomías, 5.- criminalidad conocida en España el año 1998, 6.- tasa de población reclusa, 7.- evolución del índice de penados de 1990 a 1998, 8.- evolución de los grupos de penados y preventivos en esos años. Ni una sola referencia a las víctimas[30].

Frente a tantas lamentables omisiones, la Victimología, aunque más lentamente de lo deseable, va logrando que las nuevas estadísticas se ocupen de los datos cuantitativos y cualitativos de las víctimas. Merecen conocerse las estadísticas del Bundeskriminalamt de Wiesbaden. Transcribimos, en el Cuadro 3, como ejemplo, la relativa a la edad y el sexo de las víctimas, durante el año 1996[31] y en el Cuadro 4 la de 1999[32].

[30]   INSTITUTO DE ESTUDIOS DE SEGURIDAD JURIDICA (1999), *Observatorio de la Seguridad Pública*, Números 1 y 2, marzo y mayo, Madrid.

[31]   BUNDESKRIMINALAMT (Hg.) (1997), *Polizeiliche Kriminalstatistik. Bundesrepublik Deutschland. Berichtsjahr 1996*, Wiesbaden, p. 61.

[32]   BUNDESKRIMINALAMT (Hg.) (2000), *Polizeiliche Kriminalstatistik. Bundesrepublik Deutschland. Berichtsjahr 1999*, Wiesbaden, p. 57-58.

CUADRO 3 (Año 1996)

Delito		Víctimas (100%)	Sexo		Edad				
			Hombre %	Mujer %	8-14	14-18	18-21 %	21-60	60-+
1 Asesinato y homicidio	Consumado	1.357	61'7	38'3	7'6	3'0	6'9	69'7	12'7
	Intentado	2.630	68'4	31'6	4'2	4'1	8'1	77'0	6'5
	Total	3.987	66'1	33'9	5'4	3'8	7'7	74'5	8'6
2 Delitos contra la libertad sexual, con violencia o en situación de dependencia	Consumado	10.456	8'5	91'5	16'6	26'4	13'1	42'7	1'2
	Intentado	2.903	2'8	97'2	4'7	19'6	13'7	59'8	2'2
	Total	13.359	7'3	92'7	14'0	24'9	13'2	46'4	1'4
3 Robo, chantaje económico y robo cualificado a conductores de vehículos de motor (parágrafos 249 ss., 253 ss.)	Consumado	61.999	69'7	30'3	7'9	18'5	8'3	53'7	11'6
	Intentado	12.930	66'9	33'1	12'4	16'8	6'8	51'2	12'8
	Total	74.929	69'2	30'8	8'6	18'2	8'1	53'2	11'8
4 Lesiones corporales	Consumado	335.390	67'2	32'8	8'8	12'5	10'1	64'3	4'3
	Intentado	7.390	73'8	26'2	7'0	7'4	7'5	72'8	5'3
	Total	342.780	67'4	32'6	8'8	12'4	10'0	64'5	4'3
5 Delitos contra la libertad personal	Consumado	122.760	60'7	39'3	5'6	6'2	6'8	75'4	5'9
	Intentado	3.646	58'5	41'5	9'9	7'2	6'4	71'4	5'1
	Total	126.404	60'7	39'3	5'8	6'3	6'8	75'3	5'8

ANTONIO BERISTAIN

Porcentaje de las víctimas según sus edades en los diversos delitos

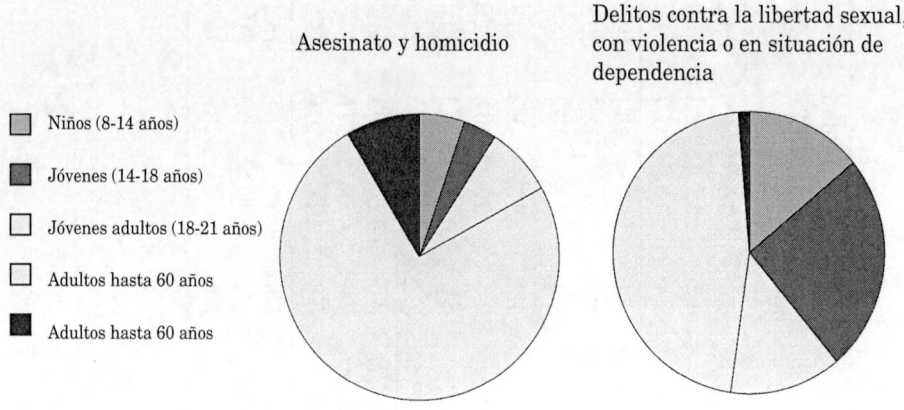

Niños (8-14 años)

Jóvenes (14-18 años)

Jóvenes adultos (18-21 años)

Adultos hasta 60 años

Adultos hasta 60 años

Asesinato y homicidio

Delitos contra la libertad sexual, con violencia o en situación de dependencia

Robo, chantaje económico y robo cualificado a conductores de vehículos de motor

Lesiones corporales

Delitos contra la libertad personal

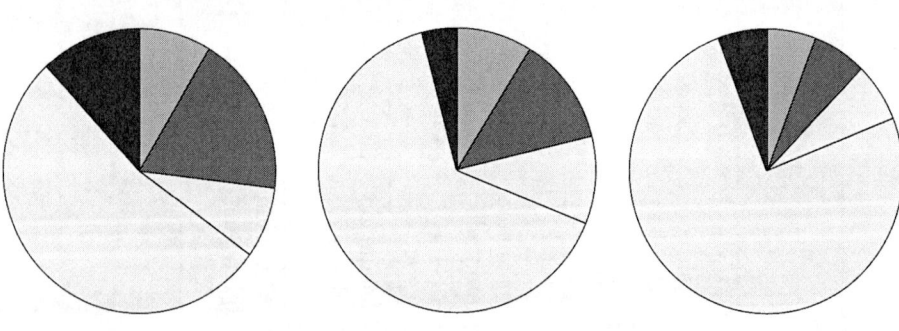

CUADRO 4 (Año 1999)

Delito		Víctimas (100%)	Sexo		Edad				
			Hombre %	Mujer %	8-14	14-18	18-21 %	21-60	60-+
1 Asesinato y homicidio	Consumado	1.020	57'3	42'7	10'3	2'2	4'9	67'7	14'9
	Intentado	1.869	69'8	30'2	3'5	4'3	8'1	77'6	6'4
	Total	2.889	65'4	34'6	5'9	3'6	7'0	74'1	9'4
2 Delitos contra la libertad sexual, con violencia o en situación de dependencia	Consumado	12.562	9'3	90'7	16'1	27'3	13'2	41'8	1'5
	Intentado	3.107	4'9	95'1	5'1	21'0	13'8	58'3	1'8
	Total	15.669	8'4	91'6	13'9	26'1	13'4	45'1	1'6
3 Robo, chantaje económico y robo cualificado a conductores de vehículos de motor	Consumado	55.133	67'7	32'3	8'4	17'0	9'4	53'5	11'7
	Intentado	13.113	65'7	34'3	14'9	16'8	7'2	48'1	13'0
	Total	68.246	67'3	32'7	9'6	16'9	8'9	52'5	12'0
4 Lesiones corporales	Consumado	406.570	65'9	34'1	9'7	13'4	11'4	61'0	4'5
	Intentado	14.836	72'6	27'4	7'2	7'9	7'8	71'3	5'8
	Total	420.836	66'1	33'9	9'6	13'2	11'3	61'3	4'5
5 Delitos contra la libertad personal	Consumado	141.877	59'4	40'6	5'8	6'7	7'7	73'6	6'2
	Intentado	4.079	54'7	45'3	11'2	7'8	6'4	69'6	5'1
	Total	145.956	59'3	40'7	6'0	6'7	7'6	73'5	6'2

Porcentaje de las víctimas según sus edades en los diversos delitos

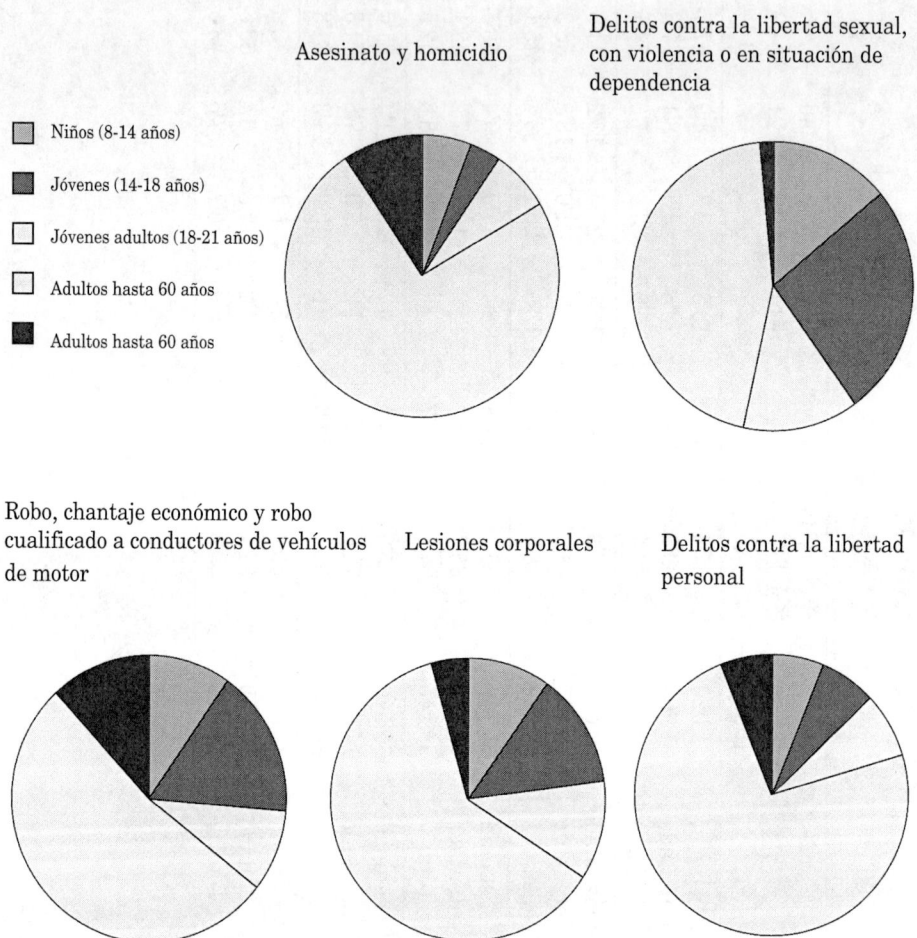

Asesinato y homicidio

Delitos contra la libertad sexual, con violencia o en situación de dependencia

- Niños (8-14 años)
- Jóvenes (14-18 años)
- Jóvenes adultos (18-21 años)
- Adultos hasta 60 años
- Adultos hasta 60 años

Robo, chantaje económico y robo cualificado a conductores de vehículos de motor

Lesiones corporales

Delitos contra la libertad personal

También nos interesan las que publica el BUREAU OF JUSTICE STATISTICS, del U. S. Department of Justice, en Washington, DC., Cuadro 5, en las que compara el porcentaje de víctimas entre Estados Unidos e Inglaterra respecto a algunos delitos concretos[33].

---

[33] Patrick A. LANGAN, David P. FARRINGTON (1998), *Crime and Justice in the United States and in England and Wales, 1981-1996*, Washington, DC, 105 pp.

CUADRO 5

Robbery: Percent of population victimized   Assault: Percent of population victimized

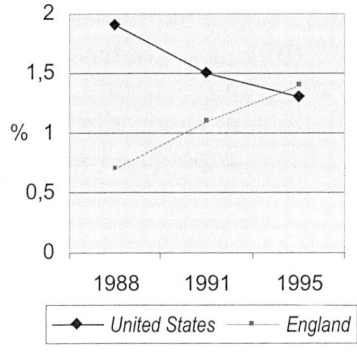
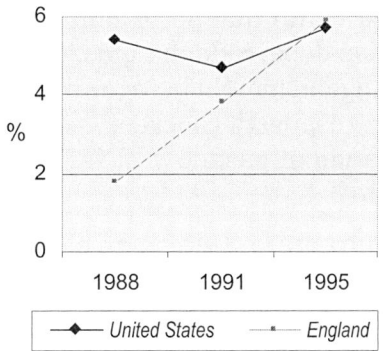

Burglary: Percent of population victimized   Auto theft: Percent of population victimized

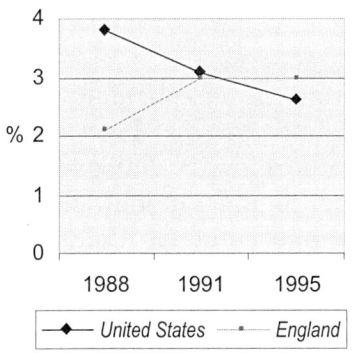
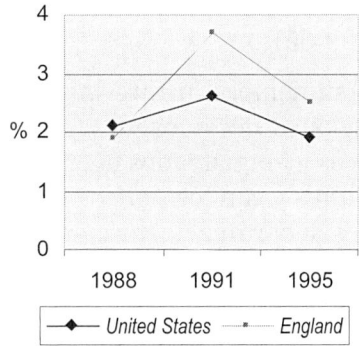

4.3. Proceso penal en dos fases: *conviction, sentencing*

Nuestro Consejo General del Poder Judicial, en su interesante *Libro Blanco de la Justicia*, pide que se facilite a las víctimas el acceso a las actuaciones judiciales[34]. Para lograrlo en grado pleno, para reconocer a las víctimas su derecho elemental a actuar como protagonistas en el

---

[34]   En sentido más amplio, Pedro R. David (1999), *Globalización, Prevención del delito y Justicia penal*, Zavalía, Buenos Aires, pp. 249 ss., 793 s.

proceso penal, ayudará en gran manera que éste, en España, se divida en dos fases, algo así como sucede, con diversos matices, en Estados Unidos y otros países[35]. En la primera, *Conviction*, el Tribunal discutirá y decidirá si el acusado es autor culpable, *guilty*, del hecho tipificado como delito que se le imputa. Para cumplir dignamente esta difícil misión debe, cada día más, escuchar a las víctimas y concederles cierto protagonismo. En la segunda, *Sentencing*, el Tribunal determinará cuál es la respuesta concreta —sin olvidar la dimensión reparadora— que, mirando al pasado y al futuro, debe formular e imponer al autor del delito[36].

Durante la *Sentencing* el tribunal y los peritos escucharán y tendrán en cuenta a las víctimas inmediatas y mediatas: su personalidad y sus circunstancias. Por ejemplo, sus diversos lugares de residencia, para cumplir lo establecido en el artículo 57 del Código penal, reformado por la Ley Orgánica 14/1999, de 9 de junio, de modificación del Código penal de 1995, en materia de protección a las víctimas de malos tratos y de la Ley de Enjuiciamiento Criminal (Cfr. el artículo "El juez *prohíbe* al victimario su aproximación a las víctimas y ¿le *obliga* a atenderlas?...", pp. 39-65).

Asimismo, durante la *Sentencing*, se tomará en consideración las relaciones del acusado con todas sus víctimas graves. Para ello, los Jueces y Magistrados necesitan, sin duda, informarse y dialogar con las víctimas y con los peritos en las ciencias del comportamiento humano. Estos deberán aclarar científicamente algunas o muchas dudas acerca de la personalidad y de la prognosis tanto del victimario como de las víctimas[37].

---

[35] M. Cherif BASSIOUNI (1978), *Substantive Criminal Law*, pp. 129-132.
Ralph J. HENHAM (1992), "Evaluationg the United States Federal Sentencing Guidelines", *Anglo-American Law*, diciembre, pp. 399-414.

[36] En sentido crítico Nils CHRISTIE (2000), *Crime control as industry*, Third edition, Routledge, London and New York, p. 153.

[37] Arthur W. CAMPBELL (1991), *Law of Sentencing*, 2ª ed. Clark, New York, pp. 45-53, 309 ss.
Hans Joachim SCHNEIDER (1989), "La posición jurídica de la víctima del delito en el Derecho y en el proceso penal. Nuevos desarrollos en la política criminal de los Estados Unidos, de la República Federal de Alemania, del Consejo de Europa y de las Naciones Unidas", en J. L. de la Cuesta, I. Dendaluze y E. Echeburúa (comps.), *Criminología y Derecho penal al servicio de la persona. Libro-Homenaje al Prof. Antonio Beristain*, San Sebastián, Instituto Vasco de Criminología, pp. 379-394 (381 s.).

Y, así como los Códigos penales[38] en varios artículos piden que el Tribunal conozca algunas características de la personalidad o circunstancias personales de los autores de los delitos, de modo semejante debe exigir que investigue la personalidad y las circunstancias de cada una de las víctimas[39].

4.4. Oficinas de asistencia a las víctimas

El citado *Libro Blanco de la Justicia*, debatido y aprobado por el Consejo General del Poder Judicial, al tratar del Orden Jurisdiccional Penal, pide que se creen más oficinas de asistencia a las víctimas del delito. Dice así: "Deben instalarse oficinas de asistencia a las víctimas del delito, al menos con carácter provincial y, en lo posible, con delegaciones en cada Partido Judicial, bajo control o dirección última del Ministerio Fiscal"[40].

Ya desde abril de 1985[41] funcionan en España algunas Oficinas de Asistencia a las Víctimas de Delitos. También, y ya antes, en otros países. Afortunadamente, adquieren cada día más importancia. Si se estructuran como instrumentos de "infiltración asistencial" en la Política criminal y en la Dogmática jurídico penal pueden lograr de ambas una mayor penetración en el campo de la realidad social[42].

George P. FLETCHER (1997), *Las víctimas ante el jurado*, trad. J. J. Medina y A. Muñoz, revisión, prólogo y notas de Francisco MUÑOZ CONDE, Tirant lo blanch, Valencia, pp. 267 ss.

[38] Código penal español de 1995, artículos 65, 66, 68, 80, etcétera.

[39] Nos referimos a rasgos personales que no figuran en la tipificación del delito, por ejemplo, en el artículo 180. 3ª (Delitos contra la libertad e indemnidad sexual) del Código penal español.

[40] CONSEJO GENERAL DEL PODER JUDICIAL, (1997), *Libro Blanco de la Justicia*, Madrid, p. 238.
VARELA CASTRO (1993), "Hacia nuevas presencias de la víctima en el proceso", en CONSEJO GENERAL DEL PODER JUDICIAL, *Victimología*, Madrid, pp. 95-159 (142 ss., 156 s.).

[41] Fely GONZÁLEZ VIDOSA (1989), "Derechos Humanos y la víctima", *Eguzkilore*, Nº 3, pp. 107-114.

[42] Acerca de la necesidad de esta "mayor penetración en el campo de la realidad", en general, respecto a la dogmática penal, cfr. Moisés MORENO HERNÁNDEZ (1992), "Sobre el estado actual de la dogmática jurídico penal mexicana", *Criminalia*, sept.-diciem., pp. 33-86 (74 s., 86). María de la Luz LIMA (1998), Política victimológica, Una experiencia latinoamericana (Víctimas de violencia doméstica), *Anales Internacionales de Criminología*, París, pp. 65-84.

El año 2000, el Ministerio de Justicia creó 17 Oficinas de Ayuda a las Víctimas de Delitos Violentos y contra la libertad e indemnidad sexuales en Albacete, Badajoz, Burgos, Huesca, La Rioja, León, Melilla, Murcia, Madrid, Oviedo, Palencia, Palma de Mallorca, Salamanca, Teruel, Toledo, Valladolid, y Zaragoza. Además en el Estado español funcionan otras Oficinas de Asistencia a las Víctimas de Delitos, por ejemplo, en Bilbao, San Sebastián y Vitoria. De la Memoria de estas tres Oficinas en el País Vasco[43], correspondiente a los años 1991-1996, entresacamos los datos siguientes:

Casos atendidos durante los años 1991-96 según edad de las víctimas

	ALAVA	GIPUZKOA	BIZKAIA	TOTAL PAÍS VASCO
- de 18	11	21	108	140
18 a 25	49	61	317	427
26 a 35	68	130	685	883
36 a 45	64	118	715	897
46 a 55	32	55	414	501
56 a 65	27	62	226	315
+ de 66	10	18	120	148
no consta	4	40	5	49
TOTAL	265	505	2.590	3.360

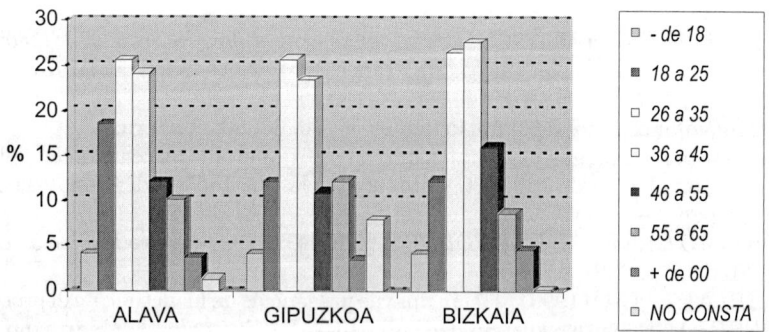

43 GOBIERNO VASCO, DEPARTAMENTO DE JUSTICIA (1997), *Servicios de asistencia a las víctimas en el País Vasco. Años 1991-1996*, Vitoria, 22 pp. También publica sus respectivas Memorias la GENERALITAT VALENCIANA (1997), *Ayuda a la Víctima del Delito. Guía Práctica 97*, Valencia, 184 pp. Merecen atención las evaluaciones y las Memorias de las Oficinas estadounidenses. Cfr. NATIONAL INSTITUTE OF JUSTICE (1999), "National Impact Evaluation of Victim Service Program Funded Through the S. T. O. P. Violence Against Women Formula Grants Program". Application Deadline: July 1, 1999, 7 pp., página web: http://www.ojp.usdoj.gov/nij.

Tipo de demanda expresada en las oficinas durante los años 1991-96

	ALAVA	GIPUZKOA	BIZKAIA	TOTAL PAÍS VASCO
INFORMACIÓN	56	498	2.074	2.628
APOYO EMOCIONAL	45	363	823	1.231
ASES. JURÍDICO	252	1.272	2.416	3.940
ATENCIÓN SOCIAL	27	160	466	653
ATENCIÓN PSICOLÓGICA	35	194	272	501
INESPECÍFICA	4	16	83	103
Total	419	2.503	6.134	9.056

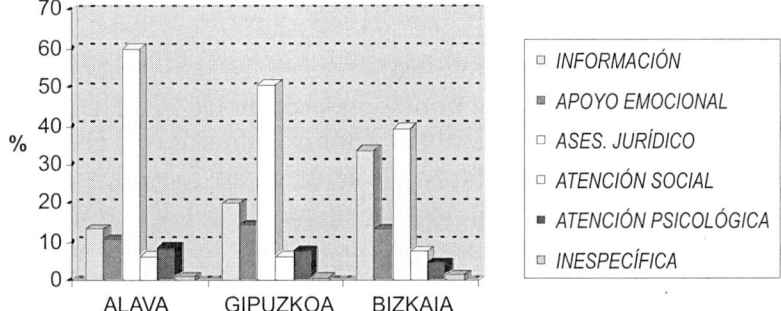

4.5. Hermenéutica comprensión de lo escatológico

Para disfrutar de un proceso penal más humano y recreador debemos seguir criticando y superando los turbios elementos míticos e irracionales —ordalías, juicios de Dios, etcétera— que le acompañan desde sus orígenes. Pero necesitamos también analizar e integrar las dimensiones metacientíficas y razonables de la conducta humana, las creencias y las convicciones de que hablan las Naciones Unidas, en su Declaración sobre la eliminación de todas las formas de intolerancia y discriminación fundadas en la religión o las convicciones, del 25 de noviembre de 1981, que "para quien las profesa, constituyen uno de los elementos fundamentales de su concepción de la vida".

A esta cuestión me referí en las conferencias que dicté en Linz y Salzburgo, invitado por los profesores MOOS y TRIFFTERER (abril de 1998), sobre *Kriminalpolitik: Zweckrationalität und Wertrationalität*. Comenté, desde una perspectiva concreta, la actual compleja discusión entre los catedráticos alemanes de Derecho penal acerca de la dogmática llamémosla funcionalista (Zweckgedanke) y la axiológica (Wertgedanke); indiqué la oportunidad de injertar la dimensión espiritual en la Política criminal y en la victimológica. Pretendamos, dije, no sólo una respuesta finalista, funcionalista, a la criminalidad, sino una transformación de la realidad toda con miras a adoptar otra perspectiva, otra axiología, en el encuentro dialogal de la dogmática penal con la Victimología, en un horizonte más amplio; pretendamos crear una cultura y una cualidad de vida más solidarias e incluso una justicia más asistencial hacia los desfavorecidos, los vulnerados[44], más atenta a "los roles de mutua ayuda a nuestros conciudadanos"[45]. En algunos puntos me ayudé del estudio de Bernd SCHUENEMANN, "Kritische Anmerkungen zur geistigen Situation der deutschen Strafrechtswissenschaft", así como de diversas reflexiones de Hans-Heinrich JESCHECK y otros colegas[46].

El futuro de la Victimología y del proceso penal victimológico deben tener más en cuenta algunos puntos básicos de las principales religiones. Deben emplear métodos multi e interdisciplinares, pero también transdisciplinares, algo similar a la metaciencia que se patentiza, por ejemplo, en algunas páginas centrales de Michel FOUCAULT y de Michel de CERTAU[47].

En concreto, conviene nos siga inspirando el cuadro del Buen Samaritano, dibujado por Rembrandt, que fue el logotipo del IX Symposio Internacional de Victimología, celebrado en Amsterdam (agosto 1997).

---

[44] "Hierbei geht es nicht nur um eine zweckmässige Erledigung von Kriminalität. Wer sich für den Täter-Opfer-Ausgleich einsetzt, die Realität zugunsten einer entsprechenden Umgansweise mit Kriminalität verändern will, hat regelmässig eine weitergehende Perspektive. Letztlich soll eine kulturelle Entwicklung gefördert, die Lebensqualität erhöht, ja sogar *die Welt verbessert* werden". Cfr. Michael WALTER (1999), "Wandel kriminalpolitischer Leitbilder und Zielvorstellungen", en RÖSSNER/JEHLE (compiladores), *Kriminalität, Prävention und Kontrolle*, Kriminalistik Verlag, Heidelberg, pp. 25-36 (25).

[45] Anthony GIDDENS (1999), *La tercera vía. La renovación de la socialdemocracia*, trad. Pedro Cifuentes Huertas, Taurus, Madrid, pp. 104-107.

[46] Bernd SCHUENEMANN (1995), "Kritische Anmerkungen zur geistigen Situation der deutschen Strafrechtswissenschaft", *Goldtammer's Archiv für Strafrecht*, pp. 201 ss.
Hans-Heinrich JESCHECK und Thomas WEIGEND (1996), *Lehrbuch des Strafrechts*, 5ª ed., Duncker & Humblot, Berlin, pp. 43, 73 ss., 95, 422, 876 ss.

[47] Cfr. Johannes HOF, "Erosion der Gottesrede und christliche Spiritualität", *Orientierung*, Zurich, 1999, 31 mayo, pp. 116-119, y 15 junio, pp. 130-132.

También ayudará tener en cuenta el programa del *juicio final*, aunque sea mítico: "estaba preso y me visitaste, tenía sed y me diste de beber, estaba hambriento y me alimentaste". Esta exigencia de atender al necesitado, fundamental en el cristianismo y en otras religiones, concierne tanto a las personas particulares como a las que desempeñan cargos públicos. Nadie lo ha discutido. Tampoco NIETZSCHE, a pesar de su preferencia por el superhombre. Frecuente, aunque indirectamente, lo admiten las instituciones internacionales, por ejemplo las NN.UU. en el documento *E/CN.4/1999/99, 5 de febrero de 1999, del Consejo Económico y Social, Comisión de Derechos Humanos, 55º período de sesiones. Servicios de asesoramiento y cooperación técnica en materia de Derechos Humanos*, reconoce el peculiar derecho de las religiones y las iglesias a practicar su carisma de la asistencia gratuita a los necesitados, en general (y concretamente en Vietnam).

Este deber asistencial de los poderes públicos y de los ciudadanos[48] se admite y proclama en las Constituciones y en los códigos penales de todos o casi todos los países. Pero su formulación y sus comentarios distan de lo que exige la actual ciencia victimológica. A veces me pregunto si nuestra Constitución Española debería hacer referencias directas a las víctimas en algunos artículos, por ejemplo, 9º.2, 18.4, 20.4, 24.2 (cfr. el nuevo artículo 962 de la Ley de Enjuiciamiento Criminal y las sentencias del Tribunal Constitucional 30/1981 de 24 de julio, y 216/1988 de 14 de noviembre), 25.1.

---

[48] Permítaseme transcribir aquí la nota "Memoria restaurativa", que publiqué en *El Diario Vasco*, el día 8 de junio de 2001:

"Acabo de regresar de unos días en Colombia por motivos académicos, y mi primer deseo es escribir estas líneas para manifestar, públicamente, mi profundo sentimiento por el atentado terrorista que nos ha arrebatado al amigo Santiago Oleaga. Quisiera poder colaborar para que su esposa, sus hijos y los amigos de Santi y de *El Diario Vasco* reciban —hoy, mañana y pasado mañana— la máxima y eficiente reparación humana y espiritual de este asesinato. No cabe cruzarse de brazos. Sería complicidad por omisión.

Urge que, además de las manifestaciones de condena del crimen, anhelos de paz y de solidaridad con las víctimas en general, se haga algo concreto y eficaz a nivel privado y a nivel de las instituciones culturales, municipales, provinciales y autonómicas, para lograr la más completa reparación a las víctimas —directas e indirectas— como lo exige, cada día más, la tan innovadora como básica justicia restaurativa.

Los que trabajáis por la justicia y la libertad en los medios de comunicación estáis siendo víctimas paradigmáticas. Vuestra voz, como voz de las víctimas, tiene un plus de verdad; vuestro trabajo un plus de valor; y vuestra persona un plus de dignidad".

A los victimólogos nos ayudarán no poco los relatos bíblicos del Dios "débil" que sufre[49], que siente *compasión* por las personas vulneradas, y lógicamente desea que los ciegos vean, los cojos anden y salten, los huérfanos y las viudas encuentren quien les acoja, los peregrinos quien les brinde hospitalidad, los presos quien les visite.

En el paradigmático libro de la Biblia, como en la Victimología, lo escatológico, lo último... es lo primero.

V. ALGO MEJOR QUE LA DESACRALIZACIÓN DEL DERECHO PENAL KANTIANO (Protagonismo de las víctimas)[*]

SUMARIO: I.- Un estudio interdisciplinar con 23 glosas de especialistas. II.- Siete reflexiones desde otra perspectiva (1.- Crítica criminológico-victimológica merecedora de comentario; 2.- Urge la alternativa radical desde la Justicia restaurativa; 3.- La sanción puede y debe evitar la vindicta; 4.- Todo delito causa varias víctimas; 5.- Protagonismo de las víctimas; 6.- ¿Olvidamos el gran influjo negativo y positivo de las religiones?; 7.- Riqueza argumental y bibliográfica).

I. Un estudio interdisplinar con 23 glosas de especialistas

En la relativamente veterana revista *Ethik und Sozialwissenschaften. Streitforum für Erwägungskultur*, (año 12/2001, cuaderno 1), de la editorial Lucius Lucius, en Stuttgart, ha aparecido un artículo, sólidamente informado y sugerente, de mi estimado colega el profesor SCHEERER,

---

[49] Jon SOBRINO (1999), *La fe en Jesucristo. Ensayo desde las víctimas*, Trotta, Madrid, pp. 363 ss. (Un Dios que puede sufrir).
Antonio BERISTAIN (1996), "Kriminologie und Theologie. Notwendigkeit einer wechselseitigen kritischen Öffnung", en Kurt SCHMOLLER (Hrsg.), *Festschrift für Otto Triffterer zum 65. Geburtstag*, pp. 15-39. M. Cherif BASSIOUNI (1978), *Substantive Criminal Law*, p. 135: "The Talmudic and Islamic criminal justice system were very much victim-oriented". Pietro BOVATI, S. J. (1999), "Paternità di Dio e giustizia", *La Civiltà Catolica*, Nº 3574, pp. 324-337.

[*] Traducción del artículo aparecido en la revista *Ethik und Sozialwissenschaften. Streitforum für Erwägungskultur* (año 12, 2001, pp. 88 ss.), Cfr. *Criminalia*, Academia Mexicana de Ciencias Penales, año LXVIII, núm. 2, mayo-agosto 2002, pp. 245-252.

titulado "Kritik der strafenden Vernunft", de 15 amplias y densas páginas, 69-83. A continuación —páginas 83 a 135— se incluyen 23 comentarios (desde diversas perspectivas: jurídica, filosófica, pedagógica, psicológica, etcétera) firmados por los profesores H.-J. ALBRECHT, de Freiburg, R. ANSELM, de Jena, J. R. BLAD, de Rotterdam, A. BERISTAIN, de San Sebastián, L. BOELLINGER, de Bremen, N. CHRISTIE, de Oslo, A. DESSECKER, de Göttingen, P. FISCHER, de Leipzig, H. FISCHER, de Hambüren, W. GREVE, de Hannover, O. HANSMANN, de Bayreuth, G. JAKOBS, de Bonn, S. MUELLER, de Tübingen, J. Ph. REEMTSMA, de Hamburg, D. ROESSNER, de Marburg, E. SCHMIDHÄUSER, de Hamburg, H. SCHROEDER, de Amsterdam, G. SMAUS, de Saarbrücken, F. STRENG, de Erlangen, Ch. STRUB, de Hildesheim, S. UHL, de Erfurt, H. WESTMEYER, de Berlin, y J.-C. WOLF, de Fribourg. En las diez páginas finales, SCHEERER agradece esas valiosas aportaciones, predominantemente gratulatorias, pero también más o menos discrepantes, y formula su réplica progresiva.

Como suele hacerse en ocasiones similares, el año pasado 2000, la editorial Lucius Lucius nos había enviado a los colegas citados el texto inédito del artículo básico de SCHEERER "Kritik der strafenden Vernunft" que se proyectaba publicar —y se ha publicado— en el número de abril de este año 2001 de *Ethik und Sozialwissenschaften. Streitforum fur Erwägungskultur*, y nos brindaba la posibilidad de escribir un comentario breve a ese estudio. Nos prometía que nuestra reflexión aparecería en el mismo número de la revista y que, a continuación, el profesor SCHEERER añadiría una réplica, como lo ha hecho, y puede leerse en las páginas 135-144 de la publicación global.

El artículo básico del profesor SCHEERER expone y argumenta una doctrina amplia y completa, en cierto sentido, de la sanción penal. Entre sus múltiples y atinadas consideraciones niega, por una parte, que la pena actual sea una herencia cultural de toda la humanidad, y que resulte necesaria inexorablemente como última *ratio* para el control social de la vida ciudadana. Por otra parte afirma que la pena es venganza, que puede y debe ser sustituida por diversas —más o menos nuevas— sanciones o instituciones sociales alternativas, programadas como instrumento catalizador de convivencia pacífica, superadora de los conflictos graves.

Mi texto necesariamente breve, junto al similar de los demás compañeros, resume siete reflexiones que me sugieren las páginas de Sebastian SCHEERER, catedrático en el Instituto de Criminología e Investigación Social, de la Universidad de Hamburgo, en las que critica inteligentemente la razón punitiva —sólo aparentemente secularizada (Nº 7)— de Immanuel KANT y sus innúmeros seguidores, todavía hoy.

A continuación traduzco ese comentario mío aparecido en las páginas 88-90. En algunos puntos de mi traducción, añado al texto original alemán una indicación acerca de la opinión o consideración concreta de SCHEERER a la que me refiero. El lector de la revista alemana no ha necesitado esa explicación que ahora añado porque ya tenía el texto completo de SCHEERER, al comienzo de la misma revista.

II. SIETE REFLEXIONES DESDE OTRA PERSPECTIVA.

II.1. Crítica criminológico-victimológica merecedora de comentario

Desde la perspectiva de la Criminología —ciencia y arte multi, inter y transdisciplinar— que intenta integrar el Derecho penal con la Victimología (y también con la Sociología, la Psicología, la Filosofía, la Teología, la Ética, la Pedagogía, etcétera), en la crítica de Sebastian SCHEERER contra las actuales doctrinas de la sanción penal heredadas de KANT se encuentran importantes aciertos y matizaciones que merecen comentarse y, quizás, parcialmente criticarse. Lo intentaré en los párrafos siguientes. Indicaré entre paréntesis a qué números concretos del estudio de SCHEERER me refiero.

En la misma o parecida línea que sigue el Profesor de la Universidad de Hamburgo, muchos juristas y criminólogos proyectamos una crítica radical de la actual cosmovisión dogmática punitiva, buscamos algo mejor que la desacralización de la pena formalista y que su desjuridización ya propugnada por Marc ANCEL, hace más de treinta años. Deseamos, sobre todo, que el centro del sistema penal no lo siga ocupando hegemónicamente la pena vindicativa, ni el delito, ni el delincuente, ni el dogma abstracto de legalidad, ni el bien jurídico social impersonal..., sino otros valores y otros protagonistas: las víctimas directas e indirectas, la reparación de todos los daños que se les han causado, el nuevo *bien superior de las víctimas*, el bien jurídico de las víctimas concretas... antes que el de la sociedad.

II.2. Urge la alternativa radical desde la justicia restaurativa

El acierto fundamental de SCHEERER se refiere a la argumentación crítica frente a la *Vernunft* punitiva, vindicativa y expiacionista, la razón kantiana, actualmente más o menos predominante en los países de nuestro ámbito cultural. También merece destacarse y aplaudirse el protagonismo que SCHEERER desea para las víctimas a la luz de la *justicia restaurativa* y, por fin, la relevancia que concede a lo teológico-religioso-ético, mejor dicho, a lo espiritual. Es necesario insistir en el combate contra la cosmovisión kantiana de la pena, comprensible en tiempos pasados, hijos del Derecho romano y del canónico, pero inadmisible el año 2002. Sin embargo, todavía hoy quizás la mayoría de los jueces, policías, penitenciaristas, medios de comunicación, ciudadanos, teólogos, deportistas... opinan que a los delitos se debe responder con la pena que inflija sufrimiento-daño a su autor: el chivo expiatorio. (Cfr. Antonio BERISTAIN, *De los delitos y de las penas desde el País Vasco*, Dykinson, Madrid, 1998, pp. 103 ss.).

II.3. La sanción puede y debe evitar la vindicta

Quizás una discrepancia me separa de SCHEERER, cuando él (en los núms. 19 y 20 de su estudio) niega que haya distinción entre la pena y la venganza. "Las dos —afirma— son imposición de un perjuicio dañoso —*Leidensübel*— que se inflige al delincuente por el daño que ha causado su delito..." (cfr. su núm. 17). En mi opinión, el concepto actual de la pena no siempre conlleva un perjuicio dañoso; y su práctica quizás tampoco siempre, aunque sí muchas veces. Recordemos la distinción del *Doctor eximius*, Francisco SUÁREZ, S.J. (1548-1617), *aliud est punire, aliud vindicare*, una cosa es sancionar (pena), otra castigar (venganza). (A. BERISTAIN, *De leyes penales y de Dios legislador*, Edersa, Madrid, 1990, pp. 55 ss.). En latín como en español, se distingue dentro de la pena dos instituciones: la sanción por una parte, y el castigo por otra. Éste siempre es vengativo. En cambio, la sanción puede y debe ser racional y proporcional, aunque de hecho generalmente no lo sea. También debe pretender alcanzar las metas de la justicia restaurativa. Por ejemplo, parece errado calificar como un perjuicio dañoso la pena que actualmente regulan algunos Códigos penales de un trabajo en beneficio de la comunidad, o mejor en beneficio de las víctimas. Tampoco estigmatizo como perjuicio dañoso o venganza la prohibición que los jueces imponen al delincuente sexual, o a otros delincuentes, de vivir cerca de sus víctimas (artículos 48, 57, 105, 1, g del código penal español). Quien considere esta prohibición como un *Leidensübel* también considerará *Leidensübel* la prohibición a la que estamos sometidos todos los ciudadanos de conducir nuestro automóvil por el carril izquierdo.

II.4. Todo delito causa varias víctimas

Otros párrafos de SCHEERER merecen ahora especial atención: los dedicados a la víctima y su deseable protagonismo (sus núms. 22, 55, 57 ss., 60, 64) en el futuro sistema de justicia que él propugna. Permítaseme una corrección semántica. Prefiero hablar de las víctimas en plural y no de la víctima, en singular. Varios argumentos motivan esta formulación extensiva. Aunque la dogmática penal generalmente considera que a cada delito corresponde sólo un sujeto pasivo; sin embargo, la Criminología afirma, con argumentos empíricos irrefutables, que normalmente cada delito causa varias víctimas: una víctima directa, y varias o muchas víctimas indirectas. En el mismo sentido se manifiesta la *Declaración de las Naciones Unidas sobre los principios fundamentales de justicia para las víctimas de delitos y del abuso de poder*, de 29 de noviembre de 1985, ya desde sus primeras palabras: "A.- Las víctimas de delitos. 1. Se entenderá por 'víctimas' las personas que…" El número 2 considera víctimas indirectas "a los familiares o personas a cargo que tengan relación inmediata con la víctima directa y a las personas que…" Un ejemplo patentizará la conveniencia de referirnos más a las víctimas que a la víctima. Si alguien viola a una niña, todos comprendemos que ella es la víctima directa, pero también consideramos víctimas (indirectas) a sus padres, hermanos, amigas íntimas que le acompañaban entonces, etcétera.

II.5. Protagonismo de las víctimas

El deseado protagonismo de las víctimas encuentra, desde los últimos diez años, apoyos muy sólidos en los pioneros de la *justicia restaurativa*. (Cfr. Antonio BERISTAIN, "Recreative penal justice: contrasting retributive and restorative cosmovisions", en E. FATTAH, T. PETERS, *Support for crime victims in a comparative perspective*, University Press, Leuven, 1998, pp. 111-125). La sanción restaurativa obliga a cambiar y transformar todo el sistema jurídico (núm. 45). Por ejemplo, exige admitir en determinados supuestos un nuevo e innovador principio básico: *in dubio pro victima*, en lugar del tradicional y formalista-teocrático *in dubio pro reo*. La fundamentación valorativa de la pena no debe centrarse principalmente en la acción y el desvalor del delito, ni en la conducta y resocialización individual del delincuente. Debe prestar principal atención, ante todo, a la victimación y su reparación, a los perjuicios que sufren las víctimas. Esto difiere radicalmente del contenido y las metas del sistema penal y de la Criminología tradicional. Nos interesa lo que lesiona de manera insoportable la esfera de la libertad individual (núm. 35) más que lo que afecte en general al bien jurídico de toda la sociedad en abstracto. Nos preocupa estructurar un proceso penal y una sanción a la medida de las personas vulnerables y heridas. Por eso buscamos correcciones de rumbo que se dirijan a reclamar una mayor implicación de las víctimas y a destacar siempre la importancia de la indemnización de daños y perjuicios de cada ser humano. (Cfr. A. ESER, *"Menschengerechte* Strafjustiz. Vision eines am Menschen als Einzel- und Sozialwesen orientierten Straf- und Verfahrenssystems").

II.6. ¿Olvidamos el gran influjo negativo y positivo de las religiones?

Otro acierto sumamente importante de SCHEERER merece ser subrayado: su insistente preocupación clarificadora acerca de los aspectos "espirituales" (teológicos, éticos, morales, axiológicos y filosóficos) de la pena. Él atina cuando constata la trágica herencia teológica que hemos recibido en este ámbito: "proviene de tiempos predemocráticos, en los que la justicia se podía concebir como una realidad vertical que venía *de arriba*" (núms. 37, 40, 45, 52). Conviene criticar con insistencia esta ideología expiacionista que todavía perdura en muchos ambientes. Se cree que Dios castiga *post mortem* a más de media humanidad al sufrimiento eterno. De este dogma se deriva que los jueces humanos deben castigar, infligir daños, a los delincuentes, imitando a ese Dios inmisericorde. Miguel Ángel logró plasmar con fuerza y belleza simbólicas, en la Capilla Sixtina, el *mito* del juicio final. Pero muchos teólogos, por su equivocada pupila sádica y masoquista, lo ven como descripción de la realidad. Según ellos, Jesucristo levanta airado su brazo derecho contra masas innumerables de pecadores... todos los que están, o él coloca, a su izquierda, para sumergirlos en las llamas del infierno de verdad; más cruel que el de la Divina Comedia de Dante. Todavía el año 2001 multitud de exegetas mantienen esa errónea hermenéutica del evangelio de Mateo (cap. 25, vers. 41, 46) cuando, en el juicio final, Dios exclama: "Apartaos de mí, malditos, id al fuego eterno... al castigo eterno". Las ciencias y praxis de las principales religiones, que hasta ahora tanto han deshumanizado el derecho penal, deben corregir y actualizar sus mitos, dogmas y misterios, para respetar la autonomía jurídica, superar el maniqueísmo de personas buenas *versus* personas malas, acabar con la exigencia expiacionista, interpretar con compasiva hermenéutica el mito de Caín (a la divinidad, que es amor, ni se le ocurre castigar), propugnar el abolicionismo de la pena de muerte que todavía admite el Catecismo del Vaticano, matizar sus posturas ante el aborto, la muerte digna y el control de natalidad...

Sin negar un ápice de la influencia negativa de las religiones, conviene recordar públicamente que también han influido —y no menos— positivamente, como se demuestra en las investigaciones históricas. Aquí me limito a citar la obra del jesuita Friedrich von SPEE, S.J. (25.2.1591-7.8.1635), profeta que, con su vida y su libro *Cautio criminalis* (primera edición en Rinteln, 1631; segunda en Frankfurt, 1632) denunció y anunció un Derecho penal reconciliador. Recordemos el comienzo de su "PREGUNTA 15. *¿Qué gente es esa que constantemente aguijonea a los Príncipes contra las brujas?* El primer grupo lo forman los Teólogos y los Prelados que, pacífica y cómodamente sentados en sus despachos, se ocupan siempre de sus elevados pensamientos, pero nada saben, ni experimentan de lo que sucede en los tribunales de la justicia, de los horrores en los calabozos, del peso de los grilletes. Visitar a los presos, hablar con los menesterosos y las víctimas... esto sería incompatible con su dignidad y con sus compromisos científicos". También podíamos referirnos a las obras de otro jesuita, Eugen WIESNET, nacido en Nuremberg el año 1941. Su libro principal se titula *Die verratene Versöhnung. Zur Verhältnis von Christentum und Strafe*, Düsseldorf, 1980. Estos dos teólogos, y otras muchas figuras relevantes de los valores transcendentes, han ayudado y seguirán ayudando a programar algo mejor que el Derecho penal, resumido en una frase digna de encabezar el Código penal y la Ley de enjuiciamiento criminal: A LAS VÍCTIMAS LAS DEBEMOS ATENDER COMO PROFETIZA LA PARÁBOLA DEL BUEN SAMARITANO.

II.7. Riqueza argumental y bibliográfica

Por limitación de espacio debo poner punto final antes de lo que quisiera, pues me agradaría comentar alguna de las notas marginales con las que SCHEERER enriquece el texto, especialmente para un lector no alemán. Así, la nota 60, en la que propone que a las víctimas más que al Estado compete el describir y definir los daños causados por el delito.

REFERENCIAS:

J. ANTÓN ONECA, *La pena como prevención general y prevención especial*, Salamanca, Universidad, 1944; A. BERISTAIN, "Geht die Gerechtigkeit vom Volke aus?", *Festschrift für Horst Schüler-Springorum*, Köln, München, 1993, 425-440; A. BERISTAIN, "Kriminologie und Theologie. Notwendigkeit einer wechselseitigen kritische Öffnung", *Festschrift für Otto Triffterer*, Wien, 1996, 15-39; A. BERISTAIN, "¿La Criminología hodierna puede prescindir de los valores religiosos?", *Festschrift für Günther Kaiser*, Berlin, 1998, 31-45; A. BERISTAIN, "La victimología ante las persecuciones a Ignacio de Loyola y los jesuitas", en IDEM, *Victimología. Nueve palabras clave*, Valencia, 2000, 245-290; A. ESER, "Una justicia penal 'a la medida del ser humano'. Visión de un sistema penal y procesal orientado al ser humano como individuo y ser social", traducción de J.M. Landa Gorostiza, *Revista de Derecho Penal y Criminología*, 2ª época, núm. 1, enero 1998, pp. 131-152; E. WIESNET, *Pena e retribuzione: la riconciliazione tradita. Sul rapporto fra cristianesimo e pena*, traducción al italiano de L. Eusebi, Giuffrè, Milano, 1987.

VI. EL DERECHO PENAL PROTECTOR DE LAS VÍCTIMAS DEL DELITO*

Los días 14 al 16 de octubre de 1996, en Vitoria, durante el Seminario organizado por el Consejo de Europa y el Gobierno Vasco, sobre "Políticas en favor de las víctimas de los delitos en Europa", eminentes especialistas y autoridades gubernamentales se preguntaban si las víctimas del terrorismo deben considerarse como un iceberg, del cual sólo se conoce una décima parte que emerge sobre las olas del océano; es decir, como algo aparentemente sin gran importancia, pero que, en realidad merece mucha más atención. Los representantes de los 17 países europeos coincidieron en que la negociación política no puede prescindir de la justicia a las víctimas. La herida no se cura con sólo taparla.

Observo el ayer como catedrático de Derecho penal, y me brotan palabras de sonrojo al constatar la finitud y culpabilidad de quienes hemos abusado de percepciones expiacionistas y maniqueas. En cambio, hacia el mañana, como miembro de la Sociedad Mundial de Victimología

---

* Cfr. "En favor de las víctimas del delito", *El Diario Vasco*, 22 octubre 1996, p. 24.

auguro un innovador paradigma de ciencia y de justicia, de paz y de reconciliación.

Con impar acierto, el ministro de Justicia alemán Radbruch pedía que hagamos un Derecho penal mejor, pero sobre todo que hagamos algo mejor que el Derecho penal. Ese algo mejor es la Victimología; el paradigma victimológico aplicado a los problemas de los delitos y de las penas. Como indica Thomas Kuhn, al proyectarlo a nuestro campo, transforma radicalmente la justicia reparadora de convivencia generosa y pacífica. Cambia todo el sistema, desde el delito hasta la sanción, pasando por la actividad policial, la penitenciaria, e incluso la procesal. Ya no cabe hablar o escribir de la justicia y la paz en Euskadi, en España, sin referencias y atenciones a las víctimas del terrorismo.

El delito ya no es la desobediencia a las leyes, ni la violación del bien jurídico, sino la acción que causa daños a personas e instituciones; es la parte nuclear del cáncer que llamamos criminalidad, victimación o macrovictimación. Al delincuente no le percibimos ahora como la persona libre que desobedece al Estado; sino como la persona vulnerable (sí, vulnerable, pero responsable y culpable) que coloca el último eslabón de una cadena de actos libres, como lo explica el principio de la responsabilidad universal compartida. El delincuente, mejor dicho el autor objetiva y subjetivamente imputable de los perjuicios producidos, aparece a veces también como víctima (en más o menos grado) de circunstancias y estructuras sociales de riesgo. Al juez le incumbe la difícil, pero necesarísima, misión de medir y comparar ambos platillos de la balanza de la Justicia. Para lograr la convivencia hay que juzgar y distinguir al delincuente del no delincuente, y más aún (en casos de terrorismo) de la víctima.

Acerca de ésta conviene desvelar algo que suele olvidarse: no coincide con el sujeto pasivo de la criminalidad. Ahora el lugar de aquél lo ocupa la víctima. Mejor dicho, las víctimas, en plural. Este cambio pasa a veces desapercibido, pero debe constatarse y explicitarse pues las víctimas rebasan las fronteras del sujeto pasivo del delito. En el paradigma victimológico la infracción penal produce, casi siempre, efectos negativos en muchas personas; no sólo en una; no sólo en el sujeto pasivo del delito. Por ejemplo, un asesinato llevado a cabo por un delincuente que pertenece a una banda terrorista victimiza no sólo a sus familiares y allegados. Victimiza y aterroriza también a muchas otras personas, probablemente a miles, que viven en circunstancias parecidas a la asesinada, por su profesión idéntica, por su pertenencia al mismo grupo político, por haber recibido amenazas similares, etc. Además, hoy, a las víctimas les competen más y diversas funciones que al tradicional sujeto pasivo.

La sanción ya no se puede considerar como el *malum passionis propter malum actionis*, el mal que se sufre por los daños causados, sino como una realidad social sumamente compleja que tiene un origen, una meta y un contenido distintos de los que tenía la pena tradicional. Hoy, quien crea la sanción, su origen, no es el Estado, sino más bien las víctimas y la comunidad. Por algo actúa el Jurado. La meta de la sanción no podemos ubicarla, como antes, en la restauración del orden jurídico violado, sino en la reparación de los daños causados a las víctimas y en la reconciliación entre las víctimas y el victimario, y en su recreación como personas. Aquí surgen grandes e importantes discrepancias entre los especialistas más autorizados. Muchos rechazan como finalidad de la sanción la reconciliación, pues sólo admiten la compensación reparadora. Pero, si nos apoyamos en la tradición humanista hispana y vasca de Concepción Arenal, Dorado Montero, José Miguel de Barandiarán y tantos otros, calificaremos de injusta la sanción que no se fundamenta y no pretende la comprensión y el amor.

Toda configuración victimológica de la respuesta al delito conlleva una transformación de la cosmovisión punitiva tradicional de los jueces y los ciudadanos. Conlleva un replanteamiento de las bases profundas del Derecho penal que según la historia proviene de la venganza ilimitada animal y del maniqueísmo expiacionista fomentado en el libro *Malleus maleficarum*. Proviene de una antropología hace ya siglos superada. Hobbes y su "hombre lobo para el hombre" difícilmente encuentran cabida en la Universidad hodierna. Tampoco en los artículos primeros de las constituciones de los Estados que se autodefinen como Estados sociales y democráticos de Derecho.

Si tuviéramos más espacio podríamos comentar la evolución de la doctrina del Tribunal constitucional alemán acerca del Estado social de Derecho. Después de muchas y serias reflexiones, en 1978 reconoció que todo Estado social de derecho debe introducir inexorablemente una dimensión humana y fraternal en todas sus decisiones jurídicopenales. Por ello proclamó la imprescriptibilidad del genocidio y de los crímenes contra la humanidad. Por ello consideró necesario dejar una puerta abierta a la esperanza de la "probación" y la libertad para los condenados a penas carcelarias a perpetuidad.

Para terminar, un breve comentario a la pregunta de Horacio ¿*Quid leges sine moribus*? Los gobiernos y sus parlamentos pueden elaborar muchas leyes, pero el poeta latino les cuestiona: ¿qué frutos positivos van a lograr esas leyes si los jueces y los ciudadanos no las aceptan ni las practican en sus costumbres? Como respuesta cabe afirmar que, si los legisladores y los magistrados conocen la moderna Victimología, si reconocen a las víctimas del terrorismo como protagonistas benefactoras e insustituibles, los hombres y las mujeres cumplirán sus leyes y sus sentencias.

Parte 2ª
Política criminal victimológica

VII. EVOLUCIÓN DESDE EL DERECHO PENAL A LA CRIMINOLOGÍA Y LA VICTIMOLOGÍA[*] (Aproximaciones diacrónicas y sincrónicas a la Política Criminal)

SUMARIO: 1.- Política criminal penalista. 2.- Política criminal criminológica. 3.- Política criminal victimológica (a: Las víctimas; b: Los delincuentes ya condenados; c: La sociedad y el poder judicial). 4.- Política criminal transdisciplinar. 5.- Recapitulación sincrónica-metafísica.

DEDICATORIA:

Dedico estas reflexiones sobre *la evolución de la Política criminal* al amigo y maestro Alfonso Reyes Echandía. Al citar su nombre, me acuerdo de la última escena de la película "La misión". Cuando el Señor Obispo escribe una carta al Sumo Pontífice Romano: "Santidad, ahora vuestros sacerdotes están muertos, y yo sigo vivo. Pero en verdad soy yo quien ha muerto y ellos son los que viven, porque, como sucede siempre, el espíritu de los muertos sobrevive en la memoria de los vivos". En la secuencia siguiente, una niña tiene que abandonar su casa y su aldea incendiadas; al salir, encuentra un violín flotando en el río; lo recoge y lo abraza en su pecho. El violín está roto, pero a ella le brinda música e ilusión para seguir navegando río arriba.

Reyes Echandía no está muerto, está vivo entre nosotros, y estas notas pretenden encontrar lo que esa niña encontró, un violín que nos anime a seguir ilusionados. El violín de la Política criminal que, a lo largo de los siglos, respeta y desarrolla más y mejor los derechos humanos. El violín de la historia que va dando sentido a las diversas posturas que el hombre y la mujer hemos adoptado ante el enigma del crimen.

Comentaré la evolución diacrónica de las cuatro respuestas que, al ritmo de la historia, ha ideado y aplicado la humanidad frente a la realidad innegable del crimen:

1) la Política criminal desde la cosmovisión del Derecho penal, que controla la venganza primitiva, ilimitada.

2) la Política criminal inspirada en la Criminología, que mira hacia atrás (para eliminar la expiación vindicativa) y hacia adelante, para resocializar al delincuente.

---

[*] Cfr. "Evolución desde el crimen al delincuente y a la víctima (Aproximaciones diacrónicas y sincrónicas a la Política Criminal)", Anuario de Derecho penal y Ciencias penales, Tomo LII, enero-diciembre 1999, pp. 73-87.

3) la Política criminal derivada de la Victimología, con su creatividad desde la vulnerabilidad.

4) la Política criminal que a la multi e interdisciplinariedad añade la transdisciplinariedad. Al final, recapitularé esas cuatro etapas históricas desde una perspectiva sincrónica y/ o metafísica.

1. Política criminal penalista

El primer punto trata de la Política criminal propia del Derecho penal. Comenzamos mirando sus grandes elementos positivos (porque toda realidad humana tiene algún valor positivo, incluso el delito, incluso la macrovictimación) y vemos después sus facetas negativas, mayores con el transcurso del tiempo. Si el Derecho penal no se autocrítica y evoluciona, si no toma en serio la doctrina de Thomas KHUN, especialista en el estudio de las ciencias, cuando nos dice, con Heráclito, "panta rei", todo fluye, los paradigmas científicos de ayer ya no valen hoy, y los paradigmas científicos de hoy no valdrán mañana..., en ese supuesto sus coordenadas deben ser transformadas.

No miremos atrás con ira, porque es posible que nuestra crítica carezca de base; y, aunque sea fundada, no da frutos positivos si actuamos con ira. Miremos atrás con agradecimiento, un agradecimiento crítico pero agradecimiento, reconociendo lo positivo que, en su tiempo, tienen todas las personas y todas las instituciones, en grado mayor o menor.

Al Derecho penal le compete el honor de, por lo menos, haber acabado con la venganza ilimitada. Ernst BLOCH, en su libro Derecho natural y dignidad humana, agradece al Derecho penal que con su dogma de "ojo por ojo y diente por diente" superó la barbarie vindicativa irracional, y, así, inició el momento cero de la historia jurídico-penal. Desde entonces la respuesta al delito no deberá ser la venganza ilimitada e irracional; sino la medición, la proporcionalidad mínima de la pena, las garantías, las razones del proceso penal, etcétera.

No consideremos que el Derecho penal primitivo talional haya sido negativo, no. Fue útil e incluso "justo", en su tiempo. Entonces cumplió su misión. Ahora debe cumplir otra distinta. Como el árbol que florece en primavera y da frutos en otoño; el año siguiente debe dar otras flores y otros frutos distintos, mejores. El Derecho penal tradicional, si se mantiene todavía hoy, merece una crítica muy severa. GOYA supo plasmarla en algunas de sus obras. Por ejemplo, en su famoso dibujo que él tituló con la frase "Divina Razón, no dejes ninguno" (circa 1820-1823,

Museo del Prado). Esa censura de Goya al Derecho penal de su tiempo hemos de aplicarla con moderación al Derecho penal actual. Nuestro precursor del impresionismo y del expresionismo, consciente del valor y la dimensión del sentimiento y de la dignidad única e individual de todo ser humano, considera la justicia penal como un látigo con la única función de hacer sufrir, de matar a todos.

Si hablamos con artistas inteligentes y sensibles. Si les preguntamos cómo ven el Derecho penal, nos responderán siempre muy negativamente. Si conversamos con personas que hayan experimentado algo del Derecho penal o hayan tratado con ciertos jueces o fiscales "penalistas" oiremos que nos contestan: "eso no es humano, eso hay que superarlo".

Al Derecho penal le ha faltado autocrítica. Se fiaba totalmente de la lógica y del discurso meramente deductivo, silogístico. Y esta manera de juzgar y argumentar, sin la ayuda de otros criterios, engendra monstruos. Por ejemplo, la pena de muerte, la tortura, la equiparación de los delitos con los pecados, la sumisión ideológica a la censura de la autoridad eclesiástica (recordemos la infundada y trágica condena de BECCARIA y de su excelente libro De los delitos y de las penas, y la condena de Dorado Montero, el insigne catedrático de Derecho penal de la Universidad de Salamanca y su suspensión de empleo y sueldo en junio de 1897), y tantas otras instituciones que el Derecho penal ha creado y mantenido, sobre todo cuando se ha entregado incondicional a un partido político o a una fe religiosa. El discurso penalista no debe depender ni de la religión, ni de la política, ni de nadie; debe ser autónomo.

El Derecho penal ha aportado notables ventajas superadoras de la crueldad de los castigos primitivos. Pero, hoy en día ya no debemos conservar sus criterios teóricos y sus realidades prácticas. Algunas de las razones por las cuales no podemos mantener el Derecho penal tradicional las han formulado los creadores de la ciencia criminológica que nace a finales del siglo pasado. De ellas vamos a hablar ahora.

2. Política criminal criminológica

Como lógica consecuencia de la evolución social a lo largo de los siglos, la Política criminal que se deriva del Derecho penal ha ido (y continúa) fracasando cada día más, por múltiples motivos que ha detectado la nueva ciencia de la Criminología. Ahora indicamos algunos de los factores etiológicos del anacronismo del actual Derecho penal y cómo los ha intentado superar la Criminología.

Los penalistas actuales se equivocan en cuanto conservan criterios maniqueos, en cuanto apoyan el Derecho penal en la ley-dogma; en cuanto exageran la individualización exclusiva de la responsabilidad; y también en cuanto siguen aferrados al método deductivo, y a cierta dimensión teológica-confesional, etcétera.

Para los criminólogos el centro del Derecho penal no debe seguir siendo el crimen. Prefieren estudiar y conocer mejor al delincuente, su personalidad, su infancia, los motivos que le abocaron a la comisión del delito, etcétera.

Ante el autor de un delito hemos de intuir siempre una persona con sus dos facetas: ángel y bestia. Eso se aplica a todas las personas, como lo expresa gráficamente Julio CARO BAROJA en su dibujo, en la portada del libro Criminología y Derecho penal al servicio de la persona (San Sebastián, IVAC, 1989).

Si los doctores o cultivadores de la Política criminal superan el talante maniqueo, nunca emplearán la palabra contra, o la palabra lucha, ni la palabra combate. Hacia ahí avanza la Criminología apoyándose en el principio de la responsabilidad universal compartida.

La Criminología pide que la Política criminal no lea el texto de la ley como uno de sus dogmas; sino que respete la máxima latina: "Non ex regula ius summatur, sed ex iure quod est regula fiat", no se formule la Política criminal de lo que dicen las leyes, sino de la realidad, del poder imponente de las cosas, de lo que es justo. Este puente directo con la realidad personal y social, es una innovación del método de la Política criminal criminológica. No construyamos el edificio de los palacios de justicia y de las cárceles y de la policía sobre la letra de la ley, sino que elaboremos e interpretemos las leyes después de analizar cuantitativa y cualitativamente según la sociología y la psicología y las ciencias sociales. Demos más importancia a la interpretación crítica a la luz de la moderna hermenéutica poco amiga de los axiomas.

Los penalistas hablaban de determinados valores y/o derechos humanos universales, creyendo que la mayoría de la sociedad estaba de acuerdo. Suponían que los criterios tradicionales podían continuar como el fundamento del código punitivo. Pero los criminólogos constatan, por investigaciones empíricas, que no existía (ni, menos aún, existe) esa supuesta unanimidad.

Julio CARO BAROJA comentando el fracaso de nuestros tribunales de justicia en el campo del tráfico de drogas concluye algo que nos interesa y se puede aplicar a no pocos problemas de la Política criminal tradicional: El Derecho penal tradicional fracasó porque sus prohombres creían demasiado en la validez unánime de unos patrones culturales, de una axiología, cuya fuerza era grande, pero no tanto como suponía el legislador y el juez y el policía.

La Criminología aporta a la Política criminal un nuevo planteamiento, un método empírico, multi e interdisciplinar. Los criminólogos critican al Derecho penal su olvido y/o desprecio de la dimensión histórica de todo lo humano. Afirman tajantemente que no puede hacer justicia si prescinde del ayer y del mañana; si admite la existencia de un Derecho natural inmutable, eterno, y se apoya en él. En cambio, la Criminología ausculta la historia, insiste en que todo evoluciona.

También evolucionan las vías de conocimiento: vía de conocimiento lógico cartesiano, vía de conocimiento cordial afectivo, vía de conocimiento visceral y vía de conocimiento pneumático, del misterio, de la mística. Nuestros hemisferio izquierdo y hemisferio derecho aportan diversas parcelaciones y complementaciones del conocimiento de la realidad. Pero siempre, nuestro conocimiento es incompleto, difiere de la realidad. Es insostenible el adagio que ha permanecido durante muchos siglos: "la verdad es la adecuación del intelecto con la cosa"; "la cosa y el conocimiento coinciden, son lo mismo". Conocemos la sonrisa, no la alegría; la alegría que yo experimento no coincide con la sonrisa; no conocemos el dolor aunque sí el sudor frío, o las lágrimas; no conocemos el amor aunque sí el abrazo o el beso.

A la ciencia, nos tenemos que acercar con sumo respeto, con sumo aprecio pero sin olvidar que siempre se dará la polisemia, la pluralidad y diversidad de significados y sentidos de cada palabra, de cada signo. No sabemos qué es la verdad. Y hemos de admitir que mi verdad difiere de la verdad del delincuente, y de la verdad de la víctima.

Atinadamente afirman JESCHECK y KAISER: "el Derecho penal es ciego, no conoce suficientemente la realidad social"… porque emplea un método deductivo, porque es dogmático, etcétera. Resulta lógico que a la Justicia de ese sistema judicial se la represente con los ojos tapados. La venda que tapa los ojos de la diosa justicia no agrada a los criminólogos. Hace años se la hemos quitado, con nuestra multi e interdisciplinariedad, con nuestras investigaciones sociológicas, con nuestras encuestas cuantitativas y cualitativas.

Si leemos algunas respuestas de una investigación breve pero importante, que ha llevado a cabo el profesor Julio SAMPEDRO con los alumnos y alumnas de la Javeriana, acerca de 20 preguntas, comprenderemos que la Política criminal del penalista es ciega, pero la del criminólogo vidente. Al analizar las respuestas que formulan acerca del delito, la sanción, la víctima, la ciencia, el deporte, el cuerpo; se llega a poder construir una Política criminal criminológica clarividente.

La Criminología da otro paso hacia adelante. Controla a los controladores; pero no como el Derecho penal, para juzgarles si han cometido algún delito. La Criminología amplía mucho el campo de acción; llega a abarcar mucho más que el Derecho penal. Llega a prevenir que la institución de los controladores evite ciertos defectos estructurales. (Les mains sales, las manos sucias, de SARTRE). Por ejemplo desvela que los legisladores y los jueces corren peligro de no ser imparciales al legislar y al juzgar porque generalmente pertenecen a un status social, político, económico y de creencias que no coincide con el de las masas marginadas vulnerables y vulneradas por el sistema penitenciario y el policial y el económico... Estas víctimas y otras muchas merecen un capítulo aparte.

3. Política criminal victimológica

La Política criminal da un salto cualitativo en la década de los 70, que merece comentemos ahora con máxima atención. El año 1973 se celebra en Jerusalén el primer Symposio internacional de Victimología. Tres años después otro en Boston, y en 1979 el tercero en Münster de Westfalia. (Tuve la suerte de participar en este evento de transcendencia universal). En él brota un nuevo paradigma de Política criminal, pues en él se crea la Sociedad Mundial de Victimología.

¿Qué programa formula la Victimología? Asume las bases más fundamentales del Derecho penal y de la Criminología, pero los transforma radicalmente. Sigue hablando de delito y de pena, como el Derecho penal; pero en ambos vocablos introduce dos realidades muy distintas, casi totalmente otras. Mantiene algunas nociones que ha recibido de la Criminología, como la urgencia de conocer al delincuente y resocializarlo; pero, las supera en sus puntos claves, pues las observa desde otra perspectiva.

La Victimología da vuelta de campana, sobre todo, al concepto de crimen (heredado del Derecho penal tradicional) y al de sujeto pasivo del delito (tal como lo recibe de la Criminología). El crimen no es la infracción de la ley que ha establecido el poder, el Estado; no es la violación de lo preceptuado por la clase dominante; no es un daño público que merece una reacción de la autoridad para que sufra el delincuente (malum passionis propter malum actionis, de Grocio). Tampoco debe verse como un diálogo del Poder judicial contra el delincuente sino que se trata de una relación trilateral: víctimas-delincuente-Poder judicial.

La base del triángulo es el sujeto pasivo del delito. Mejor dicho: no el sujeto pasivo del delito, sino las víctimas. Empleamos una palabra nueva porque patentiza una realidad nueva. En Política criminal de sesgo jurídico-penal se dice que hay un sujeto pasivo del delito. Pero en Política criminal victimológica se afirma que hay cinco o diez víctimas directas del crimen (los familiares más íntimos de ese único sujeto pasivo del delito) y muchas más víctimas indirectas del delito: los muchos amigos del lesionado o asesinado. Estos no entran en el concepto de sujeto pasivo del delito; no entran en el campo del Derecho penal; quizás tampoco en el de la Criminología. Pero sí en el de la Victimología y de su Política criminal. La Victimología pone el acento no en el crimen, ni en el delincuente, ni en el sujeto pasivo del delito, sino en sus víctimas inmediatas y mediatas. Estas son algo mucho más amplio y más importante que lo que consideran los penalistas, e incluso los criminólogos.

La cosmovisión del Poder judicial debe cambiar radicalmente; se ha de producir una ruptura epistemológica en toda la problemática de la Política criminal. La Victimología proclama que no debemos colocar en el centro de la Política criminal al delito ni al delincuente. En el centro deben instalarse las víctimas, desde el primero hasta el último momento. Y con el máximo protagonismo.

Ojalá esté equivocado, pero opino que ni los penalistas, ni los criminólogos, ni los legisladores, ni los políticos (ni los operadores de las religiones), ni nuestros gobiernos respetan suficientemente los derechos elementales de las víctimas. Tampoco la Declaración Universal de los Derechos Humanos de 1948 les presta la suficiente atención. Ni el reciente Real Decreto español de 18 de julio de 1997 les atiende todo lo que en justicia merecen.

En la mayor parte de los países las víctimas de los delitos violentos y del terrorismo están desprotegidas. Se les debe proteger después del delito; pero, también, y más si cabe, antes. A la Política criminal preventiva se le está concediendo mayor importancia cada día en Europa y en todo el mundo. Dicho con otras palabras, el nuevo triángulo del crimen consta de tres protagonistas; A) las víctimas, B) el delincuente y C) la sociedad con su Poder judicial y sus Organismos No Gubernamentales.

A) Las víctimas

Todo delito tiene consecuencias negativas, o sea que no hay delitos sin víctimas; contra lo que dicen algunos penalistas cuando tratan del aborto o del tráfico de drogas.

A las víctimas se les debe conceder una misión más activa antes y en el momento de la intervención policial, en el momento del proceso, y en el de cumplimiento de la sanción. Antes de la intervención policial se ha de investigar y programar cómo se evita la victimización en general y más aún de las personas vulnerables y en riesgo. Las intervenciones policiales deben dirigirse más a la evitación de los delitos que a su sanción.

En el proceso ha de concederse mayor protagonismo a las víctimas. Para ello, ayudará que se introduzca la división del proceso en dos fases. En la mayoría de los países no existe tal división que tanto propugnan, desde hace ya varias décadas, algunos especialistas, como Marc Ancel en París, el profesor Joachim HERRMANN, en Augsburg, Arthur W. CAMPBELL, en Estados Unidos, etcétera. En la primera fase se trata únicamente de la conviction, determinar si es culpable la persona imputada, si se le puede decir, "usted es autor, consciente, responsable y culpable de tal delito". En la segunda fase, la sentencing, se determina la sanción. Por desgracia en muchos países es breve y llevada a cabo por las mismas personas, por los mismos jueces. El juez le impone al delincuente la pena que señala el Código penal.

La Victimología pide que en esta segunda fase se trabaje muy pausada y cuidadamente; en ella las víctimas deben contar con la ayuda de especialistas criminólogos, médicos forenses, psicólogos, psiquiatras, asistentes sociales, que les escuchen a ellas y dialoguen con el juez, no para copiar la sanción que tiene ya escrita el Código penal, sino para elaborar, para crear, la respuesta individual, personal que más convenga a las víctimas y al delincuente del caso concreto, que no puede estar exactamente descrito en el Código penal. Se trata de renovar la vida y las relaciones sociales de las víctimas y del delincuente. La Política criminal de sentencing, a la luz de la Victimología, debe cambiar radicalmente.

La respuesta al crimen debe mirar ante todo a las víctimas, más que al delincuente. No debe ahondar en el antagonismo, ni imponer sanciones vindicativas (como exige el Derecho penal); ni sanciones reeducadoras (como dice la Criminología); sino buscar la mediación, la conciliación e incluso la reconciliación.

En la Política criminal jurídico-penal a los tribunales compete sancionar, en el sentido de imponer una sanción vindicativa, no ilimitada-irracional, deducida lógicamente ("ciegamente") del código. En la Política criminal criminológica se induce de la realidad social la respuesta resocializadora, re-creadora, de la persona-delincuente. En la Política criminal victimológica, los operadores multidisciplinares de la justicia deben formular-crear respuestas que entiendan, atiendan y tengan atenciones, ante todo y sobre todo, con las víctimas. A éstas, más que a los delincuentes, les debemos brindar todo lo que el delito les ha arrebatado. Darles una respuesta completamente repersonalizadora resulta generalmente imposible. Pero es fácil hacer y lograr más de lo que actualmente se intenta.

Las ciencias victimológicas tienen aquí un amplio campo de trabajo. En concreto, con imaginación y con ilusión fraterna pueden llegar a descubrir, por ejemplo, los valores que subyacen en las situaciones límite e incluso en el crimen. Las víctimas pueden llegar a comprender algo muy difícil: la superación gratificante de las "situaciones límite", en formulación de Karl JASPERS. O sea, de la muerte, del delito, del sufrimiento, de la culpa. Schumacher, en su famoso libro Small is beautiful, traducido al castellano Lo pequeño es hermoso, muestra convincentemente que los conflictos graves, divergentes, lógicamente no tienen salida, pero en realidad la tienen y "buena".

Los múltiples Cursos y Congresos de Victimología que se están celebrando en todo el mundo desde los años 70 insisten sobre la paradoja de que la victimación esconde una peculiar potencia creadora; de que los conflictos-límite, con sus aporías, enseñan a salir victorioso. Algunos especialistas afirman que difícilmente una persona llega a su desarrollo pleno si no ha sufrido antes alguna situación límite. Quien reflexiona sobre su vida, quien estudia a los tratadistas, llegará a captar la energía vital que subyace en toda victimación, como ya lo preanunció Jaspers. Unamuno decía que las situaciones límite nos hacen dejar de "hacer teatro" en la vida. Con frecuencia vivimos hacia afuera, "haciendo teatro". En cambio, cuando nos amenaza un gran problema radical, actuamos con autenticidad, con una fuerza misteriosa. (Si tuviéramos más espacio, hablaríamos de la cosmovisión de TEILHARD DE CHARDIN, y su libro El medio divino, rebosante de creatividad desde la cruz).

La situación límite es una especie de sacramento, de gesto, de encuentro con la vida de verdad, en su realidad profunda, cuya fuerza radica en la debilidad, como proclama el mensaje neotestamentario. El libro Die Night del premio Nobel de la paz (1986) Elie WIESEL, narra su experiencia cuando los de la policía S.S. colgaron a dos hombres y un muchacho judíos a la vista de todos los presos en el campo de concentración. Los hombres murieron pronto pero la lucha del muchacho con la muerte se prolongó media hora. Cuando pasó un largo rato, el muchacho agonizaba en el suplicio, oí a un hombre gritar "¿dónde está Dios ahora?", y escuché dentro de mí una voz que me respondía "¡ahí está, en ese patíbulo!".

Resulta ilógico afirmar esto, pero es cierto. Con la lógica no llegamos tan lejos: tenemos que superarla desde su raíz. Todavía más, hemos de encontrar algunos aspectos positivos incluso dentro del crimen. A ello nos ayudará la contemplación de tres cuadros de Goya, de la colección del Marqués de la Romana que se pueden admirar en Palma de Mallorca: en el primero, los bandoleros secuestran a varias personas; en el segundo, uno de los bandoleros viola a una mujer, y (en el tercer cuadro) la asesina. Al pintarlo, Goya realiza una obra artística. En ese delito tan cruel, Goya ve y nos transmite una cierta belleza. Algo así como los coros griegos de las tragedias. La tragedia, el delito, la muerte, brindan al coro la posibilidad de suscitarnos una sensación, una experiencia artística de catarsis, de purificación, de enriquecimiento, de entrar en otra fraternidad más solidaria.

Otra aportación novedosa de la Victimología es descubrir que un manantial importante de la justicia es la victimación, la injusticia. El catedrático de la Universidad de Zurich, Peter NOLL, de exquisita sensibilidad, al conocer que padecía un cáncer mortal escribió su último libro (Diktate über Sterben & Tod mit Totenrede von Max Frisch, Pendo, 1984) en el que explica cómo la justicia brota del sufrimiento, del Schmerz, de la injusticia, de la Ungerechtigkeit. Los días 29 y 30 de junio de 1982 dedica varias páginas a este enigma. Al leerlas, y al recordar alguna conversación con él, allí en Freiburg, comprendo que las víctimas merecen sumo respeto; no menos la mujer víctima de la prostitución. A ella le debemos más aprecio como fuente de la justicia. También de su sufrimiento brota la justicia, de la fraternidad, de la vulnerabilidad, del sacramento del dolor.

La Política criminal victimológica supera la cosmovisión de la Ilustración francesa, y salta a una cosmovisión de la postilustración que rebasa el método cartesiano. Por eso SCHÜLER-SPRINGORUM insiste en la necesidad de que alguna de las verdades victimológicas no pueden expresarse mejor que con una poesía. Por ejemplo, cuando se trata de la faceta superadora de la victimación. Ni la enfermedad ni el delito son un mal absoluto, ni la violencia que padecen todos los países, ni el terrorismo, son un mal absoluto. Son males, sí, pero relativos. Contienen algunos aspectos que contribuyen a la maduración humana de las personas.

Esta posibilidad de que la victimación nos enriquezca no debe llevarnos a cruzarnos de brazos ante las victimaciones y las estructuras injustas. Al contrario, nos debe espolear a trabajar intensamente para prevenir, evitar y reparar toda injusticia. Como lo programó hace veinte siglos quien proclamó "Felices los pobres", pero dedicó toda su vida para superar la pobreza del mundo. Hemos de comprometernos constantemente para evitar, en lo posible, toda victimación, aunque sabemos que no lo conseguiremos completamente. Tenemos mucho que innovar en la universidad, en las instituciones judiciales, en los centros de educación y en las iglesias, etcétera, para entender y proteger más a las víctimas, especialmente a las mujeres y a los niños.

Así como el Derecho penal castigaba con sufrimientos al delincuente, así como la Criminología le resocializaba, la Victimología pretende ponerle en diálogo asistencial con las víctimas. Para lograrlo se fomenta la mediación, la conciliación y la reconciliación, más que la sanción; aunque no se prescinde de ésta, para evitar angelismos pueriles.

B) Los delincuentes ya condenados

Pasemos a comentar algo acerca de los delincuentes ya condenados a sanciones privativas de libertad, desde el punto de vista de la Victimología.

Esta insiste en considerar al delincuente en cierto sentido como víctima, sobre todo cuando ya está internado en una prisión. Por eso se preocupa de mejorar el sistema penitenciario. Desea que el funcionario penitenciario comprenda la necesidad de ver en los condenados a unas personas víctimas de su desvalor en cuanto delincuentes (sin olvidar su responsabilidad merecedora de sanción) y víctimas en cuanto sujetos pasivos de la institución privativa de libertad y privativa de tantos derechos. (Por desgracia, generalmente resulta desocializadora). También propugna la Victimología que se caiga en la cuenta de que uno de los métodos de resocialización consiste en que el privado de libertad se relacione con sus víctimas.

Es lamentable la poca atención y entrega que los penalistas y criminólogos prestamos al cáncer de las cárceles en nuestra sociedad, y es criticable la poca atención que las universidades prestan a este tema. Quien atiende a las personas privadas de libertad aprende y vive experiencias de impar calidad humana.

C) La sociedad y el poder judicial

La Política criminal victimológica emite un mensaje a todos los ciudadanos. Estos, en cuanto partenarios, y sus Organizaciones No Gubernamentales, así como el Poder judicial, han de participar activa y positivamente en las respuestas a los delitos. Sus respuestas han de tomar muy en serio las modernas tendencias de la mediación, la conciliación y la reconciliación. También el perdón; aunque éste tiene sus límites (A. BERISTAIN, Cuadernos de Política Criminal, 1993, pp. 5 s.). Resulta injusto pensar en la impunidad ante la criminalidad organizada, en sus diversas formas: crímenes contra la paz, terrorismo internacional, etcétera.

4. Política criminal transdisciplinar

Llegamos al último punto, la "transdisciplinariedad", es decir, esa visión superior que da nueva cualidad y profunda unidad a las realidades más heterogéneas que abarca la Política criminal. Ese integrar la pluridisciplinariedad con la interdisciplinariedad como se tejen los fragmentos de un tapiz; y, además, ese situarse en un plano superior que llega hasta la cumbre del saber (o la nube del no saber), y desde allí consigue un ver-sentir-gustar radicalmente distinto y mayor que la suma de los saberes fragmentarios. Tiene algo de mística laica.

Podríamos denominar a esta transdisciplinariedad como mundo 4, si admitimos algunas cosmovisiones y sugerencias que brotan del libro de Karl R. POPPER y John C. ECCLES, El yo y su cerebro. POPPER, después de comentar que el materialismo se supera a sí mismo, introduce una división tripartita para estudiar los estados físicos y mentales. Existen, dice, tres mundos: el "mundo 1", el de las entidades físicas tales como libros, computadoras o aeroplanos; el "mundo 2", de los estados mentales incluyendo entre ellos los estados de conciencia, las disposiciones psicológicas y los estados inconscientes; el "mundo 3", de los contenidos del pensamiento y de los productos de la mente humana, como algunas obras de arte. Según él: el mundo uno y el mundo dos los entendemos, el mundo tres nos lo explican los científicos. Todos son problemas del cuerpo y de la mente, o problemas psicofísicos.

Desde la perspectiva de la Política criminal cabe afirmar la existencia de otro mundo diferente, el espiritual, el "mundo 4". Ya los griegos hablaban de cuerpo/materia (sark) y de mente (psique); pero también hablaban de espíritu (pneuma), que va más allá de lo corporal y de lo psicológico. Esta realidad espiritual ofrece base para que la Política criminal admita algo que supera lo puramente material y psicológico, lo lógico y racional; algo transcientífico en el sentido del positivismo materialista. A ese mundo de temas y soluciones que superan los límites de la comprensión científica (ECCLES se refiere a "los misterios increíbles"). A ese mundo me atrevo a denominarlo como "mundo 4", o mundo de la transdisciplinariedad.

Me apoyo también en algunos especialistas de Política criminal como DORADO MONTERO, CORREIA, Hilde KAUFMANN, etcétera. Según CORREIA, profesor de la Universidad de Lisboa, la moderna epistemología debe superar el dualismo de quienes sólo conocen tesis y antítesis, cuerpo y alma, naturaleza y espíritu, realidad y valores, delincuencia e inocencia, poder y deber. Quienes mantienen ese dualismo, se apoyan en metodologías puras y argumentaciones seguras. El, en cambio, procura, tanteando como a ciegas, lograr una unidad superior, más allá de las antítesis, sin guía que le oriente y le proteja de los pasos errados. Sólo así, dice, se puede esperar una hora feliz, que nos abra caminos hacia la cumbre elevada, o hacia la cima profunda vacía, desde la cual "veamos" una síntesis forjadora de una cosmovisión unitaria del mundo que abarca y armoniza todas las aparentes antinomias. (CORREIA, "As grandes linhas da reforma penal", en Jornadas de Direito Criminal, O Novo Código Penal Português e Legislaçao Complementar, Ed. G Inst. Padre Antonio de Oliveira, Lisboa, 1983, pp. 20, 32).

Correia, maestro de la transdiciplinariedad, después de acudir a múltiples ciencias, después de integrarlas e interrelacionarlas, las traspasa: sube o se hunde. Entonces, sin saber cómo, llega a una síntesis creadora de sentido y de significado, de música y de luz, al victimario y al perjudicado. Algo parecido se encuentra, quizás, en DORADO MONTERO. El catedrático de Salamanca constataba la oposición entre los penalistas y los médicos-psiquiatras. Deseaba y auguraba la armonía inteligente entre ambas partes. (DORADO MONTERO, La justicia criminal, Madrid, Hijos de Reus, Editores, 1985, p. 283). Hoy constatamos la oposición entre los penalistas y los místicos. Pronto la transdisciplinariedad encontrará o construirá una pasarela entre ellos, con gran provecho de la Política criminal.

Más identificada con nuestra percepción, la criminóloga alemana Hilde KAUFMANN, el año 1981, escribe: En lo que concierne a la trasformabilidad de la realidad como criterio de verdad científica de Política criminal, permanece un problema: trasformación ¿hacia dónde? ¿en qué dirección? Dicho de otro modo, los criterios de decisión dando "sentido de valor" no parecen deducibles de un sistema cerrado de conocimientos, sino que hay que llegar a un transconocimiento. Hay que dar importancia al hecho religioso, a la experiencia religiosa. El hombre necesita reconocer, reflexionar, y volver sobre la espiritualidad y el misticismo. Estas palabras "espiritualidad, misticismo" recuerdan el libro de los años ochenta, de Michael TALBOT (Mysticism and the new physics, Bantam Books Inc, New York, 1980, pp. 224 ss.). El unifica en la espiritualidad la trilogía de la cultura helénica (sark, psyke y pneuma) el quaternio de Jung y Pauli, y la tríada de la tradición india (cit., sat y ananda; conciencia, ser y gozo).

Concluyo estas observaciones sobre la transdisciplinariedad con la afirmación de Max HORKHEIMER, uno de los principales miembros y promotores de la Escuela de Frankfurt: "Si no hay teología, no hay ciencia". Podemos añadir: Si no hay transdisciplinariedad, no hay Política criminal.

5. Recapitulación sincrónica-metafísica

Si escuchamos a otros profesores de la Escuela de Frankfurt comprenderemos que junto a la transdisciplinariedad y a la teología hemos de tomar en serio la metafísica y la perspectiva sincrónica de la Política criminal. Por esto, conviene recapitular ahora brevemente las cuatro etapas de las que hemos hablado, tomando en consideración la "conciencia histórica" y/o el "presente histórico", en formulación de GADAMER.

La exigencia sincrónica nos la patentizaba ya el aforismo latino Distingue tempora et concordabis iura, "distingue los tiempos y armonizarás los derechos". Nos insinúa la conveniencia y la necesidad de respetar el calendario histórico y el ecosistema de cada Política criminal cuando se pretende conocerla y valorarla. Y nos abre el camino para comprender el acierto de HEIDEGGER cuando, en Sein und Zeit, "Ser y tiempo", atribuye determinada creatividad metafísica al tiempo. Este produce y mantiene en cada época la respuesta al crimen apropiada a las circunstancias cronológicas. Paralelamente, el tiempo critica y destrona en cada época las instituciones que van (des)haciéndose anacrónicas.

La recapitulación de lo expuesto anteriormente puede formularse en pocas palabras, teniendo en cuenta a KANT, Paul RICOEUR y ZUBIRI: La Política criminal evoluciona y progresa a lo largo de los siglos en su pensar, en su esperar y en su hacer, cada día más humanos, aunque con los normales altibajos de la historia. Los grandes penalistas, criminólogos y victimólogos son y están en la misma realidad, verdad y bondad (ens, verum, bonum). En el fondo, aunque no lo conozcamos o reconozcamos, todos tenemos la misma comprensión preontológica previa a nuestra relación con la sabiduría, la pulcritud y la caridad. En consecuencia, la función de la Política criminal y de sus especialistas es mantener el diálogo siempre abierto e introducir una intención, una pupila agápica. Sin amor no se puede conocer. La Criminología y la Victimología quedan como iluminadas por esa estrella, que les unifica y les eterniza: Así, otorga sentido positivo a todo vivir, e incluso al morir.

Mis comentarios anteriores han pretendido mostrar que las múltiples y cambiantes consecuencias del delito coinciden en varios puntos importantes, pues todos los científicos viven idéntica comprensión preontológica del crimen, del infractor y de la prevención/superación/recreación de las víctimas.

Los especialistas en la teoría y en la praxis de la Política criminal y de los derechos humanos, así como los operadores del Poder Judicial comprenden, desean y actúan preontológicamente. Es decir, en su raíz se encuentra el misterio de la realidad, del ser; algo anterior a lo precientífico, a lo científico y a lo protocientífico. Por lo tanto, a quienes reflexionamos desde hace casi cuarenta siglos sobre el Código de Hammurabi y los códigos siguientes, nos compete fomentar la praxis esperanzada de un discurso empático, sin conflicto antagónico, ni lucha, ni contra; un diálogo de integración, de superación; más que en Platón; con pupila de fraternidad en los más ásperos debates.

La respuesta al crimen ha sido, es y será, polémica de discusión sincera y fuerte; pero, con el carisma, con la luz, de la hermandad, esperamos que se llegue a una novedad innovadora que unifica la Política criminal, que la eterniza, superando a su adversario, transformándolo en complementario. En el fondo, toda persona procede de ahí, y hacia esa felicidad se dirige.

VIII. INMIGRACIÓN/XENOFOBIA ANTE LAS INSTITUCIONES CULTURALES Y RELIGIOSAS*

DEDICATORIA:
A las niñas y niños inmigrantes.
A los mal llamados "sin papeles", con profundo respeto.
A mis colegas de la *International Conference on Migration and Crime. Global and Regional Problems and Responses*, de los que tanto aprendo.
A las Instituciones Culturales y Religiosas, con el deseo de que se centren más en las personas marginadas.
A la Fundación *Profesor Manuel Broseta*.

SUMARIO: 1.- Urge avanzar e *inventar* más y en dirección "contraria". 2.- Realidad sociológica-epistemológica. 3.- Perfil de los inmigrantes (y refugiados). (3.1. ¿Cuántos inmigrantes cometen delitos graves? Estadísticas victimológicas; 3.2. Los inmigrantes macrovíctimas allí y aquí... e *in itinere*; 3.3. Agentes morales hoy y mañana. Integración intercultural). 4.- Desde la no discriminación *de lege lata* hacia la discriminación positiva *de lege ferenda*. 5.- Bibliografía.

1. Urge avanzar e inventar más y en dirección "contraria"

"Los hombres no hemos nacido para vivir formando batallones uniformados, cada uno con su propia bandera al frente, sino para mezclarnos los unos con los otros sin dejar de reconocernos a pesar de todas las diferencias culturales una semejanza esencial y a partir de esa mezcla *inventarnos* de nuevo una y otra vez".

Fernando SAVATER, 213.

Agradecemos a todas las personas e instituciones que trabajan en favor de los inmigrantes y en contra de la xenofobia. También a las autoridades e instituciones españolas, europeas e internacionales, políticas, culturales y religiosas por su empeño en solucionar este problema tan complejo y tan grave. Nuestra gratitud se dirige, igualmente, a

---

*   Cfr. La Ley, Revista Española de Doctrina, Jurisprudencia y Bibliografía, año XXIII, núm. 5660, 21 noviembre 2002, pp. 1-9.

quienes se esfuerzan e introducen mejoras importantes —pero todavía muy insuficientes— en las múltiples normas internacionales y españolas de política mundial, relacionadas con la Ley Orgánica 8/2000, de 22 de diciembre, de Reforma de la Ley Orgánica 4/2000, de 11 de enero, sobre Derechos y Libertades de los Extranjeros en España y su Integración social (BOE 23 diciembre 2000), que entró en vigor el 23 enero de 2001. Gracias al Consejo Superior de Política de la Inmigración y a varias Comunidades Autónomas que han creado Departamentos específicos y planes de integración. Por ejemplo en Andalucía, Baleares, Cataluña, La Rioja, Navarra, País Vasco… También a las diversas Delegaciones que están intensificando su labor en este campo, sin olvidar el Aula de Migración creada el año 1994, en el Colegio de Abogados de Madrid, y los programas de formación para los voluntarios, como lo hace paradigmáticamente la Cruz Roja.

Se ha logrado mucho y se continúa avanzando, pero, sin embargo, no basta. Hemos de trabajar más y, sobre todo, hemos de optimizar de otra manera, con otro planteamiento, desde otro nuevo satélite orientador; desde y hacia otra nueva ética, porque la situación actual está todavía muy lejos de la normal; tanto que podemos denominarla macrovictimizante, como lo manifiestan algunas estadísticas que recogemos en el apartado siguiente. También lo demuestran diversas investigaciones nacionales y supranacionales. "En general, las administraciones públicas, con algunas salvedades meritorias, apenas han iniciado la elaboración y aplicación de las políticas públicas específicas que requiere el establecimiento permanente de núcleos apreciables de población inmigrante" (Laura DIEZ y colaboradores, 37, 255 s.). Como argumenta Gustavo MORELLO, S.J. (28), "No se puede construir un país con un modelo económico y cultural que se desentiende de lo marginal".

Avancemos en dirección "contraria". Nuestra actual Legislación y Jurisprudencia no debe tender ni dirigirse a protegernos de los inmigrantes, sino a protegerles a ellos. En dirección contraria a la tradicional. Todavía más, no pretendamos sólo acoger a los inmigrantes, sino también asumir sus valores positivos, su búsqueda de integración intercultural. No basta que el Código penal de 1995, en sus artículos 22.4ª, 314, 510, 511, 512, 515, 5º, tipifique como delito la discriminación (A. BERISTAIN, 1999). Pedimos que nuestros Códigos, Jueces y Tribunales distingan y atiendan preferencialmente a los inmigrantes, más que a los autóctonos; que nos exijan su discriminación positiva (Enrique RUIZ VADILLO, 1991, 19 s.). Para que los inmigrantes logren que su libertad e igualdad sean reales y efectivas, nuestras Instituciones legales, religiosas y culturales han de tratarles preferencial y desigualmente (Cfr. CONSTITUCIÓN ESPAÑOLA art. 9.2). Admitimos ciertos supuestos de objeción de conciencia y/o de desobediencia civil, como veremos después.

Hemos alcanzado cotas altas, sin embargo estamos a gran distancia de la meta. Reconozcamos con Maurice ALLAIS, Premio Nobel de Economía 1987, que "la cuestión de las migraciones es la más importante que tiene ante sí Europa, más aún que la Unión Económica y Monetaria". Hemos de solucionar, y podemos solucionar esta macrovictimación. Cualquier trabajo sensato en este campo es más útil de lo que parece. No como el de Sísifo, que con gran esfuerzo subía la voluminosa y pesada roca a la cumbre, pero inmediatamente volvía a caer al valle. Nuestro esfuerzo y nuestro hacer en favor de los más débiles rinde frutos siempre, aunque no lo percibamos. Lo digo porque importa sobremanera apuntalar nuestra generosidad y nuestra esperanza cierta. Atina José María DÍEZ ALEGRÍA cuando, con los evangelios y la ciencia en la mano (no siempre bastan los evangelios), nos argumenta su Yo creo en la esperanza (1972) y Yo todavía creo en la esperanza (1999). También Pedro LAÍN ENTRALGO (195), cuando escribe: "La creencia y la esperanza son la vía óptima para la posesión íntima de lo real".

2. Realidad sociológica-epistemológica

"En la medida que lentamente nos vamos convirtiendo en un país receptor, nuestro sentimiento de solidaridad va menguando, en la misma proporción. Un reciente informe de la Comisión Europea reprocha a España su trato discriminatorio con los inmigrados, constatando que más del 50% está sometido a discriminaciones económicas".

Esther GIMÉNEZ-SALINAS, 134.

Antes de reflexionar sobre el perfil de los inmigrantes, sobre lo que nosotros y nuestras instituciones debemos saber y hacer, sobre las teorías, las prácticas y los compromisos para solucionar nuestros problemas de la inmigración y la xenofobia, hemos de seleccionar previamente, ahora, algunos datos concretos, algunas investigaciones cuantitativas y cualitativas que permitan hacernos una idea lo más aproximada posible de la realidad fáctica y las dimensiones específicas de estas cuestiones, principal pero no exclusivamente en España. Observamos, con metodología multi e interdisciplinar, los duelos migratorios de hoy para crear la ética compasiva y agápica de mañana (J. ACHÓTEGUI, 427 ss.; A. ARTETA, 274 ss.; A. BERISTAIN, 2001,531 ss.).

Primero seleccionamos algunas cifras acerca de lo mucho que preocupa a nuestros ciudadanos el aumento de la inmigración, por múltiples motivos, y porque (según opinan algunos) ésta es la causa principal de nuestra inseguridad ciudadana. A continuación, veremos el volumen de los inmigrantes ahora en España, y cuántos se encuentran internos en instituciones penitenciarias. Para completar la información objetiva, recogeremos diversas estadísticas acerca de nuestra mayor o menor xenofobia. Nos apoyamos en testimonios y estudios de especialistas y en diversos informes de Instituciones autorizadas.

El barómetro del Centro de Investigaciones Sociológicas (CIS), en su Avance de Resultados del Barómetro de marzo de 2002 (Estudio 2452), y de julio de 2002 (Estudio 2463), nos informa qué tanto por ciento de nuestros ciudadanos incluye la inmigración, el racismo y/o la inseguridad pública entre los tres problemas principales actualmente en España. La mayoría coloca en primer lugar el paro y el terrorismo; pero no pocos se refieren a la inseguridad ciudadana, la inmigración y el racismo, como aparece en la figura siguiente.

Figura 1.

Cuáles son, a su juicio, los tres problemas principales que existen actualmente en España? *(Respuesta espontánea)* **(Multirrespuesta: máximo tres respuestas)**

	Marzo		Julio
Paro	64.8	Paro	67.0
Terrorismo, ETA	57.8	Terrorismo, ETA	54.1
Drogas	24.8	Inmigración	25.9
Inseguridad ciudadana	20.4	Inseguridad ciudadana	20.6
Inmigración	15.9	Drogas	14.2
Problemas económicos	8.2	Problemas económicos	9.5
Educación	5.9	Educación	3.3
Problemas políticos	4.9	Problemas políticos	5.5
Racismo	1.5	Racismo	1.0

Estas respuestas deben interesarnos y preocuparnos, pues muestran que muchos ciudadanos españoles sienten inquietud ante el aumento y la situación —legal e ilegal— de la población inmigrante. Esta crece sin solución de continuidad, como patentiza la figura número dos, al mostrar la evolución numérica, desde 1989.

Figura 2.

Evolución de residentes extranjeros en España desde 1989.
División entre comunitarios y no comunitarios

Evolución de los extranjeros residentes en España

Fuente: Ministerio del Interior   ELPAÍS

Según los informes oficiales —Balance 2001— de la Delegación del Gobierno para la Extranjería y la Inmigración, a primeros del mes de abril de 2001 había más de un millón de extranjeros residentes con los papeles en regla: exactamente 1.109.060. Nuestro país registró ese año el mayor crecimiento (un 23,81%) de población inmigrante desde 1995. La población extranjera ha aumentado un 121,91% en los últimos siete años.

No pocas personas y algunos medios de comunicación destacan a los inmigrantes entre los principales factores etiológicos de la hodierna creciente inseguridad ciudadana. Por ejemplo, según informa Begoña AGUIRRE, el 47% de los universitarios madrileños piensa que los inmigrantes incrementan nuestra delincuencia. Como prueba de que los inmigrantes son quienes aumentan la inseguridad pública, algunos de estos universitarios aducen el alto número de ellos sancionados y privados de libertad actualmente en los establecimientos penitenciarios españoles.

Figuras 3, 4 y 5.

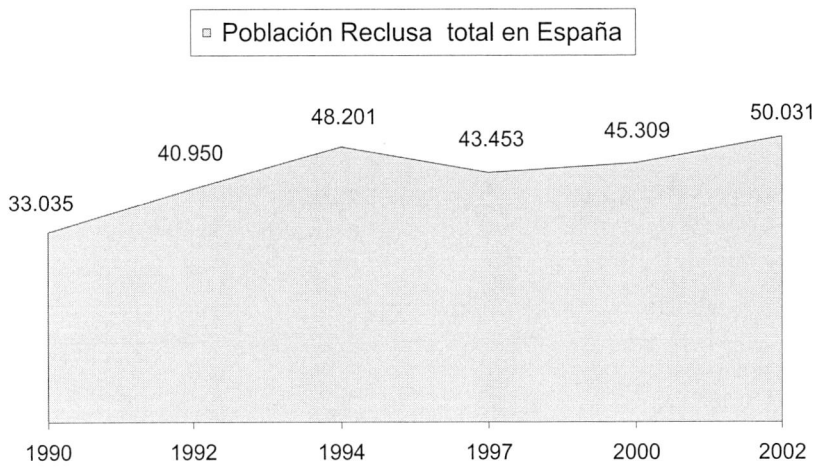

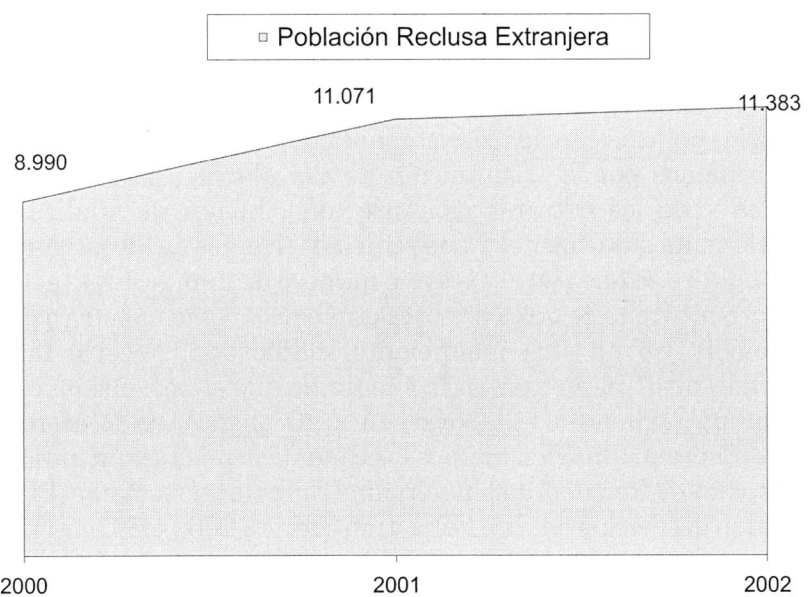

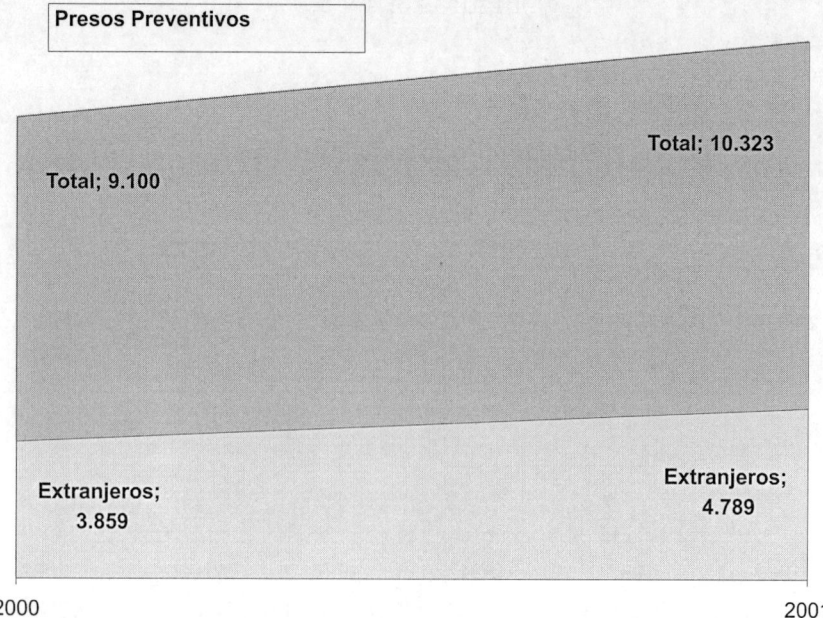

Ante este número cada día mayor de extranjeros sancionados por los tribunales de Justicia, muchas personas están alarmadas. Lógicamente, las autoridades públicas, las instituciones culturales y religiosas, los juristas, los policías e incluso los ciudadanos en general, debemos hacer lo que podamos por la disminución de esa alarma, para bien de los españoles y de los extranjeros. Ante todo, hemos de analizar más científicamente sus orígenes y sus remedios. Hemos de investigar si esa alarma pública se basa en el excesivo número de inmigrantes (así creen no pocos) o proviene de otros factores etiológicos como nuestra exagerada xenofobia y/o nuestra insuficiente solidaridad, nuestra falta de respeto del "otro", el no caer en la cuenta de que él nos enriquece en el índice de natalidad, en lo laboral, en lo axiológico, en lo económico, etcétera. Especial atención merece lo económico, pues según indican los técnicos, como el Rector de la Universidad Complutense, Rafael PUYOL, en el Curso de Verano en San Sebastián (agosto 2002), los inmigrantes aportan el 2,5% del producto interior bruto y desempeñan un papel no despreciable en el funcionamiento de la economía española, pues "la inmigración, especialmente la proveniente de países extracomunitarios hay que verla como una solución económica para los países desarrollados, ya que la emigración aporta actualmente una cifra aproximada de

18.000 millones de euros en la economía española". En sentido parecido C. CARRASCO (198 ss.).

A la luz de investigadores autorizados encontramos evaluaciones sobre el grado de nuestra xenofobia que, según explican algunos sociólogos, influye en la inseguridad ciudadana (A. BERISTAIN 2002 a, 8 s.). Me limito a transcribir tres resúmenes que presenta CALVO BUEZAS en su libro Racismo y solidaridad de españoles, portugueses y latinoamericanos. Los jóvenes ante otros pueblos y culturas. Se refiere el primero (figura 6) al autorreconocimiento de prejuicio de los españoles encuestados (y de lo que éstos suponen que se da en España) contra otros países concretos. Destaca el volumen máximo contra los gitanos (45,2 y 82,2), los árabes/moros (28,8 y 71,7) y los negros (10,4 y 62,5).

Figura 6.

RECONOCIMIENTO DE PREJUICIO EN EL PROPIO PAÍS
Y EN SÍ MISMO ESPAÑA
"En mi país existen prejuicios contra…"
"Yo mismo tengo prejuicios contra ellos"
Encuesta Escolar Iberoamericana (N=5.168)

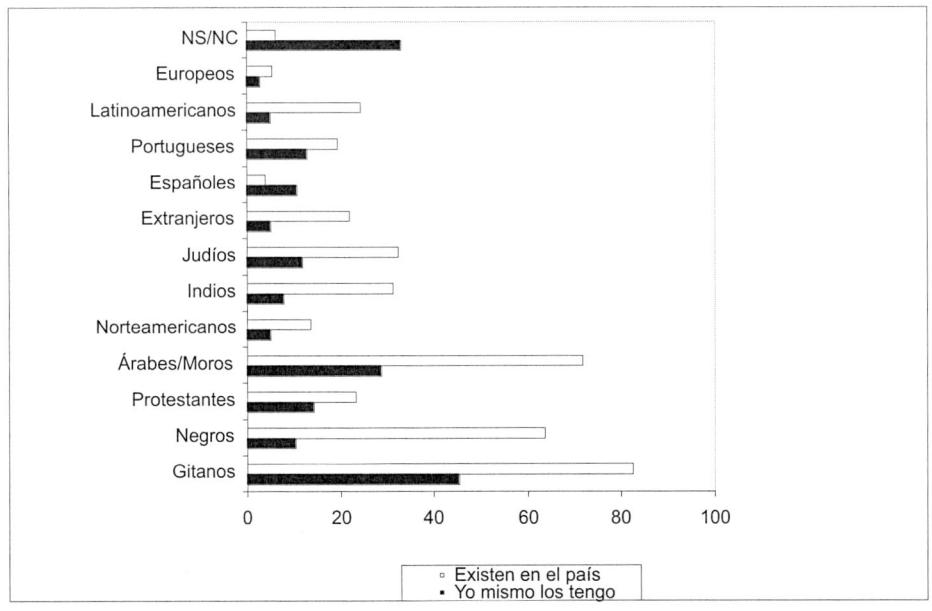

El segundo resumen (figura 7) muestra el prejuicio matrimonial de los españoles, a los que molestaría casarse con diversos grupos. Con los que menos, son los blancos y los españoles (7,4; esta cifra quizás provenga de nacionalistas radicales vascos y catalanes, según el autor). Con los que más, son los gitanos (61,5), los moros/árabes (50,4), negros de África (38,5) e indios de América (30,7).

Figura 7.

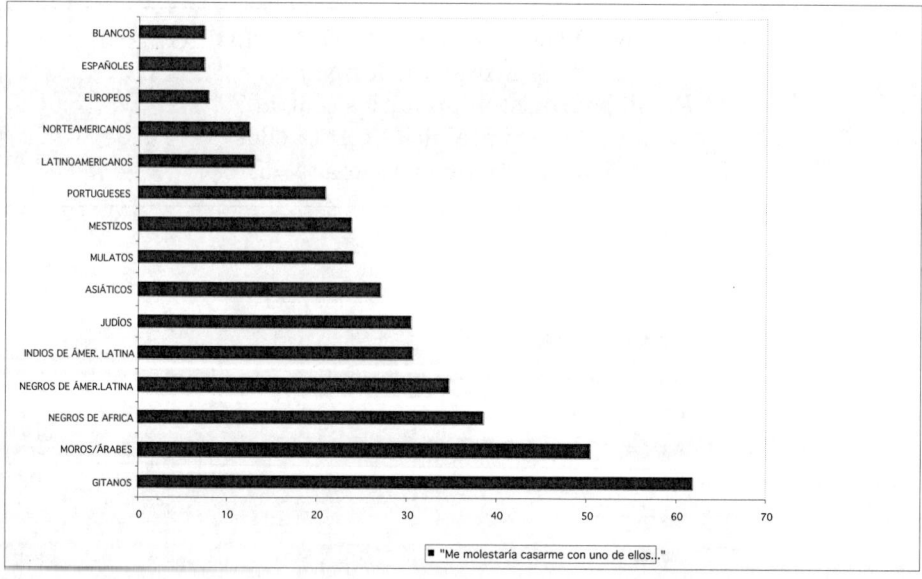

PREJUICIO MATRIMONIAL
Orden de prejuicio contra los diversos grupos
ESPAÑA
Encuesta Escolar Iberoamericana (N=43.816)

El tercero (figura 8) compara la encuesta de 1999 a universitarios (18-25 años) con la anterior de 1998 a escolares (14-19 años), en la Comunidad de Madrid. Los universitarios sienten antipatía interiormente sobre todo por los cabezas rapadas (89,3%), por los fachas nazis (87,3%), por los gitanos (36,5%)... También la sienten, pero menos por los judíos (6,4%), los negros (3,7%), europeos del Este (2,1%)... Las respuestas de los escolares coinciden casi totalmente.

Figura 8.

Encuesta sobre racismo y xenofobia

Comparación entre la encuesta universitaria de 1999 y la escolar de 1998 en la Comunidad de Madrid. Datos en porcentaje.

▒ Universitarios (18-25 años), 1999   ▒ Escolares (14-19 años), 1998

Interiormente sientes antipatía por...

	Universitarios	Escolares
Cabezas rapadas	89,3	84,5
Fachas nazis	87,3	79,1
Gitanos	36,5	47,9
Drogadictos	34,9	52,7
Borrachos	30,5	42,4
Feministas	27,1	30,4
Moros	26,5	39,2
Comunistas	26,3	35,8
Curas	24,9	21,0
Catalanes	23,5	39,8
Franceses	19,9	23,3
Norteamericanos	14,8	12,9
Vascos	10,9	16,6
Homosexuales	9,2	21,0
Judíos	6,4	17,3
Protestantes	5,4	18,7
Personas con sida	4,9	9,7
Portugueses	4,5	9,6
Otros	4,3	5,8
Negros	3,7	11,0
Europeos del Este	2,1	6,0
Extranjeros	1,9	6,9
Andaluces	1,8	2,7
Extremeños	0,9	2,5

Postura ante la expulsión / acogida de inmigrantes en España

	Universitarios	Escolares
Hay los suficientes trabajadores extranjeros y hay que impedir que entren más, pero no expulsar a los que estén dentro.	56,8	64,9
Hay todavía pocos extranjeros y debemos acoger bastantes más.	30,9	16,1
Hay demasiados trabajadores inmigrantes extranjeros y había que expulsar a algunos a sus países de origen.	4,6	13,9
NS /NC	7,7	5,0

Fuente: Tomás Calvo Buezas, Centro de Estudios sobre Migraciones y Racismo.   EL PAÍS

Estas diversas estadísticas, este elevado grado de racismo y xenofobia explican que nuestra inseguridad ciudadana no se debe tan directa y principalmente a la criminalidad de los inmigrantes, sino en gran parte a nuestra deformación cognitiva, a nuestra actitud contra ellos, a nuestra búsqueda de chivos expiatorios. Nuestros inmigrantes son delincuentes, en gran parte, porque nosotros, nuestros mecanismos de control, los "vemos" y etiquetamos como tales (esa etiqueta conduce hacia la delincuencia) en el sentido de algunos partidarios del Labeling approach, (GARCÍA-PABLOS, A., 773 ss.; GARRIDO, V., STANGELAND, P., REDONDO, S., 367 ss.; CHRISTIE, N., 111). A la misma y/o semejante conclusión exculpatoria de los inmigrantes se llega, como explicaremos después, en el apartado 3.1, si se interpretan con rigor académico algunos datos empíricos, desde puntos de vista cuantitativo y cualitativo, en el campo policial, procesal y penitenciario.

Otro factor etiológico de nuestra inseguridad pública quizás sea nuestra mejorable Ley Orgánica 8/2000 de 22 de diciembre, antes citada, y su Reglamento, Real Decreto 864/2001 de 20 de julio. Pero, su análisis alargaría excesivamente este artículo. Puede verse, entre otros, los comentarios de FERNÁNDEZ VALVERDE; SAGARRA TRÍAS; DE LUCAS, 2002, a través de sus tres etapas·históricas, etc.

Acierta el Presidente de la Comunidad de Madrid, Alberto RUIZ-GALLARDÓN (en sus declaraciones a El País, el miércoles 1 de mayo de 2002, p. 22), cuando afirma que "Unir inseguridad ciudadana con inmigración es un debate perverso. Lo que nos tiene que importar a las administraciones públicas no es quiénes son los sujetos que realizan esas transgresiones, sino cuáles son esas nuevas formas de fractura social, al margen de cuál sea su procedencia o su nacionalidad… ahora es una organización delictiva nueva, que no puede tener una respuesta súbita…". A esta cita textual y a lo indicado hasta aquí, puede añadirse una interrogación: ¿cuántas infracciones de los inmigrantes deben tipificarse como hurto famélico?, es decir ¿como no delito? ¿como acto lícito? ¿como apropiación de lo que es suyo, en equitativa justicia? (A. BERISTAIN, 2000, 441; F. MUÑOZ CONDE, 366; SERRANO GÓMEZ, 343), ¿como compasiva superación de la justicia misma? (A. ARTETA, 288; G. SARTORI, 2002, 77). Además, aproximadamente el 35% de los arrestos a extranjeros se debe a entradas ilegales o estancias irregulares, pero no a delitos o faltas.

Podemos suponer (sin pretensión alguna demagógica) que la suma de los euros hurtados o robados por mil inmigrantes, según los artículos 234-242 del Código penal, queda muy por debajo de la cantidad defraudada a la Hacienda Pública o a la Seguridad Social por un solo ciudadano español "honesto, de cuello blanco", en relación con los artículos 305-307 del mismo Código.

En pocas palabras, autorizadas estadísticas e investigaciones avalan la afirmación de que la inmigración es uno de los problemas más merecedores de nuestra atención. Por otra parte, estudios fehacientes ofrecen consideraciones sobre nuestra deplorable xenofobia que nos hace ver a los inmigrantes más infractores de lo que son. Además, ninguna estadística prueba como cierto lo que muchos piensan: que a los inmigrantes se debe en gran parte nuestra actual inseguridad ciudadana. Ninguna, o casi ninguna investigación se ha ocupado de lo más elemental para esclarecer este problema: recoger información inmediata, concreta, de las personas y/o instituciones victimizadas gravemente por los inmigrantes. Salvo un par de estudios de poca envergadura, no conozco publicaciones dignas de mención que analicen y comenten acerca de la cantidad y calidad de homicidios, lesiones, daños y perjuicios causados por los inmigrantes en España. Necesitamos más encuestas de autoinculpación y de victimación .(REDONDO ILLESCAS, 309, 315 s.). A continuación, en el apartado 3, nos preguntamos si el problema principal en este campo es la criminalidad de los inmigrantes tal como difunden algunos medios de comunicación, o algo muy distinto, la macrovictimación que padecen en sus países de origen y, más o menos, en el país de acogida.

3. Perfil de los inmigrantes (y refugiados)

"3.1. Todos los poderes públicos, las fuerzas sociales y los medios de comunicación deben combatir la visión negativa que ahora se tiene del inmigrante económico, al que no se considera como una persona que ejerce su derecho a la emigración, porque esta visión está favoreciendo el racismo y la xenofobia"
UNIÓN EUROPEA, COMITÉ ECONOMICO Y SOCIAL, Dictamen, 17.09.2001

No pocos españoles consideran que en nuestro país sobran muchos inmigrantes. Opino que esa creencia, muy extendida, carece de bases sólidas, pues el porcentaje de inmigrantes en España es notablemente menor que la media europea: 2% en España, 6,3% en Francia, 9% en Alemania, 10% en Bélgica, 16% en Austria y 20% en Suiza. Esta creencia equivocada da pie a que, con frecuencia, se violen fundamentales derechos y necesidades de miles de inmigrantes cuya vida y conducta se desconocen. La mayoría de quienes formulan críticas severas contra los inmigrantes jamás han tratado con ellos y jamás se han informado al respecto. Urge, pues, conocerlos. Por eso reflexionamos ahora sobre el perfil de nuestros inmigrantes. Descubriremos que son menos delin-cuentes de lo que se pregona, y más víctimas de lo que creemos, en sus países de procedencia y también en aquellos a donde llegan; sin olvidar los fallecidos in itinere. Desde otro punto de vista, como indicamos en el siguiente apartado 4, aunque algunos ni lo sospechan, hoy y mañana muchos de esos inmigrantes pueden ser agentes morales de nuestra más humana convivencia. Pueden ser partenarios (BERISTAIN 1998, 92 s.) de una convivencia de integración diferenciada, de una ética mundial como la pergeñada por los más reconocidos especialistas, o por Juan XXIII, o la Propuesta de Hans KÜNG (1991, 88 ss, 144, 163 ss.).

Desde algunos puntos de vista, aunque no todos (Teresa RODRÍGUEZ MONTAÑES, 3; Francisco ALONSO PÉREZ, 2002, 2; Gema VARONA, 196 ss., 550; COMISIÓN EUROPEA, 24), podemos considerar que el inmigrante es, poco más o menos, como el refugiado, "un ser que sufre no solamente por haber sido arrancado de su tierra, de su trabajo, de su país, sino también por tener que mendigar para sobrevivir. Para una persona que tenía un trabajo que le permitía vivir decentemente, es difícil aceptar que alguien decida en su lugar lo que tiene que comer y en qué cantidad. Todavía es más difícil aceptar permanecer todo el día sentado, sin hacer nada, a la espera del momento de la distribución de la ayuda. Sentirse inútil es lo peor" (Marie-Béatrice UMUTESI, 243 ss.). Lo que comentamos en las páginas siguientes se refiere directamente a los inmigrantes, pero está muy relacionado con la problemática y la solución de los refugiados.

3.1. ¿Cuántos inmigrantes cometen delitos graves? estadísticas victimológicas

"El Ministerio del Interior ha decidido enfrentarse abiertamente a la decisión de la titular del Juzgado de Instrucción núm. 5 de Algeciras que el pasado 31 de agosto dejó en libertad a 31 inmigrantes retenidos en un centro de Málaga, al entender que su confinamiento más allá de tres días no tenía cobertura legal".

Lorenzo J. del RIO FERNÁNDEZ, 3.

Una opinión ampliamente admitida considera como cierto que gran parte de los inmigrantes son delincuentes. Como prueba se aducen diversos testimonios y discursos sociopolíticos. Sobre todo, el aumento del número de inmigrantes ingresados en los centros penitenciarios, que antes hemos indicado, en la figura 6. Reconocemos que el porcentaje de inmigrantes internos en nuestros establecimientos penitenciarios supera llamativamente el de los españoles, pues los inmigrantes suponen menos del 2% de la población total de nuestro país (40.499.791, según ANUARIO EL PAIS, 2002, p. 136), en cambio suman más del 22% de la población reclusa. Pero este paralelismo no certifica que medie entre ambas cifras la relación de causa a efecto. Del mero paralelismo no deduzcamos causalidad, pues el efecto resulta mediatizado a través de múltiples variables que se interponen e intercalan.

Cabe como posible, e incluso como probable, que la policía actúe con más severidad ante los infractores inmigrantes que ante los patrios; que sospeche más de ellos y los detenga con más "facilidad". En España y en varios países de Europa una persona, simplemente por pertenecer a una raza no mayoritaria, es susceptible de reiterados controles policiales legitimados por el objetivo de "descubrir" al extranjero irregular. (Marta GONZALO QUIROGA, 3). Como reconocen los Ministros Europeos responsables de la migración, en su IV Conferencia (Luxemburgo, 1991), "Las investigaciones demuestran que el peligro de ser detenido por la policía es más grande para los inmigrados que para los autóctonos, de forma que hay que interpretar las estadísticas con mucha prudencia". (CONSEJO DE EUROPA, 1991, número marginal 195, cfr. Fundación Encuentro, núm. 121, pp. 84 ss.). Algunas estadísticas españolas reconocen y autocritican sus "limitaciones" en perjuicio de los inmigrantes, y sus "operaciones de ingeniería" con la finalidad de autorrealizar la profecía sobre las bondades de "concretos programas de políticos". (OBSERVATORIO DE LA SEGURIDAD PÚBLICA, Boletín elaborado y editado por el Instituto de Estudios de Seguridad y Policía, Madrid, 2002).

Cabe también que los tribunales condenen a los inmigrantes en mayor proporción. Con excesiva frecuencia algunos Jueces ordenan la detención preventiva del extranjero con motivo de su expulsión del territorio nacional, entendiendo que durante la tramitación del expediente el extranjero puede ser privado de libertad. Por desgracia, "El Tribunal Constitucional ha venido reconociendo la legalidad de la detención de los extranjeros con motivo de la incoación de un expediente de expulsión" (Francisco ALONSO PÉREZ, 2001, 2). En parecido sentido crítico contra la Jurisprudencia se habían manifestado anteriormente Mercedes HEREDIA PUENTE y Cristóbal Francisco FABREGA RUIZ (1). Desde la innegable subjetividad y parcialidad en la percepción de estas dos instancias de la Política criminal se deduce, lógicamente, que la cifra negra de la delincuencia foránea sea más reducida que la relativa a la autóctona. Todos los inmigrantes infractores —e incluso muchos sólo sospechosos— ingresan en prisión. En cambio ingresa un porcentaje menor de los infractores españoles (Elisa GARCÍA ESPAÑA, 277-386). A aquéllos, nuestros tribunales continúan imponiéndoles siempre sanciones prisionales cuando en muchos supuestos debían dejarles en libertad e imponerles únicamente otras sanciones alternativas, como multas, trabajos en beneficio de la comunidad o, mejor dicho, en beneficio de "las víctimas": artículos 33, 40, 49, 53, 88, del Código penal (BERISTAIN, 2002), suspensión de la ejecución (artículo 80), etc.

Dentro ya de los establecimientos penitenciarios, por múltiples sinrazones, resulta inevitable que los internos extranjeros sufran más que los internos españoles. Como lamenta Esther GIMÉNEZ-SALINAS (136), los inmigrantes encuentran diversas dificultades "añadidas"; entre otras, la lengua, el régimen de visitas, los permisos de salida, el tercer grado y el cumplimiento en régimen abierto.

Hablamos aquí del perfil de los inmigrantes en general, no de los que organizan su ingreso ilegal en España, ni de las bandas que se dedican a su explotación ilegal (se calcula que hay más de 300) y que trafican con su prostitución, contra los derechos de los extranjeros y de los trabajadores, de documentos falsos, fraude y estafas, etcétera, como se aprecia en el cuadro siguiente. Se estima que estos delincuentes mueven en España más de 600.000 millones de euros, casi un billón de pesetas.

Principales redes de tráfico ilegal de inmigrantes, desarticuladas por la Policía		
Cuerpo Nacional de Polícia	Año 1999	Año 2000
Redes de prostitución	82	84
Responsables detenidos	312	381
Redes contra los derechos de los extranjeros	60	76
Responsables detenidos	151	202
Redes de documentos falsos	20	76
Responsables detenidos	69	275
Redes contra el derecho de los trabajadores	56	67
Responsables detenidos	109	120
Redes de fraude y estafas	26	14
Responsables detenidos	55	32

Fuente: Graciela MALGESINI, p. 83.

Dicho brevemente, carecemos de suficientes argumentos para afirmar, como hacen algunos, que un alto porcentaje de los inmigrantes hoy en España merecen ser considerados delincuentes y protagonistas principales de nuestra inseguridad ciudadana. Más científico resulta considerarlos principalmente como víctimas. Lo explicamos a continuación.

3.2. Los inmigrantes macrovíctimas allí y aquí e in itinere

"El duelo migratorio afecta no tan sólo a los inmigrantes sino también a los autóctonos y a los que se quedan en el país de origen"

Joseba ACHÓTEGUI, 439.

Indicamos aquí algunos de los múltiples discursos, racionales y metarracionales, probatorios de que nuestros inmigrantes (no tratamos ahora de sus "traficantes"), en su inmensa mayoría son víctimas allí, en su país nativo, y aquí en España, en Europa. Sabemos que provienen de países pobres. Más pobres de lo que muchos de nosotros creemos: Marruecos, Ecuador, Colombia, Argelia, Afganistán... Son víctimas extremas de la injusticia mundial (I. ALARCÓN, MOHEDANO, et al., 95 ss.; L. BOFF, 721 s.; DOWER, N.; PÉREZ CEPEDA, A.I, 52 s.). Ya el año 1973, Pedro ARRUPE (1982, 352 s.; 1982 a, 368 s.) refiriéndose a los inmigrantes-refugiados se adelantó a la semántica de su tiempo y hablaba con frecuencia de las "víctimas". Estos hombres, estas mujeres y estos niños en su país de origen carecen de comida y bebida, de vestidos, de hogar, de medicinas, de trabajo, de instrucción, de los medios necesarios para llevar una vida verdaderamente humana, se ven afligidos por las calamidades o por la falta de salud y de tratamiento médico elemental... (cfr. Juan XXIII, Mater et Magistra, de 1961, y el Concilio Vaticano II: "Decreto sobre el apostolado de los seglares", Gaudium et Spes, núm. 8). Los números 25 y 26 del boletín Servir detallan algunos aspectos de esta macrovictimación, de esta injusticia estructural que debemos tener presentes con más frecuencia. Aquí seleccionamos un par de estadísticas.

ESCOLARIZACIÓN/ALFABETIZACIÓN EN EL MUNDO*	
NIÑOS	• 113 millones no escolarizados, (97%) en regiones menos desarrolladas • 2 millones de niños en edad de educación primaria y 20 millones en edad de secundaria no van a la escuela en Latinoamérica
ADULTOS	1990 895 millones no saben leer o escribir 1998 880 millones no saben leer o escribir
JÓVENES (entre 15 y 24 años)	1990 Tasa de alfabetización 84%
	1998 Tasa de alfabetización 87%
MAYORES de 15 años	2000 49.3 millones de analfabetos en países no desarrollados 1.1 millones de analfabetos en países desarrollados

MUJERES Y NIÑOS REFUGIADOS*		
REFUGIADOS	80% mujeres y niños La mayoría huye de sus casas a causa de la guerra y la violencia.	
	MUJERES	**NIÑOS**
	• Objeto de abuso generalizado en países en guerra • 16.4 millones sufren de VIH/SIDA • El tráfico de personas se practica sobre todo con mujeres • Prostitución, esclavitud sexual • 1.300 millones de personas sufren pobreza absoluta, subsistiendo con menos de un dólar diario (70% mujeres).	• 300.000 niños luchan como soldados

Los inmigrantes también padecen victimaciones aquí, en España, y —poco más o menos— en los otros países a los que se ven obligados a acudir, en medios de transporte generalmente infrahumanos. Los recientes casos trágicos en el sur de España y en las costas de Italia, etc., son tantos que han cegado notablemente la sensibilidad de muchos de nosotros.

Recogemos, al menos, algunas cifras de los fallecidos in itinere hacia España.

FECHA	SUCESO	VÏCTIMAS
Mayo 1989	Naufragio de una patera al norte de Ceuta.	Mueren 20 personas y 4 sobreviven.
Febrero 1992	Accidente dentro de la bodega de un viejo pesquero en el Estrecho.	Mueren asfixiados 20 magrebíes y muchos de los 250 sufren heridas.
Octubre 1996	Patera en el Estrecho.	Fallecen 27 inmigrantes.
Diciembre 1996	Naufragio entre Sicilia y Malta.	La cantidad de muertos y heridos definitiva se desconoce; se habló de decenas.
Marzo 1997	Vuelco de un camión cerca de Figueres, Girona.	Murieron 11 personas.
Septiembre 1997	Hundimiento de una patera cerca de Tarifa.	Se encuentran 14 cadáveres.

FECHA	SUCESO	VÍCTIMAS
Julio 1998	Naufragio de una patera cerca de Melilla.	Mueren 38 personas ahogadas.
Marzo 1999	Naufragio de una patera cerca de Tánger.	La policía marroquí halla 13 cadáveres.
Mayo 1999	Naufragio de tres pateras hacia España.	Al menos 13 inmigrantes perecen ahogados.
Agosto 1999	Naufragio cerca del cabo Tres Forcas en Melilla.	Mueren 38 personas marroquíes.
Mayo 2000	Naufragio de una patera en las costas de Fuerteventura.	Mueren 12 personas subsaharianas.
Mayo 2000	Naufragio de una lancha neumática a punto de llegar a Tarifa.	Mueren 6 inmigrantes ahogados.
Febrero 2001	Naufraga una patera cerca de España.	Al menos 10 personas han muerto.

Fuente: Graciela MALGESINI, 93 ss.

Los medios de comunicación nos informan, a veces, acerca de las victimaciones que sufren los inmigrantes; pero sólo de las más llamativas. Nuestra xenofobia excesiva, como lo confirman las investigaciones antes citadas y otras muchas, hace que la figura del extranjero despierte toda clase de suspicacias y temores; el chivo expiatorio. Este hecho se agrava ante individuos de otra raza o de costumbres muy diferentes de las que conocemos. Algunos medios repiten ese patrón, influidos por la sociedad e influyendo posteriormente en la misma. Así brota un círculo vicioso difícil de romper, condenado a retroalimentarse crecientemente. Por desgracia, los inmigrantes con frecuencia continúan marginados, en cierto grado, aun después de integrados en el país de acogida. Su status laboral suele mantenerse más bajo, y su tasa de paro más alta (B. DIETZ, 184 ss.).

Hannah ARENDT, cuando reflexiona sobre el origen del totalitarismo, y Albert BASTENIER (230) coinciden en que los inmigrantes, los refugiados, los apátridas y las minorías constituyen "el grupo más sintomático de la política contemporánea". Ese grupo representa como ningún otro la definición universal y abstracta de los derechos humanos, sin embargo paradójicamente resulta que casi siempre está privado de una real protección jurídica.

3.3. Agentes morales, hoy y mañana. Integración intercultural

"El mestizaje es, en nuestras sociedades multiculturales, el recordatorio permanente de lo imprevisible que resulta la aventura humana y de la necesidad del proyecto democrático. En este sentido, el mestizaje es el paradigma de la aventura *intercultural* (subrayo) y abre una nueva vía de humanidad".

Jacques AUDINET, 258.

Después de haber comentado que muchos inmigrantes son no tanto delincuentes sino víctimas, hemos de añadir, en este apartado, algo más positivo: esas personas son hoy y serán mañana agentes morales, creadores de una cultura más humana en nuestros países. Muchos argumentos, no sólo de historia general —del campo jurídico, ético, religioso, etcétera— muestran la factibilidad imparable de que un alto porcentaje de inmigrantes por motivos humanitarios —refugiados—, o por reagrupación familiar o por problema económico o laboral, desempeñen —en la convivencia cotidiana— un papel fecundo de agentes morales. De la superioridad técnico-económica del entorno nacional frente a los inmigrados, no se deduce superioridad alguna en el campo axiológico. Al contrario, en muchos casos, a las personas y a los grupos de personas más débiles y vulnerables puede y debe reconocerse calidad de agentes morales (GARZON VALDÉS, 537; M.T. SÁEZ, 580 s.) y dignos de especial tutela jurídico-penal, por ser los más débiles (L. FERRAJOLI). Son factores humanizadores.

Ya en la cultura helénica —y más en nuestros días— se acepta la legitimidad de la objeción de conciencia y/o de la desobediencia civil (J. RAWLS, 158 ss.), se acepta el valor del individuo como persona que respeta la moral positiva y la legalidad establecida por la autoridad, pero también admite que algunas veces puede haber un conflicto con la ética crítica, con "lo que le dictan los dioses" y no repugna a la razón. El Derecho positivo debe permitir siempre "una discusión espiritual y no liquidarla con el sometimiento forzoso o incluso la aniquilación de los hombres por otros hombres" (H. WELZEL, 112). La Vox populi no siempre proclama la Vox Dei. Los inmigrantes en cuanto víctimas escuchan la voz de Dios y contribuirán a que "las culturas no morirán ni desaparecerán sino que simplemente pervivirán con una nueva carne y un nuevo espíritu, en el cuerpo y el alma nuevos de los hijos del mestizaje. La verdad es que el futuro será mestizo, una nueva vida para el encuentro de las culturas" (V. ELIZONDO, 267). Encuentro intercultural, como proclamaba el Derecho romano: Dum Romae viveris, romano vívite more, mientras habites en Roma, vive según la costumbre romana.

Entienden equivocadamente la inculturación deseada por Pedro ARRUPE quienes equiparan la religión con la cultura y olvidan que la religión es distinta y distante. "No es competencia de la fe sustituir a una cultura en decadencia. Ni le corresponde salvar unas instituciones que se han vuelto incapaces de transmitir la cultura en una determinada civilización. Si la fe permanece fiel a sí misma, distante, entonces se revelará indirectamente como una energía para toda cultura" (Christian DUQUOC, 145).

La sociedad acepta, cada día más, importantes documentos de las NN.UU., con principios de convivencia universal que impiden la instrumentalización de los técnica y económicamente menos dotados. Esto facilita que los inmigrantes desarrollen su misión de agentes morales, es decir buscadores y creadores del bienestar y la felicidad para ellos y para los demás. Los ciudadanos demócratas del siglo XXI, sobre todo si aceptamos la axiología cristiana, si proclamamos la prioridad moral del individuo sobre la comunidad, si admitimos la existencia de mínimos éticos universales, si rechazamos el relativismo ético (GARZÓN VALDÉS, 525 ss.), hemos de reconocer en los inmigrantes, ante todo, personas concretas de carne y hueso en tanto que agentes morales. En el mundo cultural se exige unas normas de convivencia universalmente admitidas, normas que impidan la instrumentalización, la "marginación" de los técnica y económicamente más frágiles. En el mundo religioso destaca la postura de Pedro ARRUPE (1982 a, 379 s.), cuando afirma que esos inmigrantes juegan en cierta manera el papel de conciencia de los países de este nuestro continente en todo lo que se refiere a sus relaciones con el Tercer Mundo.

En resumen, contra lo que aparece en ciertos medios de comunicación, declaramos que un notable porcentaje de inmigrantes son personas con alto grado de coraje, que salen de su país, superan el poder de la hambruna, vienen con ganas de trabajar todo lo que sea necesario, aunque encuentren condiciones infrahumanas. Son personas responsables que superan obstáculos casi irrebasables, con ideales de generosidad para sus familiares y compatriotas, que no se contentan con sobrevivir ellos y los suyos, que acabarán saliendo triunfantes en lo material y, principalmente, en lo espiritual. Gente merecedora de que les reconozcamos como agentes morales, con derecho a cubrir sus necesidades y a desplegar plenamente sus capacidades individuales, familiares y sociales. Parece oportuno que se lleven a cabo investigaciones empíricas acerca de las acciones y actitudes altruistas de muchos inmigrantes.

Desde esta perspectiva, no parece suficiente la legislación actual, universalmente admitida, que proclama la no discriminación. Debe avanzar más adelante y atreverse a proclamar la discriminación positiva con los inmigrantes-víctimas. Tenemos obligación de solidarizarnos con ellos, y levantarnos con ellos —sin violencia— contra el absurdo de la injusticia, como escribe H.R. SCHLETTE (256), comentando, en general, la fuerza renovadora de la solidaridad con las víctimas y su rebelión contra la injusticia, que nos enriquecerá éticamente ("die Solidarität der Leidenden und das Sich-Auflehnen, gegen das Ungerechte..."). En sentido parecido, Peter NOLL (1984, 230 s.; 1985, 20 s.).

Dentro de esta "revolucionaria" pero justa cosmovisión, se puede llegar a considerar atrasada la directiva 2000/43/CE del Consejo, de 29 de junio de 2000, relativa a la aplicación del principio de igualdad de trato de las personas independientemente de su origen racial o étnico, que se contenta con obligar (en su art. 16) a los Estados Miembros a adoptar las medidas de no discriminación contenidas en ella, a más tardar el 19 de julio de 2003. Diversos motivos impiden esperar al año 2003 para exigir la no discriminación. Además, ya hoy, postulan la discriminación positiva a favor del inmigrante, como argumentamos a continuación en referencia al art. 9 de la Constitución Española.

4. Desde la no discriminación "de lege lata" hacia la discriminación positiva "de lege ferenda"

> "En este punto, la igualdad formal de las partes no corresponde a la igualdad sociológica: obrero respecto al empresario, inquilino frente al casero, campesino frente al dueño de la tierra. De ahí que cuando las leyes o las sentencias desigualan razonablemente lo desigual, restablecen la perdida igualdad básica"
>
> E. RUIZ VADILLO, E. ZULOAGA, 1991, 19.

A la luz de lo expuesto en las páginas anteriores, resumamos dos conclusiones principales que de ellas se derivan. Por una parte, los serios motivos que fundamentan la doctrina y la legislación nacional e internacional en favor de respetar y hacer respetar al máximo la no discriminación de los inmigrantes; y, por otra, la exigencia desde la ética metarracional de las grandes religiones que pide de lege ferenda la discriminación positiva de los inmigrantes, su acogida como protagonistas morales opuestos a la multiculturalidad ("el multiculturalista como escribe Mikel AZURMENDI [356] supone que a cada sociedad le corresponde una cultura fija, espesa, e invariable; y supone que lo mejor para una cultura es mantenerse diferente, siempre igual a sí misma") y defensores de la interculturalidad, la integración diferenciada (M.T. SÁEZ, 572 s.; G. SARTORI, 2001, 129). También como partenarios de la nueva ética mundial que aupa a primer rango la parábola del Buen Samaritano y el artículo 9 de la Constitución española.

Europa ha nacido, históricamente, desde cosmovisiones e instituciones culturales y religiosas. Lo reconoce, también F. NIETZSCHE (134). El derecho de Asilo, por ejemplo, brota de antecedentes religiosos. En concreto, el Concilio de Lérida del año 546 proclama que "Los clérigos no han de sacar o azotar al siervo suyo que se refugia en un templo cristiano". Lógicamente, en la renaciente Unión Europea, ante la macrovictimación de los inmigrantes, nos importa deducir, de lo hasta aquí expuesto, unas breves coordenadas que abran la puerta a más detalladas reflexiones de los especialistas acerca de qué y cómo nuestras instituciones culturales y religiosas deben conocer, acerca de qué y cómo deben hacer. Crear una nueva epistemología, una nueva praxis policial, una nueva justicia social y una nueva ética. Desde la Europol y la Eurojust hemos de avanzar hacia la Euroetic victimológica.

Empecemos por conocer con otra pupila, desde otra perspectiva. Como explica W. JÄGER (112 ss.) "sufrimos una hipertrofia de la actividad cerebral racional. Miramos a través del microscopio y vemos cada vez más detalles. Pero, en cambio, se nos escapa la visión global, la realidad del conjunto, de la sinergia. Todavía peor, perdemos la luz y la dimensión metarracional de nuestro convivir". Es difícil ver y saber, sin prejuicios, la realidad de los millones de víctimas marginadas, de inmigrantes excluidos de los elementales derechos humanos; y además, a veces, no queremos solucionarlo, ni verlo (KOLVENBACH, 2; J. SOBRINO, 1992, 223-232; AMNISTIA INTERNACIONAL, 2002, 12 ss.). Para conseguir la información objetiva de esta tragedia mundial hemos de superar la hegemonía de la razón instrumental opresora y de la sinrazón postmoderna, que abocan en la ausencia de compasión y de solidaridad y de fraternidad. Apoyémonos en la "inteligencia sentiente" (I. ELLACURIA, 655), en un tipo de racionalidad y/o metarracionalidad que supere "los sueños de la razón", que fundamente y exija una nueva cosmovisión de la libertad y la dignidad de todos los seres humanos, sin excluir los inmigrantes. (J.B. METZ, 336 ss.). "En muchos países de la Unión Europea es necesaria una amplia y profunda labor político-pedagógica por parte de las fuerzas políticas, económicas, sociales y religiosas para aumentar la conciencia pública sobre el derecho a la

inmigración", como proclama la UNION EUROPEA, COMITÉ ECONO-
MICO Y SOCIAL, Dictamen sobre una Política Comunitaria de Migración, 17-09-2001.

Ante todo merecen tenerse en cuenta importantes normas Internacionales (G. VARONA, 64 ss.) y concretamente de las NN.UU. que
proclaman la igualdad y no discriminación de los inmigrantes. Recordemos, al menos, la Declaración Universal de los Derechos Humanos de
1948 y, especialmente su artículo 13.1: "Toda persona tiene derecho a
circular libremente y a elegir su residencia en el territorio de un Estado",
y la Declaración sobre la eliminación de todas las formas de intolerancia
y discriminación fundadas en la religión o las convicciones, de 25
noviembre 1981. También debemos recordar, el artículo 5.4 de la
Declaración sobre los Derechos Humanos de los individuos que no son
nacionales del país en que viven, dè 13 de diciembre de 1985: "Con
sujeción a la legislación nacional y la autorización debida, se permitirá
que el cónyuge y los hijos menores o a cargo de un extranjero que resida
legalmente en el territorio de un Estado lo acompañen, se reúnan y
permanezcan con él". Y, el artículo 16.2 de la Convención Internacional
sobre la protección de los Derechos Humanos de todos los trabajadores
migratorios y de sus familiares, de 18 de diciembre de 1990: "Los
trabajadores migratorios y sus familiares tendrán derecho a la protección efectiva (subrayo) del Estado contra toda violencia, daño corporal,
amenaza o intimidación por parte de funcionarios públicos o de particulares, grupos o instituciones".

En 2002, hemos de dar un paso hacia adelante de evolución cualita-
tiva que supere esta actualmente proclamada no discriminación. Hemos
de reconocer que, aunque se cumpla, es insuficiente y en algunos casos
criminógena. La legislación penal que proclama la no discriminación, en
los artículos antes citados, resulta anticuada. Su inspiración en el
principio de humanidad le obliga al Código a asumir funciones sociales
más solidarias con los inmigrantes víctimas (J.L. de la CUESTA, pp. 175
s.). Estos merecen, por muchos motivos, también por su peculiar
victimación una atención preferencial y disfrutar de especiales derechos
para reparar lo que han sufrido en su ayer, y para posibilitar lo que
harán como agentes morales, en su hoy y en su mañana. Hemos de
superar lo establecido en el Consejo Europeo de Tampere (1999), de
Leaken (2001) y de Sevilla (2002), y lo propuesto en el Libro Verde de la
Comisión de Europa, de 10.04.2002, relativo a una política comunitaria
de retorno de los residentes ilegales. Desde estos y otros documentos e
investigaciones, si los interpretamos desde la victimología compasiva,

emerge lo que podríamos llamar una nueva hermenéutica del delicado fenómeno migratorio, una "cultura de acogida" (G. VARONA, 469), una conciencia ética de fraternidad universal, en el sentido de que nace vigoroso un reconocimiento generalizado de ciertos valores innovadores considerados precisamente como fundamentales y universales porque verdaderamente son la expresión de la igual humanidad del hombre y de la mujer. (Jean LADRIERE, 78).

Muchos cultivadores de la Etica y de las Ciencias afines trabajan eficazmente en la búsqueda de unos mínimos comunes a todas las sociedades respecto a los derechos humanos básicos, como el derecho a la vida, a la libertad, a la propiedad y a una igualdad que haga efectiva la formal, sin olvidar la contribución de los inmigrantes al interculturalismo y a la configuración de nueva ciudadanía (A. BERISTAIN, 1998 a; C. GIMÉNEZ, 556 ss.; A. CORTINA, 263). También algunos, y cada día más, influidos por las experiencias y tradiciones religiosas piden una Euroetic que en nuestra vida individual y social apruebe e integre el talante de las Bienaventuranzas Evangélicas ("Bienaventurados los pobres". Evangelio de San Mateo, cap. V; y "el más pequeño entre vosotros es el más importante", Evangelio de San Lucas, cap. IX,48), y que admita —o, por lo menos, no rechace— la creencia y experiencia central de que a Dios y a la felicidad se le encuentra al lado de los vencidos, de los inmigrantes (REYES MATE, 210 ss.; J. SOBRINO, 1999, 474 s.; H. HÄRING, 883; Concilio Vaticano II, Gaudium et Spes, núm. 72; Peter NOLL, 1984, 40 s., 229-232 y 1985, 69 ss.; Eric WOLF, 26 ss., 70 s.).

La tecnociencia como la política y, aunque menos, también la universidad, está, con frecuencia, plegada a la acción y a unas formas de acción regidas y exigidas por las finalidades y cosmovisiones tradicionales ya finiquitadas del homo faber, homo oeconomicus. Las cuestiones de los inmigrantes requieren nuevas coordenadas que ni la ciencia, ni la política son capaces de bosquejar y verificar (J. LADRIERE, 76). Necesitamos la colaboración de los dedicados a la Etica y a las Religiones que nos brinden un ETHOS universal, nuevo. Ese ETHOS privilegia a los inmigrantes, sin que signifique aceptación de la moral eclesial, pues ésta ha incurrido y puede hoy ciertamente incurrir en graves violaciones de los Derechos Humanos. No se olvide el Syllabus.

Junto a la urgencia de una nueva cosmovisión mundial de la mujer y el hombre, conviene subrayar la necesidad de una nueva praxis legal, policial, económica y de política general que respete y desarrolle los derechos fundamentales de los inmigrantes y los preferencie como protagonistas, como agentes morales, con encomiable talante reactivo, pero no violento, frente a la injusticia (Aurelio ARTETA, 264 s., con referencias a HORKHEIMER y HABERMAS).

En este tema, como recuerda el CONSEJO DE EUROPA (1991, 91) en su Cuarta Conferencia de Ministros Europeos responsables de la migración, "no olvidemos que las iglesias han tenido, aunque no siempre, y tienen un papel de particular importancia. A menudo han sido las primeras en preocuparse y ocuparse de las necesidades de los inmigrados". Como mención indiciaria, entre otras muchas, de la teoría y praxis eclesial a favor de los inmigrados y refugiados podemos recordar la labor desarrollada por Jesuit Refugee Service y, en escala muy pequeña, pero digna de atención, por la Comunidad de San Egidio, de Roma. Por ejemplo, cuando el 28 de abril de 2002, su Newsletter destaca la noticia en los periódicos "Los ancianos piden: No impidáis a los inmigrantes que nos ayuden a vivir".

Hoy resultan sumamente fecundos los esfuerzos por descubrir y armonizar los elementos comunes a todas las religiones (Hans KÜNG y Kart-Josef KUSCHEL, 1994; A. BERISTAIN, 1994, 185 s.). Afortunadamente, las iglesias y no menos las cristianas han actualizado radicalmente su doctrina tradicional en algunos puntos patentemente xenófoba, por ejemplo cuando Pío IX, en el Syllabus errorum, anexo a la Encíclica Quanta cura (1864), condenaba "las leyes de muchos países católicos que autorizan a los inmigrantes el ejercicio público de su religión". Recordamos esta falibilidad y nos sentimos obligados a pedir perdón y deseamos corregirla.

Para terminar, recuerdo lo que concluí en la International Conference on Migration and Crime. Global and Regional Problems and Responses, organizada por ISPAC de las Naciones Unidas, en Courmayeur Mont Blanc (1996). Veo con esperanza que se intensifican las contribuciones de las grandes religiones en colaboración con las fuerzas culturales y jurídicas para solucionar urgente y radicalmente nuestra tragedia actual de las migraciones. (BERISTAIN, 1998, 305). Hoy se confirma mi optimismo al releer la argumentación de un teólogo señero Denis MÜLLER (760), para concluir que "La acogida de los inmigrantes significa finalmente un mayor conocimiento espiritual y un mejor desarrollo ético y político". También al constatar que las NN.UU. (2001, p. 258) "alientan a los Estados de origen y de destino de los migrantes a que consideren la adopción de estrategias bilaterales o regionales orientadas a proteger (y desarrollar) los derechos humanos de los migrantes y sus familias, con carácter prioritario (subrayo) y de conformidad con la legislación apropiada, a que luchen eficazmente contra el tráfico internacional de migrantes y a que protejan (subrayo) a los migrantes y sus familias de la explotación e intimidación de los traficantes y las organizaciones delictivas".

En resumen, todas las personas y las instituciones culturales, jurídicas y religiosas estamos obligados a cumplir la legislación nacional e internacional que, por el imperativo de la igualdad humana, exige reconozcamos a los inmigrantes y sus familiares los mismos derechos que a los nacionales. Así, se resolverán muchos macro-problemas, muchos duelos migratorios. Pero, a la luz de lo que aquí hemos argumentado con metodología multi e interdisciplinar, intelectual y metaintelectual, afirmamos que en el tercer milenio esa igualdad formal, pasiva, conservadora, resulta insuficiente y criminógena. Estamos obligados a "inventar" nuevas leyes, instituciones y costumbres que fomenten la discriminación positiva de los inmigrantes, discriminación requerida porque ellos, en cuanto víctimas, tienen derecho a jugar un inigualable papel pedagógico (J. URRA, 95) de agentes morales, en los centros educativos, de interculturalismo y de no relativismo ético (M.T. SÁEZ, 575). Sin olvidar que muchos inmigrantes nos transmiten la experiencia de que, como proclama Enrique RUIZ VADILLO (1996, 247), "No sólo es derecho lo que se legisla, sino algo más: lo son también los valores que se instauran en el punto más alto del sistema, por eso puede hablarse de Ley y de Derecho, como declara el artículo 103 de la Constitución Española".

5. Bibliografía

ACHÓTEGUI, Joseba (2002): "Aspectos psicológicos y psicosociales en la migración: Características de los duelos migratorios", en J.M. ALEMANY, et al., La inmigración, una realidad en España, Centro Pignatelli (Eds.), Zaragoza, pp. 419-442.

AGUIRRE, Begoña (1999): "El 47% de los universitarios opinan que los inmigrantes incrementan la delincuencia", El País Digital, 21 diciembre.

ALARCÓN MOHEDANO, I; MARAÑÓN MAROTO, T.; de MARTÍN SANZ, L.V. (2002): Derecho de Extranjería. Práctica Administrativa y Jurisdiccional, Dykinson, Madrid.

ALEMANY, J.M., et al. (2002): La inmigración, una realidad en España, Centro Pignatelli, Zaragoza.

ALONSO PÉREZ, Francisco (2001): "Privaciones de Libertad en la Legislación de Extranjería", La Ley, núm. 5441, 17 de diciembre, pp. 1-4.

ALONSO PÉREZ, Francisco (2002): "El concepto de refugiado en la Convención de Ginebra de 28 de julio de 1951. Doctrina Jurisprudencial", La Ley, núm. 5524, 16 de abril, pp. 1-5.

AMNISTIA INTERNACIONAL (2002): Revista bimestral para los países de habla hispana, "La guerra de la Unión Europea contra la inmigración ilegal pone en peligro los derechos humanos. Llamamiento de Amnistía Internacional a la Cumbre de la UE en Sevilla", núm. 56, agosto-septiembre, pp. 12 ss.

ANUARIO EL PAÍS, 2002, Madrid.

ARRUPE, Pedro (1982): "Formación para la promoción de la justicia", en IDEM, La Iglesia de hoy y del futuro, Sal Terrae, Santander, pp. 347-359.

ARRUPE, Pedro (1982 a): "Lucha por la justicia y educación en los centros escolares", en IDEM, La Iglesia de hoy del futuro, Sal Terrae, Santander, pp. 361-380

ARTETA, Aurelio (1996): La compasión. Apología de una virtud bajo sospecha, Paidós, Barcelona.

AUDINET, Jacques (1999): "Frontera del cuerpo, Fronteras sociales", Concilium, núm. 280, pp. 249-258.

AZURMENDI, Mikel (2001): Estampas del Ejido, Taurus, Madrid.

BASTENIER, Albert (1999): "Inmigrantes y demandante de asilo: Figuras de la globalización e interrogantes teológicos", Concilium, núm. 280, pp. 227-238.

BERISTAIN, Antonio (2002): "El juez prohíbe al victimario su aproximación a las víctimas y ¿le obliga a atenderlas? (artículos 57 y 49 del Código penal)", en J.L. Díez Ripollés, C.M. Romeo, L. Gracia y J.F. Higuera (Comps.), La ciencia del Derecho penal ante el nuevo siglo. Libro Homenaje al Profesor Doctor Don José Cerezo Mir, Tecnos, Madrid, 2002, pp. 1029-1047.

BERISTAIN, Antonio (2002 a): Mundo inmigrante, Entrevista, núm. 10, julio-agosto, Logroño.

BERISTAIN, Antonio (2001): "Justicia restaurativo-agápica, no vindicativa", Universitas, Pontificia Universidad Javeriana, Bogotá, diciembre, núm. 102, pp. 531-534.

BERISTAIN, Antonio (2000): Victimología. Nueve palabras clave, Tirant lo Blanch, Valencia.

BERISTAIN, Antonio (1999): "Racismo y discriminación personal como agravante (artículo 22.4ª del Código penal de 1995)", en Manuel COBO DEL ROSAL (Dir.), Comentarios al Código penal, Tomo II, Edersa, Madrid, pp. 965-997.

BERISTAIN, Antonio (1998): "Religion as Aetiology and Solution of the Crime/ Migration Problem. (Spirituality as a Regeneration of Solidarity)", en

INTERNATIONAL SCIENTIFIC AND PROFESIONAL ADVISORY COUNCIL OF THE UNITED NATIONS CRIME PREVENTION AND CRIMINAL JUSTICE PROGRAMME, Migration and Crime, Milano, pp. 299-306.

BERISTAIN, Antonio (1998 a): "El nuevo ciudadano responsable y solidario": el partenario (Reflexión criminológica victimológica), en Ana MESSUTI (Coord.), Perspectivas Criminológicas en el umbral del tercer milenio, Fundación de Cultura Universitaria, Montevideo, pp. 84-102.

BERISTAIN, Antonio (1994): "Reflexiones criminológicas sobre inmigrantes y refugiados", Eguzkilore. Cuaderno del Instituto Vasco de Criminología, núm. 7 extr. pp. 163-189.

BOFF, Leonardo (1999): "Vida y muerte sobre el planeta tierra", Concilium, núm. 283, pp. 717-728.

CALVO BUEZAS, Tomás (1997): Racismo y solidaridad de españoles, portugueses y latinoamericanos. Los jóvenes ante otros pueblos y culturas, edic. Libertarias, Madrid.

CÁRITAS ESPAÑOLA (2000): "Bibliografía" (sobre inmigración), Documentación Social, núm. 119, pp. 329-343.

CARRASCO, Concha (2002): "Impacto económico de la inmigración: incorporación al mercado de trabajo formal e informal", con bibliografía, en J.M. ALEMANY, et al., pp. 189-213.

CHRISTIE, Nils (1993): La industria del control del delito, Los Editores del Puerto, Buenos Aires.

COMISIÓN EUROPEA (2002): Libro Verde, relativo a una Política comunitaria de retorno de los residentes ilegales, Bruselas, 10 abril.

CONCILIO VATICANO II (1965): Constitución Pastoral sobre la Iglesia en el mundo actual. Gaudium et Spees.

CONSEJO DE EUROPA (1991): 4ª Conferencia de ministros europeos responsables de asuntos de migración, Luxemburgo, septiembre (Cfr. FUNDACION ENCUENTRO, Madrid, 1991, NÚM. 121, Inmigrantes en la convivencia).

CORTINA, Adela (1999): Los ciudadanos como protagonistas, Círculo de Lectores, Barcelona,

CUESTA, José Luis de la (2001): "Responsabilidad civil. Procedimiento. Incoación. Efectos", en La Ley Orgánica 5/2000 de Responsabilidad Penal de los Menores, Consejo Vasco de la Abogacía, Bilbao, pp. 175-197.

DE LUCAS, Javier (2002): "La dimensión política de la inmigración: un reflexión pendiente", en J.M. ALEMANY, et al., pp. 263-286.

DIETZ, Bárbara (2001): "The Integration of Inmigrants in Germany: Policy and Labor Market Aspects", en Beihefte der Konjunkturpolitik. Zeitschrift für angewandte Wirtschaftsforschung.Applied Economics Quarterly. Duncker

& Humblot, Berlin, Heft, 52, "Migration in Europa", pp. 165-190, con bibliografía.

DÍEZ ALEGRÍA, José María (1972): Yo creo en la esperanza, Desclée de Brouwer, Bilbao; IDEM (1999): Yo todavía creo en la esperanza, Desclée de Brouwer, Bilbao.

DIEZ, Laura (2000): "El contenido de la nueva ley", en Eliseo AJA (coord.), La nueva regulación de la inmigración en España, Tirant lo Blanch, Valencia, cap. II, pp. 49-78.

DOWER, Nigel (1995): "La pobreza en el mundo", en Peter SINGER (ed.), pp. 377-390.

DUQUOC, Christian (1999): "Fe cristiana y amnesia cultural", Concilium, núm. 279, pp. 139-145.

ELIZONDO, Virgil (1999): "El mestizaje: Así nace una nueva vida", Concilium, núm. 280, pp. 259-267.

ELLACURIA Ignacio (1982): "Actividad del cerebro 'y' actividad de la mente", en A. BERISTAIN (comp.), Estudios Vascos de Criminología, Mensajero, Bilbao, pp. 641-656.

FERNÁNDEZ VALVERDE, Rafael (2001): "La nueva Ley de extranjería. Una visión general", Estudios Jurídicos, Ministerio Fiscal, II, pp. 277-338.

FERRAJOLI, L. (2001): "Prefacio", en A. MESSUTI, J. SAMPEDRO ARRUBLA (eds.), La Administración de Justicia en los albores del tercer milenio, Universidad, Buenos Aires, pp. 11-15.

GARCÍA ESPAÑA, Elisa (2001): Inmigración y delincuencia en España: análisis criminológico, Tirant lo Blanch, Valencia.

GARCÍA-PABLOS DE MOLINA, A. (1999): Tratado de Criminología, 2ª ed., Tirant lo Blanch, Valencia.

GARRIDO, V., STANGELAND, P., REDONDO, S. (2001): Principios de Criminología, 2ª ed., Tirant lo Blanch, Valencia.

GARZÓN VALDÉS, Ernesto (1993): Derecho, ética y política, Centro de Estudios Constitucionales, Madrid.

GIMÉNEZ, Carlos (2002): "El planteamiento intercultural y su relación con la ciudadanía y las políticas públicas", con abundante bibliografía, en J.M. ALEMANY, et al., pp. 531-560.

GIMÉNEZ-SALINAS, Esther (1994): "Extranjeros en prisión", Eguzkilore. Cuaderno del Instituto Vasco de Criminología, núm. 7 extr., pp. 133-145.

GONZALO QUIROGA, Marta (2001): "Discriminación racial y control de identificación policial: Valoración de la raza como indicio de extranjería y de nacionalidad", La Ley, núm. 5291, 19 de abril, pp. 1-5.

HÁRING, Hermann (1997): "Ni él ni sus padres pecaron... El castigo, la culpa y la exclusión", Concilium, núm. 273, pp. 871-883.

HEREDIA PUENTE, Mercedes y FABREGA RUIZ, Cristóbal Francisco (1996): "Las privaciones de libertad en el campo de la extranjería", La Ley, núm. 3960, 25 de enero, pp. 1-4.

INSTITUTO DE ESTUDIOS DE SEGURIDAD Y POLICÍA (2002): Observatorio de la Seguridad Pública, Madrid.

JÄGER, Willigis (1999): En busca de la verdad. Caminos. Esperanzas. Soluciones, Desclée De Brouwer, Bilbao.

KOLVENBACH, Peter-Hans: Entrevista en ABC, Los Domingos, 13 octubre 2002, pp. 1-4.

KÜNG, Hans (1991): Proyecto de una ética mundial, traducción G. Canal Marcos, Trotta, Madrid.

KÜNG, Hans y KUSCHEL, Kart-Josef (Eds.) (1994): Hacia una ética mundial, Trotta, Madrid.

LADRIERE, Jean (1988): "¿A dónde va el hombre?", en UNIVERSIDAD DE DEUSTO, Los Grandes Avances del Conocimiento, Bilbao, pp. 67-82.

LAIN ENTRALGO, Pedro (1993): Creer, esperar, amar, Círculo de Lectores, Barcelona.

MALGESINI, Graciela (2002): "Europa, ¿destino de flujos migratorios espontáneos u objetivo del tráfico de personas?", en J.M. ALEMANY, et al,. pp. 69-103.

MATE, Reyes (1991): La razón de los vencidos, Anthropos, Barcelona.

METZ, J. B. (1992): "Libertad solidaria. Crisis y cometido del espíritu europeo", Concilium, núm. 240, pp. 336 y ss.

MORELLO, Gustavo, S.J. (2002): "¿Qué pasó en Argentina?", El Ciervo, Barcelona, núm. 614, mayo, pp. 26-28.

MÜLLER, Denis (1993): "Patria de los viajeros para una ética de las migraciones", Concilium, núm. 248, pp. 741-761.

MUÑOZ CONDE, Francisco (2001): Derecho Penal. Parte Especial, Tirant lo Blanch, Valencia.

NN.UU. (1990): Convención internacional sobre la protección de los derechos de todos los trabajadores migratorios y de sus familiares. Adoptada por la Asamblea General en su resolución 45/158, de 18 de diciembre 1990.

NN.UU. (1985): Declaración sobre los derechos humanos de los individuos que no son nacionales del país en que viven. Adoptada por la Asamblea General en su resolución 40/144, de 13 de diciembre de 1985.

NIETZSCHE, F. (1997): Más allá del bien y del mal, trad. Andrés Sánchez Pascual, Alianza, Madrid.

NOLL, Peter (1985): Gedanken über Unruhe und Ordnung, Pendo, Zürich.

NOLL, Peter (1984): Diktate über Sterben und Tod. Mit Totenrede von Max Frisch, Pendo, Zürich.

PÉREZ CEPEDA, Ana Isabel (2002): "Instrumentos internacionales en la lucha contra el tráfico de inmigrantes y la trata de seres humanos", Boletín Europeo de la Universidad de La Rioja, suplemento, núm. 10, julio, pp. 45-64.

RAWLS, J. (1999): Justicia como equidad. Trad. M.A. Rodilla, Tecnos. Madrid

REDONDO ILLESCAS, Santiago (2001): "La delincuencia y su control: realidades y fantasías", Revista de Derecho penal y criminología, 2ª época, núm. 8, pp. 308-325.

RIO FERNÁNDEZ, Lorenzo J. del (2001): "Detención e internamiento de extranjeros: Estatuto jurídico", La Ley, núm. 5422, 20 noviembre, pp. 1-5

RODRÍGUEZ MONTAÑES, Teresa (2001): "Ley de Extranjería y Derecho penal", La Ley, núm. 5261, 6 de marzo, pp. 1-5.

RUIZ VADILLO, Enrique (1996): Exigencias Constitucionales en el Proceso Penal como garantía de la realización de la Justicia. La grandeza del Derecho penal. Discurso de ingreso en la Real Academia de Jurisprudencia y Legislación, Madrid.

RUIZ VADILLO, Enrique; ZULOAGA ARTEAGA, Elvira (1991): Derecho Civil. Introducción al estudio teórico práctico, 18ª edición, Ed. Ochoa, Logroño.

SÁEZ ORTEGA, Mª Teresa (2002): "Crisis de la educación e interculturalidad: en busca de la perspectiva perdida", en J. M. ALEMANY, el al., 561-582.

SAGARRA TRÍAS, Eduardo (2002): "La legislación española del 2001 sobre extranjería e inmigración", Revista Jurídica de Catalunya, núm. 1, pp. 61-102.

SARTORI, Giovanni (2001): La sociedad multiétnica, Pluralismo, multiculturalismo y extranjeros, Taurus, Madrid; IDEM (2002): La sociedad multiétnica, Extranjeros e islámicos, Apéndice actualizado.

SAVATER, Fernando (1999): Las preguntas de la vida, Ariel, Barcelona.

SCHLETTE, Heinz Robert (2001): "Der verwundete Humanismus: Jean Améry", Orientierung, núm. 23/24, 15-31, diciembre, pp. 252-257.

SERRANO GÓMEZ, Alfonso (2002): Derecho penal. Parte Especial, 7ª edición, Dykinson, Madrid.

SERVICIO JESUITA AL REFUGIADO (2002): SERVIR, núms. 25 y 26, abril y julio, Roma.

SINGER, Peter (Ed.) (1995): Compendio de Ética, Edit. Alianza Diccionarios, Madrid, trad. J. Vigil Rubio, y M. Vigil.

SOBRINO, Jon (1992): "Aniquilación del otro. Memoria de las víctimas. Reflexión profético-utópica", Concilium, núm. 240, pp. 223-232.

SOBRINO, Jon (1999): La fe en Jesucristo. Ensayo desde las víctimas, Trotta, Madrid.

UMUTESI, Marie-Béatrice (2002): Huir o morir en El Zaire. Testimonio de una refugiada ruandesa, traducción R. Arozarena, Milenio, Lleida.

UNIÓN EUROPEA (2001): Dictamen del Comité Económico y Social sobre "Comunicación de la Comisión al Consejo y al Parlamento sobre un política comunitaria de migración", Diario Oficial núm. C 260 de 17/09/2001, pp. 0104-0112.

URRA, Javier (2002): "El Psicólogo Forense en los Juzgados y Fiscalías de Menores", en URRA, J. (comp.), Tratado de Psicología Forense, Siglo XXI, Madrid, pp. 83-236.

VARONA MARTINEZ, Gema (1994): La inmigración irregular. Derechos y deberes humanos, Ararteko, Vitoria.

WELZEL, Hans (1971): "El problema de la validez del Derecho. Una cuestión límite del Derecho", en G. RADBRUCH, E. SCHMIDT, H. WELZEL, Derecho injusto y Derecho nulo, trad. J. M. Rodríguez Paniagua, Aguilar, Madrid, pp. 73-112.

WOLF, Eric (1958): Recht des Nächsten. Ein rechtstheologischer Entwurf, Vittorio Klostermann, Frankfurt am Main.

IX. LO POLEMÓGENO Y LO IRENOLÓGENO EN EL DERECHO, LA CULTURA Y LAS RELIGIONES ANTE LOS JÓVENES (algunos con personalidad antisocial y psicopatía)*

DEDICATORIA:

Al profesor del Instituto Vasco de Criminología y Funcionario de Instituciones sancionadoras, Don Francisco Javier GÓMEZ ELOSEGUI, vilmente asesinado por los jóvenes de ETA.

A su esposa e hija, a quienes un Tribunal de Justicia privó de toda su justa indemnización.

A los abogados de la *equidad* que consiguieron revocar la sentencia ya firme.

SUMARIO: 1.- Introducción: método criminológico, innovador e inexorable. 2.- Tres tesis y antítesis (2.1. Lo polemógeno y lo irenólogeno en el Derecho Penal; 2.1 bis. El Derecho Penal del amigo; 2.2. Lo polemógeno y lo irenólogeno en la cultura; 2.3. Lo polemógeno y lo irenólogeno en las religiones; 2.3 bis. Lo espiritual). 3.- Síntesis: superación del relativismo con protagonismo social de las víctimas; 4.- Bibliografía.

---

* Cfr. Actualidad Penal, núm. 38, 13 al 19 octubre 2003, pp. 963-980.

1. Introducción: método criminológico, innovador e inexorable

"La Universidad quiere forzar a cada disciplina a que tenga en cuenta las demás. Una Física que no cuente con una Historia y una Filosofía está en el seguro camino para dejar de serlo".

Julián MARÍAS, p. 64.

Quienes han organizado este "II Seminario sobre jóvenes con personalidad antisocial y psicopatía" merecen una felicitación especial porque en estas fechas, en estos meses, se están estructurando, por fin, los estudios de Criminología en la Universidad Española. Esperamos que lo analizado, comentado y concluido en este II Seminario brinde aportaciones muy dignas de consideración para la entrada plena de la Criminología en nuestra Alma Mater. Expreso, también, mi agradecimiento a la Profesora Dra. María José SEGURA por haberme invitado a dictar esta conferencia de clausura y por su paradigmática colaboración académica con el Instituto Vasco de Criminología de San Sebastián.

A la Criminología en general, y a este Instituto Universitario de Alicante en particular, hemos de felicitar por sus progresos en los trabajos jurídicos, culturales y metaculturales, cuando piden y logran que los encargados de prevenir y superar las tragedias delincuenciales no se limiten a la metodología del Derecho penal sino que empleen métodos pluri, inter y transdisciplinares.

Hasta hace algunos años, para prevenir y solucionar los graves problemas que crean los jóvenes (y los jóvenes con personalidad antisocial y psicopatía) se trabajaba únicamente con el método jurídico-penal, dogmático y unidisciplinar. Gracias a las innovaciones de nuestros pioneros FERRI, LOMBROSO Y GARÓFALO, desde inicios del siglo XX, se empieza a manejar también enfoques más abiertos, inductivos, humanos y eficaces. Como escribió Juan del ROSAL, en 1945 (p. 543): "El método jurídico-penal muestra su insuficiencia ya que pretende solucionar el problema de las causas (y soluciones) del delito de un modo unilateral. Las recientes aportaciones criminológicas enfilan la cuestión de manera bien diferente".

Afortunadamente, los diversos especialistas y operadores españoles —trabajadores de calle, educadores, policías, jueces, personal sancionador, psicólogos forenses, psiquiatras, etc.— que laboran en el campo del crimen, el delincuente y las víctimas escuchan, cada día más, a los criminólogos cuando les exigimos mayor cultivo del difícil arte de atender y entender a los especialistas de las otras ciencias y praxis, y dialogar con ellos. También cuando les pedimos más estadísticas cuantitativas y cualitativas, más investigaciones empíricas, pues se han llevado a cabo pocas en terreno tan complejo como éste de los jóvenes con personalidad antisocial y psicopatías. Pero sí sabemos que "la violencia psicopática se caracteriza por la frialdad y sangre fría, así como por una crueldad extrema gratuita (subrayo), premeditada y en ocasiones facilitada por el consumo abusivo de alcohol" (P. DE CORRAL, p. 64).

En España la Criminología ha alcanzado ya la mayoría de edad, pero está por debajo del nivel europeo. Todavía predomina "El cierre hermético y dogmático del Derecho Penal español" (P. STANGELAND). Urge recrear la Sociedad Española de Criminología que fundó Juan del ROSAL (A. BERISTAIN, 1992; M. COBO DEL ROSAL, E. BACIGALUPO, pp. 31 ss.). El número de españoles miembros de la Sociedad Internacional de Criminología podría cuadruplicarse, por lo menos. Las innovaciones criminológicas que introduce la Ley Orgánica 5/2000, reguladora de la Responsabilidad Penal de los Menores, y su puesta en práctica significan un notable progreso, pero no bastan.

Todavía hoy la Universidad y la Jurisprudencia podrían cultivar más los avances multidisciplinares, como indican, entre otros, A. RAINE y J. SANMARTÍN (pp. 10 s.). Evitarían en muchos jóvenes (y no jóvenes) su relativismo ético exagerado, como si en este mundo traidor nada fuera verdad o mentira, como si todo dependiese del cristal con que se mira (CAMPOAMOR). Para superar ese relativismo estudiamos ahora la ambivalencia maniquea, por una parte, y por otra la ambivalencia virtual positiva —incluso agápica— de las vertientes jurídica, cultural y religiosa.

Atina el psiquiatra argentino Hugo MARIETAN (2002) cuando reclama que en los problemas de personalidades psicopáticas, además del penalista, intervengan el biólogo (para determinar sobre la variabilidad de la especie humana: raro-común), el sociólogo (sobre el ajuste del individuo en el grupo: adaptado-inadaptado), el legista (responsable-culpable-inocente), el psicólogo (sobre las motivaciones de la conducta individual), el moralista y el teólogo (bueno-malo-amoral), etcétera.

Quizás algunas partes de mi exposición sean un poco laterales respecto al tema general de este II Seminario sobre jóvenes con personalidad antisocial y psicopatía. Sin embargo, discuten y aclaran problemas radicales de los delincuentes jóvenes, en general, y de los con personalidad antisocial y psicopatía en particular, que preocupan y enriquecen al jurista, al psicólogo, al teólogo, al político y al ciudadano.

En las tres realidades jurídica, cultural y religiosa constatamos facetas polemógenas —creadoras de conflictos y crímenes— pero también, muchas más, facetas irenológenas —fuentes de paz y de amor—. En nuestra síntesis conclusiva el Derecho, la Cultura y las Religiones con un predominio indiscutible de humanidad, progreso y fraternidad. Eso nos basta para continuar preguntándonos y comprometiéndonos por el túnel hacia la verdad. Somos zahoríes que, frente al relativismo absoluto de CAMPOAMOR, nosotros, en muchos supuestos, podemos diferenciar entre simple conflicto y delito grave; podemos distinguir entre mujer violada y hombre violador; entre joven victimario y joven víctima; entre terrorismo y heroísmo, etc.

Al reflexionar sobre lo jurídico, incluiremos también lo victimológico. Al comentar lo cultural, tendremos presente la subcultura terrorista y la llamada violencia callejera (VARONA, pp. 617 s.). (Algunos afirman: "ETA sólo sabe asesinar, cortar las cabezas". Muchos victimólogos constatan que ETA sabe, principalmente, emponzoñar las cabezas y los corazones [I. EZKERRA, pp. 183 ss.]. Los comentarios siguientes pueden ayudar a superar este cáncer). Y, al tratar de lo religioso, avanzaremos hasta las convicciones transcendentes y/o experiencias espirituales, más allá de las NN.UU., en su Declaración de 25 noviembre 1981, sobre La eliminación de todas las formas de intolerancia y discriminación fundadas en la religión o las convicciones.

2. Tres tesis y antítesis

2.1. Lo polemógeno y lo irenológeno en el Derecho penal

"Como afirman GÓMEZ PAVÓN y ROMERO (*Enajenación mental y Trastorno mental Transitorio. Evolución legal y Análisis Jurisprudencial*), la discusión científica sobre la psicopatía y los actuales conceptos del trastorno de personalidad, se traduce también al Derecho, de forma que la incertidumbre domina la Jurisprudencia y ésta es vacilante y a veces contradictoria, de manera que la responsabilidad penal es plena la mayoría de las veces, atenuada y excluida en contadas ocasiones".
J.A. GARCÍA ANDRADE, *Psiquiatría Criminal y Forense*, 1996, p. 63.

El problema de las personalidades psicopáticas importa notablemente en Derecho penal, pues muchas veces se manifiestan a través de comportamientos delictivos de gran gravedad. (F. MUÑOZ CONDE, p. 380) y discutido análisis (M. ALONSO, pp. 449 s.; L. GARRIDO GUZMÁN; M.J. SEGURA, pp. 243 ss.). Las respuestas jurídico-penales y criminológicas no son tan positivas, ni tan unánimes, como muchos desearíamos, pero tampoco tan negativas, inmaduras, como algunos opinan y/o manifiestan. Merece comentarse ahora, brevemente, en qué sentido y hasta qué punto el Derecho penal en general, y en este campo de las psicopatías en particular, ha sido y es polemógeno, pero con más fuerza es y será irenológeno.

Desde sus orígenes prehistóricos, a lo largo de todos los siglos, lo que hoy denominamos Derecho Penal ha contribuido como factor criminógeno. Ha fomentado conductas delictivas en general y de los jóvenes psicópatas en particular, pues ha incrementado la agresividad; ha respondido a los delitos con talante vindicativo ilimitado; ha legitimado la tortura y la venganza; ha pretendido dominar los cuerpos y las almas, como expone FOUCAULT y algunos criminólogos críticos, etcétera.

Hoy en día, los operadores de la Justicia y los ciudadanos debemos caer en la cuenta de la pretérita, actual y futura "doble" ambivalencia, inherente a lo jurídico. Los juristas, como los gobernantes (J.R. RECALDE, p. 1201), tenemos las manos "doblemente" manchadas. Desde un punto de vista, porque a veces, infringimos nuestras normas básicas, y lógicamente engendramos conflicto; y, desde otro segundo punto de vista, porque siempre nuestras coordenadas, nuestra teoría y nuestra praxis son polemógenas.

Con relativa frecuencia infringimos nuestros preceptos fundamentales. Por ejemplo, cuando se ejecuta legalmente a un condenado que es inocente. También cuando algunas sentencias penales violan derechos elementales de las personas. Así, la Sentencia 17/98 de la Audiencia Nacional, Sala de lo Penal, Sección primera, de treinta de marzo de 1998 —indicada en la dedicatoria— privó ilegalmente toda la indemnización a la viuda y la hija del profesor del Instituto Vasco de Criminología y funcionario de la prisión de Martutene en San Sebastián, Francisco Javier Gómez Elósegui, asesinado por ETA el día 11 de marzo de 1997. (A. BERISTAIN, 1999, pp. 54 s.). También frecuentes decisiones judiciales de muchos países infringen los derechos básicos de millones de ciudadanos, como lo constatan cada año las Memorias de Amnesty International.

Más grave resulta que tenemos las manos manchadas (J.P. SARTRE), también cuando no infringimos nuestra lex artis, cuando manejamos legalmente y de acuerdo con los criterios admitidos en todos los países, el Código penal, la Ley de Enjuiciamiento Criminal, la Ley General Penitenciaria, etc. No me detengo a demostrar esta tesis. Pero baste recordar algunos argumentos del profesor de Filosofía de la Universidad de Salamanca, J. DELGADO PINTO, en su —revolucionario y utópico— artículo "El Derecho como fuente de agresión y de pacificación". Como él indica, nuestros antepasados terminaron con la venganza ilimitada de la sangre, cuando superaron el castigo instintivo, animal, incontrolado, contra los infractores; entonces la humanidad avanzó un paso cualitativo, pero ambivalente; entonces creó el Derecho. Abolió la venganza privada, pero "a cambio de institucionalizar la pena", a cambio de asumir como propio y constitutivo la función de reprimir, de castigar. Así, se patentiza lo polemógeno del Derecho punitivo en cuanto institucionalización de la represión, de la pena que siempre castiga y "puede desencadenar nuevos conflictos o potenciar los existentes" (pp. 99 ss). El Derecho, continúa DELGADO (p. 109), actúa continuamente "como potenciador de los conflictos sociales en que interviene al añadir a la motivación original de los mismos una motivación propiamente jurídica. Las partes contendientes lucharán ahora no sólo por las razones económicas, políticas, profesionales, etc., que en el fondo les enfrentan, sino también porque considerarán que están luchando por sus derechos, por lo que es debido, por lo justo". Algunos sujetos pasivos del crimen, conscientes del deber de evitar la impunidad, consideran como virtud evitar el perdón que —sobra decirlo— es una base inexorable de la convivencia humana.

En pocas palabras, lo jurídico-penal ha sido, es y será por muchos años, polemógeno, cuando se infringen sus coordenadas… y también, a veces, cuando se cumplen. La sanción penal de la escuela retribucionista (y más aún el castigo tradicional vindicativo) puede dificultar, en vez de facilitar, el tratamiento al delincuente y al joven violento y psicópata (FREUD).

Hemos de admitir esta dinámica adversa del Derecho penal, pero sin negar que, aunque parezca absurdo, él cumple simultánea y preferencialmente, y cada día más, una misión irenológena (también respecto a los jóvenes con personalidad antisocial y psicopatías). Contribuye, a la paz y la convivencia; a prevenir, evitar y/o tratar las conductas antisociales y a sus autores. Ha abolido en muchos países la pena de muerte, ha desterrado teóricamente la tortura, la venganza. Ha introducido las medidas resocializadoras… Ha aumentado la estima y la atención a los especialistas —ajenos al derecho— de los problemas psicopáticos, etc. Con el transcurso del tiempo, especialmente en el siglo XX, la ciencia jurídica y la sancionadora (mal denominada penitenciaria, pues no impone penitencias) está progresando no poco en las instituciones privativas de libertad (B. DEL ROSAL, pp. 124 ss.), concretamente en los centros dedicados a los psicópatas, como lo muestra, por ejemplo, Manuel AVILÉS GÓMEZ (pp. 195 ss.).

El Derecho, y sobre todo el Derecho penal, hoy en todo el mundo es considerado como componente necesario y esencial de la convivencia, de la justicia penal reparadora y agápica. Al Derecho penal le compete superar la frecuente dualidad y equidistancia axiológica que suele darse en distintos terrenos y en distintas circunstancias con los psicópatas infractores, sobre todo en comunidades sin clara epistemología de valores (como la Alemania nazi y —en grado menor— el País Vasco actual), que —como escribe el psiquiatra y docente de la Universidad de Buenos Aires, Hugo MARIETAN (2001)— admiten "la dualidad, el daltonismo ético: un mismo hombre es considerado como asesino, perverso, por un bando y, en cambio, como héroe, por el otro". No demos por indiscutible, ni intemporal, que la pena es siempre un mal, aunque necesario. Este axioma categórico puede transformarse a la luz de modernas ciencias humanas, y aparecer —muchas veces— como catarsis, como un bien (A. BERISTAIN, 2001, p. 89; CASTILLA DEL PINO, pp. 52 ss., 70 ss.). La pena, mejor dicho la sanción, pretende y logra —aunque no siempre— la catarsis de la tragedia griega, la purificación de los sentimientos "turbios", la resocialización, como lo escenifica ESQUILO (año 524-456 a. C.) en Las Euménides, de su Trilogía La Orestíada. Hoy más que ayer "una norma que no pretenda seriamente ser justa (bienhechora, moral) no es una norma jurídica" (T. VIVES ANTÓN, p. 226; BASSIOUNI, 1969, pp. 16 s.).

En síntesis, el Derecho penal, aunque ha contribuido y contribuye a la violencia y al crimen, etc., influye más en favor de la paz, según aparece a lo largo de su evolución multisecular, ya desde sus orígenes protohistóricos. Las Erinnias, personificación de lo jurídico penal polemógeno, se transforman en las Euménides (las Propicias), personificación de lo irenológeno. El Derecho penal interviene con eficacia —mayor o menor— para prevenir y solucionar los problemas de la delincuencia juvenil.

2.1 BIS. El Derecho penal del amigo

En cuanto nuestra ciencia "de los delitos y de las penas" actúa como factor polemógeno, se deriva y explica que actualmente conocidos penalistas —no sólo alemanes, como JAKOBS— hablen de un Derecho penal del enemigo (CANCIO, pp. 20 s.). En este momento prescindo de comentar esta nueva cosmovisión, pero afirmo que hoy y aquí existe también un "Derecho penal del amigo", es decir, una Victimología.

Esta nueva ciencia y praxis introduce importantes mejoras en la teoría y la praxis de lo jurídico penal y, además, enriquece también la teoría y praxis de toda la convivencia ciudadana, de toda la cosmovisión y cultura jurídica, social, filosófica e incluso teológica. Ahora conviene comentar algo acerca de sus transformaciones en su nueva cosmovisión de:

— el delito que ya no se define como la abstracta violación de la ley, sino como la causación de un daño a personas y/o instituciones concretas.

— el delincuente que deja de ser el alfa y la omega del Derecho penal y de la Criminología; recibe otro nombre —victimario— con significado y contenido muy distinto, desde perspectivas epistemológicas más reales y fecundas.

— las víctimas directas, indirectas y anónimas, que no figuraban en la investigación tradicional de los juristas, ocupan ahora el lugar central, porque interesa preocuparse más por ellas que por los victimarios. Más por las madres defectuosamente atendidas en el parto que por los intrusos que, sin ser médicos, sin haber obtenido la titulación correspondiente, practican la medicina (caso del señor Luis Fernández Rivas, en San Sebastián. V. GARRIDO, 2000, pp. 140 s.)

— el proceso que deja de ser un combate entre dos partes enemigas; que se concibe como catalizador de una iluminación desde las tinieblas, una recreación desde el dolor y la injusticia, con preferencia de, o a favor de, las víctimas en caso de duda: in dubio pro victima muy especialmente en criminalidad terrorista, pues las víctimas son, sin duda, la parte más débil, aunque lo olvidan los hipergarantistas y la multisecular dogmática penal (A. BERISTAIN, 2000, pp. 86 ss., 465 ss.)

— la sanción que no pretende castigar, ni causar daño... sino la repersonalización e inocuización del delincuente, y preferencialmente la prevención y la reparación completa de los perjuicios producidos a las víctimas; y procura, no menos, responder a la macrovictimación, es decir, crear una nueva Política criminal y social con las víctimas como buenos samaritanos, como agentes morales, protagonistas de la justicia agápica. (A. BERISTAIN, 2003, p. 13).

2.2. Lo polemógeno y lo irenológeno en la cultura

"Las selvas humanas por las que vagamos están hechas de símbolos… de procesos culturales".

Fernando SAVATER, pp. 111 ss.

Aquí y ahora, a la luz de las opiniones de especialistas como Ernst CASSIRER, Carlos MOYA, Andrés ORTIZ-OSÉS, Fernando SAVATER (pp. 110 ss.), José Miguel de BARANDIARAN, Patxi ÁLVAREZ (pp. 93 ss.), y principalmente A. BASTENIER (pp. 232 ss.), tomamos la noción de cultura en su sentido antropológico amplio, que integra la cultura humanística y la cultura científica (tecnocientífica), que hilvana los momentos del arte y la política, del humano pensar, sentir, vivir, morir, crear, destruir, amar, odiar, etc. Y comentamos su ambivalencia polemógena e irenológena.

Con frecuencia la cultura resulta polemógena. Se opone al cosmos que ella pretendía construir. Sus tradiciones dejan de señalar el sentido de la marcha y se vuelven una carga que hace pesar sobre los ciudadanos la obligación de venerar una herencia. Sus instituciones se convierten en simples monumentos erigidos sobre un fondo de servidumbre y sólo garantizan una hueca ilusión de perennidad a través de una orientación autoritaria, ciega, criminógena. Sus reglas se transforman en manantial del que brotan temores incesantes de la infracción y del castigo. Sus sistemas de valores y sus ideologías restringen la libertad de pensamiento, de modo que la "cultura objetiva" se apodera de los cuerpos y de los espíritus para mantenerlos bajo su férula.

La voluntad de poder de los grupos humanos introduce, cada día, en el constructo cultural la violencia simbólica y la violencia real. Hay culturas que confinan a sus miembros en la subalternidad, en la dependencia, en el totalitarismo nacionalista,… en el proyecto etnicista de Yugoslavia… "La cultura que —como explica CASTILLA DEL PINO (p. 228)— surge tomándose la libertad y que fue liberadora, aparece (después) alienada por el poder, al que lo que importa es él mismo, no la libertad, ni la liberación".

A veces, la cultura fosiliza sus logros temporales y somete a los hombres en guardianes de herencias anticuadas. Evoluciona con el tiempo (y progresa), pero continúa polemógena, aunque menos, como lo constata, indirectamente, Von WIESE, cuando define La Cultura de la Ilustración como "la moderna fase de la cultura europea en la que, al orden autoritario de la Edad Media, establecido sobre la salvación se contrapone la soberanía de la Razón, abandonada a su propio juicio" (p. 219). Aquella cultura medieval tenía más facetas polemógenas que la cultura de la Ilustración. Pero la Razón "soberana", idolátrica, de ésta —la Ilustración— también engendra monstruos (GOYA), aunque, probablemente, menos que aquélla. Hoy, muchas personas pueden alimentar su psicopatía mediante estructuras culturales, pueden convertirse en psicópatas o actuar como si lo fueran, si esas estructuras en las que viven le animan a ello —a distorsionar la realidad— como escribe Vicente GARRIDO (2000, p. 292; 2002, pp. 123 s.).

Junto a estas y otras facetas negativas, la cultura brinda, con mayor frecuencia, su ethos positivo, logra dar sentido al vivir y al morir. "Cada cultura humana (M. CSIKSZENTMIHALY) por definición, contiene sistemas de elaboración de significado que pueden servir como propósito para que los individuos puedan ordenar sus metas" (p. 326)... y puedan lograr "experiencias óptimas placenteras" (pp. 16, 322). Exterioriza la consciencia y la reflexividad de la persona agente social que, en cuanto animal racional y simbólico (sobre todo simbólico), inventa el lenguaje que asegura la comunicación con los demás, imagina unos símbolos que confieren un sentido determinado al mundo y le fijan un horizonte, si se sitúa en unas tradiciones que le aseguran de dónde viene y a dónde va. La cultura establece unas instituciones que aportan a su vida protección y substancia; transforma lo que en un principio era fatalidad de un destino en una opción no perfectamente racional pero en todo caso más deliberada. Es la obra del cerebro y del corazón que permite a la mujer y al hombre distanciarse de —superar— la fuerza bruta muscular para forjarse un mundo y un arte propio. La esfera cultural ha de ser considerada un componente necesario y esencial de la sociedad humana; un componente irenológeno, que supera cada vez más su faceta polemógena antes indicada. Con mayor frecuencia logra la hazaña de dar significado y sentido al vivir y al morir.

2.3. Lo polemógeno y lo irenológeno en las religiones

> "Dios habla desde la psique profunda del hombre, donde deposita los grandes símbolos religiosos".
>
> E. DREWERMANN, p. 131.

Digamos algo de la ambivalencia de lo religioso; en concreto de las religiones que más conozco, las cristianas. Comienzo recogiendo rasgos históricos y algún testimonio de cristianos que patentizan lo polemógeno de la religión. Después consideraremos lo irenológeno.

Las instituciones religiosas han fomentado e implantado —más o menos directamente— la Inquisición, han motivado y apoyado las guerras de religión, han aprobado la castración de los niños cantores en el Vaticano, han alabado el contenido ominoso del libro de H. KRAEMER y J. SPRENGER, Malleus maleficarum, 1486?, (El martillo de las brujas) —fuente de muchos dogmas jurídico-penales macromaniqueos—, han condenado, sin motivo alguno, a hombres de ciencia, como GALILEO, y a eximios teólogos, han arrojado al fuego y/o al Índice de libros prohibidos obras de primera calidad, como De los delitos y de las penas, del Marqués de BECCARIA, etcétera.

Recojamos ahora testimonios de personas autorizadas y no sospechosas de ignorancia y/o enemistad, pues se consideran y se comportan como cristianas. El teólogo holandés Edward SCHILLEBEECKX (pp. 798 ss.) critica el sentimiento de superioridad que han mostrado repetidas veces las religiones, sin exceptuar las cristianas, y que obstaculiza seriamente la convivencia humana. Y añade que el mundo moderno secularizado, con su ética cívica y sus declaraciones de Derechos Humanos "predica" una "profecía ajena" de la que todas las religiones tienen mucho que aprender. Especialmente deben tomar conciencia de su relatividad histórica, su ambivalencia, pues todas las religiones están ligadas a una "peculiaridad histórica", y por tanto a una limitación. Evidente limitación histórica, geográfica y cultural la del cristianismo, pues Jesús no es una "emanación divina absoluta", ni conlleva una encapsulación de Dios. En sentido parecido se han expresado otros eminentes teólogos, Hans KÜNG, B. HÄRING, Juan José TAMAYO, etc. También Hannan ARENDT critica la religión, pues "Dios... en el Juicio Final... no se caracteriza por el perdón sino por la justa retribución", el castigo, la vindicta (p. 259). NIETZSCHE va mucho más adelante cuando clama: "Yo considero al cristianismo como la peor mentira de seducción que ha habido hasta ahora, como la gran mentira impía" (p. 200).

A pesar de estos y otros factores polemógenos de las religiones, éstas conllevan y cultivan mayores factores irenológenos. Los conocimientos históricos atestiguan que nuestros más primitivos ancestros cultivaban lo religioso; y lo etiquetan como un paso adelante en la evolución, como un salto de los cuadrúpedos a los bípedos. Sabine HERPERTZ, de la Universidad Técnica de Aquisgran, considera que la religión contiene elementos positivos, pues muchos psicópatas con problemas de personalidad antisocial infringen las leyes porque no tienen sentimientos religiosos (subrayo), como vergüenza o remordimiento, que de forma natural inhiben la ejecución de los impulsos violentos. Por algo se respeta lo religioso en la mayoría de las constituciones estatales e instituciones sociales de ayer y de hoy. Muchos criminólogos y penalistas consideramos que la faz irenológena influye más que la polemógena. (E. RUIZ VADILLO, 1991, pp. 577 ss.; M. ANCEL, pp. 36 s.; J. LÉAUTÉ, etc.). Señeras autoridades europeas piden que las tradiciones cristianas figuren directa y/o indirectamente en la futura Constitución Europea.

Hoy casi nadie niega ni descalifica, ni desaprueba lo medular de las religiones cristianas: el mensaje del sermón del monte, las bienaventuranzas del evangelio, el paradigma del buen samaritano, el criterio del juicio final que premia a quien da pan al hambriento, visita al preso, acoge al peregrino… Hoy casi nadie desprecia la conducta y el talante del piadoso Aeneas, de San Juan de la Cruz, de Juan XXIII, de Maximiliam Kolbe, de la madre Teresa de Calcuta.

Permítaseme comentar, en apartado propio, una faceta universalmente irenológena de lo religioso, bajo la rúbrica de lo espiritual.

2.3. BIS. Lo espiritual

"Se han abierto puertas en la Psicología y la Psiquiatría a constructos como la *espiritualidad* que reclaman un espacio… La catedral, con su nave central ya perfilada, invita al descubrimiento de sus celdas hasta ahora misteriosas".

G. GONZÁLEZ RAMELLA y D. VARELA

Necesitamos aceptar las innovaciones de lo religioso respecto a la cognición, pues como escribe W. JÄGER (112 s.) "sufrimos de una hipertrofia de la actividad cerebral racional. Miramos a través del microscopio y vemos cada vez más detalles pero, en cambio, se nos escapa la visión global. Sobre todo perdemos la visión espiritual (subrayo) de nuestra vida".

Gustavo GONZÁLEZ RAMELLA y Daniel VARELA nos brindan 17 "celdas" —moradas del castillo interior, de Santa Teresa— de la espiritualidad, que debidamente vivida, experimentada por los jóvenes (también los psicópatas) pueden acrecer la catedral irenológena suprahumana. Son las siguientes: creencia en un orden superior inexplicable. Conexión emocional y espiritual con los otros. Propósito en la vida a partir de experiencia místicia. Ser parte de una fuerza vital superior. Unidad con todo lo existente. Empatía y sentimiento con los otros. Maravilla y unión con la naturaleza. Sensibilidad ante la poesía y el arte. Creencia y fe en milagros. Fascinación por lo inexplicable y misterioso. Sentimientos compasivos: comprensión y perdón. Creencia en principios inviolables. Aceptación del otro diferente. Intuición comprensión en la relajación. Percepción extrasensorial. Compromiso por un mundo mejor. Ser parte de un todo sin tiempo ni espacio. Sentido de la propia vida.

En los últimos años se ha avanzado en modelos más complejos sobre la personalidad y la religión. De este modo han surgido (o mejor dicho resurgido, pues los místicos vivieron siglos ha) espacios de alto nivel jerárquico para la comprensión de estos 17 talantes espirituales de los que se han apoderado los principales estudiosos de la mente y del alma humana: los humanistas, el arte, la literatura, la intuición, la religión, …

Algo de esto sintieron y expresaron eminentes personalidades religiosas; por ejemplo, San Agustín en sus Confesiones: "Hicístenos, Señor, para ti y nuestro corazón está inquieto hasta que descanse en ti". También los poetas, como Federico GARCÍA LORCA: "La rosa no buscaba la aurora… buscaba otra cosa". Y académicos como Julián MARÍAS (2002) y Michael TALBOT. Y criminólogos y juristas: J. PINATEL en el libro Ignacio de Loyola, Magister Artium en París 1528-1535; KAISER y SCHÖCH, en su 5ª edición del Strafvollzug (Cumplimiento de la sanción), que, entre otras referencias, comentan el Evangelio de San Mateo, capítulo 25: "Estaba preso y me visitaste". Con orientación similar, el ex-Presidente de la Asociación Internacional de Derecho penal, JESCHECK, en su Tratado de Derecho penal, especial pero no únicamente, en las páginas introductorias sobre el "principio de humanidad" alude a las Bienaventuranzas (San Mateo, capítulo 5), etcétera. También el actual presidente de la Asociación Internacional de Derecho Penal, M. Ch. BASSIOUNI (1969, pp. 13 ss.) se hace cargo de las aportaciones espirituales. En consecuencia, se puede afirmar que la espiritualidad enriquece desde sus profundidades el quehacer irenológeno de la religión, que trasciende el estrato ético y mental (MELLONI, p. 42).

3. Síntesis: superación del relativismo con protagonismo social de las víctimas

No he nacido para compartir odios, sino amor.

SÓFOCLES, *Antígona*, 524

Después de lo analizado y contrastado sobre la triple ambivalencia de lo jurídico, lo cultural y lo religioso, podemos concluir alguna síntesis. Ante todo, felicitamos a las personas e instituciones, como el Instituto Universitario de Criminología de Alicante, que, con innovaciones metodológicas multi, inter, y transdisciplinares, investigan los problemas de los jóvenes, en general, y de los jóvenes con personalidad antisocial y psicopatía, en particular. Pero, lamentamos la limitada atención que muchos especialistas, en la Universidad y fuera de ella, prestan a la metodología metadisciplinar (la teológica y moral) y a la victimológica. Muy pocos son los tratadistas que colocan a las víctimas en el centro y como protagonistas del estudio de estas y otras cuestiones importantes para la convivencia privada y pública.

Aunque reconocemos la faceta polemógena del Derecho penal, la cultura y la religión, y la paralela dificultad de solucionar el problema de la delincuencia juvenil, sin embargo siguiendo a autorizados comentaristas, afirmamos que, desde esas tres instancias, pueden obtenerse frutos positivos en la prevención y tratamiento de los infractores y, sobre todo, en las atenciones debidas a sus víctimas, las más vulnerables, y en reconocerlas como protagonistas de toda la convivencia y de toda la justicia, pues ésta, como enseña HERÁCLITO (Fragmento 23, en relación con los Fragmentos 26, 58, 60, 76, 102, 111): dike ex adikías, la justicia brota desde las reivindicaciones y el sufrimiento derivados de la injusticia: (A. BERISTAIN, 2000; IDEM, 2002 ; FERRAJOLI, pp. 155 s.; P. LEBEAU, p. 184; R. MATE; RAWLS, pp. 158 ss.).

Muchas personas con tendencia psicopática no la manifestarían o al menos no con tanta intensidad, si el medio legal, cultural y religioso en el que viven inhibiera ese tipo de manifestaciones. (V. GARRIDO, 2000, pp. 96, 292 s.). En sentido parecido, José SANMARTÍN (pp. 151 s.) y Javier URRA (p. 793). Éste afirma que "la psicopatía es una característica-malformación individual que puede inflamarse y/o extinguirse según los valores (jurídicos, consuetudinarios y espirituales) imperantes en la sociedad".

La condición humana, aunque padezca cierta anemia y amnesia hermenéuticas, no sucumbe ante el relativismo axiológico ("nada es verdad ni es mentira, todo es según el color del cristal con que se mira"), sino que está capacitada para —y logra— conocer y distinguir el bien y el mal en los diversos planos de la convivencia, desde el deportivo hasta el criminal, pasando por el económico. Ayer, hoy y mañana las instituciones deportivas, las académicas, las económicas, etcétera, establecen, costean y subvencionan árbitros, jueces y tribunales personales y/o colegiados que logran sentenciar en última instancia —con aprobación general de los ciudadanos— entre el bien y el mal, entre la concesión y la denegación de quienes aspiran a un reconocimiento y premio. Un árbitro (y/o un tribunal) decide quién es el ganador y quién el finalista y quién el excluido. Así, a lo largo de los siglos, progresamos en la defensa y evolución de los derechos humanos (M. Ch. BASSIOUNI, 1985, pp. 1454 ss.; L. ROJAS MARCOS, pp. 217 s.).

El Derecho penal, la cultura y la religión, a pesar de su ambivalencia y finitud, resultan necesarios y beneficiosos en nuestra sociedad como instrumento de juicio diferenciador y discriminatorio, y como instrumento de pacificación y de progreso humano. Gracias a esas tres instancias sabemos que nada y nadie es igual, ni indiferente, ni independiente. A todos nos vincula el axioma de la responsabilidad universal en la mejora cotidiana del cosmos.

Los penalistas, los culturalistas y los teólogos con frecuencia cooperamos con lo polemógeno. Pero, devenimos indispensables —casi como dioses— para juzgar y sancionar en pro de la convivencia humana. De hecho, contribuimos notablemente en la prevención y el tratamiento restaurador de los jóvenes infractores, de los psicópatas y de sus víctimas. Y colaboramos en pro de la convivencia agápica (J. DEL ROSAL, 1973, pp. 3 ss.; E. RUIZ VADILLO, 1996, pp. 116, 250), y la superación del relativismo. Hemos logrado ubicar el criterio básico de moralidad en la conciencia individual, que deriva de la dignidad de la persona (KANT). Y en la cumbre de nuestros valores escuchamos el grito de ANTÍGONA ante el verdugo a las órdenes de Creonte: "No he nacido para compartir odios, sino amor" (524) y su compromiso heroico con "las leyes no escritas e inquebrantables de los dioses" (454).

Cabe concluir que todo es ambivalente. Quien lo experimenta ha horadado la barrera de la felicidad. Siempre y en cualquier evento, en cualquier persona, descubrirá, abrazará y agradecerá su parte irenológena. Incluso en el delito y la sanción atisbará también una faceta favorecedora e innovadora (C. ROXIN, p. 15; E.F. SCHUMACHER, pp. 80 ss.; P. LEBEAU, pp. 156, 169 ss.). CAMUS lo proclama en la última página de La peste: "[...] ce qu'on apprend au milieu des fléaux, qu'il y a dans les hommes plus de choses à admirer que de choses à mépriser". Toda persona es ambivalente, y en la dolencia se aprende que es más digna de aprecio que de desprecio.

4. Bibliografía

ALONSO, Mercedes (1989): "Observaciones sobre el tratamiento penal de las psicopatías", en J.L. de la Cuesta, I. Dendaluze, E. Echeburúa (Comps.), Criminología y Derecho penal al servicio de la persona. Libro-Homenaje al Prof. Antonio Beristain, Instituto Vasco de Criminología, San Sebastián, pp. 447-457.

ÁLVAREZ, Patxi (2002): Comunidades de solidaridad, Mensajero, Bilbao.

ANCEL, Marc (1989): "L'apport de la Criminologie au renouvellement de la Politique criminelle moderne (à la lumière des enseignements du Professeur A. Beristain)", en J.L. de la Cuesta, I. Dendaluze, E. Echeburúa (Comps.), Criminología y Derecho penal al servicio de la persona. Libro-Homenaje al Prof. A. Beristain, Instituto Vasco de Criminología, San Sebastián, pp. 35-40.

ARENDT, Hannah (1996): La condición humana, trad. de Antón Oneca, Paidós, Barcelona.

AVILÉS GÓMEZ, Manuel (2001): "Sobre los centros especiales para psicópatas", en Carlos-Eloy Ferreiros Marcos (Coord.), Enfermedad y deficiencia mental: Aspectos legales no vinculados al patrimonio, Vol. I, Caja de Ahorros del Mediterráneo, Alicante, pp. 193-201.

BASSIOUNI, M. Cherif (1985): "The Proscribing Function of International Criminal Law in the Processes of International Protection of Human Rights", en Theo Vogler (Coord.), Festschrift für Hans-Heinrich Jescheck zum 70. Geburtstag, Duncker & Humblot, Berlin, pp. 1453-1475.

BASSIOUNI, M. Cherif (1969): Criminal Law and its Processes. The Law of Public Order, Charles C. Thomas, Springfield, Illinois.

BASTENIER, A. (1999): "Inmigrantes y demandantes de asilo", Concilium, núm. 280, pp. 227-238.

NOTA: Durante la conferencia se proyectaron —con breves comentarios— obras de Chillida (La mano que sueña y obra, emblema del Centro Internacional de Investigación sobre la delincuencia, la marginalidad y las relaciones sociales), Julio Caro Baroja (La Bestia y el Angel, en Libro-Homenaje al Prof. Antonio Beristain), Chagal (La otra claridad), Nicolás Florentino (Retablo sobre El Juicio final), Goya (El sueño de la razón engendra monstruos), Agustín Ibarrola (La pupila criminológica).

BERISTAIN, Antonio (2003): "Justicia restaurativa", El País, 12 enero 2003, p. 13.

BERISTAIN, Antonio (2002): "¿Acrecen las víctimas —también las anónimas— la convivencia?", Sal Terrae, Revista de Teología Pastoral, Tomo 90/3, núm. 1054, marzo (nº monográfico sobre 'Vida en situaciones de muerte. En camino hacia la Pascua'), pp. 227-231.

BERISTAIN, Antonio (2001): "Etwas Besseres als Informalisierung der Strafe Die neue Hauptrolle der Opfer", Ethik und Sozialwissenschaften. Streitforum für Erwägungskultur, Stuttgart-Paderborn, Jg. 12, Heft 1, pp. 88-90.

BERISTAIN, Antonio (2000): Victimología. Nueve palabras clave, Tirant lo Blanch, Valencia.

BERISTAIN, Antonio (1999): "Hoy y mañana de la Política Criminal protectora y promotora de los valores humanos (La paz desde la Victimología)", Consejo General del Poder Judicial, Cuadernos de Derecho judicial. Política criminal comparada, hoy y mañana, T. IX, Madrid, pp. 9-85.

BERISTAIN, Antonio (1992): "La Criminología entre la Deontología y la Victimología", Eguzkilore. Cuaderno del Instituto Vasco de Criminología, núm. 6, San Sebastián, pp. 219-226: 'Anexo: Estatutos de la Sociedad Española de Criminología', Madrid, 1968.

CANCIO MELIÁ, Manuel (2002): "'Derecho penal' del enemigo y delitos de terrorismo. Algunas consideraciones sobre la regulación de las infracciones en materia de terrorismo en el Código penal español después de la LO 7/2000", Jueces para la democracia, núm. 44, julio, pp. 19-26.

CASSIRER, Ernst (1971): Antropología filosófica, Fondo de Cultura Económica, México.

CASTILLA DEL PINO (2002): Temas. Hombre, Cultura, Sociedad, Atalaya, Madrid.

COBO DEL ROSAL, Manuel, BACIGALUPO, Enrique (1980): "Desarrollo histórico de la Criminología en España", Cuadernos de Política Criminal, pp. 31-45.

CORRAL, Paz de (1996): "Trastorno antisocial de la personalidad", en E. Echeburúa, Personalidades violentas, Pirámide, Madrid, pp. 57-66.

CSIKSZENTMIHALYI, Mihaly (1997): Fluir (Flow). Una psicología de la felicidad, trad. Nuria López, Kairós, Barcelona.

DELGADO, José Manuel R. (1992): La felicidad, 14ª ed., Temas de Hoy, Madrid.

DELGADO PINTO, J. (1980): "El derecho como fuente de agresión y de pacificación", en A. Ledesma Jimeno (Coord.), I Curso monográfico sobre agresividad, Publicaciones del Departamento de Psiquiatría y Psicología Médica de la Universidad de Salamanca, pp. 97-115.

DREWERMANN, Eugen (1997): Dios inmediato, trad. de José Manuel Vidal, Trotta, Madrid.

ELLACURÍA, Ignacio (1982): "Actividad del cerebro 'y' actividad de la mente", en A. Beristain (Comp.), Estudios Vascos de Criminología, Mensajero, Bilbao, pp. 641-656.

EZKERRA, Iñaki (2002): ETA pro nobis. El pecado original de la Iglesia vasca, Planeta, Barcelona.

FERRAJOLI, Luigi (1999): Derechos y garantías. La ley del más débil, trad. de Perfecto Andrés Ibáñez y Andrea Greppi, Trotta, Madrid.

FREUND, J. (1973): "Le droit comme motif et solution de conflits", ponencia presentada al Congreso mundial de Filosofía jurídica y social, Madrid, 7-12 septiembre 1973.

GARCÍA ANDRADE, José Antonio (1996): Psiquiatría Criminal y Forense, Centro de Estudios Ramón Areces, Madrid.

GARCÍA ANDRADE, José Antonio (1994): "Los trastornos de personalidad en Psiquiatría Forense", en S. Delgado (Dir.), Psiquiatría Legal y Forense, vol. I, Colex, Madrid, pp. 775-811.

GARRIDO GUZMÁN, Luis (1989): "El tratamiento de psicópatas y los establecimientos de terapia social", en J.L. de la Cuesta, I. Dendaluze, E. Echeburúa (Comps.), Criminología y Derecho penal al servicio de la persona. Libro-Homenaje al Prof. A. Beristain, Instituto Vasco de Criminología, San Sebastián, pp. 1049-1064.

GARRIDO, Vicente (2002): Contra la violencia. Las semillas del bien y del mal, Algar, Alzira (Valencia).

GARRIDO, Vicente (2000): El psicópata, 4ª ed., Algar, Alzira (Valencia).

GARRIDO, V., STANGELAND, P., REDONDO, S. (1999), Principios de Criminología, Tirant lo Blanch, Valencia.

GONZÁLEZ RAMELLA, Gustavo, VARELA, Daniel (2002): "Espiritualidad y autotranscendencia. Explorando esta dimensión de la personalidad con el TCI de C.R. Cloninger", en www.psiquiatria.com; 6 (2).

HERÁCLITO: Fragmentos, trad. de Luis Farré, Orbis, Barcelona, 1983.

HERPERTZ, Sabine (2001): "Los criminales psicópatas no tienen miedo ni emoción", Archives of General Psychiatry, octubre.

JÄGER, Willigis (1999): En busca de la verdad. Caminos-Esperanzas-Soluciones, trad. Carmen Monske, Desclée de Brouwer, Bilbao.

JESCHECK, Hans-Heinrich, WEIGEND, Thomas (1996): Lehrbuch des Strafrechts, 5ª ed., Duncker & Humblot, Berlin.

KAISER, Günther, SCHÖCH, Heinz (2002): Strafvollzug, 5ª edición, C.F. Müller, Heidelberg.

KRAEMER, Henry, SPRENGER, James (1486?): Malleus Maleficarum. (Dispongo únicamente de la traducción al inglés de Montague Summers, The Pushkin Press, London, 1951, y de la española El martillo de las brujas, trad. de Miguel Jiménez Monteserín, Felmar, Madrid, 1976).

LEBEAU, Paul (1999): Etty Hillesum. Un itinerario espiritual, Amsterdam 1941-Auschwitz 1943, trad. Miguel Montes González, 2ª ed., Sal Terrae, Santander.

LÉAUTÉ, Jacques (1989): "A propos de la communication du message chrétien dans un monde éclaté. Contribution d'un universitaire relative à son expérience de transmission d'un enseignement à un public hétérogène d'étudiants", en J.L. de la Cuesta, I. Dendaluze, E. Echeburúa (Comps.), Criminología y Derecho penal al servicio de la persona. Libro-Homenaje al Prof. A. Beristain, Instituto Vasco de Criminología, San Sebastián, pp. 293-302.

MARÍAS, Julián (2002): XVI Premio Internacional Menéndez Pelayo, Universidad Internacional Menéndez Pelayo, Santander.

MARIETAN, Hugo (2002): "Personalidades psicopáticas", en www.cursosparamedicos.com.

MARIETAN, Hugo (2001): "¿Era un psicópata el piloto suicida de las torres gemelas?", Alcmeón. Revista Argentina de Clínica Neuropsiquiátrica, año XII, vol. 10, núm. 3, diciembre.

MARIETAN, Hugo (2000): "Desde la clínica: descriptor de rasgos psicopáticos", I Congreso Virtual de Psiquiatría. Interpsiquis, en www.psiquiatria.com.

MATE, Reyes (2001): "¿Pero quiénes son las víctimas?", El País, 18 enero, p. 14.

MELLONI, Xavier (2003): "Accesos a la interioridad", Sal Terrae, enero, pp. 33-42.

MOYA, Carlos (2001): "Cultura y sociedad", en A. Ortiz-Osés y P. Lanceros (Dirs.), Diccionario de Hermenéutica. Una obra interdisciplinar para las ciencias humanas, 3ª ed., Universidad de Deusto, Bilbao, pp. 129-142.

MUÑOZ CONDE, Francisco (2002): Derecho penal. Parte general, 5ª ed., Tirant lo Blanch, Valencia.

NN.UU. (1981): Declaración de 25 de noviembre de 1981, sobre La eliminación de todas las formas de intolerancia y discriminación fundadas en la religión o las convicciones.

NIETZSCHE, Friedrich (2000): La voluntad de poder, trad. Aníbal Froufe, Edaf, Madrid.

ORTIZ-OSÉS, Andrés (2001): "Cassirer y las formas simbólicas", en A. Ortiz-Osés y P. Lanceros (Dirs.), Diccionario de Hermenéutica. Una obra interdisciplinar para las ciencias humanas, 3ª ed., Universidad de Deusto, Bilbao, pp. 79-90.

PINATEL, Jean (1991): "Ignace de Loyola et la Criminologie", en J. Caro Baroja (Dir.), A. Beristain (Comp.), Ignacio de Loyola, Magister Artium en París 1528-1535, Kutxa, San Sebastián, pp. 556-563.

RAINE, Adrian y SANMARTÍN, José (2000): Violencia y psicopatía, Ariel, Barcelona.

RAWLS, John (1999): Justicia como equidad. Materiales para una teoría de la justicia, trad. de M.A. Rodilla, Tecnos, Madrid.

RECALDE, José Ramón (1989): "Gobierno legítimo y ética del gobernante", en J.L. de la Cuesta, I. Dendaluze, E. Echeburúa (Comps.), Criminología y Derecho penal al servicio de la persona. Libro-Homenaje al Prof. A. Beristain, Instituto Vasco de Criminología, San Sebastián, pp. 1191-1202.

ROJAS MARCOS, Luis (1995): Las semillas de la violencia, Espasa-Calpe, Madrid.

ROSAL, Bernardo del (1998): "La 'privatización' de las prisiones: una huida hacia la pena de privación de libertad", Interrogantes penitenciarios en el 50º aniversario de la Declaración Universal de los Derechos Humanos, monográfico de Eguzkilore, Cuaderno del Instituto Vasco de Criminología, núm. 12 extr., pp. 115-132.

ROSAL, Juan del (1973): "Del Amor y de la Justicia", en IDEM, Cosas de Derecho penal, Universidad Complutense, Sección de Publicaciones, Madrid, pp. 3-22.

ROSAL, Juan del (1945): Principios de Derecho penal español, Valladolid, Imprenta Martín, p. 543.

ROXIN, Claus (2002): "Pena y reparación", Anuario de Derecho Penal, vol. LII, pp. 5-15.

RUIZ VADILLO, Enrique (1996): Exigencias constitucionales en el proceso penal como garantía de la realización de la justicia. La grandeza del Derecho penal, Discurso del académico electo Excmo. Sr. D. Enrique Ruiz Vadillo, leído en el Acto de su recepción pública el día 17 de junio de 1996, Real Academia de Jurisprudencia y Legislación, Madrid.

RUIZ VADILLO, Enrique (1991): "San Ignacio de Loyola. La presencia actual de su doctrina en la justicia y en el derecho", en J. Caro Baroja (Dir.), A. Beristain (Comp.), Ignacio de Loyola, Magister Artium en París 1528-1535, Kutxa, San Sebastián, pp. 575-582.

SANMARTÍN, José (2000): "Concepto e historia del asesino en serie", en Adrian Raine, José Sanmartín (Comps.), Violencia y Psicopatía, Ariel, Barcelona, pp. 133-153.

SAVATER, Fernando (2002): Las preguntas de la vida, Ariel, Barcelona.

SCHILLEBEECKX, Edward (1997): "Religión y violencia", Concilium, núm. 272, pp. 797-814.

SCHUMACHER, E.F. (1982): Lo pequeño es hermoso, trad. de O. Margenet, H. Blume, Madrid. (Small is Beautiful, London, 1973).

SEGURA, María José (1996): "Retribución y prevención en el tratamiento legal del enfermo mental delincuente en los Estados Unidos de América: aspectos penales y procesales de la denominada Insanity Defense", Cuadernos de Política Criminal, núm. 58, pp. 211-251.

SÓFOCLES: Antígona. Edipo Rey. Electra. Edipo en Colono, Planeta De Agostini, Barcelona, 1995.

STANGELAND, Per (2003): "Spanish Criminology: Past, Present and Future". European Journal of Crime, Criminal Law and Criminal Justice, 1 October 2003, vol. 11, núm. 4, pp. 377-385(9).

TALBOT, Michael (1984): Mysticisme et Physique Nouvelle, trad. Francesa, Le Mail, Paris.

URRA, Javier (Comp.) (2002): Tratado de Psicología Forense, Siglo Veintiuno de España editores, Madrid.

VARONA, Gema (2002): "Invitación a la investigación en torno al terrorismo mediante categorías criminológicas", en Juan I. Echano (Coord.), Estudios Jurídicos en Memoria de José María Lidón, Universidad de Deusto, Bilbao, pp. 611-639.

VIVES ANTÓN, Tomás (2002): "El principio de culpabilidad", en Libro-Homenaje al Prof. José Cerezo Mir, Tecnos, Madrid, pp. 211-233.

Von WIESE (1979): La Cultura de la Ilustración, trad. Enrique Tierno Galván, Centro de Estudios Constitucionales, Madrid.

X. ¿DESAPARECE LA PENA DE MUERTE TAMBIÉN EN ILLINOIS?[*]

SUMARIO: 1.- Los hechos y su importancia internacional. 2.- Principales argumentos y experiencias de Ryan (2.1. Método pluri, inter y transdisciplinar; 2.2. Errores judiciales; 2.3. Prejuicios raciales; 2.4. Menores de edad y enfermos mentales; 2.5. Mayor consenso abolicionista en la extradición; 2.6. La legislación internacional frena la pena capital; 2.7. Influjo de la Unión Europea; 2.8. Las víctimas, olvidadas; 2.9. El hombre ante el hombre, cosa divina).

1. Los hechos y su importancia internacional

El sábado 11 de enero de este año, George Ryan, Gobernador republicano del Estado de Illinois —dos días antes de dejar su cargo— ha conmutado la pena de muerte por la pena perpetua de privación de libertad a 167 presos en el "corredor de la muerte", y ha perdonado a los

---

[*]   Cfr. Razón y Fe, núm. 1.252, febrero 2003, pp. 105-114.

otros cuatro condenados a la pena capital, por considerar que éstos habían sido sentenciados wrongfully, injustamente, pues habían sufrido torturas —evidence of physical abuse— al prestar declaración ante Jon Burge, Jefe de la policía de Chicago.

Muchas personas y medios de comunicación ven esta decisión como un acontecimiento inesperado, con el que pretende borrar algunos escándalos políticos. Y se extrañan de la postura de G. Ryan en estos momentos tan trágicos de Derecho penal del enemigo (de guerra preventiva, de venganza contra el eje del mal), de regímenes penitenciarios (no sólo en Guantánamo) que violan los derechos humanos elementales de "prisioneros de guerra", sometidos incluso a la privación de capacidad sensorial, etcétera.

Antes de comentar los fundamentos y el contenido de esta sorprendente decisión, que ha suscitado y suscitará reacciones extremas, antes de ubicarla en el Derecho internacional hoy cambiante, antes de atrevernos a predecir las posibles consecuencias transcendentales en todo el mundo, hemos de caer en la cuenta y subrayar, telegráficamente, su importancia indudable. La pena de muerte es una gota que envenena todo el océano de la justicia penal. Pero, su abolición implica un giro copernicano en favor de la defensa y desarrollo de los derechos humanos, la paz, la cultura, la economía, la religión, etcétera. También, aunque parezca paradójico, de los derechos de las víctimas como agentes morales en la convivencia.

En pocas palabras, como ha dicho Aaron Patterson, de 38 años, uno de los cuatro asesinos perdonados, "Miracles do happen", afortunadamente existen los milagros. Y, según Hobley, de 42 años, también perdonado, que había sido acusado de cinco asesinatos, más el de su esposa y de su hijo: "Thank God that a dream come true", gracias a Dios que el sueño se ha convertido realidad.

2. Principales argumentos y experiencias de Ryan

Sobre los argumentos y sentimientos que le han movido a Ryan a dar este paso tan innovador nos hablan diversas fuentes norteamericanas de información y muy especialmente el discurso que él pronunció ante numeroso público (y la televisión) el día 11 de enero, en la Northwestern University y en la DePaul University Law School. Discurso que puede calificarse como revolucionario, pero de solidez académica, pues logra acoger en el plano cultural y jurídico estadounidense las principales bases de la abolición. Patentiza que, contra lo que algunos opinan, su decisión no ha sido un acto improvisado, ni algo circunstancial o casual.

2.1. Método pluri, inter y transdisciplinar

Al leer el discurso de Ryan parece lógico concluir que en él han influido los estudios y los documentos, las investigaciones y las manifestaciones de las diversas personas e instituciones jurídicas europeas, estadounidenses e internacionales, como la Asociación Internacional de Derecho penal, que preside el catedrático Cherif Bassiouni (conocido abolicionista) de la DePaul University, en Chicago, a la cual se refiere algunas veces Ryan. Esta asociación, en su International Review of Penal Law y en sus congresos ha defendido enérgicamente la abolición de la pena de muerte, incluso en tiempo de guerra.

Probablemente han ejercido también notable influencia en Ryan los múltiples informes, campañas y publicaciones de Amnesty International, por ejemplo, los seis capítulos de Error capital. La pena de muerte frente a los derechos humanos, del año 1999.

Ryan declara repetidas veces (y lo subrayan The Washington Post, The New York Times, Chicago Tribune, etcétera, de 11 y 12 de enero) que se apoya en Comisiones de especialistas (algunas creadas por él, en su Informe Ryan, del año 2000, y en contactos con profesores y Comisiones de la Universidad y de las iglesias, desde que él decretó la moratoria, el 31 de enero de 2000. También indica su amistad y colaboración con Nelson Mandela y con el sacerdote Jesse Jackson. En su discurso se encuentran ecos abolicionistas de otros teólogos, de la Carta que publicaron los Obispos católicos franceses (enero 1978), y la Conferencia Episcopal de los EE.UU. —noviembre 1980— (Cfr. Ecclesia, 11 julio 1981. Texto original en inglés en Origins, 27 noviembre 1980). Y de la "Llamada al cambio" —29 de diciembre de 1981— de los Jesuitas capellanes en las prisiones norteamericanas, reunidos en la Universidad Loyola, en New Orleans, Luisiana. Afirman textualmente: "la pena de muerte debe abolirse por ser intrínsecamente injusta. Su ejecución no sólo destruye la vida humana sino que devalúa y brutaliza a quienes la practican. Además de su radical inmoralidad, ineficacia preventiva y desigual aplicación, resulta costosísima. La pena de muerte coloca una barrera frente a la investigación creadora de sanciones alternativas." En este mismo sentido se han manifestado en España los jesuitas Beristain, Landecho y Llompart (Razón y Fe, 1970 y 2000).

Ryan conoce que según las estadísticas el 70% de los norteamericanos defienden la pena de muerte, pero cada día aumentan las dudas de la población sobre los procedimientos policiales, judiciales y penitenciarios en este campo.

El discurso televisado en la Facultad de derecho de la Northwestern University lleva por título I Must Act, y responde satisfactoriamente a quienes deseamos conocer los principios y fines de su decisión tan frontalmente opuesta a la pena capital. Es un discurso sólido y atinado tanto en la forma como en el fondo. Tanto en la fundamentación como en las conclusiones. Logra integrar dos métodos paradigmáticos: el cultural tradicional de logos y razonamiento con datos de estadísticas cuantitativas y cualitativas, junto al más moderno del relato, de la experiencia interior (de él mismo, de su esposa, de los delincuentes, de las víctimas...), del diálogo en el sentido más amplio —postplatónico— del término.

Ryan concede especial fuerza a las críticas cada día mayores contra la pena de muerte por múltiples motivos: las ejecuciones de menores de 18 años y de enfermos mentales, las condenas de inocentes, los errores judiciales, la defensa inadecuada, el mal comportamiento de la Policía y de la Fiscalía, el prejuicio racial, los testimonios poco fiables obtenidos de compañeros de prisión, la supresión de pruebas de circunstancias atenuantes, la deficiente interpretación de las pruebas, las presiones por parte de la comunidad, la condena a acusados cuya culpabilidad sigue en duda, el no haber podido ejercer su derecho a recibir una asistencia letrada adecuada, la negación a extranjeros de sus derechos consulares, etcétera.

De tantos argumentos abolicionistas comentados por Ryan merece indicarse ahora algo sobre los errores judiciales, los prejuicios raciales, los menores de edad y los enfermos mentales.

2.2. Errores judiciales

Ryan concede suma importancia a los frecuentes errores judiciales imposibles de tenerse en cuenta después de la ejecución. Recuerda que Steve Manning se convirtió en el decimotercer acusado sobreseído en Illinois, cuando la Fiscalía anunció que anulaba todos los cargos en su contra y que no pensaba iniciar un nuevo juicio por el asesinato por el cual había sido condenado. Y recuerda que los 13 sobreseimientos le llevaron a declarar la moratoria de las ejecuciones en ese Estado.

"Mientras yo sea Gobernador, dijo entonces, no habrá más ejecuciones. No puedo pensar en la posibilidad de ejecutar a un inocente".

2.3. Prejuicios raciales

Ya el año 1990, la Oficina General Contable de los EE.UU., organismo que no responde a ningún partido político, descubrió "un defecto radical de disparidades raciales en las sentencias y ejecuciones de la pena de muerte, y concluía que un acusado tenía muchas más probabilidades de ser condenado a muerte cuando la víctima de su crimen era de raza blanca".

Según el informe de Amnesty International, de 20 de mayo de 1999: "La discriminación racial está presente en cada etapa del proceso de la pena de muerte en los EE.UU. Sólo existe una forma de erradicar los prejuicios étnicos y los ecos del racismo en sus procedimientos policiales y procesales: erradicando la pena de muerte misma".

2.4. Menores de edad y enfermos mentales

Ryan recuerda que el Senador de los EE.UU., Russ Feingold, el 11 de noviembre de 1999, declaró: "No creo que debamos estar orgullosos de que los Estados Unidos sean los líderes mundiales de la ejecución de menores de edad", y añade severamente que desde 1985 los EE.UU. han ejecutado a 17 acusados que cuando cometieron su crimen eran menores de edad. Critica que sólo EE.UU. (y Somalia) no han ratificado la Convención sobre los Derechos del Niño, de las Naciones Unidas, de 1989, que en su artículo 37a declara: "No se impondrá la pena capital ni la de prisión perpetua sin posibilidad de excarcelación por delitos cometidos por menores de 18 años de edad". Lamenta que veinticuatro estados norteamericanos permiten la ejecución de quienes tenían 16 y 17 años en el momento de cometer su crimen: Alabama, Arizona, Arkansas, Delaware, Idaho, Indiana, Kentucky, Luisiana, Misisipí, Misuri, Nevada, Oklahoma, Pensylvania, Carolina del Sur, Dakota del Sur, Utah, Virgina y Wyoming, a los 16 años. Y Florida, Georgia, New Hampshire, Carolina del Norte y Texas a los 17 años. De hecho en julio de 2001 ochenta y cinco hombres menores de edad en el momento de su delito se encontraban en el corredor de la muerte.

En cuanto a los enfermos mentales, ve muy mal que desde 1976 hasta el 8 de septiembre de 2001, treinta y cinco personas que sufrían retraso mental han sido ejecutadas en los Estados Unidos.

2.5. Mayor consenso abolicionista en la extradición

Ahora conviene añadir algo relativo al ámbito internacional. Ryan conoce, acoge y fomenta la actual creciente tendencia internacional abolicionista, especialmente en la Unión Europea. Aquí nos referimos únicamente a la extradición, a algunas normas legales, al Consejo Europeo, a las Naciones Unidas y las víctimas.

Ryan sabe que su decisión y su doctrina avanzan en sintonía con el actual progreso mundial contra la pena capital, y con la simultánea preparación de mecanismos de protección frente a la pena de muerte en los procedimientos de extradición.

España, por ejemplo, no extradita a ocho presuntos miembros de Al Qaeda a Estados Unidos porque allí podrían ser condenados a muerte o juzgados por las comisiones militares recientemente anunciadas mediante decreto presidencial. También los tribunales superiores de Canadá y Sudáfrica proporcionan actualmente más ejemplos a este respecto.

2.6. La legislación internacional frena la pena capital

Cada año aumentan las normas internacionales en favor del abolicionismo. Así lo muestran importantes documentos, como el Protocolo Nº 6 de la Convención Europea para la protección de los Derechos Humanos y de las Libertades Fundamentales (Convención Europea de Derechos Humanos) respecto a la abolición de la pena de muerte, adoptada por el Consejo de Europa en 1982, que promueve la abolición en tiempos de paz, y afirma que los estados participantes tienen el derecho a conservar esa pena para crímenes "en tiempos de guerra o de amenaza de guerra inminente".

De modo semejante, el Segundo Protocolo Opcional al Pacto Internacional de los Derechos Civiles y Políticos, cuyo objetivo es la abolición de la pena de muerte, adoptado por la Asamblea General de las NN. UU. en 1989, promueve la abolición total, aunque permite a los estados conservar esa pena en tiempos de guerra, siempre y cuando esta cláusula quede debidamente estipulada en el momento de ratificar o aceptar el Protocolo.

También el Protocolo a la Convención Americana de Derechos Humanos relativo a la Abolición de la pena de muerte, adoptado por la Asamblea General de la Organización de Estados Americanos en 1990, promueve la abolición total de la pena de muerte aunque permite a los estados conservar esa pena en tiempos de guerra, siempre y cuando esta cláusula quede debidamente estipulada...

2.7. Influjo de la Unión Europea

Cabe pensar que en la decisión de Ryan ha influido la firme postura de la Unión Europea en pro de la abolición. Así, la Carta de los Derechos Fundamentales de la UE redactada en Niza el siete de diciembre del año dos mil, en su artículo 2.2, proclama: "Nadie podrá ser condenado a la pena de muerte ni ejecutado".

El Consejo de Europa, su Comité de Ministros de los estados miembro, aprobó una declaración, el 9 de noviembre de 2000, para hacer de Europa una zona libre de la pena capital. En esa declaración, el Consejo reiteró que exige a todos los candidatos a la adhesión que deroguen la pena de muerte en un determinado plazo. Sólo dos Estados miembros (Turquía y la Federación de Rusia) no han abolido jurídicamente la pena capital, aunque han impuesto una suspensión de todas las ejecuciones que ya dura varios años.

La UE está vigilando atentamente la situación de la pena de muerte en diversos países. El 2000 realizó gestiones diplomáticas en Estados Unidos, en consonancia con las orientaciones de la UE sobre este tema, tanto en el plano estatal (por ejemplo en Arizona, Misuri, Nevada, Ohio, Oklahoma y Tennessee) como en el federal, en favor de una serie de condenados. El Presidente del Consejo Europeo escribió al Presidente de los Estados Unidos con el objeto de recordarle la oposición de la Unión Europea a la pena de muerte y de solicitarle que no se suspendiera la moratoria para las ejecuciones por delitos federales (caso Garza).

El diez de mayo y el quince de junio de 2001, la Presidencia de la UE realizó dos gestiones diplomáticas de carácter general para la abolición de la pena capital, y está formulando sólidos argumentos jurídicos para superar las objeciones de quienes no aceptan, o no aceptan plenamente la injerencia en los asuntos nacionales.

2.8. Las víctimas, olvidadas

Si el gobernador del estado de Illinois leyó el Informe 2000 de Amnistía Internacional que en su portada decía: "El olvido está lleno de memoria", y su Introducción hablaba de las víctimas ocultas, parece lógico que el día once de enero se sintiese obligado a enviar una carta a los familiares de las víctimas asesinadas por los condenados a muerte, para explicarles los porqués de su decisión y su cordial empatía con todas las personas cercanas a las víctimas.

Merecen especial consideración las innovadoras referencias —teóricas y prácticas— de Ryan, en su discurso, al diálogo con los condenados, y más aún al diálogo —comprensivo, restaurador y de sumo respeto— con las víctimas, como las más necesitadas de nuestra asistencia y las más dignas protagonistas de nuestra convivencia (Ernesto Garzón Valdés, Reyes Mate).

Él tiene muy en cuenta la moderna doctrina de la Sociedad Mundial de Victimología, con su insistencia en pro de que se ubique a las víctimas en el centro de la justicia en general y de la justicia penal en particular. Ryan no cae en el triste olvido de las víctimas en que cayó la benemérita Sister Helen Prejean, de la comunidad religiosa Hermanas de San José de Medaille, en Nueva Orleans, cuando trató inteligente y generosamente con el asesino —y ejecutado— Lloyd LeBlanc, como describe en su libro Pena de muerte que sirvió de base para la película con el mismo título. Ella misma confiesa avergonzada su inconsciente olvido de los familiares de los jóvenes asesinados.

La hermana Helen Prejean continúa trabajando en favor del abolicionismo y de la asistencia a los familiares de las víctimas asesinadas por los condenados a muerte. Desde el año 2000 se traslada con cierta regularidad al Japón para seguir colaborando en el Centro Social de los Jesuitas, de la Sophia University, Tokio. (http://www.kiwi-us.com/-selasj/).

2.9. El hombre ante el hombre, cosa divina

Este gesto tan inteligente y documentado de Ryan puede y debe abrir la puerta a la abolición en todos los Estados Unidos, e inmediatamente, aprovechando el trigésimo aniversario de la sentencia de la Corte Suprema Furman contra Georgia, del 29 de junio de 1972, que decidió que la pena de muerte era inconstitucional.

Entonces, los legisladores estadounidenses en lugar de avanzar hacia la abolición, optaron por estudiar y preparar una nueva redacción de las leyes retencionistas, que motivó su restablecimiento. Las ejecuciones se reanudaron en 1977. Desde entonces hasta febrero de 2003 han sido ejecutadas 784 personas en EE.UU. Más de 500 de estas ejecuciones han tenido lugar después de 1995.

Por desgracia en EE.UU., frente a los juristas, políticos, ciudadanos, iglesias, universidades, asociaciones académicas nacionales e internacionales, etcétera, de tendencia abolicionista, a partir del 11 de septiembre de 2001, con su guerra al terrorismo, "se fomenta el crecimiento de una mentalidad de búnker que propugna mayor aplicación de la pena de muerte". Contra esa involución, deseamos y esperamos que los documentos sobre la decisión (con sus sólidos fundamentos) de Ryan y sus colegas se traduzcan al español y a otros idiomas, se comenten y enriquezcan, de modo que contribuyan en un futuro inmediato a una Política criminal abolicionista de la pena capital en todos los Estados Unidos y en el mundo entero. Del discurso de Ryan, con los comentarios abolicionistas que han suscitado y suscitarán, debemos hacer el faro que ilumine una nueva cultura sin pena capital. Algo así como el libro De los delitos y de las penas, de Beccaria, abrió la puerta al Derecho penal ilustrado.

Negamos que el hombre sea lobo para el hombre, Homo homini, lupus. Rememoramos el emblema de la Universidad Carlos III, Homo homini, sacra res. El hombre, ante el hombre, cosa divina.

XI. INNOVADOR PALACIO DE JUSTICIA PARA JÓVENES Y VÍCTIMAS[*] (Sus columnas: educación, reparación, víctimas, valores)

La Ley Orgánica 5/2000, reguladora de la responsabilidad penal de los menores —de suma transcendencia pues pretende solucionar un grave problema de nuestra sociedad: la denominada "delincuencia juvenil", con sus numerosas víctimas, también en el terrorismo— desde su entrada en vigor formula nuevos paradigmas para determinar la responsabilidad penal y para posibilitar la puesta en marcha de las deseadas respuestas judiciales de tipo educativo y reparador —mucho más que punitivo— correspondientes a los hechos delictivos e incluso de colaboración con ETA, llevados a cabo por jóvenes, hasta los 21 años.

---

[*]   Cfr. El Diario Vasco, 28 noviembre 2000, p. 25.

Según las estadísticas se aplicó a más de mil infractores. (Cuando entró en vigor estaban internos en Instituciones privativas de libertad 63 jóvenes de 16 a 18 años y 1.085 entre 18 y 20 años). También, aunque cierta mayoría parece olvidarlo, afectó positivamente a miles de víctimas directas e indirectas de esos comportamientos.

Ya desde que se publicó el texto legal, el 12 de enero de 2000, las Comunidades Autónomas y el Gobierno Central comprendieron su importancia. Por eso destinaron y siguen destinando muchos millones de pesetas (más de 50.000) para la preparación de personas e instituciones que llevan a cabo las normas proyectadas. El Departamento de Justicia del País Vasco, por ejemplo, evaluó en un coste económico superior a 5.000 millones de pesetas su puesta en marcha. Las orientaciones ideológicas y las decisiones prácticas de esta ley, recogen la doctrina más progresista de los especialistas, y en algunos aspectos pueden considerarse incluso revolucionarias. Pretenden construir un palacio de justicia basado en cuatro innovadoras columnas —educación, reparación, víctimas y valores— que comentamos y, en parte, criticamos a continuación.

1.- A las infracciones juveniles el legislador responde inteligentemente con medidas educativas que buscan principalmente el "interés superior del menor", sin retribución punitiva. Las medidas susceptibles de ser impuestas a los menores pretenden, ante todo, desarrollar actividades educativas, formativas y de ocio, así como la asistencia a centros docentes, o la práctica de programas de tipo formativo, cultural, educativo, profesional, laboral, de educación sexual, o vial u otras similares. Conviene recordar que, como escribió Javier URRA, presidente de la Red Europea de Defensores del Menor: "El proceso educativo es más amplio que el curriculum escolar, incluye a la familia y al grupo de referencia".

2.- Esta ley presta especial atención a la dimensión reparadora. Exige a nuestros jóvenes que, en el mayor grado posible (que supera mucho al tradicionalmente consensuado pues el victimario siempre puede hacer algo en favor de las víctimas), ellos conozcan e indemnicen los daños que han causado a sus víctimas. A la luz de la moderna doctrina criminológica de que "nadie delinque solo, de que a todo autor de un delito le acompaña y ayuda alguien (además del cómplice o encubridor, de la tradicional dogmática penal)", la ley —en su artículo 61— introduce el principio de que los padres, tutores, acogedores y guardadores legales o de hecho responden solidariamente con el menor, de los daños causados por él.

Sólo cuando aquéllos no hubieren favorecido la conducta del menor con dolo o negligencia grave, su responsabilidad podrá ser moderada por el Juez. Esta ampliación de los responsables tendrá gran eficacia preventiva y resocializadora.

3.- Aunque ciertos sectores académicos y medios de comunicación lo han minusvalorado, conviene destacar que el legislador ha acogido varias aportaciones pioneras de la victimología y/o de la justicia restaurativa, aunque no tantas como estimo deseable. Ya en la exposición de motivos —número 7— y después en el cuerpo legal encontramos formulaciones e instituciones victimológicas hasta ahora ignoradas. Así los artículos 12, 19, 51.2, conceden protagonismo a las víctimas y regulan la conciliación o reparación entre ellas y el menor victimario. El articulado se refiere, con frecuencia inusitada, a la víctima. Lo cual es un progreso. Pero lo hace en singular: "la víctima". Sería preferible que dijese "las víctimas", en plural, como lo hacen las Naciones Unidas, en su Declaración de 29 de noviembre de 1985. Su artículo primero admite dos clases de víctimas: las directas y las indirectas. Las primeras son "las personas que, individual o colectivamente hayan sufrido daños, inclusive lesiones físicas o mentales… como consecuencia de acciones u omisiones que violen la legislación penal…". En las segundas se incluye "a los familiares o personas a cargo que tengan relación inmediata con la víctima directa y a las personas que hayan sufrido daños al intervenir para asistir a la víctima en peligro o para prevenir la victimación". También los especialistas acogen esta doble definición, y nunca olvidan a las víctimas indirectas, porque su número suele ser mayor y, sin embargo, corren el peligro de pasar desapercibidas. Sería deseable más referencias en la Ley a las víctimas en casos importantes, por ejemplo cuando a las autoridades y funcionarios, que intervienen en la detención de un menor (artículo 17), se les pide que la practiquen de la forma que menos perjudique a éste, y que le informen de los hechos que le imputan, así como de los derechos que le asisten. Lamentamos que no se les pide algo similar en esos momentos respecto a las víctimas. De modo semejante, el artículo 28.1 regula algunas medidas cautelares para la custodia y defensa del menor infractor, pero nada dice de la custodia y defensa de sus víctimas.

4.- El nuevo palacio donostiarra de justicia que se inauguró el 13 de enero de 2001, se levanta sobre una cuarta columna: la axiológica. Nadie niega la necesidad de que los operadores de la justicia juvenil fomenten en los niños el respeto y desarrollo de los valores fundamentales para la convivencia. Pero nuestra legislación y nuestra praxis deben avanzar a más velocidad en este camino. Concretamente, la Convención de las Naciones Unidas de los Derechos del Niño, de 1989, en varios artículos —4, 14, 20, 23, 27, 29, etcétera— insisten en la obligación que tienen los Estados de respetar y desarrollar los derechos concretos de los niños a su educación en los valores espirituales (subrayo), religiosos y morales. Ninguna de estas peticiones encuentra eco suficiente en nuestra ley. Espero y deseo que lo encuentren en su futura reglamentación. Lo mismo podemos afirmar respecto a la Carta de los Derechos Fundamentales de la Unión Europea, cuyo Preámbulo, preparado en la reunión de Biarritz, el 14 de octubre de 2000, dice así: "Los pueblos de Europa, al crear entre sí una Unión cada vez más estrecha, han decidido compartir un porvenir pacífico basado en valores comunes. Consciente de su patrimonio espiritual (subrayo) y moral, la Unión está fundada sobre los valores indivisibles y universales de la dignidad humana, la libertad, la igualdad y la solidaridad". Con estos dos documentos internacionales en la mano podemos esperar que los Jueces, el equipo técnico y las demás personas encargadas de llevar a la práctica esta ley presten más atención a las facetas axiológicas en la pedagogía de los jóvenes, especialmente de los infractores. Que su experiencia del vivir ético, generoso, les muestre el camino para ser felices.

XII. LA PAZ ES FRUTO DE LA JUSTICIA, ANTES Y MÁS QUE DEL DIÁLOGO[*]

"La política tiene la capacidad de introducir criterios éticos que inspiren la gestión desde la realidad cotidiana"
José Ramón RECALDE, "Minorías, pulsiones sociales y orden público". *Eguzkilore. Cuaderno del Instituto Vasco de Criminología*, N° Extraord. 7, dic. 1994, pp. 39-41.

El primero de enero de 2001, el Papa Juan Pablo II pidió " el diálogo entre culturas"; no pidió el diálogo entre asesinos y cómplices con sus víctimas directas e indirectas. Creamos, sí, en el diálogo. Fomentémoslo. Pero, sin olvidar que tiene su temporalidad evolutiva, sus momentos y sus límites, como la condición humana, según lo ilustra Eugenio TRÍAS. Sin olvidar que exige unos requisitos elementales, y que la paz es fruto

---

[*]   Cfr. Universitas, núm. 101, Pontificia Universidad Javeriana, Santafé de Bogotá (Colombia), junio 2001, pp. 9-13.

de la Justicia antes y más que del diálogo con quienes aplican la pena de muerte sin juicio previo, y con quienes les encubren o inducen o desean su impunidad.

Escribí estas líneas un par de semanas después de haber convivido, del once al trece de diciembre de 2000, como sacerdote —amigo de , Jesucristo, protovíctima y buen samaritano—, con medio centenar de víctimas de ETA en su viaje a Estrasburgo para asistir a la entrega del Premio SAJAROV por la Presidenta del Parlamento Europeo, Nicole FONTAINE, a la plataforma ciudadana ¡Basta ya! (al que me refiero en el artículo "El Premio Sajarov 2000 del Parlamento Europeo al colectivo 'Basta Ya'", pp. 316-318). La experiencia profunda, durante esas tres jornadas, me anima a comentar una cosmovisión, apoyada mayormente por personas no conocedoras del saber criminológico, que colocan el diálogo en el comienzo y centro de la superación del terrorismo en España. Al analizar esa postura, salta a la vista la buena voluntad de quienes la mantienen. Pero, desde mi situación de jesuita, que intenta ser zahorí de lo numinoso y sobrenatural en lo natural, y de jurista, es decir defensor del respeto y el desarrollo de los derechos humanos —especialmente de las personas victimizadas y marginadas—, me surgen serias dudas y algunas discrepancias que deseo indicar aquí.

En primer lugar, como creyente del Misterio y como amante de la Biblia, me extraña la poca o ninguna referencia que muchos cristianos hacen a lo más nuclear del antiguo y del nuevo testamento: el derecho y la justicia. Tanto en aquél como en éste, el derecho y la justicia —no el diálogo, o mucho más que él— aparecen repetidas veces como los pilares básicos de la convivencia social. Por ejemplo, los profetas y los psalmos se refieren con frecuencia muy laudatoriamente a "quienes aman el derecho y la justicia". De modo semejante, los diez mandamientos —el quinto, sin paliativos— y el juicio final giran alrededor de la justicia y la alianza, no en torno al diálogo (Cfr. Pietro BOVATI, S.J. "Paternità di Dio e giustizia", La Civiltà Catolica, 1999, pp. 324-337). Dentro del mismo paradigma, la Asamblea Plenaria del obispado francés, celebrada en noviembre de 2000, en Lourdes, reconoció su aprecio del Poder Judicial y declaró que los obispos ni pueden ni quieren permanecer pasivos y "menos aún encubrir actos delictivos", incluso cuando el acusado sea un sacerdote (cfr. la revista Vida Nueva, del 25 de noviembre de 2000, página 19). Los obispos, los sacerdotes y todos los ciudadanos, ante los delitos graves, deben cooperar con las instituciones jurídicas y/o judiciales, y no amparar la impunidad. También, en sentido parecido, las Congregaciones Generales de la Compañía de Jesús, desde

1975, exigen en el paradigmático Decreto 4, la promoción de la justicia junto al servicio de la fe. Lo recuerda el superior general, Peter-Hans KOLVENBACH, en su carta, del 8 de diciembre de 2000, a toda la Compañía de Jesús, cuando pide que cada jesuita debe "ser la voz de los sin voz y gritar sobre los tejados las injusticias que se cometen". Jon SOBRINO, S.J. en su libro La fe en Jesucristo. Ensayo desde las víctimas, 1999, p. 477, formula un discurso hermenéutico de la Teología centrada en la justicia restaurativa, porque "de las víctimas proviene la testarudez de esperar contra esperanza, en definitiva esperar que el verdugo no triunfe sobre ellas, sin poderlo remediar..., las víctimas ofrecen también la gracia para seguir caminando".

La mayoría de los promotores del diálogo, como alfa y omega, no dicen una sola palabra acerca de los derechos inalienables de las víctimas, como atinadamente recuerda y critica el jesuita y rector de la Universidad de El Salvador, José Mª. TOJEIRA, en su artículo "Verdad, Justicia, Perdón", Eguzkilore. Cuaderno del Instituto Vasco de Criminología, San Sebastián, Nº 11, 1997, pp. 251-265. Además, nunca o casi nunca mencionan la obligación que tiene la Iglesia católica de pedir perdón a los miles y miles de víctimas directas e indirectas del terrorismo por lo poco que les ha atendido. Afortunadamente, en noviembre de 2000 el Obispo de Bilbao declaró: "...Pedimos perdón porque nos han faltado suficientes gestos de cercanía y de defensa pública de las víctimas y porque tampoco hemos asistido suficientemente a quienes se sienten amenazados y sufren las consecuencias de la falta de libertad". (Cfr. Vida Nueva, 25 noviembre 2000, p. 13).

En segundo lugar, desde mi cátedra de Derecho penal y penitenciario, observo que los propugnadores del diálogo como fuente primigenia de la paz, olvidan elementales principios de Política Criminal. Nunca o casi nunca hablan del "terrorismo de ETA". Sólo, o casi sólo, hablan de "la violencia" o de "la violencia venga de donde venga". ¿Desconocen que todas las estadísticas patentizan que el problema más grave en España no es la violencia sino el terrorismo de ETA? Entre ambas palabras median diferencias abismales cuantitativas y cualitativas dignas de mención. ¿Ignoran que los documentos básicos de las democracias actuales, y la Carta de los derechos fundamentales de la Unión Europea, de diciembre 2000, no mencionan como valor fundamental el diálogo, sí la libertad y la justicia?

Quienes exigen el diálogo como primer paso para lograr la paz formulan algunas afirmaciones muy sensatas e incluso indiscutibles.

Pero, olvidan realidades claves que debían tener en cuenta inexorablemente. Subrayo la palabra realidades porque recuerdo la insistencia acertada del catedrático José Ramón RECALDE cuando proclama que la ética debe inspirarse en la realidad cotidiana. Hoy en España urge, ante todo, hacer algo concreto para erradicar la realidad cotidiana del terrorismo. Hemos de conjurarnos para que no haya más asesinatos y más secuestros. Después, sólo después, vendrá la paz.

Olvidan que nunca han de quedar impunes los asesinatos, por exigencia de la justicia mundialmente propugnada, por exigencia de los derechos de las víctimas. Éstas no hacen nada para tomarse la justicia por su mano. Recordémoslo. Aquí, en el País Vasco, la distancia real y abismal entre los asesinados y sus criminales, entre los torturados y sus verdugos, se desdibuja con frecuencia, pues también los victimarios dicen desear la paz, pero rechazan sus requisitos. Ellos y sus cómplices afirman que buscan la paz, pero no aceptan sus condiciones previas. No quieren evitar, por encima de todo, un asesinato, una amenaza de muerte. ¿Ignoran que por ese camino nunca se llega a la paz? La ética universal postula que exijan otra cosa: no más tiros en la nuca, no más coches bomba, no más los mal llamados "impuestos revolucionarios". Olvidan que, como escribe Ellacuría, en el País Vasco "se despiertan actitudes fanáticas, revanchistas e inhumanas en las que la subjetividad irracional impide una visión amplia y equilibrada de la realidad (subrayo) y una objetividad mínimamente operativa" (I. ELLACURÍA, "Trabajo no violento por la paz y violencia liberadora", Concilium, núm. 215, 1988, pp. 85-94). Olvidan que nunca se debe cerrar los ojos ante un homicidio alevoso y premeditado. Pero muchos, por desgracia, empezaron durante la dictadura franquista por creer que así acababan con ella.

Además —acaso sea lo más lamentable— algunos predicadores del diálogo transmiten a quien les escucha o lee, sin que éste caiga en la cuenta, sin decirlo, sólo entre líneas, algo que ellos consideran axioma tan claro y evidente que no necesita demostración: "el País Vasco es víctima de un conflicto; aquí no hay crímenes dignos de mención; hay un contencioso, entre dos bandos igualmente equivocados: por una parte la cara, por otra el envés del mismo tapiz". Los partidarios del diálogo no hablan del código penal, ni de delitos, que son realidades cotidianas. Lógicamente, quizás digan a Pinochet que su "contencioso" con el otro bando —los Magistrados cuando pretenden juzgarle e imponerle una pena, sin antes dialogar con él en plano de igualdad— sólo se resolverá cuando ambos bandos, los Jueces y Pinochet, se sienten a dialogar sin condición alguna y sin límites, aunque Pinochet tenga su pistola en la mano.

Algunos llegan a afirmar que la solución del terrorismo (ellos dicen "la violencia") sólo empezará el día que se deslegitime la "violencia legítima", es decir la acción policial, porque, según ellos, la policía es "violencia legitimada". Lo escriben apoyándose en una frase de Max WEBER, "Das Monopol der Gewalt", que significa "El monopolio del uso de la fuerza legítima, de la coerción, de la autoritas", pero que ellos traducen equivocadamente como "El monopolio de la violencia legítima", confundiendo la violencia con la coerción. Como lo explicita Gregorio PECES BARBA en su excelente artículo "Sobre el diálogo político en Euskadi" (El País, 22 diciembre 2000, p. 17).

Ciertos cultivadores del diálogo inter pares, entre los verdugos y las víctimas, llegan a escribir que éstas deben perdonar a los terroristas como condición indispensable para que haya paz. Opino que tal afirmación cabe probablemente en el ámbito de la ética privada, pero nunca en el de la ética pública, pues ambas, en cierto sentido pueden ir unidas, pero nunca confundidas. Sigo así la línea de la filosofía postilustrada de los derechos humanos, como comenta Gregorio PECES BARBA, en el Seminario Conmemorativo del 50 aniversario de la declaración Universal de los Derechos Humanos, Consejo General del Poder Judicial, Madrid, 1999, pp. 385 ss.

Desde la Política criminal se repite que en el terreno de la paz y de la Justicia siempre, aunque parezca lo contrario, cualquier acción injusta y violenta no sólo perjudica a las víctimas, sino, también, al agresor, al victimario y a sus cómplices. Un asesinato presupone autores inmediatos y también autores mediatos y cómplices, a veces inconscientes, por el síndrome de Estocolmo. Todos ellos son responsables ante el Derecho penal, universalmente admitido, que tipifica y sanciona como crimen el encubrimiento de un delito grave, por ejemplo, un asesinato, aunque lo llamen "político". En este sentido se puede interpretar la carta que he recibido escrita por un sociólogo de la Universidad de Augsburgo. Transcribo literalmente: "Me entristecen mucho los recientes crímenes de ETA. Creo que tendrán un efecto contraproducente. Quisiera asegurarte mi solidaridad y compasión, por todo lo que ocurre en la comunidad vasca".

Recordemos un principio fundamental en Política criminal: "los medios violentos corrompen el fin". El fin que —antes— era bueno se transforma en victimación criminal cuando se emplean medios violentos. Los asesinatos son criminógenos, y nunca admiten justificación, aunque estuviesen motivados por crímenes pretéritos. En este momento he de pedir excusas, por no saber o no poder hacer algo más inteligente y eficaz para que todos caigamos en la cuenta de una verdad elemental: Caín debe reconocer y confesar y reparar su crimen. En caso contrario, llevará siempre sobre su frente la marca de asesino y dentro de su corazón el dolor de haber matado a su hermano. Y de haber matado, también, a lo mejor de sí mismo.

Antes de poner punto final, vuelvo a mis experiencias espirituales y cristianas. Estoy convencido, aunque me resulta difícil escribirlo: creo que la esperanza hace "milagros". A pesar de tanto crimen, la fe religiosa me dice que la fortaleza se manifiesta y crece en la debilidad: Virtus in infirmitate perficitur. Todo, incluso las macrovictimaciones, puede co-operar al bien de quienes aman a Dios. Para lograrlo, tenemos obligación de cooperar, de hacer algo nuevo y eficiente —no meras palabras condenatorias— para que la esperanza transforme en verdad un deseo que proclamo convencido, dirigido a los victimarios: "Creo en vuestra dignidad de personas. Volved a ser hombres". (Cfr. Adolfo BACHELET, S.J., Tornare a essere uomini!, Rusconi, Milán, 1989.)

A modo de conclusión hegeliana, si definimos el diálogo como tesis, antítesis y síntesis, podemos coincidir en algo muy satisfaciente. Si reconocemos que los límites humanos deben respetarse "con limitacio-nes", de manera que los aceptamos como algo que podemos y a veces debemos superar, entonces la sentencia de los jueces nos brindará la posibilidad de superarla llegando al diálogo. Nos mostrará la otra cara de la sanción y de la prisión: la prisión como lugar de diálogo, porque la Victimología supera límites del Derecho penal y pide que después de la sentencia condenatoria, cuando el victimario ha reconocido su delito y está privado de libertad, o sometido a libertad vigilada, o a trabajos en beneficio de la comunidad, etcétera, sus víctimas puedan dialogar con él para alcanzar una más humana reparación, mediación y reconciliación.

XIII. UNA NUEVA JUSTICIA MUNDIAL[*]

Los ciudadanos del planeta, ante la macrovictimación de las Torres Gemelas y el Pentágono, nos hemos acercado solidariamente a ese país que

---

[*]   Cfr. El Diario Vasco, 11 octubre 2001, p. 23.

acoge las diversas razas, culturas, religiones, lenguas, etcétera, y hemos sentido una indignación profunda. También una compasión fraternal hacia tantas personas —de 63 Estados— asesinadas en Nueva York y en Washington, y ante tantos familiares y amigos suyos dolientes en grado inconcebible. Dentro de tanta desolación, nos consuela el conocer que ese mismo día no pocas personas han trabajado sin límite en favor de las víctimas, y que algunas incluso han dado su vida por atenderlas. Estos "ángeles humanos" mantienen encendida la llama de la dignidad humana. Recuerdo, por ejemplo, a los bomberos fallecidos y a ese sacerdote que murió por atender a un agonizante entre los escombros. También experimentamos la urgencia ineludible de que se sancione justamente a los autores y a los cómplices de ese cáncer universal. No cabe pensar en la impunidad. Muchas razones lo impiden. También el Tribunal Penal Internacional, formalizado en Roma, el 18 de julio de 1998.

Estas líneas pretenden destacar la novedad, universalidad e inhumanidad de esta criminalidad, y la necesidad lógica de crear sanciones nuevas, universales y humanitarias. Consecuentemente, desde la política criminal modernizada, debemos "inventar" claves —hasta ahora inexistentes— que descifren y resuelvan el actual y futuro fenómeno criminal internacional.

Hemos de escuchar a las instituciones científicas supranacionales de Criminología, Derecho penal, Victimología, etcétera, cuando lamentan que nuestros sistemas de justicia policial, judicial, penal y penitenciario mantienen no pocos paradigmas arcaicos, excesivamente maniqueos y vindicativos, impotentes ante el salto cualitativo de la criminalidad; y cuando nos patentizan que urge sustituirlos por otros más de acuerdo con la profunda evolución de la economía, la cultura, la ideología, la religión, la comunicación y la tecnología del tercer milenio. Si un crimen semejante al del once de septiembre se hubiera realizado hace cuarenta siglos —cuando estaba admitido el talión—, los jueces, los gobernantes y los ciudadanos debían fijar su atención únicamente en el delito y en la venganza correspondiente (mutilación, pena de muerte...). En cambio, si ese acto terrorista se hubiera llevado a cabo a mediados del siglo pasado, los jueces y gobernantes debían mirar principalmente al delincuente y las medidas penales tendentes a su resocialización, según exigía la ciencia criminológica de ese tiempo. Ya que el delito que comentamos se ha cometido en el siglo XXI, debemos analizarlo desde perspectivas de hoy (no de ayer) teniendo como alfa y omega a las víctimas directas e indirectas, sabiendo que el número de éstas (familiares y amistades) suele ser diez veces mayor.

Debemos observarlo desde perspectivas innovadoras que (además de urgir el saneamiento de las estructuras socio-económicas injustas) exigen soluciones radicales, como la abolición de la guerra y de la pena de muerte, que algunos califican, erróneamente, de utópicas. Hace ya más de medio siglo eminentes penalistas (PELLA, RAPPAPORT, SALDAÑA, etcétera) argumentaron que las sociedades primitivas admitían la guerra, pero la hodierna debe tipificarla como delito. En esa dirección decididamente abolicionista, la Carta de las Naciones Unidas de 26 de junio de 1945 afirmó que el primero de los propósitos perseguidos por la O.N.U. es "mantener la paz y la seguridad internacionales, y con tal fin tomar medidas colectivas eficaces para prevenir y eliminar amenazas a la paz y para suprimir actos de agresión y otros quebrantamientos de la paz…". Este movimiento en favor de declarar la guerra fuera de la ley —outlawery of war—, se intensifica cada día, como explica el teniente coronel Eduardo de NOLOUIS. También el Concilio Vaticano II —Constitución Pastoral "Gaudium et Spes", de 1965— se manifiesta hacia la prohibición de la guerra, aunque la admite en casos de protección propia. Opino que las acciones del once de septiembre no pueden considerarse "agresión" que dé pie a una defensa bélica, según la formulación técnica del Derecho internacional.

Entre las novedades del macroholocausto que queremos y podemos erradicar, llama la atención su globalidad —ha superado todas las fronteras— y su desprecio de las personas. Lógicamente los países comprometidos frente a ese terrorismo debemos aplicar sanciones universalmente admitidas y que destaquen por su respeto a la dignidad de la mujer y del hombre, incluso en casos extremos. Aunque choque contra la opinión pública y religiosa en muchos pueblos. La mayoría de los juristas y ciudadanos europeos, como Amnesty International, creemos que la sanción capital es criminógena, y nos sentimos obligados a proclamarlo. Y a pedir que las autoridades políticas y religiosas borren de su cosmovisión esa pena. (No lo ha hecho formalmente el Catecismo Católico). Al terrorismo del año 2001 no le vencerá la vetusta revancha de las sociedades prehistóricas… Tampoco el odio, ni la violencia. Pero, sí el monopolio maxweberiano de la coerción y la fuerza inherente a toda sociedad socialdemócrata.

Desde el año 1979, el mundo jurídico penal, reunido en Münster, está construyendo un palacio de Justicia restaurativa, de planta hasta hoy desconocida. Exige enterrar el talante expiacionista, considerar el delito como un daño producido a las personas (mucho más que al Estado), y que las sanciones impuestas a los culpables (sin olvidar cómplices y encubridores) tienden principalmente a la reparación plena de los perjuicios causados. Esta transformación del Derecho penal va encontrando amplia aceptación en los organismos nacionales e internacionales. Baste citar el último Congreso Internacional de la Sociedad Mundial de Victimología —Montreal, septiembre 1999— y el Congreso del Grupo Francés de la Asociación Internacional de Derecho penal —Montpellier, junio 2001— centrado en que las respuestas al delito sean reparadoras más que aflictivas. También avanza en esa línea la Decisión marco propuesta este año en el Parlamento Europeo que proclama la atención preferencial a las víctimas como interés superior durante el proceso penal, y durante la ejecución de la pena, en cuanto es posible.

Ante la prepotencia del fanatismo religioso (mayor o menor, según las confesiones) como factor etiológico del actual terrorismo, hemos de buscar más integración de la espiritualidad pacifista en la justicia: "unidas, pero no confundidas". Como lo han logrado los actos religiosos celebrados estos días en la catedral multiconfesional de Washington, en iglesias, mezquitas, sinagogas... Han contribuido a fortificar el ethos axiológico que pide "En busca de valores universales" la decena de especialistas en la revista Concilium, de septiembre 2001. Han iluminado el sentido del vivir y del amar. Al ver estas liturgias, emitidas por la televisión, me he acordado de la afirmación, hacia el año 1950, del antiguo secretario general de la ONU, Dag HAMMERSKJÖLD: "si el mundo no experimenta un renacimiento espiritual, la civilización estará condenada a la extinción". Y concluí que estamos dando pasos hacia adelante.

Por fin, desearía comprender y compartir el dolor de las víctimas inmediatas supervivientes y de todas las mediatas de esta tragedia. Deseo vislumbrar lo positivo en tanta negatividad, pero me cuesta verlo. Casi ni me atrevo a citar el paradigmático "Sermón de las Bienaventuranzas", ni a transcribir a Virgilio, en la Eneida, cuando la reina Dido considera el dolor como el maestro de la solidaridad, y canta que el sufrimiento le ha enseñado a socorrer a Eneas náufrago: Non ignara mali, miseris succurrere disco. "Experimentada en el dolor, he aprendido a ayudar a los desgraciados". Sin duda, las víctimas del terrorismo nos enseñan a reconstruir otras "Torres Gemelas": la paz exterior justa brota de la paz interior espiritual.

Parte 3ª
El sistema prisional escucha a las víctimas

XIV. ¿DERECHOS Y DEBERES HUMANO-FRATERNALES EN LAS PRISIONES? (desde el radicalismo étnico a la paz en el País Vasco)*

> **SUMARIO:** 1.- Política penitenciaria *fundamental* (1.1. ¿Fraternidad en las cárceles?; 1.2. ¿Urgen reformas en las prisiones de todo el mundo?). 2.- Política penitenciaria *aplicada* (2.1. ¿Pro y contra el acercamiento de los presos de ETA?). 3.- Soluciones desde otra política penitenciaria *alternativa* (3.1. Instituciones de prevención y readaptación social; 3.2. Profesionales-Técnicos innovadores. 3.3. Esperanza, futuro y utopía como derechos-deberes del preso). 4. Anexos (La superación de la cárcel; Decálogo del Voluntariado; Ubicación de los presos de ETA —mayo 1999—).

1. Política penitenciaria fundamental

1.1. ¿Fraternidad en las cárceles?

> "Todos los seres humanos… deben comportarse fraternalmente los unos con los otros".
>
> (Declaración de Derechos Humanos. Art. 1º)

El artículo primero de la Declaración de Derechos Humanos merece más atención teórica y práctica en la mayoría de los países, especialmente respecto a las personas privadas de libertad por sentencia judicial. Su situación trágica, aunque sea legal, nos induce a reflexionar sobre el cumplimiento y desarrollo de los derechos humanos en todas las prisiones de hoy. La cárcel, como institución de la justicia, puede y debe

---

*   Cfr. La Ley, año XX, núms. 4876 y 4877, 3 y 6 septiembre 1999, pp. 1-7, 1-4.

contribuir también a la cultura de la paz, a tenor del axioma romano, opus justitiae, pax.

La publicación titulada Por los Derechos Humanos de los reclusos que han editado la Comisión Episcopal de Acción Social (CEAS) y el Ministerio Diaconal Evangélico, Paz y Esperanza, de Lima, nos invita a considerar la mayor o menor victimación de los presos   los culpables y los inocentes   y a caer en la cuenta de que también ellos son sujetos de derechos fundamentales fraternales   que nadie les puede quitar. Nos abre otro enfoque para auscultar y criticar sin moralina la cárcel, donde toda incomodidad tiene su asiento, y donde todo triste ruido hace su habitación f (CERVANTES, en el prólogo a Don Quijote de la Mancha); para acercarnos a los internos, ayudarles a vivir esas circunstancias difíciles y, con harta frecuencia, injustas. Nos invita a colaborar, para que los hombres y las mujeres a los que nosotros aherrojamos en las prisiones puedan desarrollarse como personas[a]   Nos pide que nosotros cumplamos nuestro deber de hacer algo eficiente para que la estructura carcelaria se renueve radicalmente, que no continúe siendo un factor criminógeno, como propugnan Jean PINATEL y otros especialistas[50].

En las puertas del siglo XXI conviene pensar cómo podemos humanizar las coordenadas de la Política criminal futura en el ámbito prisional. La celebración del quincuagésimo aniversario de la Declaración de Derechos Humanos, de 1948, nos espolea a todos los ciudadanos, en nuestra condición de partenarios, a ser conscientes del principio de responsabilidad universal compartida[51], que nos exige planificar reformas concretas en las cárceles y programar sus alternativas.

---

[50]   Jean PINATEL (1971), La société criminog ne, Calmann-Lévy, Paris, pp. 178 ss., 188 ss.; Juan Luis MARTIN BISSON (1998), Por los Derechos Humanos de los reclusos, Comisión Episcopal de Acción Social (CEAS), Ministerio Diaconal Evangélico, Lima, 1. AMNISTIA INTERNACIONAL (1999), Informe 1999. Memoria de lo intolerable, Madrid, pp. 36 ss., 49 ss., 198 s.
Graham SMITH (1998), L évolution récente du Service de probation en Angleterre et au pays de Galles f, COUNCIL OF EUROPE, Bulletin d information pénologique, N 21, décembre, pp. 3-21, con bibliografía selecta. A. BERISTAIN, Futura Política Criminal en las Instituciones de Readaptación Social (Los Derechos Humanos de las personas privadas de libertad), Secretaría de la Gobernación, México, 1999, pp. 303 ss. (Comp. F. GALV N GONZ LEZ)

[51]   H.-H. JESCHECK, Th. WEIGEND (1996), Lerbuch des Strafrechts. Allgemeiner Teil, 5 edición, Duncker & Humblot, Berlín, pp. 13 s., 27 ss; A. BERISTAIN (1998), Ante la tregua de ETA. Una reflexión criminológica y victimológica f, Claves de razón práctica, núm. 88, 38-42.

Estas páginas, en la primera parte dedicada a la política penitenciaria fundamental, pretenden recordar la inhumanidad en las prisiones de todo el mundo e insinuar algo acerca de sus reformas-progresos más urgentes: el voluntariado, el otro abogado-criminólogo del preso*f* y el día internacional de la persona privada de libertad*f*. Después, en la parte dedicada a la política penitenciaria aplicada, desean aclarar algunas cuestiones jurídico-criminológicas de la dispersión-acercamiento de los presos y de las víctimas de la banda terrorista ETA y del GAL. Por fin, desde otra política penitenciaria alternativa, formulan innovadores planteamientos a nivel internacional, menos privativos de libertad pero más preventivos y resocializadores.

1.2. ¿Urgen reformas en las prisiones de todo el mundo?

> "La Criminología ha tenido siempre por finalidad el de la dignidad del hombre, de las garantías individuales, de la libertad individual del hombre, hombre que se intenta mejorar, hacer predominar en él —crear en él, si hace falta— los instintos de simpatía que vayan más allá de los de defensa".
>
> Jean PINATEL (1990), "Informe general", *Eguzkilore*, extra 3, p. 420.

Todas las prisiones necesitan reformas urgentes, como lo patentizan las investigaciones científicas. Algunos informes exageran esta necesidad. Así, los datos del Observatoire international des prisons[52], a veces incurren en patentes omisiones, exageraciones apasionadas e incluso en crasos errores. Conviene llamar la atención sobre las graves inexactitudes que contienen las páginas dedicadas a las prisiones españolas del Observatoire de 1997, pp. 91-95, firmadas por Senideak. Por ejemplo, a los 473 presos de la banda terrorista ETA los denominan presos políticos*f*, lo cual carece de fundamento jurídico alguno, según veremos después.

---

[52]   El Observatoire international des prisons. Rapport 1997, Lyon, 1997, informa sobre las condiciones de detención de las personas encarceladas en cuarenta y dos países (Sudáfrica, Argelia, Alemania, Autoridad Palestina, Bélgica, Burundi, Camerún, Canadá, Chad, Chile, China, Colombia, Congo, Dinamarca, Egipto, España, Estados Unidos, Francia, Grecia, Irlanda, Israel y los territorios ocupados, Italia, Japón, Kenia, Madagascar, Marruecos, México, Nigeria, Nueva Zelanda, Países Bajos, Perú, Reino Unido, Ruanda, Rusia, Senegal, Sudán, Túnez, Turquía, Uruguay, Venezuela, Vietnam y Zaire). El Rapport de 1996 informa sobre las condiciones en veintinueve países (Alemania, Australia, Bélgica, Burkina Faso, Camerún, Canadá, Chad, Chile, Congo, Egipto, El Salvador, Estados Unidos, Francia, Israel, Italia, Japón, Luxemburgo, Madagascar, Marruecos, México, Nicaragua, Nueva Zelanda, Reino Unido, Ruanda, Senegal, Uganda, Uruguay, Venezuela y Zaire).

Como prueba de que Observatoire falsea y desdibuja la realidad de las prisiones hispanas podemos recordar que la inmensa mayoría de los presos extranjeros que se encuentran en cárceles españolas prefieren seguir en éstas; no desean ser trasladados a las de su propio país[53]. Sabemos que todos los condenados en Andorra, ante la disyuntiva que les presenta el Tribunal de ser internados en un establecimiento francés o en el de Lérida, siempre escogen el español. Esta constatación positiva de los presos y la idea más o menos coincidente de la ciudadanía española que constata José Juan TOHARIA[54], no merma nuestra crítica contra las muchas deficiencias de las prisiones en la península.

Por desgracia, salvo raras excepciones, las cárceles hodiernas debían ofrecer alimentación más sana, disponer de celdas más salubres, brindar trabajo en condiciones más semejantes a quienes trabajan en libertad, facilitar más las visitas de familiares y amistades, disponer de funcionariado mejor cualificado, de Criminólogos clínicos (como insistía con serios argumentos Jean PINATEL), de Jueces de vigilancia especializados en Criminología, etcétera[55].

Con razón comenta Sergio BASTIANEL que a los presos de todos los continentes se les puede considerar víctimas, en cierto sentido. Tanto

---

[53]   María Belén HERNANDO GALAN (1997), Los extranjeros en el Derecho penitenciario español, Colex, Madrid, comenta la Instrucción 25/96, de 16 de diciembre, de la Dirección General de Instituciones Penitenciarias sobre normas generales para internos extranjeros. Sería deseable que todas se cumplieran con más solidaridad y generosidad.

[54]   José Juan TOHARIA (1994), Actitudes de los españoles ante la administración de justicia f, Centro de Investigaciones Sociológicas, Madrid, 42-43, escribe: entre la ciudadanía española ha aumentado fuertemente, en tan sólo cuatro años, la idea de que nuestras cárceles son demasiado blandas, es decir, que los internos reciben en ellas un trato poco riguroso: ahora expresan esta idea ni más ni menos que el 57% de los entrevistados frente a sólo el 29% en 1988. Hoy día, la idea de que las cárceles son demasiado blandas es dominante incluso entre los votantes de Izquierda Unida   si bien en menor proporción que entre los votantes del PSOE, del CDS o del PP   (48% frente a 58%, 65% y 71%, respectivamente).
En sentido parecido Carmen RUIDŸAZ GARCŸA (1997), Justicia y seguridad ciudadana, Edersa, Madrid, 164 ss. Sólo el 28% de los encuestados opinan que la situación de las cárceles españolas es más bien negativa f.

[55]   En favor del abolicionismo penitenciario puede verse el número 44 de la revisa madrileña Exodo, junio 1988, 58 pp., con colaboraciones diversas bajo el título general Las cárceles sobran f.

por lo que ellos se han desvalorizado y devaluado al cometer el delito, como por la pena inflitta$f$[56] que nosotros, en nombre de la justicia, les imponemos; por nuestra marginación y estigmatización; por nuestra indiferencia y explícita negación; por lo que nosotros añadimos innecesariamente a la sentencia justa.

Además, algunas sentencias merecen críticas severas por diversos motivos. Un motivo frecuente puede radicar en la legislación, que señala penas privativas de libertad para infracciones que no merecen una sanción tan lesiva. A muchos condenados por delitos leves o menos graves (hurtos, lesiones, calumnia, etcétera) no se les debía imponer penas ni medidas penales privativas de libertad, pues no son necesarias y provocan el actual hacinamiento en casi todos los establecimientos.

Las estadísticas de algunos países resultan escandalosas y, a veces, casi increíbles. Baste transcribir aquí unas cifras acerca del porcentaje de personas condenadas a privación de libertad en el Reino Unido y en los Estados Unidos, durante los años 1981-1996, por robo-hurto de vehículos de motor. Al 55% de las personas condenadas en Estados Unidos por robo-hurto de vehículos de motor se les impone una sanción carcelaria. La tabla siguiente detalla la evolución, la pequeña oscilación, de estas cifras desde el año 1981 hasta el año 1996. En el Reino Unido el año 1991 fue el 14%, el año 1981 el 25%, y el año 1995 el 30%. En los Estados Unidos, durante estos años, ha sido superior el porcentaje; se ha mantenido muy próximo al 50%. A los demás condenados por este delito, a los que no se les impone pena privativa de libertad, se les aplican sanciones alternativas, como probation$f$, servicio en favor de la comunidad, multas, etcétera[57].

---

[56] Sergio BASTIANEL (1998), Pena, moralità, bene comune: una prospettiva filosófico-teológica$f$, en Colpa e pena? La teologia di fronte alla questione criminale, a cura de A. ACERBI e L. EUSEBI, Vita e Pensiero, Milano, 161-177 (175).

[57] Más información y detalles en las 105 páginas del estudio de Patrick A. LANGAN, David P. FARRINGTON (1998), Crime and Justice in the United States and in England and Wales, 1981-1996f, Bureau of Justice Statistic Executive Summary U.S. Departament of Justice, Washington. La figura se encuentra en la página 22.

ESTADISTICA

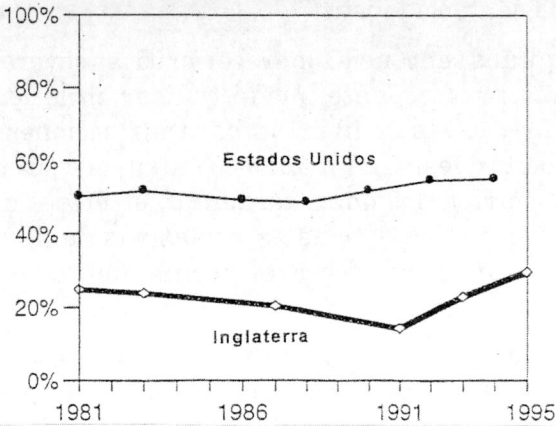

Porcentaje de condenados por robo/hurto de vehículos de motor,
sancionados con pena privativa de libertad

Nuestras leyes[58] y nuestros tribunales continúan internando a muchos autores de simples infracciones de bagatela$f$; deben cambiar su cosmovisión prisional para crear y aplicar más sanciones alternativas, sin privación de libertad, a los ladrones de gallinas$f$, los pobres diablos$f$. Estos, por múltiples argumentos de Política criminal[59], merecen un tratamiento distinto y más indulgente que los condenados por delitos graves, sobre todo si son de sangre o terroristas o de criminalidad organizada contra el orden socioeconómico.

Después de estas reflexiones generales, parece oportuno pasar ahora a un breve comentario sobre el Voluntariado, sobre el abogado activo del preso$f$ y sobre el día internacional de la persona privada de libertad$f$, para a continuación analizar, con cierta amplitud, la política penitencia-

---

[58]　Un ejemplo concreto: en España el hurto de un vehículo de motor, si su cuantía excede de cincuenta mil pesetas, lleva aparejada la privación de libertad de seis a dieciocho meses (art. 234 en relación con el art. 244.3. del Código penal).

[59]　Abelardo RIVERA LLANO (1997), La Victimología　Un problema criminológico? Biogenética, Biotecnología, Fecundación in vitro y Víctimas sociales, Librería Jurídica Radar, Santa Fe de Bogotá, 151 ss.; Günther KAISER (1996), Kriminologie. Ein Lehrbuch, 3 edic. C. F. Müller, Heidelberg, 150 ss., 531 ss., 978 ss.

ria aplicada actualmente respecto a la dispersión y el discutible acercamiento, mayor o menor, de los presos de ETA. Al final se proponen diversas soluciones desde otra política penitenciaria alternativa con nuevos planteamientos.

1.2.1. El voluntariado como caballo de Troya

Serios estudios sociológicos españoles y comparados demuestran que muchas personas desean colaborar en las prisiones a tenor de las nuevas normativas y doctrinas del VOLUNTARIADO. Esta institución debidamente desarrollada puede transformar de raíz el sistema penitenciario. Sin violencia y con eficiencia, algo así como el caballo de Troya.

A los hombres y las mujeres que lo soliciten parece conveniente brindarles amplias facilidades para trabajar como voluntarios penitenciaristas. Nadie duda de su extraordinaria fuerza humanizadora, pero exigiendo que estén debidamente seleccionados y formados, pues el mundo enigmático de las prisiones lo requiere. La colaboración con el personal del funcionariado conlleva, lógicamente, dificultades. Para superarlas, no basta la buena voluntad, pues ambas tareas difieren e incluso chocan en muchos medios y algunos fines[60]. Pocos campos de trabajo tan problemáticos y erosionantes, si se sigue pensando y sintiendo que La vida es bella *f*, como titula Robert BENIGNI su película recientemente premiada y como escribía Etty HYLLESUM en su diario, testigo de las torturas en el campo de concentración de Westerbork (Países Bajos).

Merece transcribirse la imagen que brinda el Departamento de Bienestar Social de la Generalidad de Cataluña, en su libro Curs d Iniciació al Voluntariat, cuando enumera las cualidades de la persona voluntaria: observadora para detectar necesidades, creativa entusiasta, con capacidad de escuchar, comunicativa, comprometida, responsable, sensibilizada,

---

[60] Luciano TAVAZZA (1995), El nuevo rol del voluntariado social, Editorial Lumen, Buenos Aires; Jaime GARRALDA (1989), Mis amigos los presos*f*, en J.L. de la CUESTA, I. DENDALUZE, E. ECHEBURUA (Comps.), Criminología y Derecho penal al servicio de la persona. Libro-Homenaje al Profesor Antonio Beristain, Instituto Vasco de Criminología, San Sebastián, 1.035-1.047; HORIZONTES ABIERTOS (1997), Comentario abierto a la Ley del Voluntariado, de 15 de enero de 1996. Pedro CODURAS, S. J. (1995), Voluntarios: discípulos y ciudadanos, Cuadernos de Cristianisme i Justicia, Barcelona, con bibliografía.

humilde, con capacidad de metabolizar las angustias ajenas, amable, cordial, con gran voluntad, con empatía, capaz de ponerse en el lugar del otro, participativa, disponible, generosa efectivamente, con los pies en el suelo, equilibrada, con estabilidad emocional, libre[61].

El Voluntariado que trabaja en las capellanías penitenciarias sabe que su colaboración resulta sumamente útil. Pero resultaría mucho más útil si tuvieran en cuenta que no bastan los conocimientos teológico-religiosos para trabajar en las prisiones, o para escribir sobre estos temas. Es lamentable que instituciones dignas de respeto como Cristianisme i Justícia publiquen un estudio de 39 páginas sobre las cárceles sin referencia alguna a expertos o especialistas; con sólo información de documentos episcopales. El lector acrítico se queda con la impresión de que la iglesia católica, y en concreto la vasca, se ocupa y preocupa de los presos más y mejor que nadie, lo cual está por probar. Por desgracia, en los últimos años diversas manifestaciones en algunos ámbitos eclesiales vascos y no vascos han contribuido a crear la infundada opinión de que los condenados de ETA son presos políticos*[62].

1.2.2. ¿Innovador abogado-criminólogo del interno?

Urge crear una nueva institución que podemos denominar el abogado-criminólogo pionero de nuevos derechos del preso*. Así como el tradicional abogado de oficio[63] se encarga de defender gratuitamente durante el juicio al acusado carente de medios económicos, o que acredite se encuentra en imposibilidad social de proveer por sí mismo a la defensa de sus derechos, de modo semejante al innovador abogado-criminólogo del preso, le competerá:

---

[61] DEPARTAMENTO DE BIENESTAR SOCIAL DE LA GENERALIDAD DE CATA-LUÑA (1994), Curs d Iniciació al Voluntariat, Barcelona, 1994, p. 51. (En sentido parecido puede verse nuestro Decálogo del Voluntariado*, en el Anexo 2).

[62] José SESMA, M Luisa PASCUAL, José I. GONZ LEZ FAUS (1991), Cárceles y sociedad democrática. La fábrica del llanto, Cuadernos de Cristianisme i Justícia, Barcelona. Algunas páginas brindan consideraciones sumamente acertadas. Muy atinado el Suplemento de Cristianisme i Justícia titulado La Superación de la Cárcel*, que se transcribe en el Anexo 1.
Acerca de la postura que una parte de la jerarquía católica guipuzcoana adopta ante los presos de ETA informa Aurelio ARTETA (1999), Fe de horrores, Oria, Alegia-Guipúzcoa, pp. 69 ss., 125 ss., 235 ss.

[63] Cfr. el comentario en la Memoria elevada al Gobierno de S. M., presentada por el Fiscal General del Estado, Jesús Cardenal Fernández, Madrid, 1998, pp. 269-305.

˘ estar informado de cómo se va cumpliendo la pena y/o la medida privativa de libertad (artículo 96.2 del Código penal) de su cliente,

˘ innovar-sugerir las gestiones pertinentes para que éste y sus familiares logren los mayores beneficios penitenciarios (artículos 36 y 78 del Código penal, 46 de la Ley penitenciaria y 202-206 de su Reglamento de 1996, etcétera),

˘ conseguir el acortamiento de la privación de libertad,

˘ gestionar la oportuna asistencia pospenitenciaria (Arts. 73-75 del C. penal), y

˘ facilitar que el interno repare todo lo posible los daños causados a sus víctimas, por los cauces de la moderna legislación.

Estas misiones del innovador abogado-criminólogo del preso coinciden en ciertos puntos con las del Juez de Vigilancia penitenciaria: salvaguardar los derechos de los internos, resolver las reclamaciones-peticiones o quejas que formulen los internos, etcétera (Reglamento Penitenciario, art. 76, Código penal, arts. 37, 78, 90, 91, 93, 97, 98, 105). Pero difieren notablemente en su perspectiva y en su contenido. El abogado-criminólogo pionero de los derechos del preso es, conviene repetirlo, defensor de su cliente; no es juez, ni juez de vigilancia penitenciaria, ni fiscal. Todavía más, en ciertos casos, a él le compete llevar la iniciativa para conseguir el respeto y el desarrollo de los cada día emergentes derechos del privado de libertad.

Así como el acusado necesita de un letrado que le defienda durante el juicio, con tantos o más motivos hemos de reconocer que el condenado a una pena o medida penal privativa de libertad necesita de un abogado-criminólogo que le defienda durante los largos y negros años de la sanción. Si el preso carece de medios económicos, el estado social de derecho debe facilitarle un guía eficiente durante la evolución tan imprevisible que la ejecución de su condena experimentará respecto a su desarrollo personal y respecto a las transformaciones de la legislación y praxis penitenciaria. Durante los cinco o diez o quince años transcurridos en la cárcel, desde el día que el abogado defensor de oficio se despidió de él, cuando el Magistrado le leyó la sentencia condenatoria, tanto él como los Magistrados como los funcionarios, como la prisión[a] han cambiado muchísimo. Un criminólogo le ha de informar y asistir para que se respeten y se desarrollen[f] sus derechos. Le debe incluso abrir nuevos caminos de progreso en la preparación para la salida a la libertad.

En el umbral del tercer milenio, el estado social de derecho no puede dejar tirados*f* a los presos en el patio de la cárcel; menos aún en la celda de castigo. A cada hombre, mujer o niño (sobre todo a cada niño o niña)[64], interno en una cárcel, sin posibilidades económicas, la justicia debe asignarle un abogado innovador, que vaya delante de él y aun de las leyes, y le ayude a lograr todo lo que el futuro, la esperanza*f*[65], le brinda. No bastan las instituciones privadas, algunas dignas de elogio y de imitación, que trabajan más o menos oficialmente en algunos países, como en Colombia la defensoría pública*f*[66].

1.2.3. Día internacional de la persona privada de libertad

Al terminar este capítulo, conviene indicar, aunque sea brevemente, que las prisiones en todo el mundo necesitan otra ayuda urgente: que alguien (un periódico, una radio, un Colegio de Abogados, una Facultad

---

[64]   E. GIMENEZ-SALINAS I COLOMER,   Condena o privilegio?*f*, en Criminología y Derecho Penal al servicio de la persona. Libro-Homenaje al Profesor Antonio Beristain, Instituto Vasco de Criminología, San Sebastián, 1989, pp. 1153-1168.

[65]   Ernst BLOCH (1954-1959), Das Prinzip Hoffnung, Berlín; Frankfurt Main, 1959. Obras completas, tomo 5 (dos volúmenes). Hay traducción en castellano. Después, al exponer la política penitenciaria alternativa insistiremos acerca de la esperanza.

[66]   El actual Código de Procedimiento Penal de Colombia, en su artículo 140, establece los fines de la defensoría pública: El servicio de defensoría pública, bajo la dirección y organización del Defensor del Pueblo, se prestará en favor de quienes carecen de recursos económicos para proveer su propia defensa a solicitud del sindicato, el Ministerio Público o el funcionario judicial*f*. La Ley 24 de 1992, en su artículo 21, proclama que la defensoría pública garantizará gratuitamente el pleno e igual acceso a la justicia o a las decisiones de cualquier autoridad pública*f*. El artículo siguiente determina quiénes prestan ese servicio público (los abogados y los estudiantes de los dos últimos años de las facultades de derecho oficialmente reconocidos por el Estado). El artículo 24 especifica, entre otras funciones de la defensoría pública, la misión de Verificar en los establecimientos carcelarios la situación jurídica de los internos y atender a las solicitudes correspondientes*f*. (Agradezco su amplia información al Profesor Julio SAMPEDRO, de la Universidad Javeriana, de Bogotá).
El abogado-criminólogo que nosotros proyectamos debe satisfacer las solicitudes del interno y de sus familiares, debe adelantarse a ellas, e incluso debe tomar él la iniciativa.
En este sentido convendría reformar la Ley española 1/1996, de 10 de enero, de asistencia jurídica gratuita, y su Reglamento aprobado por Real Decreto número 2103/1996, de 20 de septiembre.

universitaria, un sindicato, una institución religiosa o cultural[a]) inicie una campaña para dedicar en España y en el mundo entero una jornada anual, El día internacional de las personas privadas de libertad*f*[67]. Entre sus diversos fines, destacará el que todos los ciudadanos y ciudadanas, desde la infancia, tomemos conciencia y nos comprometamos en favor de tantos miles de hombres, mujeres y niños a quienes directa y/o indirectamente   obligamos a malvivir en condiciones inhumanas.

2. Política penitenciaria aplicada

2.1. ¿Pro y contra el acercamiento de los presos de ETA?

"Para Amnistía Internacional, entre las más apremiantes del movimiento de derechos humanos están la de influir en los grupos armados de oposición para que respeten los derechos humanos, y la de animar al mundo empresarial a realizar una labor positiva de promoción y defensa de los derechos humanos"[68].

Ahora pasamos a comentar un problema concreto en el ámbito penitenciario español: la dispersión de los presos de ETA que, desde hace cierto tiempo, viene creando graves problemas y violencias en el País Vasco. Durante los últimos años, muchas personas y algunos medios de comunicación dan por evidente que los presos de ETA son presos políticos, por un lado, y, por otro, que no deben estar dispersos sino internados todos ellos en las instituciones penitenciarias de Bilbao (Basauri), San Sebastián (Martutene) o Vitoria (Nanclares de la Oca).

La calificación de presos políticos*f* para los terroristas de ETA la consideran infundada todos los especialistas cualificados, como COBO DEL ROSAL, GARCŸA VALDÉS, GIMÉNEZ GARCŸA, MUÑOZ CONDE, RODRŸGUEZDEVESA, RUIZ VADILLO, etcétera. También GA-

---

[67]   Antonio BERISTAIN (1996), Criminología, Victimología y Cárceles, Tomo II, Pontificia Universidad Javeriana, Santa Fe de Bogotá, pp. 324 s.
    El día del preso se celebra, en Perú, el 16 de julio, festividad de Nuestra Señora del Carmen, y en Colombia el 24 de septiembre, festividad de Nuestra Señora de la Merced.
[68]   J.A. CARRILLO SALCEDO (1998), Responde la Declaración Universal a las exigencias actuales de los Derechos Humanos?*f*, en Pablo A. FERN NDEZ S N-CHEZ (Comp.), La desprotección Internacional de los Derechos Humanos, Universidad, Huelva, 21.

RRIDO, STANGELAND y REDONDO[69] cuando breve, pero científicamente, definen al delincuente político como el condenado por llevar a efecto actividades que son reconocidas como legítimas por las democracias internacionalesƒ. Además, la motivación más o menos política de sus asesinatos y secuestros no figura como circunstancia atenuante en la doctrina y en la legislación penal de los países respetuosos de los derechos humanos de todos, no menos de las víctimas.

En cuanto a la discutida dispersión conviene distinguir dos cuestiones:

A.- es obligado el acercamiento de todos los presos de ETA a cárceles próximas al País Vasco?

B.- todos los presos de ETA deben estar internados en los tres establecimientos penitenciarios del País Vasco?

A ambas preguntas se puede responder con relativa facilidad. A la primera cabe contestar que ese acercamiento es conveniente, pero con excepciones y tomando en consideración importantes matices y límites criminológico-victimológicosƒ. A la segunda conviene responder que sí algunos presos, pero no todosƒ. A continuación procuramos comentar estos criterios.

2.1.A. ¿En las cárceles próximas al País Vasco?

"El fin y la justificación de las penas privativas de libertad son, en definitiva, proteger a la sociedad contra el crimen"
NACIONES UNIDAS (1977), Reglas mínimas para el tratamiento de los reclusos. Regla 58.

En cuanto a la conveniencia del acercamiento de los presos de ETA a cárceles próximas al País Vasco los especialistas se muestran favorables, pero con notables matizaciones e incluso fuertes limitaciones.

---

[69]   V. GARRIDO, P. STANGELAND, S. REDONDO (1999), Principios de Criminología, Tirant lo Blanch, Valencia, p. 637. J. GIMÉNEZ GARCŸA (1997), Terrorismo y represión, presos políticos y presos comunes, Revista de Jueces para la Democracia, n 30, noviembre, p. 20-24 (la delincuencia política, por definición, es ideológica y conceptualmente imposible en un estado de derecho caracterizado por un efectivo pluralismo ideológicoƒ, p. 21). J. L. ZAMARRO PARRA (1998), Política penitenciaria española y terrorismo, Revista de Ciencias Penales. Revista de la Asociación Española de Ciencias Penales, vol. 1, n 2, pp. 469-496 (493, En la actualidad no se considera delito político al terrorismoƒ).

Admiten tal acercamiento en muchos casos, pero no en todos. Nunca lo consideran como un derecho subjetivo de los condenados. Aducen sólidos argumentos legales, jurisprudenciales y teóricos, del tradicional Derecho penal y de las nuevas ciencias criminológico-victimológicas.

Tanto la doctrina como la legislación comparada niegan unánimemente que el preso tenga un derecho subjetivo a decidir él su residencia en tal o cual institución penitenciaria. Ningún especialista, ninguna norma legal española o extranjera, ni el Parlamento Europeo, reconoce, ni concede, al preso ese derecho[70].

Los eminentes penitenciaristas alemanes Rolf-Peter CALLIES y Heinz MÜLLER-DIETZ, en su última edición del mejor comentario a la ley penitenciaria alemana, al estudiar el parágrafo 8, niegan repetidas veces que el condenado tenga derecho subjetivo a ser trasladado a tal o cual establecimiento penitenciario (nicht als Recht fordern, página 110; begründet zwar keinen Anspruch des Gefangenen auf Verlegung, pág. 111)[71].

Aunque los presos tuvieran ese derecho, nadie lo calificaría de derecho absoluto ƒ, pues los internos, como todos los hombres y las mujeres, tienen los derechos fundamentales de su dignidad personal, pero no derechos absolutos. Todos los derechos humanos son relativos, dependen de las circunstancias y los circunstantes. Una circunstancia importante es, por ejemplo, el terrorismo. Por eso, en diciembre de 1998, el Parlamento Europeo, al pedir enérgicamente que se tome en consideración el entorno familiar de los condenados, favoreciendo, en particular el encarcelamiento en un lugar próximo al domicilio de su familia y fomentando la organización de visitas familiares e íntimas mediante el acondicionamiento de locales específicos, ya que los cónyuges y los hijos desempeñan una función muy positiva en la enmienda, la responsabilización y la reinserción civil de los presos ƒ, añade que esta petición carece de sentido cuando existan motivos justificados y precisos en contra (posible complicidad en los delitos, asociaciones de tipo mafioso, formas especiales de terrorismo, etc.) ƒ[72].

---

[70] Eugenio Raúl ZAFFARONI, José Henrique PIERANGELI (1997), Manual de Direito penal brasileiro, Parte general, Sao Paulo, 805 s.

[71] R.-P. CALLIES y H. MÜLLER-DIETZ (1998), Kommentar. Strafvollzugsgesetz, 7 edición, C. H. Beck Verlag, Rdnr. 1 zu & 8, 109-115.

[72] PARLAMENTO EUROPEO (1998), Informe. Resolucíon sobre las condiciones carcelarias en la Unión Europea: reorganización y penas de sustitución, Acta del 17-12-98, Edición provisional.

2.1.A.1. Tres coordenadas básicas

"Las normas se interpretarán según el sentido propio de sus palabras, en relación con el contexto... y la realidad social del tiempo en que han de ser aplicadas..."

Código civil, art. 3.1.

La legislación y la doctrina comparada, al tratar de a qué establecimiento debe ser enviado cada condenado coinciden en establecer tres principios básicos:

1 .- Es a la administración penitenciaria (y no al condenado) a quien compete designar a cuál de los diversos establecimientos debe ser destinado, o en cuál debe permanecer, el delincuente.

2 .- La ley ha de formular los criterios que deben guiar a la Administración para señalar ese destino.

3 .- Esos criterios normativos se interpretarán en relación con el contexto legal y la realidad social.

Estos principios se explicitan y regulan en claros preceptos de la legislación española que coincide con la de los países democráticos, con las normas correspondientes de las Naciones Unidas y con las del Consejo de Europa. Concretamente, han de respetarse el artículo 8. 1 del Convenio Europeo de Derechos Humanos, revisado en conformidad con el Protocolo n 11, en vigor desde el primero de noviembre de 1998, el artículo 25. 2 de la Constitución española, los artículos 1 , 12 y 63 de la Ley Penitenciaria, el 2 de su Reglamento reformado el año 1996 y el 3. 1 del Código civil.

Ante todo, es de obligada aplicación el citado artículo 63, según el cual: Para la individualización del tratamiento, tras la adecuada observación de cada penado, se realizará su clasificación, destinándose al establecimiento cuyo régimen sea más adecuado al tratamiento que se le haya señalado y, en su caso, al grupo o sección más idóneo dentro de aquél. La clasificación debe tomar en cuenta no sólo la personalidad y el historial individual, familiar, social y delictivo del interno, sino también la duración de la pena y medidas penales en su caso, el medio a que probablemente retornará, y los recursos, facilidades y dificultades existentes en cada caso y momento para el buen éxito del tratamiento f.

La primera parte de este artículo recoge la doctrina unánime según la cual el destino concreto de cada interno lo debe decidir la Administración (no el propio interno), después de la adecuada observación y clasificación, científico-criminológica, de cada penado. En la parte siguiente se resumen los criterios que la Administración ha de tomar en consideración: respecto al pasado (la personalidad del condenado, su historia, su familia, sus circunstancias sociales y su delito), respecto al presente (su sanción, los recursos institucionales para el buen éxito de su tratamiento) y respecto al futuro (el medio al que probablemente retornará).

Para la aplicación de este artículo 63 conviene no olvidar dos normas legales: el artículo 8.1 del Convenio Europeo de Derechos Humanos (Toda persona tiene derecho al respeto de su vida privada y familiar, de su domicilio y de su correspondenciaf) y el previo artículo 12 de la Ley penitenciaria. Esta, haciéndose eco del artículo primero de la misma Ley y del artículo 25.2 de la Constitución, formula otro principio básico de Política criminal fundamental: procúrese, en cuanto sea posible, que los internos residan en establecimientos penitenciarios de la propia Comunidad autónoma. Dice así el citado artículo 12: En todo caso, se procurará que cada área f territorial cuente con el número suficiente de establecimientos para satisfacer las necesidades penitenciarias y evitar el desarraigo social de los penadosf.

Merecen subrayarse las dos palabras se procurará. Ellas patentizan que se trata de un deseo, no de una obligación ineludible, pues hoy en día resulta imposible que cada área territorial (especialmente las de menor volumen de habitantes) cuente con el número suficiente de establecimientos dotados de correspondiente personal penitenciario (con la debida formación pedagógica, sociológica y criminológica) para cumplir las Reglas Mínimas de las Naciones Unidas acerca del tratamiento de los reclusos[73] y para atender debidamente a tales o cuales condenados especialmente graves, peligrosos, conflictivos y necesitados de particulares medidas y tratamientos de reeducación y reinserción social, como pueden ser algunos delincuentes sexuales contra niños, algunos terroristas y algunos condenados por criminalidad organizada.

Los teóricos, como los tribunales, se apoyan en la moderna Política criminal fundamental y la moderna Política criminal aplicada española y comparada para proclamar que, en general, a las personas privadas de

---

[73] NACIONES UNIDAS (1990), Principios básicos para el tratamiento de los reclusosf, de 14 de diciembre. El Principio 10 proclama: Con la participación y ayuda de la comunidad y de las instituciones sociales, y con el debido respeto de los intereses de las víctimas, se crearán condiciones favorables para la reincorporación del ex recluso a la sociedad en las mejores condiciones posiblesf.

libertad les conviene estar cerca de sus familiares y amigos. Dicen en general porque caben importantes excepciones. En algunos casos particulares, la cercanía dificulta los fines democráticamente establecidos de las instituciones penitenciarias: la reeducación y reinserción social del condenado concreto, por una parte (Constitución, artículo 25. 2), y la retención y custodia de los demás internos, por otra. (Artículo primero de la Ley General Penitenciaria). Hay delincuentes por convicción, presos y/o grupos de presos tan violentos que no pueden residir en tal o cual establecimiento, pues pondrían en grave peligro su seguridad y su orden básico para la convivencia[74]. Hay familiares y amigos o grupos de familiares y amigos que, a veces, dificultan la reeducación y reinserción del condenado[75].

NACIONES UNIDAS (1988), Conjunto de Principios para la Protección de Todas las Personas Sometidas a Cualquier Forma de Detención o Prisión*f*, de 9 de diciembre. Todavía conservan su valor las Reglas Mínimas de 31 de julio de 1957 y de 13 de mayo de 1977.

[74]   Manuel LEZERTUA RODRŸGUEZ(1998), Los derechos de los reclusos en virtud del Convenio Europeo de Derechos Humanos*f*, Eguzkilore. Cuaderno del Instituto Vasco de Criminología, núm. 12 extraordinario, 135-165. De especial interés su capítulo titulado Los casos de acercamiento dentro del Estado*f*, 162 s.
El artículo 3. 4 de la Ley Org. Gen. Penitenciaria dispone que La Administración penitenciaria velará por la vida, integridad y salud de los internos*f*. Cfr. Ignacio José SUBIJANA ZUNZUNEGUI (1998), Los derechos fundamentales de las personas privadas de libertad y la doctrina del Tribunal Constitucional*f*, Eguzkilore. Cuaderno del Instituto Vasco de Criminología, núm. 12 extraordinario, 167-186.

[75]   Peter WALDMANN (1997), Radicalismo étnico. Análisis comparado de las causas y efectos en conflictos étnicos violentos, trad. Monique Delacre, Akal, Madrid. En el País Vasco un sector pequeño, pero numéricamente no desdeñable, de la población alienta decididamente a los activistas, p. 409.
Fernando REINARES (1998), Terrorismo y antiterrorismo, Paidós, Barcelona, 116 s., 148 ss.
AMNISTIA INTERNACIONAL (1998), España. Programa para la Protección y Promoción de los Derechos Humanos, 29. (Abusos contra los derechos humanos cometidos por grupos armados).
Aunque en Derecho penal rige el principio de la responsabilidad individual del autor del delito. Sin embargo, este axioma muchas veces no responde justamente a la realidad, porque olvida y no sanciona a muchas personas cómplices, pero en un grado bajo de participación. La Criminología critica al Derecho penal porque con frecuencia no ve la complicidad de los familiares y amigos del autor (principal) del delito. La Criminología deduce y afirma que, salvo excepciones, nadie delinque solo; que frecuentemente sus familiares están más o menos implicados y se aprovechan conscientemente más o menos del botín del crimen; que sus manos no están del todo limpias. Por lo tanto, surge una pregunta: es

Para interpretar inteligente y desapasionadamente los artículos que hemos citado conviene dar un paso más y recordar el artículo 3.1 del Código civil que dice: Las normas se interpretarán según el sentido propio de sus palabras, en relación con el contexto, los antecedentes históricos y legislativos, y la realidad social del tiempo en que han de ser aplicadas, atendiendo fundamentalmente al espíritu y finalidad de aquéllasƒ. Con frecuencia se olvida este artículo básico en toda la hermenéutica, y se cree que lo jurídico puede prescindir de la compleja realidad social. A ese respecto merece leerse la nota aparecida en la prensa española el día 28 de diciembre de 1998[76]. Da por supuesto que el especialista en Derecho penitenciario, en su función interpretativa, debe prescindir de la multi e interdisciplinariedad criminológica.

Este artículo 3 del Código civil obliga a conceder amplia importancia a las circunstancias personales, familiares y sociales del condenado y las víctimas. En el caso de los reos de ETA, obliga a constatar que la realidad social del País Vasco, en 1998 y 1999, dista bastante de la normal, y obliga a interpretar/aplicar los artículos 12 y 63 de manera diversa en las otras regiones hispanas, a tenor de su propia economía, cultura, etcétera. Se ha de conceder importancia a las circunstancias del terrorismo de ETA, que es algo más y distinto que la mera violencia o criminalidad común y cotidiana. A este respecto conviene reavivar la memoria y transcribir parte de un trágico comentario, de la profesora Dolores ALEXANDRE, de la Universidad de Comillas, publicado en la revista Exodo, número 44, monográfico en favor del abolicionismo

---

lógico e inevitable que los familiares, a veces, sufran algo con y/o por la sanción del autor directo del crimen?

[76] La prensa española el día 28 de diciembre de 1998 informa que una autoridad del ámbito judicial español explicó en una entrevista que el cumplimiento de las penas privativas de libertad en lugares próximos al lugar donde el interno tiene su arraigo social es una consecuencia directa del artículo 12 de la Ley Orgánica General Penitenciaria. Por ello, en la aplicación de dicho precepto, deben tenerse en cuenta consideraciones jurídicas y nunca estratégicas, políticas o de otra índoleƒ.

El conjunto de la entrevista carece de argumentos probatorios de la supuesta consecuencia directa del artículo 12ƒy no toma en consideración la realidad social a la que se refiere el artículo 3.1 del Código civil.

Conviene insistir, como argumenta Vicente GIMENO SENDRA, que el juez contemporáneo debe ser conceptuado como un cualificado intérprete del Derecho, zahorí de la norma que mejor se adecúe a la realidad social, extrayendo nuevos significados en consonancia con las nuevas exigencias sociales, y ello aun cuando no fueran previstos por la mens legislatorisƒ. GIMENO SENDRA (1997), El control de los jueces por la sociedadƒ, Revista del Poder Judicial, N . 48, pp. 37-56 (41 s.)

penitenciario. Bajo el título Escribir en el suelo, se refiere al funcionario penitenciario José Antonio ORTEGA LARA, secuestrado durante 532 días (enero 1996-1 de julio 1997), y a los cuatro autores de ese crimen. Empieza así: Mi mirada ha pasado, atónita y sobrecogida, de una imagen a otra: del hombrecillo esquelético y de expresión errática y ausente (José Antonio ORTEGA LARA), a la de los cuatro etarras pletóricos y joviales que exhiben la risa despreocupada de quien se reúne con unos amigos a celebrar viejos recuerdos ƒ[77].

2.1.A.2. Las Naciones Unidas y las víctimas (1990, 1998)

En el tema del destino y traslado de los internos a un establecimiento o a otro la legislación/jurisprudencia española coincide con la comparada más progresista. Pero, sin embargo merece nuestra censura como incompleta porque a sus actuales coordenadas de clasificación y destino debe añadir urgentemente otro criterio nuevo, otra realidad social ƒ, de suma importancia, que, por desgracia, la legislación y la jurisprudencia y los comentaristas ignoran casi totalmente.

Ojalá los teóricos, los legisladores, los jueces y los penitenciaristas abran más los ojos a este hasta hoy casi desconocido campo de reflexión, a este nuevo derecho de las víctimas y de los victimarios. La política penitenciaria debe tomar más en serio a las víctimas y a su relación con los victimarios. También, en algunos supuestos, al deseo de algunos condenados que piden ponerse en relación con sus víctimas. Para decidir si tal o cual preso es enviado/trasladado a este o a aquel establecimiento, la autoridad competente deberá tener en cuenta siempre los intereses legítimos de sus víctimas directas e indirectas, sobre todo en algunos casos de suma gravedad, a la luz del Handbook on Justice for Victim on the use and application of the United Nations Declaration of Basic Principles of Justice for Victims of Crime and Abuse of Power, de 1998, y la Guide for Policy Makers on the Implementation of the United Nations Declaration , de 1998). Sin olvidar su tantas veces recordada Declaración sobre los principios fundamentales de justicia para las víctimas de delitos y del abuso del poder[78], y los Principios básicos para el tratamiento de los reclusos ƒ,

---

[77]   Dolores ALEXANDRE (1998), Escribir en el suelo ƒ, Exodo, núm. 44, junio 1998, 53.
[78]   NACIONES UNIDAS (1998), Handbook on Justice on the use and application of the United Nations Declaration of Basic Principles of Justice for Victim of Crime and

adoptados por la Asamblea General de las Naciones Unidas, en su resolución 45/111, de 14 de diciembre de 1990, que hemos citado antes, y de la cada día más humanitaria ciencia victimológico-penitenciaria. Muy en especial debe tomar en consideración la reciente Ley orgánica 11/1999, de 30 de abril, de modificación del Título VIII del Libro II del Código Penal, que introduce un nuevo artículo 57 con la siguiente redacción:

> "*Los Jueces y Tribunales, en los delitos de homicidio, lesiones, aborto, contra la libertad, … y el orden socioeconómico, atendiendo a la gravedad de los hechos y al peligro que el delincuente represente, podrán acordar en sus sentencias la prohibición de que el*/reo se aproxime a la víctima o se comunique con ella o con su familia, *vuelva al lugar en que haya cometido el delito, o acuda a aquél en que resida la víctima o su familia, si fueren distintos, dentro del período de tiempo que el Juez o Tribunal señalen, según las circunstancias del caso, sin que pueda exceder de cinco años.*" (Boletín Oficial del Estado núm. 104, de 1° de mayo de 1999)[79].

En resumen, la doctrina, la legislación y la jurisprudencia de los países democráticos coinciden en que compete a la Administración penitenciaria decidir a qué establecimiento, más o menos próximo del País Vasco, debe ser enviado o trasladado cada preso de ETA. Dependerá en cada caso de los argumentos concretos en favor y en contra acerca de esa mayor*f* proximidad deseada. La Administración ha de tener en cuenta los criterios jurídicos y criminológicos proclamados en los países democráticos, sin olvidar los nuevos derechos de las víctimas.

Un problema similar, según algunos, se refiere a si todos los presos de ETA deben ser destinados a las tres cárceles del País Vasco. Pero esta cuestión, a pesar de algunas semejanzas, merece capítulo aparte.

Abuse of Power, Commission on Crime Prevention and Criminal Justice, Viena, 17 de abril; IDEM (1998), Guide for Policy Makers on the Implementation of the United Nations Declaration of Basic Principles , Commission on Crime Prevention[a] , Viena, 17 de abril; IDEM (1985), Declaración sobre los principios fundamentales de justicia para las víctimas de delitos y del abuso de poder, de 29 de noviembre de 1985. (Agradezco a Ana MESSUTI DE ZABALA su amplia información sobre los trabajos de las NN. UU. en cuestiones criminológicas).

Sobre las reformas legales y los movimientos sociales de los países más avanzados en el ámbito victimológico, cfr. Cándido CONDE-PUMPIDO FERREIRO (1999), El impacto de la Victimología en el proceso penal: Derechos de la víctima y principio de oportunidad*f*, en Homenaje a Enrique Ruiz Vadillo, Colex, Madrid, 107-146 (117 ss.).

[79] Subrayo las palabras introducidas por la Ley de 1999.

2. 1.B. ¿Los internos de ETA en las tres prisiones del País Vasco?

2.1.B.1. Cinco límites al acercamiento

"Sólo el Derecho puede garantizar la paz, siempre que aquél se identifique con la justicia".

Enrique RUIZ VADILLO[80]

Respecto a si los condenados por delitos de terrorismo de ETA deben ser trasladados a las tres cárceles del País Vasco, la respuesta jurídica[81] distingue dos grupos:

a) algunos presos de ETA, aunque no tienen derecho subjetivo al respecto, deben ser destinados a cárceles del País Vasco, por conveniencias de Política criminal fundamental y aplicada

b) otros no deben ser destinados a esas cárceles, por múltiples y serios motivos.

La Política penitenciaria fundamental proclama, teóricamente y salvo numerosas excepciones, la conveniencia general de procurar, en cuanto sea hacedero, que los presos residan en instituciones lo más cercanas posible a sus familiares y amigos. La doctrina, la legislación y la jurisprudencia comparada, así como la discusión político-parlamentaria, aconsejan esa cercanía en muchos casos, porque se supone que con frecuencia, aunque no siempre, ayuda a evitar el desarraigo social del preso.

---

[80]   Enrique RUIZ VADILLO (1996), Exigencias constitucionales en el proceso penal como garantía de la realización de la Justicia. La grandeza del Derecho penal, Real Academia de Jurisprudencia y Legislación, Madrid, pp. 248 ss.

[81]   La respuesta jurídica ha de tener en cuenta la connotación política de la reinserción de los presos terroristas, como analiza Antonio VERCHER NOGUERA (1994), Terrorismo y reinserción social en España f, La Ley, de 19 de abril, año XV. Número 3501, pp. 4 s. Y también debe recordar que, por reinserción social entendemos, no la instalación impuesta en el seno de un pensamiento único ni la integración obligada en las pautas oficiales del pensar, creer o comportarse, sino la capacidad para abstenerse de llevar a cabo conductas incriminadas legalmente de acuerdo con el más escrupuloso respeto al principio de intervención mínima del ius puniendi. Cfr. Javier SAENZ DE PIPAON (1998), Ciencia penitenciaria?f, La Ley, 1 de julio, año XIX, Núm. 4574, p. 2.
Jean PINATEL (1973), La crise pénitentiaire f, Année sociologique, Vol. 24, pp. 13-67. IDEM (1980), Perspectives d avenir de la Criminologie f, en Mélanges offert à Jean PINATEL, A. Pedone, Paris, pp. 61-270 (269: L honneur de la criminologie clinique est de ne pouvoir exister que dans les sociétés dominées par le respect de la dignité humaine f).

Esta suposición pierde con frecuencia su vigencia teórica y práctica por múltiples y serios motivos. Aquí comentamos únicamente cinco de las variables que, muchas veces, limitan esa norma general, esa conveniencia de que los condenados sean destinados a establecimientos cercanos a sus familias: 1 el elemental respeto debido a la dignidad de las víctimas que se viola si sus victimarios residen en instituciones próximas, 2 los derechos de todos los internos a su seguridad personal, 3 los semejantes derechos de los funcionarios penitenciarios a su seguridad, 4 el derecho de los internos de ETA a su resocialización, 5 la obligación de la autoridad penitenciaria de destinar a los condenados a los establecimientos que más les convenga a ellos, a tenor de las normas de derecho español y comparado que hemos comentado en las páginas anteriores.

La moderna ciencia victimológica[82] insiste en que debemos superar la tradicional neutralización jurídico-penal de las víctimas. No siempre es justo decidir in dubio pro reo. Muchas veces habrá que optar in dubio pro victima, en caso de duda, en favor de las víctimas. A éstas hay que reconocerles amplios derechos a ser protagonistas en lo relacionado con la delincuencia y su sanción. En el umbral del tercer milenio urge reconocer a las víctimas en la base del triángulo virtual del crimen, de su prevención y de su reparación. La política criminal y la política penitenciaria deben girar alrededor de las víctimas, como repiten atinadamente Nils CHRISTIE[83] y muchos victimólogos cuando proclaman que los teóricos y los agentes del derecho penal, del sistema procesal y del penitenciario deben devolver (porque robaron f) a las víctimas y a los victimarios su delito, su victimación y su protagonismo penitenciario.

Como indica GIMÉNEZ-SALINAS, en nuestras democracias y en la Europa del año 2000, debemos entender que el conflicto penal (también

---

[82] Alvin ESER (1998), Sobre la exaltación del bien jurídico a costa de la víctima, Cuadernos de conferencias y artículos, N 18, Universidad del Externado de Colombia, Bogotá, pp. 9 ss., 39 ss. Traducción del alemán de Manuel Cancio Meliá. Cfr. Rechtsgut und Opfer: zur Überhöhung des einen auf Kosten des anderen f, en el libro homenaje a Ernst-Joachim Mestmäcker, Nomos-Verlag, Baden, 1996.
E. FATTAH y T. PETERS, comps. (1998), Support for crime victims in a comparative perspective, University Press, Leuven, 1998.

[83] Nils CHRISTIE (1984), Los límites del dolor, trad. de Mariluz Caso, Fondo de Cultura Económica, México, 126 ss., 141 ss. IDEM (1993), La industria del control del delito. La nueva forma del holocausto?, prólogo de R. ZAFFARONI, trad. de Sara Costa, Editores del Puerto, Buenos Aires, pp. 111 ss., 188 ss.

el delito y su pena recreadora, en su tanto) no pertenece ni en exclusiva ni prioritariamente al Estado*f*;pertenece en primer lugar a las víctimas directas e indirectas y al victimario[84]. También lo relativo a la sanción privativa de libertad.

Lógicamente, las Naciones Unidas piden que se respeten siempre los intereses de las víctimas en todo lo relativo al tratamiento de los reclusos. El Principio diez de sus Principios básicos para el tratamiento de los reclusos, de 14 de diciembre de 1990, establece textualmente: Con la participación y ayuda de la comunidad y de instituciones sociales, y con el debido respeto a los intereses de las víctimas (subrayo), se crearán condiciones favorables para la reincorporación del ex recluso a la sociedad en las mejores condiciones posibles*f*.

Nadie debe extrañarse de que los jueces y el personal penitenciario presten la debida atención a las víctimas del terrorismo cuando desean y exigen con pleno derecho que sus victimarios residan en prisiones no próximas. Los jueces pueden y en muchas ocasiones deben imponer a algunos condenados la prohibición de acercarse a los lugares donde viven sus víctimas. Prohibición, con frecuencia, de notable eficacia preventiva y reparadora. Los Magistrados debían aplicar con más frecuencia las normas legales que les privan a los victimarios del derecho a residir en determinados lugares. Por ejemplo, el Código penal de 1995, en su artículo 48 que impide al penado volver al lugar donde reside la víctima o su familia, el 57 (modificado en abril de 1999), el 83. 1. 1 , el 96. 3. 1 , y el 105. 1. c.[85].

Como afirma Antoine GARAPON[86], la prohibición dictada por el juez de frecuentar a las víctimas no es una coacción, sino un límite, una restricción de la libertad, que se vivirá quizás como una frustración, pero que resulta ineluctable.

Las víctimas, no pocas veces, especialmente en ciertas ciudades pequeñas, se sentirían moralmente agredidas si algunos terroristas residen en establecimientos penitenciarios cercanos a ellas. Por ejemplo, cuando sus victimarios disfruten de permisos de salida de la prisión,

---

[84]   Esther GIMÉNEZ-SALINAS I COLOMER (1996), La mediación en el sistema de justicia juvenil: Una visión desde el Derecho comparado*f*,Eguzkilore. Cuaderno del Instituto vasco de Criminología, núm. 10, 193-212 (212).

[85]   José Antonio CHOCL N MONTALVO (1997), Las penas privativas de derechos en la reforma penal*f*,Actualidad penal, pp. 147-171 (160 ss.).

[86]   Antoine GARAP·N (1997), Juez y Democracia. Una reflexión muy actual, trad. de Manuel Escrivá, Flor del Viento, Barcelona, p. 224.

y/o cuando los familiares y amigos de ellos se manifiesten o protesten en las inmediaciones de la cárcel, etcétera.

(Entre paréntesis merece indicarse que, en casos excepcionales, las víctimas pueden pedir que sus victimarios residan en prisiones próximas, si contra lo que ocurre generalmente ellos quieren repararles los graves daños que les han causado).

Pasamos ahora a considerar el segundo y el tercer límite al acercamiento de los presos. Nos referimos a los elementales derechos de los internos y de los funcionarios a su seguridad personal. La más inexorable base para que las prisiones cumplan sus fines es mantener la seguridad de las personas internas y de las funcionarias que trabajan con ellas. Esta seguridad resulta imposible si en un establecimiento están concentrados gran número de condenados de una banda terrorista. Los estudios sociológicos coinciden en sus análisis al respecto: esos presos forman un grupo cerrado, no se integran con los otros presos, a veces se enfrentan violentamente con ellos, y más aún con los funcionarios. Frecuentemente provocan motines y crean graves problemas de convivencia. Por esto, para salvaguardar la vida, la integridad física y la libertad elemental, etcétera, de los reclusos, todas las legislaciones penitenciarias conceden a los Directores de los establecimientos que, ante situaciones particulares o extraordinarias, puedan acordar y adoptar medidas especiales que impliquen limitaciones regimentales. Un ejemplo que conviene tener en cuenta lo encontramos en el artículo 75 del Reglamento Penitenciario de 1996 y en la jurisprudencia pertinente de nuestro Tribunal Constitucional[87].

Si se concentra gran número de autores de delitos terroristas en un establecimiento, se priva de la libertad y seguridad indispensable a sus funcionarios. No se olvide que ETA ha asesinado y/o secuestrado a varios de éstos por el único argumento de que eran funcionarios penitenciarios[a] aunque promovieran el estudio del euskera, como lo hacía, en el Centro Penitenciario de Martutene, Francisco Javier G› MEZ ELOSEGUI, asesinado el once de marzo de 1997, cuando salía de su domicilio en el barrio donostiarra de Gros[88].

---

[87] Pedro Joaquín MALDONADO CANITO (1998), Limitaciones regimentales de protección personal ƒ, Cuadernos de Derecho Penitenciario del Colegio de Abogados de Madrid, Suplemento correspondiente a OTROSŸ N 3, mayo, pp. 15-21.

[88] Francisco Javier G› MEZ ELOSEGUI fue nombrado Miembro de Honor del IVAC-KREI, a título póstumo, el día 27 de junio de 1997. Cfr. Eguzkilore, Cuaderno del IVAC-

En los últimos años algunos políticos movilizan en el País Vasco a miles y miles de ciudadanos para que se manifiesten y exijan pública- mente que todos los presos de ETA sean trasladados a las tres cárceles de Euskadi. Es una manipulación demagógica. Hoy ningún especialista en temas penitenciarios propugna que medio millar de presos terroris- tas sean trasladados a tres cárceles cercanas y de dimensiones relativa- mente pequeñas, como son las de Bilbao, San Sebastián y Vitoria (cfr. Anexo 3). Sin duda, perturbarían frecuentemente la seguridad de esos establecimientos y obstaculizarían la reinserción social de los   pocos o muchos   colegas internos que, en cierto sentido, la desean. Claramente afirma ZAMARRO PARRA[89], Es evidente que la concentración dificul- ta extraordinariamente la separación de la banda. Como se ha puesto de manifiesto, salir de algunas organizaciones terroristas no es fácil. Algunos lo han pagado con su vida[a] En materia terrorista, a pesar de los beneficios que aporta la dispersión, ésta debe graduarse y acercar a los presos a la Península y, en la medida de lo posible, al País Vasco. (Siempre manteniendo los grupos lo más reducidos posibles). En este caso la dispersión queda justificada por exigencias de tratamiento*f*.

Hemos llegado ya al cuarto motivo de limitaciones a la conveniencia de que los presos estén cerca de sus familiares y amigos: respetar y desarrollar los derechos de aquellos internos de la banda armada que desean abandonar su militancia anterior. La política criminal aplicada insiste en que a algunos presos por actos terroristas les puede convenir no permanecer en centros penitenciarios muy cerca de sus parientes y amigos, cuando éstos (según las estadísticas y las encuestas) continúan manteniendo los ideales revolucionarios, pues tal cercanía dificultará su reinserción social. También, a veces, les resulta ventajoso no estar en establecimientos en que haya muchos colegas que siguen en la línea delictiva, pues ello merma su libertad para reintegrarse en la sociedad.

KREI, extra 11, 1997, pp. 293 ss. En este Acto Académico se entregó a la viuda, D Carmen MERINO la carta siguiente que le escribió el Presidente Honorario de la Sociedad Internacional de Criminología, Jean PINATEL: Madame, acabo de enterar- me por el jesuita A. Beristain de la desgracia que usted ha sufrido. Yo estoy muy afectado de la muerte de su esposo, que yo estimaba mucho, y comparto su dolor. Muy sinceramente le ruego reciba mi profunda condolencia. Es del fondo de mi corazón que se lo formulo y se lo presento. Esté segura que yo sintonizo con vuestro profundo sufrimiento. Tenga a bien, Madame, aceptar la expresión de mi cordial simpatía[a] *f*

[89] José L. ZAMARRO PARRA (1998), Política penitenciaria y terrorismo, Revista de Ciencias Penales. Revista de la Asociación Española de Ciencias Penales, Vo. 1, n 2, 2 Semestre, pp. 469-496 (486 s.).

La concentración masiva de los condenados por delincuencia organizada nunca beneficia su reeducación, sino todo lo contrario.

En cuanto al quinto argumento limitativo de la cercanía prisional, baste recordar los comentarios formulados en el capítulo anterior, al estudiar las tres coordenadas básicas coincidentes en la legislación y la jurisprudencia de todos los países democráticos, respecto a quién debe destinar a los presos a tal o cuál establecimiento, y cuáles son los principales criterios determinantes:

˘ artículo ocho del Convenio europeo de derechos humanos, revisado en conformidad con el Protocolo nº 11, en vigor desde el primero de noviembre de 1998, que proclama el Derecho al respeto de la vida privada y familiar*f*,

˘ artículo 25. 2 de la Constitución española,

˘ artículos 1 , 12 y 63 de la Ley Orgánica General Penitenciaria de 1979, y

˘ artículo 3. 1 del Código civil.

3. Soluciones desde otra política penitenciaria "alternativa"

3.1. Instituciones de prevención y de readaptación social

"El tratamiento tiene como finalidad alejar al delincuente de la reincidencia y favorecer su readaptación social. La prisión no se concibe sin libertad vigilada preventiva y postpenitenciaria"

Jean PINATEL (1990), *Eguzkilore*, p. 231

Estos cinco y otros varios argumentos patentizan la inexistencia del supuesto derecho de los presos de ETA a concentrarse en las tres cárceles vascas. Pero dejan sin solucionar algunos graves problemas que nos urge resolver. Para lograrlo, la Política penitenciaria fundamental y la aplicada pueden y deben proyectar nuevas alternativas y más humanos planteamientos que se apliquen en la Comunidad Autónoma Vasca y en el universal sistema penitenciario.

En un futuro próximo hemos de planificar y crear no cárceles mejores sino algo mejor que las cárceles, en el sentido de la conocida propuesta de Gustav RADBRUCH. El control social de mañana debe crecer por debajo y por encima del hodierno control penal-carcelario. Su crecimiento por debajo lo describe gráficamente Dieter RÖSSNER en su pirámi-de*f* que transcribimos a continuación. En ella se detallan nueve controles sociales que deben practicarse antes de acudir al control jurídico-penal.

Pirámide del control social

Derecho Penal

Derecho Administrativo

Derecho civil / D laboral / D social

Sociedad / Cultura

Medios de comunicación / T.V.

Comunidad

Tiempo libre / Grupo de amigos

Escuela / Formación profesional / Trabajo

Amigos / Camaradas / Vecinos

Madre / Padre / Familia / Familia sustitutiva / Parientes / Hogar

Cfr. RÖSSNER, Dieter (1997): Soziale Bindungen und Kriminalitätsvorbeugung in der Stadt ƒ, en Helmut KURY (Comp.), Konzepte Kommunaler Kriminalprävention, Edition Iuscrim, Freiburg i. Br., p. 655.

A los criminólogos y a los penitenciaristas, en el sentido más amplio del vocablo, les compete intensificar sus estudios para aplicar cada día más esos nueve escalones preventivos ƒ. También les compete fomentar investigaciones que desarrollen nuevas formas de control social por encima y fuera del actual jurídico-prisional que corona el proyecto de RÖSSNER, como comenta ampliamente este mismo profesor[90]. Ejem-

---

[90]　Dieter RÖSSNER (1994), Mit Macht gegen Gewalt? -Das strafrechtliche Gewaltverbot und seine Wirkungen für Opfer und Gemeinschaft ƒ, en Kordula

plos concretos de superación de lo penal-penitenciario nos brindan los estudios del catedrático de Marburg sobre la mediación y la conciliación.

También puede servir de orientación despenitenciadora la tercera víaf de los autores del Proyecto Alternativo de Código penal alemán[91], y las sugerentes propuestas de la justicia penal reparadora-creadora que con tanto auge se fomentó en el Congreso Internacional de la Sociedad Internacional de Criminología en Budapest[92].

Este Derecho penal reparador encuentra facilidades en algunos ámbitos españoles[93]. También suscita dificultades exageradas en algunas personas e instituciones españolas, cuando consideran que del terrorismo se pasa a la paz inmediatamente, prescindiendo de la justicia, y que el perdón no tiene límites porque los delitos graves son irreparables[94].

Especial atención merecen los atinados estudios últimamente aparecidos en pro de la mediación de E. GIMENEZ-SALINAS I COLOMER, G. VARONA, B. SAN MARTIN, R. CARIO, J. FAGET, A. BERISTAIN y otros[95]. También las innovaciones que introduce la

RICHELSHGEN (comp.), Sucht, Macht und Gewalt. Reflexionen über tabuisierte Themen, Lumbertus Verlag, Freiburg i. B., 98-125.

[91] Klaus ROXIN (1991), La reparación en el sistema jurídico-penal de sanciones, en Consejo General del Poder Judicial, Cuadernos, Jornadas sobre la Reforma del Derecho Penal en Alemania$f$, pp. 19-30, traduc. de José Luis MANZANARES SAMANIEGO.

[92] Tony PETERS, Ivo AERTSEN (1998), Mediation for reparation: the victim s perspective$f$, en Ezzat FATTAH, Tony PETERS (Comps.), Support for crime victims in a comparative perspective. A collection of essays dedicated to the memory of Prof. Frederic McClintock, Leuven University Press, Leuven, 229-251.
Antonio BERISTAIN (1994), La sociedad/judicatura atiende a sus víctimas/testigos?f, en IDEM, Nueva Criminología desde el Derecho Penal y la Victimología, Tirant lo Blanch, Valencia, pp. 234-290.

[93] J. L. DE LA CUESTA, F. GONZ LEZ VIDOSA Y F. DE JORGE MESAS (1998), The treatment of victims of crimes and offences in the Spanish system of justice$f$, en E. FATTAH y T. PETERS, comps., Support for Crime Victims in a comparative Perspective, University Press, Leuven, pp. 69-81.

[94] Cfr. Fundación Encuentro, de Madrid, en su Informe España 1998, pp. XXVIII ss. Después, en nuestro apartado siguiente, comentamos más esta cuestión.

[95] Jacques FAGET (1997), Le cadre juridique et éthique de la médiation pénale, en Robert CARIO (compilador), La médiation pénale. Entre réppresion et réparation, L Harmattan, Paris, pp. 35 ss.; Esther GIMENEZ-SALINAS I COLOMER (1996), La mediación en el sistema$^a f$, Eguzkilore, N 10, 193-212; Gema VARONA (1998), La mediación reparadora como estrategia de control social. Una perspectiva criminológica, Comares, Granada; Begoña SAN MARTŸN (1997), La mediación

nueva Ley Orgánica reguladora de la responsabilidad penal de los menores[96].

En general, la mayoría de las Instituciones penitenciarias privativas de libertad deberían convertirse en instituciones de readaptación social[97]. Esto exige, y conviene recordarlo, que los gobiernos aumenten notablemente el presupuesto para crear el número debido de funcionarios, seriamente formados y equipados.

3.2. Profesionales-técnicos innovadores

Prestamos ahora especial consideración a las futuras respuestas a la criminalidad en el País Vasco. Esperamos que, conforme vaya superándose el radicalismo étnico, promocionándose la cultura de la paz justa, fomentándose el principio de responsabilidad universal compartida, y creciendo el clima de partenariado[98], nuestras instituciones penitenciarias irán transformándose en preventivas y de readaptación social. Los tres Territorios históricos   lava, Guipúzcoa y Vizcaya   han de llevar a cabo trabajos ciclópeos, innovadores, multidisciplinares, para satisfacer las exigencias elementales de una política criminal menos penitenciaria*f*, más repersonalizadora, más humana, solidaria y fraternal.

En concreto, parece aconsejable que el País Vasco disponga de algunas instituciones cerradas, pero de más instituciones abiertas o, mejor aún, de alternativas, sin privación de libertad deambulatoria. En ellas se cumplirá la triple finalidad que la ciencia criminológica y

---

como respuesta a algunos problemas jurídico criminológicos (Del presente francés al futuro español), Departamento de Justicia, Economía, Trabajo y Seguridad Social del Gobierno Vasco, Vitoria-Gasteiz.

[96] LEY ORGANICA 5/2000, de 12 de enero, reguladora de la responsabilidad penal de los menores (BOE de 13 de enero de 2000).
Antonio BERISTAIN (1999), Creencias y convicciones en la educación y re-educación del menor a la luz de la Constitución, las Naciones Unidas y la Unesco*f*, en AA.VV., I Jornadas de Protección al Menor en España y su Proyección hacia Iberoamérica, Defensor del Menor en la Comunidad de Madrid, Madrid, pp. 191-199.

[97] Antonio BERISTAIN (1998), De los delitos y de las penas desde el País Vasco, Dykinson, Madrid, 25, 31 ss.

[98] Antonio BERISTAIN (1998), Ante la tregua de ETA. Una reflexión criminológica y victimológica*f*, Claves de razón práctica, núm. 88, diciembre 1998, 38-42.

victimológica en el mundo democrático asignan a las instituciones penitenciarias:

A) proteger a la sociedad contra el crimen*f*, a tenor de la Regla 58 de las Reglas Mínimas de las NN. UU. para el tratamiento de los reclusos,

B).- la retención y custodia de los detenidos, presos y penados*f*, según el artículo primero de la Ley Orgánica General Penitenciaria de 26 de septiembre de 1979 y su Reglamento de 9 de febrero de 1996,

C).- la reeducación y la reinserción social*f* de los internos, a tenor del artículo 25.2, de la Constitución española.

Cualquier medida o acción que favorezca una de estas tres metas debe ser fomentada, y cualquier medida o acción que obstaculice una de ellas debe ser evitada. Para lograrlo urge que la Universidad del País Vasco intensifique la formación penitenciaria, criminológica y victimológica de funcionarios y funcionarias capaces de mantener el orden debido y de conseguir la reeducación y reinserción social cuando sea factible trasladar todos o casi todos los condenados de ETA a las tres instituciones vascas.

Pero no caigamos en la utópica creencia de que éstas deben albergar sólo a los presos vascos, si por tales entendemos los que han nacido en el País Vasco, o algo similar. En todos los países de Europa y de no Europa las cárceles albergan necesariamente un elevado número de presos de otras naciones. Especialmente algunas ciudades con aeropuerto de amplias conexiones internacionales, como Francfort del Meno, o con un puerto marítimo como Hamburgo, a donde llegan continuamente numerosos profesionales de la criminalidad organizada, traficantes de droga, etcétera. Esta realidad internacional se olvida con excesiva frecuencia cuando se comenta el tema en el norte de España.

Actualmente, las normas y orientaciones del mundo penitenciario encuentran obstáculos serios para ser aplicadas en el País Vasco por las circunstancias de macrovictimación. Cuando éstas desaparezcan, cuando se logre la paz a través de la verdad, la aplicación de la justicia humana y el perdón limitado, como explicita con maestría el estudio de José María TOJEIRA, S.J.[99], entonces será deseable y exigible que

---

[99] José María TOJEIRA (1997), Verdad, Justicia, Perdón", Eguzkilore. Cuaderno del Instituto Vasco de Criminología, núm. 11, pp. 251-265.

nuestra Comunidad Autónoma reciba las competencias penitenciarias que le asigna el Estatuto de Guernica. Para esa fecha urge haber preparado ya criminólogos especializados en estas cuestiones que sean capaces de crear y dirigir establecimientos nuevos   radicalmente nuevos   con personal formado para llevar a cabo los tratamientos aplicables a las diversas tipologías de personas condenadas.

A algunos les parecerá esto utópico, y quizás lo sea, pues los presupuestos lo impiden muchas veces, incluso en países económicamente fuertes[100]. Tampoco lo han conseguido completamente los Länder de la República Federal de Alemania, donde cada región federal tiene plenas competencias penitenciarias. Sin embargo, los Tribunales alemanes con cierta frecuencia, tras las debidas consultas con especialistas del comportamiento humano y con los economistas, pues determinadas técnicas terapéuticas resultan sumamente costosas, deciden que algunos condenados sean enviados o trasladados a un establecimiento de otro Land que se adecúa mejor para los tres fines que acabamos de indicar.

3.3. Esperanza, futuro y utopía como derechos-deberes del preso

"La resocialización del preso y la conversión de Ignacio de Loyola difieren en su naturaleza, pero coinciden en su forma".
J. PINATEL (1991), "Ignace de Loyola et la Criminologie", en CARO BAROJA (Dir.), BERISTAIN (Comp.), *Ignacio de Loyola, Magister Artium en París 1528-1535*, pp. 556-563.

Después de haber reflexionado sobre los nuevos derechos y deberes de las innovadoras instituciones de prevención y readaptación social, y de las obligaciones de la sociedad en general como partenaria, conviene decir algo acerca de los futuros derechos y deberes de los presos para que nuestras respuestas a la criminalidad logren sus altas metas.

---

[100] Cuando se critica, y con razón, la labor de las instituciones penitenciarias conviene recordar la resistencia de muchos ciudadanos a incrementar su presupuesto. Conviene recordar lo que constatan repetidas veces los especialistas. Así, ZAMARRO PARRA, en su estudio antes citado, nota 9, escribe: El tratamiento penitenciario parte de una carencia elemental de medios materiales para configurarse como medida científica, rigurosa e individualizada, capaz de conseguir la reeducación del penado*f*. (p. 474). Y es la falta de medios materiales de nuevo la que obliga a la Administración Penitenciaria a incumplir la legalidad*f*. (p. 484). Esa irregularidad se debe a la carencia de medios materiales*f*. (p. 486).

Reconocemos que el actual sistema penal-penitenciario español está aquejado de lamentables deficiencias, pero supera en muchos rasgos de humanismo a los de otros países democráticos. Por ejemplo, a todos los que admiten y practican la sanción privativa de libertad a perpetuidad. Contra ésta argumentaron conocidos penalistas hispanos y consiguieron abolirla. Porque priva al condenado de tres derechos-deberes, que ningún tribunal de un estado social de derecho les debe arrebatar: la ESPERANZA, el FUTURO y la UTOPIA. Columnas éticas intocables sobre las que se eleva el arco de la vida del hombre y la mujer.

El Tribunal, cuando juzga a quien cometió un delito grave, le puede privar de la libertad ambulatoria. Pero, no de su derecho a la ESPERAN-ZA, sin la cual no hay dignidad humana. Todo condenado debe saber y ESPERAR que saldrá libre tal día concreto, previamente determinado. El condenado ha de conocer, con esperanza inquebrantable, que nadie le puede atrasar la ya programada fecha concreta de su liberación; en cambio, sí es posible y deseable adelantarla, cuando él colabora y procura deshacer su hecho criminal. La Constitución española lo proclama en su artículo 25. 2, al exigir la reeducación y reinserción social. También otras normas legales, como el artículo 4. 2, de la Ley Orgánica General Penitenciaria, según el cual Se procurará fomentar la colaboración de los internos en el tratamiento penitenciario con arreglo a las técnicas y métodos que les sean prescritos en función del diagnóstico individualizado*f*.

Urge que el preso conozca y desarrolle su doble ESPERANZA: la que le impulsa a salir al mundo de la libertad; y la que, ante la puerta cerrada de la cárcel, le sugiere que puede introducir/producir la libertad dentro de sus rejas carcelarias. Como argumentaba Henri LABORIT, con su mentalidad y experiencia utópico-pragmática: los internos han de cultivar su esperanza virtual de introducir/producir ellos la libertad en su celda, ya hoy mismo. No sólo después, cuando cumplan la parte correspondiente de su sentencia[101].

LABORIT, en sus conferencias a los presos, que le oían con gran atención, les explicaba las coordenadas eutonológicas de la libertad y la felicidad que depende total, o casi totalmente, de nuestra actitud mental positiva, de nuestra cosmovisión axiológica del ser, del amar

---

[101] Henri LABORIT (1989), La vie antérieure, B. Grasset, Paris, pp. 356 ss.

y del dar[102]. Les enseñaba cómo se puede salir virtualmente*f* de la prisión, aunque se permanezca corporalmente dentro de sus muros. Sobre esta técnica liberadora, que transforma en hombre libre al hombre preso, hablaba y escribía con ilusión e inteligencia. Quienes le escuchaban comprendían que nuestra libertad y felicidad, más que de la realidad objetiva, deriva de la interpretación que hagamos de ésta.

Algo similar, desde diversos puntos de vista, argumentan los filósofos, teólogos y criminólogos que proclaman la conciencia anticipadora, el sueño hacia adelante, el Principio ESPERANZA*f*, Das Prinzip Hoffnung, de Ernst BLOCH[103], la Teología de la ESPE-RANZA*f*, Theologie der Hoffnung, de Jürgen MOLTMAN[104] y la de Jon SOBRINO[105]. Si se aplica esta cosmovisión a las respuestas alternativas al delito, se logrará el FUTURO gratificante del victimario reeducado-reinsertado socialmente, y el FUTURO repersonalizador de las víctimas indemnizadas-reparadas, por exigencia de la justicia elemental[106].

---

[102]   Daniel GOLEMAN (1999). Inteligencia emocional, trad. D. González y F. Mora, Kairós, Barcelona, pp. 266 ss. Henri LABORIT (1983), La colombe assasiné, B. Grasset, Paris, pp. 15, 36 s.; IDEM (1989), La vie antérieure, pp. 144 ss.; Robert CARIO (1991), Paroles et actes ou le crime analysé comme comportement social différentiel*f*, en La personnalité criminelle. Actes des journées Pinatel, sous la direction de R. Cario et A.-M. Favard, Erès, Toulouse, pp. 137-159 (148-153).

[103]   Ernst BLOCH (1954-1959), Das Prinzip Hoffnung, Berlin; 4 edición (1977), Frankfurt a. M. (Hay traducción en castellano, El principio esperanza, Madrid, 1977-1980, 3 volúmenes); Alfredo TAMAYO (1979), Filosofía de la muerte en Ernst Bloch, Felmar, Madrid, 182 pp.

[104]   Jürgen MOLTMANN (1963), Theologie der Hoffnung, München; Hay traducción en castellano, Teología de la esperanza, 5 edición, Salamanca, 1989; Pedro LAIN ENTRALGO (1993), Esperanza en tiempo de crisis, Círculo de Lectores, Barcelona, pp. 241-260.

[105]   Jon SOBRINO (1999), La fe en Jesucristo. Ensayo desde las víctimas, Trotta, Madrid, pp. 207 s., 218-223, 381 ss.

[106]   Martin WRIGHT (1998), Why should victims of crime be compensed?*f*, en E. FATTAH and T. PETERS (eds.), Support for crime victims in a comparative perspective. A collection of essays dedicated to the memory of Prof. Frederic McClintock, University Press, Leuven, pp. 83-94. José Luis de la CUESTA, F. GONZ LEZ VIDOSA, F. J. DE JORGE MESAS, The treatment of victims of crimes and offences in the Spanish system of justice*f*, en E. FATTAH and T. PETERS, Support for crime , pp. 69-82. Robert CARIO (1997), Pour une approche globale et intégrée du phénom ne criminel. Essai d introduction aux sciences criminelles, deuxième éd., l Harmattan, Paris, pp. 160 ss.

Entre las múltiples vertientes de esta ESPERANZA, aquí merece especial comentario el FUTURO UTOPICO en cuanto superador de la, por importantes especialistas proclamada, irreversibilidad e irreparabilidad de la acción humana gravemente inmoral y/o delictiva.

3.3.1. ¿Lo factum puede transformarse en non factum?

> "Las modificaciones cerebrales provocadas por el TEPT no son irreversibles y los seres humanos pueden reponerse incluso de las más graves lesiones emocionales, pues el circuito emocional puede ser reeducado".
>   Daniel GOLEMAN (1999), *Inteligencia emocional*, pp. 296 ss., 307 s.

Eminentes tratadistas y amigos, como Rafael S NCHEZ FERLOSIO[107], Victoria CAMPS[108], Reyes MATE[109] y Rafael AGUIRRE[110], consideran que en el ámbito del Derecho se puede medir los daños causados por el delito y repararlos e incluso perdonarlos, pero

---

[107] Rafael S NCHEZ FERLOSIO (1996), La señal de Caín*f*,Claves de razón práctica, N 64, julio-agosto. Dios puso una señal sobre Caín para que nadie lo matara: la impunidad de Caín expresa la impunibilidad o inexpiabilidad de la culpa en cuanto obra, que es lo que está en correspondencia con la naturaleza del remordimiento. ᵃDios ha hecho a Caín perpetuo portador de la culpaᵃ del remordimiento y la culpa moral*f*(p. 5)ᵃ Un niño, entre nosotros, es un absoluto inconmensurable, sin valor alguno, y su muerte es por tanto irreparable y totalmente ajena a la racionalidad que fundamenta la indemnización*f* (p. 14).
Lúcidamente, S NCHEZ FERLOSIO ausculta el lamento de la víctima*f*, lo comenta y concluye que el principium individuationis debe centrarse en el sujeto del dolor, y señala el genuino fundamento del respeto al individuo en lo que es realmente alcanzado por el sufrimiento, de manera que el dolor es absolutamente irreparable*f* (p. 15).
Mi colega y amigo el catedrático de Derecho penal de la Universidad de Giessen, Arthur KREUZER(1998), Kain und Abel. Kriminalwissenschaftliche Betrachtungen zu einem Menschheitsthema*f*, en el libro-homenaje al Prof. Günther Kaiser, Internationale Perspektiven in Kriminologie und Strafrecht, Duncker & Humblot, Berlin, volumen I, pp. 215-235, patentiza, con amplia bibliografía, que a la señal de Caín se le han atribuido múltiples y diversos significados.
[108] Victoria CAMPS (1996), Sobre el derecho y la moral. Apostilla a Rafael Sánchez Ferlosio*f*,Claves de razón práctica, N 66, octubre, pp. 76 s.
[109] Reyes MATE RUPÉREZ (1999), La autoridad de las víctimas*f*, El País, de 1 de febrero: La señal de Caín es el signo exterior de la permanencia de la culpa en la conciencia del asesino*f*.(Merece especial elogio este artículo, por sus inteligentes reflexiones en favor de las víctimas de ETA). Apareció también posteriormente en la revista La Razón, Madrid, N 34, primer trimestre de 1999, p. 20.
[110] Rafael AGUIRRE (1999), Verdad y perdón*f*, El Correo, Bilbao, 1 de abril.

no así en el campo de la Moral. Esta, según ellos, pertenece a otro orden más profundo y óntico de las cosas. Es decir, el daño moral — si no caemos en una frívola negación de la objetividad y realidad de la bondad/maldad de nuestros actos — es inconmensurable, el dolor humano es absolutamente irreparable, la culpa moral es irredimible, la señal de Caín*f* expresaba impunibilidad o inexpiabilidad de la culpa y su permanencia en la conciencia del asesino, así como su irreversible e imborrable remordimiento. El arrepentimiento pretende un imposible (borrar, perdonar el pasado), pues no es una intervención quirúrgica que extirpa y suprime virtualmente la vida pasada, como tampoco es una supresión de las acciones pasadas. Estas permanecen en eterno retorno, en mnemotécnica al rojo*f*, según formuló NIETZSCHE[a]

Con éstas y otras serias argumentaciones, muchos y eminentes juristas, moralistas, teólogos, filósofos, poetas, etcétera, abocan a conclusiones semejantes y, en cierto sentido, innegables: los delitos muy graves no pueden resarcirse plenamente y no prescriben[111]; a la madre nadie le devuelve su hijo asesinado; como indicó PLATÓN, lo factum nunca será non factum*f*; y como escribió el Premio Nobel SULLY-PRUDHOMME, en su poesía El búcaro roto*f*, cuando se rompe un bello jarrón, roto está para siempre[112].

No discuto estos discursos lógicos y racionales, pero cabe matizarlos y coordinarlos razonablemente, a tenor de la lógica pascaliana del corazón, la vía negativa del conocimiento, la unidad de los contrarios, la coincidentia oppositorum de Nicolás de CUSA, del Maestro Johann ECKHART, etcétera[113]. Cabe integrarlos, en tensión polisémica, con

---

[111] La Asamblea de las Naciones Unidas, el 26 de noviembre de 1968, aprobó por mayoría un proyecto de Convención sobre la imprescriptibilidad de los crímenes de guerra y crímenes de lesa humanidad. Votaron a favor 57 países; en contra 6, y se abstuvieron España y otros 35 países. La Convención definitiva entró en vigor el 11 de noviembre de 1970. Véase también el Convenio europeo para la imprescriptibilidad de los crímenes contra la humanidad, de 1974.
Actualmente en España el delito de genocidio no prescribe en ningún caso, según el artículo 131.4 del Código penal.

[112] Antonio BERISTAIN (1982), La dimensión religiosa en la Filosofía de la Política criminal. El Derecho penal del homo pius*f*, en IDEM (compilador) Estudios Vascos de Criminología, Mensajero, Bilbao, 330-346 (340-342).

[113] Respecto al Maestro ECKHART, cfr. Willigis JÄGER (1995), En busca del sentido de la vida. El camino hacia la profundidad de nuestro ser, trad. del alemán de Carmen Monske, Narcea, Madrid, pp. 230 s., pp. 107-114.
También S NCHEZ FERLOSIO, CAMPS, MATE y AGUIRRE matizan y relativizan con inteligencia sus posturas morales.

otras indudables verdades, sobre todo con las cuatro siguientes: 1 .- a todo infractor (al delincuente y, en su tanto, al pecador) hemos de reconocerle la posibilidad y el deber de resarcir, al menos parcialmente, el daño que ha causado; 2 .- su factum, su hecho, puede no permanecer tal hecho, si él, sincera y generosamente, atiende-repara a quien agravió, perjudicó o lesionó; las heridas, dejarán de ser heridas, se convertirán en cicatrices, o incluso en renovada salud; 3 .- las víctimas pueden y deben perdonar al victimario, cuando éste cumple determinadas condiciones y obligaciones, pues sin perdonar no se puede vivir, ni convivir. Mucho menos se puede disfrutar del crecimiento, del desarrollo, del progreso, que todos naturalmente deseamos[114]; y 4 bonum est faciendum, malum est vitandum, hay que hacer el bien y evitar el mal; el mal moral a veces no se debe sancionar, pero siempre se debe evitar.

El Derecho penal proclama que la memoria de los delitos permanece y permanece su esencia, pero no permanece su existencia merecedora de sanción; y proclama que los delitos generalmente prescriben. Estos principios básicos se apoyan en realidades antropológicas innegables (la evolución universal, el panta rei, todo cambia, de HERACLITO) y en imponentesƒ dogmas de las grandes religiones cuando entronizan la persona como Mysterium tremendum, valor-himno numinoso, imagen del Creador y Recreador[115].

De modo semejante, la Moral humana no puede atribuir a un hecho o comportamiento éticamente malo, ni a un sufrimiento o sentimiento personal el carácter de absoluto, permanente, inmodificable, imperdonable. Esos adjetivos pertenecen, y suelen atribuirse, sólo a lo no creado, a la verdad tautológica o la divinidad y su castigo-infierno de acuerdo con tal o cual mitología expiatoria a ultranza[116].

---

[114] Hannah ARENDT (1996), La condición humana, Paidós, Barcelona, pp. 255-276.

[115] Rudolf OTTO, Das Heilige. Hay trad. castellana: Lo santo. Lo racional y lo irracional en la idea de Dios, trad. de Fernando Vela, Alianza, Madrid, 1985, pp. 22 ss., 47 ss.

[116] El infierno no puede justificare en sí mismo, ni siquiera en nombre de la autocondenación elegida libremente, porque se olvidaría la dimensión trágica del pecado y el contexto situacional, al que alude el pecado original, que condiciona la libertad[a] Hay que evitar confundir un símbolo funcional con una doctrina especulativa. Es un término exhortativo, intencional y performativo, que no puede interpretarse desde la mera referencia semánticaƒ.Juan Antonio ESTRADA (1997), La imposible teodicea. La crisis de la fe en Dios, Trotta, Madrid, p. 371.
En sentido idéntico, W. JÄGER (1995), En busca del sentido de la vida, pp. 230 ss.:
Hay en nosotros un lugar inalcanzable para la culpaƒ[a]

Permítasenos adherirnos a los muchos psicólogos, filósofos, teólogos, juristas y moralistas que, aunque con matizaciones diversas[117], coinciden fundamentalmente en afirmar que el crimen (y, en su tanto, el pecado) pueden prescribir y ser reparados y perdonados, a pesar de que la memoria de su esencia y su culpa permanezca.

Cuando, por ejemplo, alguien opina que una persona infringe y lesiona el supuesto derecho subjetivo histórico de un pueblo, como el yugoslavo desde la emblemática batalla de Kosovo Polje, el 28 de junio de 1389, podrá decir que esa infracción violó un derecho histórico, pero no que realizó un crimen irreversible, irreparable o inconmensurable.

Todo victimario puede y debe reparar, transformar, devorarf, su infracción jurídica y/o moral, como y por lo mismo que el dios del tiempo, Saturno, devora a sus hijos, a sus obras. Esta realidad imponente entra por los ojosf a quien contempla el cuadro de GOYA. De modo semejante, todas las víctimas pueden lograr la catarsis de su tragedia, pueden transformar su lesión y perdonar; sin que ello implique olvido[118].

Las modernas ciencias sociales patentizan que los males realizados por los hombres son, en cierto grado, mensurables y más o menos reparables. Baste recordar la antropología de Paul RICOEUR cuando analiza y describe a la persona como finita. Lo finito es siempre limitado y, por lo tanto, mensurable. Ni quince delitos, ni cien delitos, equivalen todavía con su autor. Este no coincide jamás entero con sus crímenes[119]. La razonable (aunque no racional) posibilidad jurídica y ética del perdón brota desde el fondo más profundo e inconsciente de la persona, desde nuestro hontanar religioso, en terminología de PINATEL, ZUBIRI, ELLACURIA, SOBRINO, LAIN ENTRALGO, ARANGUREN y otros especialistas[120].

---

[117] Atinadamente Rafael AGUIRRE (1999) indica que: la sociedad no puede dejar de poner a los victimarios ante sus responsabilidades. Y la sociedad vasca está aquejada de una falta básica de referentes moralesf. Cfr. Verdad y perdónf, en El Correo y en El Diario Vasco, del primero de abril 1999.

[118] Transportando el factum", el hecho, a un plano superior, me coloco a mí mismo, coloco mi existencia en un grado superior. Victor FRANKL (1987), El hombre doliente. Fundamentos antropológicos de la psicoterapia, versión castellana de Diorki, Herder, Barcelona, pp. 254, 263.

[119] Vladimir JANKELEVITCH (1999), El perdón, trad. del francés de Núñez del Rincón, Seix Barral, Barcelona, p. 112.

[120] José Luis L. ARANGUREN (1958), Ética, 3 edición (1983), Alianza, Madrid, pp. 103 ss., 122 ss., 288 ss. JUAN PABLO II (1980), Dives in misericordia, Roma. Jean

Ante sus problemas fundamentales, el Derecho y la Moral inexorablemente buscan y encuentran cierta estructura radical espiritual. Dentro
de las grandes confesiones subyace un reducido fondo común: el pecado
(y de manera similar, aunque no idéntica, el delito) es irrevocable e
irreversible, pero sólo en cuanto a su fenomenología, a su acontecimiento
y contenido, no en cuanto a su sentido. Perdura el signo, pero cambia el
significado. Cuando un creyente se arrepiente y pide perdón, su pecado
se transforma, se purifica, se reforma, se rehace y desaparece, aunque
no desaparece el haber pecado*f*. Algo semejante y con más fuerza cabe
decir acerca del crimen.

Desde las coordenadas cristianas y de otras religiones se ha de
afirmar que los victimarios, por su dignidad inalienable como hijos de
Dios[121], pueden y deben reparar sus victimaciones. También, por lo
mismo, las víctimas pueden y deben perdonar. Así lo proclama la
parábola del hijo pródigo, interpretada sin frivolidad. Ninguna mala
acción humana es imperdonable en el ámbito evangélico[ª] y humano[122].
Pierre TEILHARD DE CHARDIN niega que en nuestro mundo haya
algo irresucitable, irreparable. La peculiar actitud del cristiano, radica
en la reparación, superación y recreación (la véritable attitude chrétienne,
n est pas détruire, mais surcréer)[123].

En resumen, del sistema penal-penitenciario tradicional, inquisitorial
y vengativo estamos pasando al FUTURO, ESPERANZADOR y UTOPI-
CO, al protector y repersonalizador de los victimarios, pero no menos de

---

PINATEL subraya la importancia de la ciencia lingüística para el tratamiento de los
condenados porque facilita la comunicación al centro profundo de la persona.
PINATEL (1989), Criminologie et Lingüistique*f*, en Criminología y Derecho penal
al servicio de la persona. Libro-Homenaje al prof. Antonio Beristain, compilado por
J.L. DE LA CUESTA, I. DENDALUZE, E. ECHEBURUA, Instituto Vasco de
Criminología, San Sebastián, pp. 341-349 (347). IDEM (1991), De la recherche
clinique à la clinique criminologique*f*, en Nouvelles Approches de Criminologie
clinique, sous la direction de R. OTTENHOF et A. M. FAVARD, Erès, Toulouse, pp.
225-262 (262: el núcleo central exige un clima moral, afectivo, religioso).

[121] Pablo de Tarso, Epístola a los Gálatas, capít. 2, versíc. 20: Vivo yo, ya no yo, Cristo
vive en mí*f*.

[122] Henri J. M. NOUWEN (1996), El regreso del hijo pródigo. Meditaciones ante un
cuadro de Rembrandt, trad. de I. García de Alzuru, edit. PPC, Madrid, pp. 107 ss,
149 ss.

[123] Pierre TEILHARD DE CHARDIN (1957), Le Milieu divin. Essai de vie interieure,
Ed. du Seuil, Paris, 1957, pp. 110 ss., 137 ss., 185. Desde otro punto de vista, X.
ZUBIRI e I. ELLACURIA hablan de una acción recreadora, resurreccional*f*, cfr.
Pedro LAIN ENTRALGO (1992), Cuerpo y alma, Espasa Calpe, Madrid, pp. 270 ss.

las víctimas[124]. Así, pretendemos superar las actuales políticas penitenciarias fundamentales y aplicadas, pretendemos pergeñar y practicar su
alternativa que se respetará y desarrollará más los derechos-deberes en
las innovadoras instituciones preventivas y readaptadoras; así, se
avanzará también, paralelamente, desde el radicalismo étnico y el
nacionalismo agresivo hacia la cultura de la paz en el País Vasco, en
España, en Kosovo y en el mundo[125].

4. Anexos

Anexo 1

LA SUPERACIÓN DE LA CÁRCEL
(Medidas alternativas)

Entre los meses de noviembre de 1993 y marzo de 1994 un grupo
de hombres y mujeres vinculados al mundo de la cárcel ha participado en un Seminario organizado en Barcelona conjuntamente por el
Centro Cristianisme i Justícia*f* y por el Secretariado Nacional de
Pastoral Penitenciaria*f*. El tema abordado ha sido LAS CARCE
LES, HOY*f*. La reflexión del Seminario se ha visto enriquecida por
la experiencia de trabajo que los participantes han tenido (y siguen
manteniendo) en diversas cárceles españolas, mayoritariamente
como Voluntarios Cristianos de Prisiones*f*. Al final de las sesiones
se redactó un escrito de Conclusiones, en el que quedan reflejadas
sus posiciones y propuestas acerca de la pena privativa de libertad.
Hoy quieren dar a conocer públicamente esas Conclusiones, dirigidas a toda la sociedad española y a la Iglesia en particular. De modo
especial, quieren hacerlas llegar a políticos y legisladores, jueces y
magistrados, fiscales y abogados. A todos los que tienen alguna
función en el complejo mundo de la justicia.

---

[124] Antoine GARAPON (1997), Juez y democracia. Una reflexión muy actual, trad. de
M. Escrivá de Romaní, Flor del viento, Barcelona, pp. 114 ss., 133 ss., 226 ss. (A los
presos y mucho más a las víctimas del terrorismo hay que tratarlas como sujetos
políticos*f*, como personas, y no como objetos de compasión, p. 284).

[125] Actualmente, tanto el terrorismo como sus respuestas jurídicas, conllevan dimensiones internacionales: Terrorism has become a worldwide problem*f*, como concluye John F. LEWIS (1999), Fighting Terrorism in the 21st Century*f*, FBI, Law
Enforcement Bulletin, marzo 1999, pp. 3-10.

fi   Los medios de comunicación social: la información que desinforma

1.- Hay un vacío importante de información acerca de la situación real de la delincuencia. La opinión pública carece a menudo de una información mínimamente objetiva. Los medios de comunicación social han contribuido demasiado a alimentar la idea de que la cárcel es la única salida razonable al problema de la criminalidad*f*. Y eso no es cierto.

2.- En varios países de nuestro entorno socio-cultural existen otro tipo de medidas (sustitutivas y alternativas a la simple cárcel) que funcionan bien. Desgraciadamente, los medios de comunicación mantienen desinformada a la opinión pública acerca de la existencia y eficacia de esa vía de solución del problema de la criminalidad, alternativa a la simple privación de libertad.

fi   Un sistema que posibilite (en la letra y en la práctica) la prevención y la integración

3.- Sin duda, los políticos y legisladores cuentan con mejores canales de información. Pero parecen ignorarlos. Saben positivamente que la prisión no es en absoluto el único instrumento de que dispone una sociedad para la resolución de conflictos. Por qué no decidirse a implantar progresivamente medidas alternativas de respuesta a la criminalidad? Por qué no fomentar una vía que suponga una implicación del conjunto de la sociedad?

4.- El actual tipo de percepción que la sociedad hace de la problemática de la delincuencia es a todas luces insuficiente. Se hace necesario un nuevo modelo de percepción social basado en las categorías de prevención*f* y de integración*f*. A través de la prevención se ha de intentar incidir activamente en las situaciones sociales que facilitan el nacimiento de la criminalidad, de tal modo que ésta no llegue a surgir o quede enormemente reducida. A través de la integración se posibilita que diferentes estructuras normales de la sociedad (y no sólo las creadas especialmente para presos) sean capaces de acoger al delincuente a fin de posibilitar su reubicación en la comunidad de ciudadanos lejos del mundo de la criminalidad. Para acabar con una excepción social incómoda*f* (la delincuencia), la única salida no es otra excepción incómoda*f* (la cárcel), sino también la reinstalación progresiva en la normalidad social*f* (esto es, la participación del delincuente en diferentes estructuras de la sociedad).

5.- Nuestras prisiones están saturadas de población, sobrecargadas de presos, sin que ello suponga una verdadera solución al problema de la delincuencia. Las Administraciones Penitenciarias han optado simplemente por crear Centros aún mayores y algo más humanos, pero el problema de fondo subsiste. Resulta paradójico (y hasta grotesco) que a finales del siglo XX, tanto juristas como ciudadanos, todavía no hayamos sido capaces de decidirnos a intentar la puesta en marcha de medidas sustitutivas o alternativas, cuando se hace cada vez más patente que el simple método de la privación de libertad no lleva muy lejos.

6.- Sin duda, en nuestra legislación existen algunas medidas que apuntan hacia una tímida apertura de miras, todavía notablemente insuficiente. Pero el problema reside entonces en el espíritu restrictivo y estrecho que se adopta a la hora de ponerlas en práctica. Demos algunos datos como botón de muestra:

˘ Existe una regulación legal acerca de la denominada remisión condicional f. El uso que de ella hacen los jueces es escasísimo.

˘ Es sabido que la libertad condicional es el último grado de la escala que lleva hacia la total libertad del penado. Para disponer de ella hay que tener asignado el denominado Tercer Grado de Tratamiento f. El paso a este Tercer Grado (y, en consecuencia, al uso de la libertad condicional) se ha visto afectado de forma restrictiva, en buena medida debido a la fuerte presión que han ejercido diversos medios de comunicación social en la valoración de determinados hechos delictivos acaecidos puntualmente.

˘ El Reglamento Penitenciario prevé la posibilidad de ingreso en instituciones extrapenitenciarias a los penados necesitados de un tratamiento contra la toxicomanía. En la práctica, pocas veces se aplica esa medida.

fi   Una aplicación posible y eficaz, aunque no sin dificultades

7.- Es obvio que el establecimiento de nuevas medidas alternativas (tal y como contempla el Derecho Comparado) no se hará sin dificultades. Pero ello no debe suscitar dudas sobre su aplicabilidad o sobre su viabilidad. Esas medidas pueden introducirse en nuestro sistema jurídico con eficacia, sin que ello suponga un coste económico adicional para la Administración de Justicia.

El objetivo de las nuevas medidas de tipo alternativo será fundamentalmente el mismo que ya se persigue en países de nuestro entorno cultural. Hay que hacer saber a la sociedad que la aplicación de estas medidas no alterará las actuales estructuras de la Administración de Justicia o de la Administración Penitenciaria.

fi   Propuestas concretas

8.- El debate acerca de la viabilidad y conveniencia de las medidas alternativas o sustitutivas ya ha durado demasiado. Ha llegado el tiempo de la toma de decisiones, por lo cual urge que se ponga en marcha la regulación y aplicación de esas medidas. Para ello será necesario lo siguiente:

- ˇ Adecuar la denominada Probation *f* a nuestro actual ordenamiento jurídico. Se hace necesaria una regulación amplia de los supuestos que permitan la aplicación de la Probation *f*, tanto en lo que se refiere al sujeto infractor como en lo que afecta a la calidad del delito.

- ˇ Elevar la edad penal a los 18 años. Con ello se equipararía la edad de la plena responsabilidad penal a la mayoría de edad civil.

- ˇ Potenciar con eficacia el principio de oportunidad *f*. El hecho de introducir este principio en nuestro ordenamiento jurídico no ha de suponer en absoluto una violación del principio de legalidad *f*.

- ˇ Atribuir un papel más destacado al Ministerio Fiscal en todo lo que se refiere a la apertura, a la suspensión o al archivo de estos procedimientos penales. Esta función más amplia dada al Ministerio Fiscal deberá desarrollarse según el principio de oportunidad *f*, que ya ha sido mencionado en el punto anterior.

- ˇ Conviene fomentar la implicación activa de la sociedad en la puesta en marcha de medidas alternativas a la pena privativa de libertad. Ello supondrá, entre otras cosas, establecer el sistema de mediación *f* (designación de un árbitro *f* que ayude a las partes enfrentadas a llegar a un acuerdo), así como potenciar en general la conciliación víctima/delincuente *f* y posibilitar que los penados puedan realizar trabajos de utilidad pública, así como servicios diversos a la sociedad.

- ˇ Se hace necesaria la creación de fórmulas intermedias que posibiliten la implicación del conjunto del sistema penitenciario en la aplicación práctica de las nuevas medidas alternativas. La Administración Penitenciaria debe contar con la posibilidad de aplicar medidas más eficaces para la integración social de los penados, con el ineludible control judicial.

9.- La prisión preventiva$f$ (esto es, la prisión durante el tiempo de espera del juicio) ha de quedar reducida a los mínimos casos. Este principio ya está contemplado en las Resoluciones del Consejo de Europa, en las que se recomienda la aplicación de medidas alternativas que permitan lograr el mismo objetivo que se persigue con la simple prisión preventiva.

10.- Los derechos del detenido y del preso han de ser respetados escrupulosamente. Para lograr ese respeto habitual de los derechos del preso será conveniente regular de forma más eficaz el funcionamiento del Turno de Oficio, así como facilitar la elección de un abogado a los detenidos que carezcan de recursos económicos suficientes.

11.- Conviene que se modifique la legislación acerca del Indulto Particular. A través de este instrumento jurídico se facilita que la Justicia pueda adaptarse al caso concreto de cada penado, con lo que se obtienen dos frutos importantes: en primer lugar, se evitan las situaciones anormales derivadas del retraso en la Administración de Justicia; y en segundo lugar, se agiliza la rehabilitación y la integración social de los penados. Sin duda, el Indulto deberá ser siempre aplicado a la luz de los principios de Oportunidad, Legalidad e Igualdad ante la Ley.

12.- Se hace necesaria la aplicación más decidida del principio de intervención mínima del sistema penal$f$. Esto supone pasar a la Jurisdicción Civil algunas conductas inscritas todavía en la Jurisdicción Penal. Aún hay un buen número de infracciones que son consideradas absurdamente como delito$f$ y que en consecuencia se encuentran en el sistema penal. El lugar natural que les correspondería sería la Jurisdicción Civil y la Administrativa.

13.- Ya ha pasado el tiempo del debate ideológico entre los partidarios del abolicionismo$f$ (los que propugnan la total desaparición del Código Penal) y los partidarios del reformismo$f$ (los que defienden el actual Código Penal y promueven sólo algunos retoques). Prolongar esa discusión resulta hoy simplemente estéril. Sin duda, el camino a seguir reside en una buena síntesis entre las razones más aprovechables que utilizan unos y otros para defender sus posiciones.

Barcelona, 8 de marzo de 1994

Anexo 2

DECÁLOGO DEL VOLUNTARIADO EN LAS CAPELLANÍAS PENITENCIARIAS

1. La/el VOLUNTARIA/O es una PERSONA

   Primacía de la acción comunicativa (Habermas) sobre la acción técnica.

   Formación penitenciaria, criminológica, victimológica y humanista.

2. Colabora altruísticamente. No es una profesional. Tiene OTROS deberes y derechos (Creer, esperar, amar. LAIN ENTRALGO) (Legislación penitenciaria nacional e internacional).

3. Se asocia libremente. No trabaja individualmente. Conoce y desarrolla sus propias motivaciones. Su finitud y su culpabilidad. (Paul RICOEUR).

4. Cultiva una sensibilidad especial. Practica y fomenta el arte de escuchar a las otras personas y al propio cuerpo. Procura atender a las personas diferentes. Psicología de la alteridad (LEVINAS).

5. Intenta entender a las personas marginadas. A las víctimas y a las victimarias (El Profeta, Khalil GIBRAN).

6. Desea trabajar como catalizador que dinamiza la integración. Desea evitar toda sanción y alcanzar pronto la CONCILIACION, e incluso la RECONCILIACION.

7. Prefiere la justicia restaurativa a la retributiva. Busca la justicia RECREATIVA, dentro de las coordenadas jurídicas.

8. Ante todo, RESPETA al asistido, en peculiaridad, única, intocable ƒ (El Principito, Saint-Exupéry). Trabaja en la CAPELLANŸA, más que con o al servicio del capellán.

9. Intenta, sin lograrlo, practicar una religión abierta (Etica Universal, Hans KÜNG), de servicio más que de poder, de mística más que de normas prohibitivas (San Juan de la Cruz, Santa Teresa), de bailes, de canciones nuevas (Psalmos de David).

10. Sueña con vivir para que los demás tengan vida y vida en más abundancia y profundidad, porque dar es mejor que recibir y pedir[a] pero también esto es bueno. (Tony de Mello).

Anexo 3

Situación de internos pertenecientes a ETA

Fuente ABC, 9 de mayo de 1999. Dentro de su política penitenciaria individualizada, el gobierno acercará durante el mes de mayo a cinco presos de ETA a cárceles del País Vasco. Desde que la banda terrorista declaró el alto el fuego, veintinueve reclusos etarras han sido aproximados a centros penitenciarios vascos.

En abril de 1992 la situación de los presos de ETA era la siguiente: de los 535 reclusos, 200 eran preventivos que estaban pendientes de juicio, por lo que no les afectaba la reclasificación. En torno a 40 disfrutaban ya del tercer grado en las prisiones de Martutene (San Sebastián), Basauri (Vizcaya), Pamplona y Nanclares de Oca (lava). Poco más de un centenar estaban clasificados en segundo grado, aunque ninguno disfrutaba de permiso de salida por no haber cumplido aún la cuarta parte de la pena o por no tener el informe de la junta de régimen de prisión. Finalmente, 180 presos considerados el grupo de los irreductibles, por mantener fidelidad absoluta a las consignas de la organización, permanecían en primer grado y no gozaban de beneficio alguno[126].

San Sebastián, 31 julio 1999

XV. PROTAGONISMO DE LAS VICTIMAS EN LA EJECUCION PENAL[*] (hacia un sistema penitenciario europeo)

DEDICATORIA:
A todas las personas privadas de libertad.
A los funcionarios penitenciarios,
víctimas del terrorismo de ETA,
con profunda empatía trágica.
También a los victimarios,
con fraternal esperanza de metanoia.

SUMARIO: 1.- Atendamos a Abel más que a Caín. 2.- Finitud y culpabilidad: Tenemos las manos manchadas. 3.- La reparación a las víctimas atenúa la sanción: abrevia la privación de libertad. 4.- La satisfacción de las responsabilidades civiles a las víctimas como llave para la suspensión de la ejecución de la sanción privativa de libertad. 5.- ¿Deben las víctimas mediar en la *Sentencing*? 6.- ¿Evitar el desarraigo social de los condenados por terrorismo? 7.- ¿Intervienen las víctimas en las alternativas a la prisión? 8.- ¿Pueden las víctimas "entrar" en la prisión? 9.- ¿Juez de Vigilancia *versus* Director de Recursos Humanos de las víctimas? 10.- Estadística de Víctimas de los diversos delitos en España. 11.- A modo de miniconclusiones, desde Francia.

---

[126] A. Vercher Noguera, Terrorismo y reinserción social en España*f*, La Ley, n 3.501, Madrid, 19 abril 1994.
NOTA: Agradecemos a La Ley, Revista Española de Doctrina, Jurisprudencia y Bibliografía, la gentileza de permitir la publicación de este artículo (ya aparecido en sus núms. 4876 y 4877, de septiembre 1999).

[*] Cfr. Actualidad Penal, núm. 37, 9-15 octubre 2000, pp. 785-799.

1. Atendamos a Abel más que a Caín

Europa logrará la utopía que todos deseamos cuando y en tanto en cuanto sus instituciones penitenciarias sean verdaderamente humanas y fraternales. Las respuestas que demos a quienes infringen las normas penales importan más que el Euro, como moneda única. Nuestras prisiones europeas salvo excepciones aisladas están pidiendo a gritos una reforma radical, como lo muestran, por ejemplo, los 20 números del Penological Information Bulletin, del Consejo de Europa, y recientemente el Bulletin d information pénologique, n 21, dirigido por Wolfgang RAU. Quienes pensamos y trabajamos en este campo debemos reunirnos para estudiar a fondo las coordenadas de un mejor Sistema de Prevención y Readaptacion Social y, sobre todo, de algo mejor que nuestro actual Sistema penitenciario (Gustav RADBRUCH). Sin duda las prisiones europeas son menos pobres que las del tercer mundo, pero probablemente son también menos humanas[127].

En el ámbito penitenciario de la Unión Europea hemos estudiado poco el papel de las víctimas. Hasta hoy nos hemos preocupado unilateralmente de los seguidores de Caín, pero nada o casi nada de los herederos de ABEL. A éstos hemos de prestarles más atención científica. Aunque parezca imposible, algunas leyes penitenciarias en Europa, como la española Ley Orgánica General Penitenciaria del 26 de septiembre de 1979 y su Reglamento de 9 de febrero de 1996, lamentablemente dedican poquísimas palabras en atención a las víctimas de la criminalidad. Olvidan que ya desde finales del siglo XIX los Congresos penitenciarios en diversas capitales europeas (Londres 1872, Estocolmo 1878, Roma 1885, San Petersburgo 1890, Amberes, etcétera), se preocupaban del problema de la necesaria reparación a las víctimas del delito[128].

Ahora deseo formular algunas reflexiones acerca de las víctimas como columnas básicas alfa y omega del Derecho penitenciario europeo. Considero preferible referirme a las víctimas en plural, no en singular. Así nos hacemos cargo también de las víctimas indirectas, a las

---

[127] Cfr. José Luis PÉREZ GUADALUPE, La construcción social de la realidad carcelaria. Los alcances de la organización "informal" en cinco cárceles latinoamericanas: Perú, Chile, Argentina, Brasil y Bolivia, Editorial Obispado, Lima, 2000, 436 pp.; Julio Andrés SAMPEDRO, Apuntes sobre la resocialización en el sistema penitenciario colombianof, Eguzkilore, núm. 12 extr., San Sebastián, 1998, pp. 107 ss.

[128] Cfr. Myriam HERRERA MORENO, La hora de la víctima. Compendio de Victimología, Edersa, Madrid, 1996, pp. 79 ss.

que tantos penitenciaristas, capellanías de las diversas religiones[129], Jueces, Tribunales y medios de comunicación olvidan, como si no existieran. Trataré casi exclusivamente de España, pero dentro del marco europeo.

2. Finitud y culpabilidad: tenemos las manos manchadas

En los II Encuentros Penitenciarios de Euskadi   diciembre del año 1992   se reunieron, un fin de semana, en el Balneario de Cestona (Guipúzcoa), treinta funcionarios de Instituciones Penitenciarias del País Vasco   del establecimiento de Basauri, de Martutene y de Nanclares de la Oca   para, mirando al futuro, programar unas acciones conjuntas, para ganar el respeto del preso, no su temor *f*. A la última sesión, la mañana del domingo día 13, nos invitaron al Presidente de la Audiencia de San Sebastián y a un par de personas más, para dialogar públicamen- te con nosotros acerca de lo que habían discutido y concluido. Cuando me llegó el momento de intervenir, alabé sinceramente el contenido y el estilo de las ocho o diez conclusiones que habían formulado, pero les propuse que añadiesen una, cuyo texto sería poco más o menos así: Nosotros, conscientes de nuestra finitud y culpabilidad, en el sentido que indica Paul RICOEUR, reconocemos, ante las personas privadas de libertad por sentencia judicial, que tenemos las manos manchadas (SARTRE). Les pedimos que perdonen tantas limitaciones y deficiencias estructurales y personales *f*.

Tras unos minutos de discusión, fue aceptada mi propuesta. La recuerdo y la reitero ahora porque la estructura de las instituciones privativas de libertad es necesariamente culpable *f* y nos mancha las manos a todos los que trabajamos en la teoría y en la praxis de tales sanciones, de tales amargas necesidades *f*. Las prisiones del siglo XXI deben ser realmente fábricas de capital humano, repersonalizadoras. Por esto, tenía razón el condenado en el Corredor de la muerte, de que habla la Sister Helen PREJEAN, en su libro Pena de muerte[130] cuando le dijo a un capellán   no a todos los capellanes   de la institución: Mira tío, tú recibes un sueldo de esta gente, trabajas para esta gente y estás de acuerdo con la pena de

---

[129]   Cfr. Philippe LANDENNE, S. J., Résister en prison. Patiences, Passions, Passages,   , Lumen vitae, Bruselas 1999, pp. 212-232

[130]   Sister Helen PREJEAN, Pena de muerte, trad. Maite Subirats, Ediciones B, S. A., Barcelona, 1996, pp. 169, 295.

muerte. No necesito tu ayuda para nadaª Es difícil oponerse a la política de una organización cuando estás en su nóminaƒª [131].

Sí, digámoslo con sinceridad, quienes trabajamos o colaboramos en instituciones penitenciarias, aunque no estemos en su nómina, tenemos la conciencia intranquila pues la estructura prisional, en sí misma, con o sin nuestro asentimiento, no protege suficientemente al privado de libertad. No es protectora de los criminales, como propugnaba el insigne maestro DORADO MONTERO. Al contrario, con sobrados argumentos puede hablarse hoy de victimación carcelaria[132].

En este momento me permito una indicación acerca de algunas personas que criticamos las instituciones penitenciarias, pero que, según algunos especialistas radicales, formulamos unas críticas superficiales e ineficaces. Quizás estén en lo cierto nuestros adversarios [no enemigos], pero se les puede criticar a ellos de una lamentable parcialidad y/u omisión: nunca o casi nunca se preocupan de las víctimas, o lo hacen sólo en cuanto testigos del delito. En mi opinión, las víctimas merecen no menos atención que los delincuentes. Sobre todo si lo son del terrorismo, porque conllevan multitud de víctimas indirectas. Nuestros adversarios, en sus reflexiones, olvidan la armonía y el equilibrio que, como repetía E. RUIZ VADILLO[133], deben acompañar siempre los trabajos de los juristas. En casos extremos cabe preguntarse si algunos de ellos caen en cierto maniqueísmo.

Después de esta introducción que considero necesaria para eliminar prejuicios, preconceptos y presentimientos estamos mejor capacitados para reflexionar sobre el protagonismo de las víctimas en la ejecución penal.

Pasemos, pues, a estudiar el parco papel que juegan y el mucho mayor que deberían jugar las víctimas en la ejecución de las sanciones, especialmente en las privativas de libertad, en cuanto que:

   ˘ las abrevian o las sustituyen: si reciben reparación de sus daños, si logran una mediación satisfactoria, si entran en juego otras

---

[131] Para superar, parcialmente, sólo parcialmente, esta dificultad, en España y en otros países las capellanías penitenciarias no figuran en la nómina del ministerio sino en la de la institución eclesial.

[132] Cfr. Gerardo LANDROVE DŸAZ, La moderna Victimología, Valencia, Tirant lo Blanch, 1998, pp. 161 ss., 201 ss.).

[133] Cfr. Eguzkilore. Cuaderno del Instituto Vasco de Criminología, núm. 13 extraordinario, marzo 1999, pp. 281 ss.

sanciones alternativas: arresto en los fines de semana, trabajo en favor de la comunidadª

˘   y las humanizan: si se introducenƒen la prisión para relacionarse y reconciliarse con los victimarios.

3. La reparación a las víctimas aten a la sanción: abrevia la privación de libertad

La doctrina, la legislación y la jurisprudencia penal en los últimos treinta años, haciéndose eco de las múltiples críticas contra las institu-ciones penitenciarias en todos los países, va concediendo cada vez más importancia a la atención reparadora hacia las víctimas (las grandes ausentes del Derecho penal y del sistema penitenciario universal), como patentizan los innumerables trabajos de la Sociedad Mundial de Victimología, con sus varios centenares de socios en todos los continen-tes, aunque en España no llegamos a la media docena.

Como era de esperar, nuestro Código penal de 1995 introdujo algunas innovaciones en este campo, pero debe avanzar todavía más. El nuevo artículo 21, al regular las atenuantes, establece como circunstancia 5 , La de haber procedido el culpable a reparar el daño ocasionado a la víctima, o disminuir sus efectos, en cualquier momento del procedimien-to y con anterioridad a la celebración del acto del juicio oralƒ. Tiene en cuenta y mejora algo la redacción del Código anterior de 1973 que, en su artículo 9, decía: La de haber procedido el culpable antes de conocer la apertura del procedimiento judicial y, por impulsos de arrepentimiento espontáneo, a reparar o disminuir los efectos del delito, a dar satisfac-ción al ofendido o a confesar a las autoridades la infracciónƒ.

Ahora nos limitamos a comentar brevemente el acierto del Código de 1995 al tomar en consideración la reparación a el daño ocasionado a la víctimaƒ,y prescindimos de las modificaciones, aunque son importantes. El código de 1973 tenía en cuenta la reparación o la disminución de los efectos del delitoƒ en general, sin referencia directa a las víctimas; en cambio, ahora se especifica que se trata de disminuir los efectos de el daño ocasionado a la víctimaƒ[134]. En el ámbito semántico merece

---

[134] Lógicamente, los titulares del derecho a la reparación o indemnización son las víctimas y sus herederos, como especifica el Reglamento de Ejecución de la Ley 32/ 1999, de 8 de octubre, de solidaridad con las víctimas del terrorismo (arts. 11 y 14).

elogiarse, por una parte, la introducción de la frase el daño ocasionado por el delito*f* en lugar de los *efectos del delito*f (esta frase adolece de ambigüedad y abstracción), por otra parte la omisión del vocablo *ofendido*f que pertenece a la terminología del derecho penal tradicional y, un tercer aspecto, la introducción del vocablo *víctima*f, que ocupa un lugar central rebosante de sentido innovador en la nueva ciencia victimológica.

La nueva posibilidad del artículo 21.5 , en relación con el 70, de abreviar la sanción privativa de libertad, cuando el culpable repara el daño ocasionado a la *víctima*f, abre muchos horizontes teóricos, pero no tantos en la práctica pues una gran parte de las personas privadas de libertad, los autores de pequeños hurtos y pequeños robos, los *pobres diablos*f, cuando están encarcelados poco pueden hacer en favor de sus víctimas pues la institución les despersonaliza de tal manera que bastante tienen con sobrevivir, como analiza Philippe LANDENNE con datos concretos, aunque quizás exagerados o unilaterales[135].

Pero, otros internos, por ejemplo, los condenados por narcotráfico, terrorismo y diversas formas de delincuencia organizada, sí pueden hacer algo y, con frecuencia, mucho en favor de sus víctimas. La Ley 32/1999, de 8 de octubre, de Solidaridad con las víctimas del terrorismo (BOE del 9 de octubre), aprobada por unanimidad, reconoce atinadamente, y conviene proclamarlo públicamente, que son los autores de esos delitos quienes deben reparar a sus víctimas. Sólo cuando no lo cumplen, el Estado hace efectiva esa reparación subrogándose frente a los obligados al pago de sus indemnizaciones, debidas en estricta justicia, pero insuficientes ya que nunca pueden sustituir el dolor padecido. Urge que se caiga en la cuenta de que muchos delincuentes pueden llevar a cabo reparaciones más satisfactorias[136].

Para lograr el protagonismo debido de las víctimas y su reparación moral y material que ahora propugnamos habrá que conseguir un profundo cambio de mentalidad en la opinión pública, en muchas personas del mundo jurídico y en muchas que trabajan en las instituciones penitenciarias, no sólo quienes las dirigen. Habrá que insistir en que la Victimología reestructura lo medular del Derecho penal tradicional,

---

[135] Cfr. Philippe LANDENNE, S. J., Résister en prison. Patiences, Passions, Passages,   , pp. 214 ss.

[136] Cfr. Jaume SOLE RIERA, La tutela de la víctima en el proceso penal, Barcelona, J. M. Bosch, 1997, pp. 121 ss.

como indica, por ejemplo, Albin ESER en dos recientes estudios[137].
ESER afirma con acierto, en el primero, que el delito en cuanto conflicto
grave entre autor y víctimas corre peligro de entenderse (por los
penalistas retribucionistas que consideran al Estado como ejecutor de
una justicia superiorƒ)como excusa para el ejercicio del poder punitivo
del Estado, cuando en realidad el delito es una auténtica herida social
que debe, ante todo, sanarse, aunque sin olvidar que también exige un
mal adicional al delincuente (p. 141).

(Cabe preguntarnos, entre paréntesis, qué pretende sugerir ESER
cuando escribe Y, por último, de igual manera que el ser humano debe
temer la venganzadivina ,parece en consecuencia, que^{a}ƒ. Supongo que
no desea mantener la tradicional teología católica del Dios justiciero que
castiga con el infierno al pecador. En el año 2000 muchos teólogos de
suma autoridad y prestigio [por ejemplo, ESTRADA[138]] admiten el mito
del infierno, pero niegan su existencia real y opinan que Dios a nadie
castiga, sino que deja a las causas segundas, tan apreciadas por Santo
TOM S, que ellas respondan naturalmente a las personas que violan
gravemente las normas elementales de la convivencia, reservándose EL
la misión de perdonar siempre).

Como Director de un Instituto de Criminología he intentado, pero no
conseguido, llevar a cabo una información estadística de cuántas personas privadas de libertad en España reparan el daño ocasionado a sus
víctimas. Sí se ha hecho ya algo de esto en Francia, según datos
publicados por la actual Ministra de Justicia, la señora GUIGOU, en el
Anexo II de su Circulaire relative à la politique pénale d aide aux
victimes d infractions pénales, aparecida en el Bulletin Officiel du
minist re de la Justice, N 71, 1 julio-30 septiembre 1998[139]. Los

---

[137] Albin ESER, Menschengerechte Strafjustiz. Vision eines am Menschen als Einzel-
und Sozialwesen orientierten Straf- und Verfahrenssystemsƒ(Una Justicia penal a
la medida del ser humano. Visión de un sistema penal y procesal orientado al ser
humano como individuo y ser socialƒ) (trad. Jon M. Landa Gorostiza), Revista de
Derecho Penal y Criminología, Facultad de Derecho, Universidad a Distancia, 2
época, núm 1, Madrid, 1998, pp. 131-152 y Sobre la exaltación del bien jurídico a costa
de la víctimaƒ (traducido por Manuel Cancio Meliá), Anuario de Derecho penal y
ciencias penales, 1996, pp. 1021-1046. Respecto al moderno Derecho penal internacional, cfr. Julio Andrés SAMPEDRO, La Corte Penal Internacional: aproximación al
papel de las víctimasƒ, Cuadernos de Política Criminal, núm. 69, 1999, pp. 635 ss.

[138] Juan Antonio ESTRADA, La imposible teodicea, Trotta, Madrid, 1997, p. 371.

[139] MINISTERIO DE JUSTICIA, Circular sobre la Política penal de ayuda a las
víctimas de infracciones penales, París, 13 de julio, 1998.

establecimientos penitenciarios de nuestro país vecino, en el 30% de los casos, ignoran si los detenidos han sido condenados a indemnizar a una o a varias víctimas, porque carecen de los documentos judiciales necesarios; el 64% de las víctimas de infracciones cuyos autores han sido detenidos no reciben indemnización alguna de esos victimarios; y más del 30% de los condenados privados de libertad tampoco llevan a cabo indemnización alguna a sus víctimas, aunque se las conoce personalmente.

4. La satisfacción de las responsabilidades civiles a las víctimas como llave para la suspensión de la ejecución de la sanción privativa de libertad

Veamos, telegráficamente, cómo el nuevo Código español admite que la reparación a las víctimas motive la suspensión de las penas privativas de libertad; lo que, en parte, coincide con la tradicional, casi centenaria, remisión condicional. Esta la regulaba el código de 1973 en su artículo 93. El nuevo Código de 1995 la moderniza en varios aspectos. La sección 1 del capítulo III del Libro primero, artículos 80-87, la denomina más técnicamente suspensión de la ejecución de las penas privativas de libertad*f*, amplía su ámbito de aplicación, concede más arbitrio judicial y, sobre todo, lo que a nosotros ahora más nos interesa, introduce un nuevo motivo de concesión: Que se hayan satisfecho las responsabilidades civiles que se hubieren originado, salvo que el Juez o Tribunal sentenciador, después de oír a los interesados y al Ministerio Fiscal, declare la imposibilidad total o parcial de que el condenado haga frente a las mismas*f*.

El Código anterior no exigía este requisito. Merece alabarse esta innovación que la doctrina moderna de la justicia reparadora*f* considera indispensable y básica. Pero parece criticable la segunda parte de esta condición, cuando deja al arbitrio de Juez o Tribunal declarar la imposibilidad de que el condenado haga frente a las responsabilidades civiles, Dice así: ªsalvo que el Juez o Tribunal sentenciador, después de oír a los interesados y al Ministerio Fiscal, declare la imposibilidad total o parcial de que el condenado haga frente a las mismas*f*.

Es de todos conocida y merece tenerse presente la excesiva facilidad con que los Tribunales suelen declarar la imposibilidad total de que el condenado haga frente a sus responsabilidades civiles. Como he indicado en otras ocasiones, el condenado siempre puede hacer algo, aunque sólo sea simbólicamente (que no es poco), en favor de las víctimas. También merece criticarse la vaguedad de la expresión oír a los interesados ƒ, como explicamos a continuación, en el apartado siguiente.

5. Deben las víctimas mediar en la Sentencing?

Los especialistas norteamericanos escriben más que los europeos acerca de la Sentencing que sigue a la Conviction, es decir ese momento, más que momento, esa segunda fase del proceso durante la cual se estudia y decide la cantidadƒ y, previamente, la cualidadƒ de la respuesta al delito del cual se ha probado culpable, convicto, al acusado. Pero, por desatención a los contenidos cognitivos y a las actitudes de la Victimología, casi nadie insiste todo lo debido en la necesidad de que las víctimas intervengan con la asistencia de peritos en la Sentencing. Conviene releer a Marc ANCEL y JESCHECK-WEIGEND[140].

Permítanme que aproveche el comentario a la condición 3 del artículo 81 para formular, abiertamente, mi convicción de que las víctimas con técnicos y peritos en ciencias criminológicas deben poder intervenir o mediar durante la fase en la cual se determina la sanción concreta que el Juez o Tribunal impone al condenado. Esta condición 3 concede a los Jueces declarar la imposibilidad total o parcial de que el condenado haga frente a las responsabilidades civiles después de oír a los interesados. Convendría corregir esta última frase porque no hace referencia expresa también a las víctimas. Para la Victimología, los primeros interesadosƒ son las víctimas, pero este artículo no lo dice. Debía hacerlo para evitar que algunos Tribunales entiendan por interesadosƒ sólo a los condenados, y excluyan a las víctimas.

Nuestra petición en favor de que se las incluya expresamente tiene importancia y se debe aplicar también a todos los artículos que tengan alguna relación con la Sentencing, como por ejemplo el 80. 2 (plazo de la suspensión), el 84. 2 (infracción de la regla de conducta y sustitución) y el 87. 1 (suspensión de la condena para personas drogodependientes), cuando hablan de previa audiencia de las partesƒ, con audiencia de las partesƒ; el 86 (delitos privados para conceder la suspensión), pues pide que los Jueces y Tribunales oirán a ésteƒ (el ofendidoƒ). Debía decir

---

[140] JESCHECK-WEIGEND, Lehrbuch des Strafrechts. Allgemeiner Teil, 5 ed., 1996, pp. 766, 884 ss.

oirán a las víctimas directas e indirectas*f*, pues, con el texto actual, los intérpretes tradicionales entenderán que deben oír sólo al ofendido, es decir, el tradicional sujeto pasivo del delito. En el mismo sentido deben modificarse también los artículos 109 y 110 de la Ley de Enjuiciamiento Criminal para dar mas cabida a las víctimas directas e indirectas.

Parece acertado que el nuevo artículo 114 del código penal conceda formalmente a los Jueces o Tribunales, durante la Sentencing, una facultad que hasta ahora sólo se reconocía por la Jurisprudencia y la doctrina: la compensación de culpas. Ahora los Jueces o Tribunales podrán moderar el importe*f* de la reparación del daño o de la indemnización de los perjuicios materiales y morales causados por el delito cuando la víctima hubiere contribuido a ellos con su conducta. Según el nuevo texto, Si la víctima hubiere contribuido con su conducta a la producción del daño o perjuicio sufrido, los Jueces o tribunales podrán moderar el importe de su reparación o indemnización*f*. Es lógico que, si la víctima precipitadora*f* contribuye con su conducta a la producción del daño o perjuicio, el Juez o los Tribunales puedan moderar el importe de la reparación o indemnización que imponen al victimario.

Pero, la fórmula legal debía matizar y decir algo más en un tema tan complejo. Debía exigir y concretar más, en la línea marcada por Karl ENGISCH, en su Einführung in das juristische Denken (cuya 8 edición se publicó en 1983), algo así como se observa en las tradicionales fórmulas de la legítima defensa o del estado de necesidad, a tenor del artículo 20 del Código penal. El texto actual al hablar de el importe*f* da pie para pensar que la reparación o indemnización siempre son de naturaleza económica y sólo económica. También parece criticable que deje tan abierta la puerta a los Tribunales para disminuir a su arbitrio el importe de la reparación o indemnización. En caso de duda, se ha de conceder la preferencia, escuchar, atender y oír*f* a las víctimas más que al delincuente.

Distintos son y rebasan nuestro tema los supuestos de las víctimas que aceptan la situación de riesgo, como explica Guillermo PORTILLA CONTRERAS al estudiar el Tratamiento dogmático de los supuestos de puesta en peligro imprudente por un tercero con aceptación de la víctima*f*[141].

---

[141] Guillermo PORTILLA CONTRERAS, Tratamiento dogmático de los supuestos de puesta en peligro imprudente por un tercero con aceptación de la víctima*f*, Cuadernos de Política Criminal, 1991, núm. 45, pp. 695-738.

6. Evitar el desarraigo social de los condenados por terrorismo?

Una aplicación concreta de esta necesidad de que las víctimas intervengan en la determinación de la sentencia, cuando se trata de delitos de terrorismo, debe aclararse urgentemente en España, aunque resulte peligroso. Nos referimos al artículo 12.1 de la Ley Orgánica General Penitenciaria. Manifiesta el deseo de que cada área territorial cuente con el número suficiente de establecimientos para satisfacer las necesidades penitenciarias y evitar el desarraigo social de los penados f. Estas últimas palabras han suscitado interpretaciones sumamente dispares. Algunas, en mi opinión muy radicales, han dado pie a movilizaciones populares de muchos miles de personas y de algunas instituciones políticas exigiendo que todos los penados de ETA, sin matices y sin excepciones, sean trasladados inmediatamente a los tres establecimientos del País Vasco.

Para la solución de este problema tiene aplicación el axioma que ahora estamos comentando, y que hoy ningún especialista niega, de que las víctimas deben tomar parte activa en la Sentencing cuando el Tribunal o la institución penitenciaria competente debate y decide a qué establecimiento debe ser enviado o trasladado el penado. A este respecto deberá tomarse en consideración la Ley Orgánica 14/1999, de 9 de junio, de modificación del Código Penal de 1995, en materia de protección a las víctimas de malos tratos y de la Ley de Enjuiciamiento Criminal (BOE, de 10 de junio), y en concreto, el actual artículo 57 de nuestro Código punitivo. Según este artículo, en los delitos de homicidio, aborto, lesiones, contra la libertad, de torturas[a] los Jueces o Tribunales podrán prohibir en sus sentencias que los condenados vuelvan al lugar en que se haya cometido el delito o[a] en que resida la víctima o su familia[a] f.

Si se respeta este precepto muchos penados de ETA no deberán ser trasladados a las prisiones del País Vasco. Otro argumento en el mismo sentido nos brindan las Naciones Unidas en sus Principios básicos para el tratamiento de los reclusos, de 14 de diciembre de 1990, pues el décimo subraya la atención a las víctimas. Dice así: Con la participación y ayuda de la comunidad y de instituciones sociales, y con el debido respeto a los intereses de las víctimas, se crearán condiciones favorables para la reincorporación del ex recluso a la sociedad en las mejores condiciones posibles f.

También merece citarse el criterio del eminente penitenciarista mejicano Antonio Sánchez Galindo que, en su libro El derecho a la

readaptación social[142], reconoce que muchas veces, sobre todo en condenados por delitos contra la propiedad, ayuda a la reinserción del interno
el estar cerca de sus familiares y amigos, pero añade que no siempre ya
que en muchas ocasiones, como asentábamos líneas arriba, la familia es
incluso un factor criminógeno de importanciaƒ.

Además, el derecho comparado y la política criminal nacional e internacional niegan tajantemente que el interno tenga derecho a residir en un
establecimiento penitenciario próximo a sus familiares. En no pocos casos
será conveniente e incluso necesario que resida en un establecimiento
alejado, por los argumentos que explico detalladamente en mi estudio
Derechos y deberes humano-fraternales en las prisiones? Desde el
radicalismo étnico a la paz en el País Vascoƒ[143], para respetar los derechos
de las víctimas, los derechos de los funcionarios e incluso los derechos
elementales de los otros internos. Esta limitación se da con más frecuencia
en los condenados por delitos de terrorismo. Patentemente lo constata y
lamenta un miembro de los Grapo, F. NOVALES, en su Memoria personal
de un militante de los Grapo[144], cuando describe el tratamiento dictatorial
de los terroristas jefes presos sobre y contra los otros compañeros terroristas también internos en el mismo establecimiento: habíamos pasado por
situaciones límites[a] y estábamos aterrorizados. Tan aterrorizados como
un ratoncito entre las manos del gato que se niega a matarle todavía. Pero
lo terrible era que el gato estaba dentro de nosotros. No, habíamos delegado
en él el gato que llevábamos dentro. Ahora ya, únicamente éramos
ratoncitos. Ratoncitos frágiles, pusilánimes indefensos. Y a lo único que
aspirábamos era a que su capricho nos permitiese vivir un poquito másƒ.
Muchos presos de ETA desean la dispersión para no estar sometidos a las
órdenes de sus compañeros. El asesinato de la ex militante de ETA M
Dolores González Catarain (Yoyes), en Ordizia (Guipúzcoa) el 10 de
septiembre de 1986, lo comprueba.

7. Intervienen las víctimas en las alternativas a la prisión?

La actual doctrina penitenciaria busca cada día con más empeño
sustitutivos a la sanción privativa de libertad. Conviene que al estudiar

---

[142] Antonio S NCHEZ GALINDO, El derecho a la readaptación social, Buenos Aires,
1983, p. 110.
[143] Véase el capítulo anterior, núm. pp. 207-251 de este libro.
[144] Cfr. Félix NOVALES, El tazón de hierro. Memoria personal de un militante grapo,
Crítica, Barcelona, 1989, pp. 179 ss.

aquí el papel de las víctimas, digamos algo acerca de uno de los más elementales: el de sustituir la prisión por la reparación o la mediación o por otras sanciones alternativas.

Nuestro actual Código penal se ocupa de este problema en los artículos 88 y 89. A tenor del artículo 88, los Jueces o Tribunales pueden sustituir las penas de prisión que no excedan de un año por arresto de fin de semana o por multa, aunque la Ley no prevea estas penas para el delito de que se trate. Este último caso tendrá muy en cuenta el esfuerzo del autor para reparar el daño causado *f* por su infracción (artículo 88. 1). Es acertada esta innovación introducida el año 1995, pero sería mejor que dijera para reparar a las víctimas el daño causado *f* porque, como venimos repitiendo, el centro del derecho penal y del sistema penitenciario deben ser las víctimas de carne y hueso, o, con terminología de A. ESER, el ser humano como individuo y ser social *f*.

Entre las alternativas a la prisión, hemos de cultivar y fomentar especialmente la mediación y la reconciliación. Estas han de construirse partiendo de los derechos de las víctimas *f*, como indica José M. TOJEIRA, S.J.[145]. En el mismo sentido, Tony PETERS e Ivo AERTSEN[146], y A. BERISTAIN[147].

8.   Pueden las víctimas "entrar" en la prisión?

Quizás sea oportuno recordar aquí mi experiencia personal en la Universidad de Münster, el 5 de julio de 1989, en el Seminario de Victimología dirigido por el profesor Hans Joachim SCHNEIDER. Las figuras centrales fueron el señor Ralf Sonntag, condenado a cadena perpetua, en prisión desde doce años antes, y la señora Gabriele Kleb-Braun, doctora y Juez en ejercicio, cuya madre murió asesinada cuando ella tenía veintiún años. Estas dos personas iniciaron una relación epistolar algún tiempo después del asesinato de la madre de Gabriele y del ingreso en prisión de Ralf. Parte de sus cartas han aparecido en la

---

[145]   José M TOJEIRA, Verdad, Justicia, Perdón *f*, Eguzkilore, Cuaderno del Instituto Vasco de Criminología, N 11, 1999, pp. 264 s.

[146]   Tony PETERS e Ivo AERTSEN, Mediation for reparation the victim s perspective *f*, en E. FATTAH, T. PETERS (eds.), Support for Crime Victims in a Comparative Perspective, Lovaina, 1998, pp. 229-251.

[147]   A. BERISTAIN, Geht die Gerechtigkeit von Volke aus? *f*, en Kurt SCHMOLLER (Comp.), Festschrift für Horst Schüler-Springorum, Köln, 1993, pp. 425-440 (435 s.).

revista periódica Kuckucksei, que editan los internos en la cárcel de Schwerte, donde cumple sentencia el señor Sonntag.

Las casi tres horas que duró el Seminario, las experiencias que manifestaron los dos protagonistas, así como los comentarios de los casi veinte participantes, me convencieron de que las víctimas pueden y deben entablar relaciones epistolares e incluso entrevistas personales en los locutorios de los establecimientos penitenciarios para llegar a importantes y positivas mediaciones, conciliaciones y reconciliaciones[148].

Como conclusión sectorial de este apartado cabría afirmar que la prisión paradójicamente puede entrar f en las víctimas, puede atender-las ̲ De hecho el Servicio penitenciario de la Probación en Inglaterra y Gales ha sido el iniciador de la asistencia a las víctimas de la criminalidad, como detalla su Inspector Jefe, Graham SMITH, en su estudio sobre L évolution récente du Service de Probation en Angleterre et au pays de Galles f[149].

9. Juez de vigilancia versus Director de Recursos Humanos de las víctimas?

A nadie extraña que la Justicia penal tradicional exija a la sociedad poner a disposición de los acusados carentes de medios económicos un abogado defensor que gratuitamente les atienda durante el proceso. Y exija, además, que un Juez de Vigilancia Penitenciaria (a tenor de los artículos 76, 77 y 78 de la Ley Penitenciaria y los correspondientes del Reglamento de 1996) se encargue gratuitamente de salvaguardar los derechos de todas las personas sancionadas a privación de libertad, y de corregir los abusos y desviaciones que en el cumplimiento de los preceptos del régimen penitenciario puedan producirse. Puede verse, a modo de ejemplo ilustrativo, el Auto del Juzgado de Vigilancia Penitenciaria de Madrid, número 1, del 27 de febrero de 1998, sobre dotación de material deportivo para el Módulo de Aislamiento, en el libro editado por

---

[148] Cfr. A. BERISTAIN, Victimología. Nueve palabras clave: Principios básicos, Derechos Humanos, Criminología, Terrorismo, Religiones, Mujeres y menores, Mediación-Reparación, Derecho penal, Política criminal, Tirant lo Blanch, Valencia, 2000, pp. 572 ss.

[149] Graham SMITH, L évolution récente du Service de Probation en Angleterre et au pays de Galles f, Conseil de l Europe, Bulletin d information pénologique, diciembre 1998, pp. 3-21 (17).

la Dirección General de Instituciones Penitenciarias, Jurisprudencia Penitenciaria 1998, Madrid, 1999, pp. 475-478.

Por motivos semejantes, la justicia penal y penitenciaria moderna, atenta a las ciencias victimológicas, debe proponer que en todas las instituciones penitenciarias haya una autoridad encargada de la misión que las grandes empresas asignan cada día más al Director de los Recursos Humanos, muy distinta, en cantidad y en calidad, que la misión propia del Jefe de Personal[150].

Al Director de Recursos Humanos en los establecimientos penitenciarios compete pretender que las prisiones logren sus objetivos simultáneamente con el fomento y desarrollo de las metas personales de sus empleados y/o clientes directos e indirectos. Estos incluyen muchas personas: funcionarios e internos, familiares de ambos, etcétera; pero también, y no en último lugar, las víctimas todas.

ADMINISTRACIÓN
DE PERSONAL

Aspectos burocráticos
Altas y bajas, Seguridad
Social; Nóminas;
Disciplina

RELACIONES LABORALES
Tratamiento del conflicto individual
y colectivo.
Relaciones con Sindicatos.
Contenciosos laborales

GESTIÓN DE RECURSOS HUMANOS
Función de empleo: Selección, promoción
interna; procesos sustractivos.
F+D. Formación. Desarrollo.
Planes de carreras.
Compensación.
Evaluación del Desempeño.
Clima y motivación.
Servicios Sociales

---

[150]　Cfr. Luis PUCHOL, El desarrollo de los Recursos Humanos: ayer, hoy y mañana f, Icade. Revista de las Facultades de Desarrollo y Ciencias Económicas y Empresariales, Madrid, diciembre 1999, pp. 159-184.

La función del encargado de Recursos Humanos, como resume Luis PUCHOL, en el gráfico anterior, se caracteriza como eminentemente directiva, macroinstitucional, dinámica y en constante transformación. Se orienta especialmente al desarrollo de las personas. Esta función se ejerce principalmente por generalistas que tienen mayores oportunidades de alcanzar poder y más alto status organizacional. (Lo que actualmente se lleva a cabo en las prisiones españolas, según su Informe General 1997, Madrid, 1999, pp. 37-59, debe mejorarse radicalmente).

10. Estadística de víctimas de los diversos delitos en Espa a

Aunque, como hemos indicado, ya a finales del siglo XIX los Congresos internacionales Penitenciarios se preocuparon por la reparación a las víctimas de los delitos, sin embargo todavía hoy predominan los estudios acerca del número de los delitos y delincuentes; pero escasean las investigaciones respecto a los sujetos pasivos de la criminalidad. A continuación se reproduce una estadística de las diversas víctimas en España. Recoge los datos que han sido facilitados por el Ministerio del Interior al profesor Alfonso SERRANO MAILLO[151]. Son cifras de uso interno correspondientes al año 1996, a nivel nacional, unificando las estadísticas de la Policía y la Guardia Civil.

Las mujeres fueron víctimas en 58.301 casos, frente a 47.674 de los hombres, lo que manifiesta que el autor del delito busca con más frecuencia a la mujer como víctima, quizás, entre otros motivos, por la menor resistencia que ofrece y el menor riesgo para el autor en caso de que ella pretenda defenderse. Por edades, el mayor número de víctimas se encuentra entre los 25 y 40 años (33.419), seguidos de los de 40 a 60 (29.315), los de 18 a 25 (19.735) y mayores de 60 años (14.926).

---

[151] Cfr. Alfonso SERRANO MAILLO, Revista de Derecho penal y Criminología, núm. 6, Universidad Nacional de Educación a distancia, Madrid, 1996, pp. 1.253 ss.

| Víctimas | Tipos de delitos | | | | | | | | | | | | |
| | Propiedad | Personas | | | | | | Libertad sexual | | Libertad y seguridad | | | | Seg. Int. |
	Robos violen.	Homicidio	Asesinato	Parricidio	Infanticidio	Lesiones	Otros	Violaciones	Otros	Deten. Ileg.	Exp. Mend.	Amen. a l.	Otros	Atentados
Naturaleza														
Sujeto pasivo	104.007	887	155	70	2	79.556	6.590	1.308	6.674	859	226	432	2.265	5.097
Personal establ.	1615	18	0	0	0	438	26	0	12	6	2	2	7	42
Tercera persona	281	36	10	1	0	1.638	40	14	34	5	0	0	8	51
Agente autoridad	72	8	3	0	0	161	18	0	12	4	0	2	2	7.381
Total	105.975	949	168	71	2	81.793	6.674	1.322	6.732	874	228	436	2.282	12.571
Sexo														
Varones	47.674	714	110	22	1	51.376	3.800	119	1.015	430	123	284	583	12.120
Mujeres	58.301	235	58	49	1	30.417	2.874	1.203	5.717	444	105	152	1.699	451
Edad (años)														
Menos de 16	4.738	28	9	11	1	5.798	259	231	2.441	95	207	15	236	44
De 16 a 18	3.842	22	3	1	0	3.599	122	118	668	58	2	8	34	21
De 18 a 25	19.735	168	25	6	0	16.848	810	387	1.642	210	5	47	154	919
De 25 a 40	33.419	417	52	19	1	31.924	2.634	443	1.473	341	7	142	1.131	7.905
De 40 a 60	29.315	232	53	20	0	17.856	2.116	121	403	129	2	174	626	3.354
De 60 o más de 60	14.926	82	26	14	0	5.768	733	22	105	41	5	50	101	328
Relación con el autor														
Padre/Madre	158	25	7	11	1	1.922	159	29	85	15	37	14	63	19
Hijo	46	14	8	16	0	2.126	163	37	155	10	123	3	207	6
Cónyuge	48	65	12	37	1	11.510	932	115	131	33	0	10	1.244	29
Pariente	108	81	23	4	0	4.208	352	87	211	17	14	15	46	15
Laboral	112	20	4	0	0	2.420	277	29	245	32	1	40	21	329
Escolar	65	0	0	0	0	934	47	12	122	3	0	7	2	2
Amistad	369	135	19	1	0	4.815	372	225	532	92	0	31	42	11
Casual	2.617	99	21	0	0	8.550	865	121	495	65	0	26	52	431
Otra	2.229	162	27	0	0	12.691	1.506	118	640	121	9	63	197	884
Ninguna	100.323	348	47	2	0	32.617	2.001	549	4.116	486	44	227	408	10.845
Resultado acción														
Sin lesión	91.508	155	19	9	0	6.717	5.796	709	5.665	636	228	401	2.200	7.094
Lesiones leves	13.521	180	14	15	1	69.547	790	580	1.030	215	0	33	67	5.340
Lesiones graves	914	292	24	16	0	5.506	67	32	36	22	0	2	10	133
Muertos	32	322	111	31	1	23	21	1	1	1	0	0	5	4

Fuente: Alfonso SERRANO MAILLO (1996): "Estadística", Revista de Derecho penal y criminología, núm. 6, UNED, Madrid, 1.253, 1.255, 1.263 s.

11. A modo de miniconclusiones, desde Francia

A la luz del Informe para una nueva política pública de ayuda a las víctimas*f*, Rapport pour une nouvelle politique d aide aux victimes, elaborado por el Groupe interministériel d aide aux victimes, presidido por Marie-Noëlle LIENMANN, Diputada europea, París, 1999, mayo, comentado por Hélène MAGLIANO, Presidente de Cámara en el Tribunal de Apelación de París, y por Jacques CALMETTES, Vicepresidente del Tribunal de Gran Instancia de Marsella, considero que podrían formularse como Miniconclusiones, de estas páginas, algunas de las 114 Proposiciones que el informe francés presenta para mejorar la atención a las víctimas y a sus familias. Muchas de ellas se refieren al ámbito penal, procesal y penitenciario.

En mi opinión pueden proponerse, entre otras, las 3 siguientes conclusiones, inspiradas en las Proposiciones francesas números 30, 33, 61 y 63:

A.- el Juez de application des peines*f*, o Juez de Vigilancia penitenciaria, informará a las víctimas de todas las decisiones que les conciernen directamente.

B.- las víctimas tendrán derecho a una parte mayor del peculio del privado de libertad.

C.- en cada fase del procedimiento judicial, incluida la fase de ejecución de las penas, los magistrados y el presidente deberán informar a las víctimas de las condiciones y de los derechos que tienen para la indemnización.

Esta última conclusión parece que no se tuvo en cuenta durante el juicio a los miembros de ETA acusados de haber asesinado, el once de marzo de 1997, a Javier GᐟMEZ ELOSEGUI, funcionario del Centro Penitenciario de Martutene y profesor de la Universidad del País Vasco. Según el texto de la Sentencia 17/98, de la Audiencia Nacional, Sala de lo Penal, Sección primera, de treinta de marzo de 1998, la viuda y la hija de la víctima directa quedaron privadas de los 50 millones de pesetas que a tenor de la ley y la petición del Fiscal les correspondían[152]. Esta

---

[152]　Cfr. A. BERISTAIN, Hoy y mañana de la Política criminal protectora y promotora de los valores humanos. La paz desde la Victimología*f*, en Consejo General del Poder Judicial, Política criminal comparada, hoy y mañana, Madrid, 1999, pp. 9-85 [54 s.]. IDEM, Nombramiento de Miembro de Honor del IVAC-KREI, a título póstumo, a

Sentencia del 30 de marzo de 1998 prueba que el procedimiento penal español[153] está todavía lejos de lo que exigen las Naciones Unidas y el Consejo de Europa respecto a los derechos fundamentales de las víctimas directas e indirectas.

XVI. EVOLUCIÓN IMPARABLE DE LA RESTORATIVE JUSTICE*

La reforma de la legislación penal-penitenciaria, que estos días se está discutiendo, pretende principalmente promulgar un programa de mayor eficacia contra la criminalidad actual en crecimiento alarmante; y que los condenados por terrorismo (más macrovictimizante en España que en el resto de Europa) y otros crímenes graves reparen totalmente los daños causados a sus víctimas. De ambos compromisos deriva la exigencia del cumplimiento íntegro de las penas correspondientes a algunos de estos delincuentes, y que los beneficios penitenciarios no se les concedan con excesivo peligro para la seguridad pública. Con otras palabras, se desea poner al día la legislación pertinente según las coordenadas innovadoras de la doctrina nacional e internacional que acoge el revolucionario paradigma de la restorative justice, la justicia restaurativa.

Conviene reflexionar ahora sobre el acierto principal del Anteproyecto, y responder a las dos críticas más importantes. El fundamental logro de la reforma es haber tomado conciencia de la realidad imponente en nuestra Política criminal:

˘ la cada día mayor gravedad de la criminalidad en España, especialmente los delitos tipificados como terrorismo y los cometidos en el seno de organizaciones criminales (sin olvidar que nuestras sanciones son menos severas que en la mayoría de los países europeos, por eso los condenados extranjeros prefieren permanecer en nuestras prisiones).

Francisco Javier GↄMEZ ELOSEGUIƒ,Eguzkilore Cuaderno del Instituto Vasco de Criminología, n 11 extra, 1997, pp. 293 ss.

[153] Cfr. José Luis de la CUESTA ARZAMENDI et al., The treatment of victims of crimes and offences in the Spanish system of justiceƒ,en E. FATTAH, T. PETERS (eds.), Support for crime victims in a comparative perspective, Leuven, 1998, pp. 69-81 [71]).

* Cfr. Justicia restaurativaƒ,El País, 12 enero 2003, p. 13.

˘   y el giro copernicano que están llevando a cabo los pioneros de la restorative justice y la mediación, en Europa y fuera de ella, como T. PETERS, E. GIMÉNEZ-SALINAS, etcétera.

Omito el comentario sobre la inconmensurable gravedad del terrorismo en nuestro país. Considero más oportuno indicar algo sobre el protagonismo de las víctimas en la innovadora restorative justice que, desde el XI Congreso Internacional de Criminología (Budapest, 1993), está inyectando nueva savia en el árbol de la ciencia de los delitos y de las penas. Y que este Anteproyecto acoge.

La proyectada reforma decide abrir la puerta al interés preferencial de las víctimas que exigen los especialistas y las instituciones internacionales. Baste citar el Libro verde de la Comisión de las Comunidades Europeas, Sobre la indemnización a las víctimas de delitos, de 28 de septiembre de 2001, que activa los derechos de la víctima a la indemnización del delincuente (subrayo), e intensifica la restorative justice para, así, construir una piedra angular fundamental en la edificación de un espacio de libertad, seguridad y justicia, creando un nivel básico de protección para todos los residentes de la Unión Europea; un nivel fácilmente accesible independientemente del lugar de la Unión en el que pueden convertirse en víctimas de un delito. También, en este sentido, la Decisión marco del Consejo de la Unión Europea de 15 de marzo de 2001 (cfr. Anexo 2) relativa al estatuto de la víctima en el proceso penal, y la de 13 de junio de 2002 (cfr. Anexo 3) sobre la lucha contra el terrorismo, que exige no la delación, pero sí la cooperación del condenado con la autoridad como muestra de arrepentimiento, y como original rebrote de un derecho premial similar al augurado por JIMÉNEZ DE AS‡ A y otros progresistas. Y, recientemente, el Director del International Centre for Prison Studies, Universidad de Londres, que en la IV Conferencia de la Asociación Internacional de Capellanes de Prisiones, celebrada en Dreibergen, Holanda, ha afirmado: Es posible y necesario introducir en la teoría y la praxis del régimen penitenciario la cosmovisión de la restorative justice*f*.

La mayor objeción que algunos presentan contra el Anteproyecto es que infringe la orientación resocializadora que establece el artículo 25.2 de la Constitución. Olvidan que ninguna legislación proclama la reinserción social como finalidad única e imprescindible de la sanción prisional. Tampoco la española. El Preámbulo de la Ley General Penitenciaria, de 1979, lo confirma, pues, después de proclamar en primer término la finalidad resocializadora de la pena[a]*f*, añade que esa resocialización debe entenderse sin perjuicio de prestar atención debida a las finalidades de advertencia e intimidación que la prevención general (subrayo) demanda*ª* como el sentido más elemental de justicia requiere*f*. También exigen esta búsqueda de la seguridad pública los Principios básicos para el tratamiento de los reclusos, de las Naciones Unidas, de 14 de diciembre de 1990, en su Principio 4.

Nuestro legislador no dice que requiere siempre y en todos los casos la resocialización. No lo dice porque la historia, la teoría y la jurisprudencia universal patentizan que la prisión lleva como inherente la exigencia de seguridad pública, prevención general, inocuización del delincuente*ª* Esta meta puede alcanzarse en todas las sanciones privativas de libertad. En cambio, no en todas ellas puede lograrse la resocialización. Si ésta fuera la única finalidad, no habría internos que la ciencia penitenciaria califica con seguridad como incorregibles. Por ejemplo, ciertos violadores con personalidad gravemente perturbada.

Respecto a la otra objeción importante que considera excesiva la privación de libertad hasta los 40 años, conviene saber que actualmente más de 15 países europeos superan ese límite, pues admiten la cadena perpetua. Como indican el Penological Information Bulletin del Consejo de Europa, de diciembre 2002, y el Observatorio internacional de prisiones, el año 2001 en Bélgica había 271 condenados a perpetuidad; en Austria, 150; el año 2000 en el Reino Unido, 4.530 y en Francia, 583; y el año 1999, en Dinamarca, el 0,7% de los privados de libertad.

En resumen, las transformaciones que la restorative justice va introduciendo en la dogmática y política penal-penitenciaria están liberando la nave de la justicia del varamiento en que se encuentra por su neutralización de las víctimas. Como indica Reyes MATE, la razón anamnética de las víctimas no debe desaparecer. Cabe construir una satisfacción filosófica y jurídica dentro de la justicia penal*f*. El Anteproyecto que estamos comentando da pasos en esta dirección de convivencia más solidaria y fraternal (Declaración Universal de Derechos del Hombre de 1948, artículo 1).

Parte 4ª
Universidad e iglesias ante las víctimas

XVII. EL PAPEL DE LA UNIVERSIDAD, LA JUSTICIA Y LAS IGLESIAS ANTE LAS VÍCTIMAS DEL TERRORISMO EN ESPAÑA[*]

DEDICATORIA:
A Luis Portero, Fiscal Jefe del TSJ de Andalucía,
a Antonio Muñoz Cariñano, coronel médico,
y a José Francisco Querol Lombardero, Magistrado del
Tribunal Supremo,
vilmente asesinados por ETA, el
9-X-2000, en Granada, el 16-X-2000, en Sevilla, y
el 30-X-2000, en Madrid.
Y a sus familiares y amigos.
A todas las víctimas del terrorismo.
Con profundo dolor y respeto.
También con esperanza transcendente.

> **SUMARIO:** 1.- Datos objetivos del fenómeno terrorista en España. 2.- Cátedra innovadora de Victimología en las Universidades. 3.- La Justicia crea una norma victimológica superadora del destierro. 4.- Frente al fanatismo religioso reaparece el Buen Samaritano. 5.- Referencia bibliográfica.

1. Datos objetivos del fenómeno terrorista en España

"Dios es un creador —*poietes*— tan hábil que hace que otros también lo sean"
PLATÓN, *El banquete*, 196 a y 205 b.

---

[*] Texto de mi ponencia University, Justice and the Churches before the Victims of Terrorism*f*, en la International Conference on "Contering Terrorism Through Enhanced International Cooperation", organizada por International Scientific and Professional Advisory Council of the United Nations Crime Prevention and Criminal Justice Programme (Courmayeur, Mont Blanch, 22-24 September 2000), con algunas modificaciones y citas bibliográficas. Cfr. Actualidad Penal, núm. 4, 21-27 enero 2002, pp. 63-81.

Antes de transcribir algunos datos objetivos trágicos, irritantes, indignantes[ª]   sobre la desmesurada intensidad con que muchos hombres y mujeres asesinan y torturan y aterrorizan a muchas personas, conviene enmarcarlos con una consideración previa sobre la misión y capacidad creadora y recreadora de toda persona, desde el inicial big-bang ƒ y la primera galaxia, hace miles de millones de años. Como escribe Adolphe GESCHE (233-268, 251): La creación está toda transida de capacidad de invención, el hombre mucho más. Creado creador. Él tiene la misión de culminar el anhelo de la creación entera. Tal es su estatuto. El derecho y el deber de una libertad de innovación, él los va a ejercer en una triple dirección: respecto al cosmos, a sí mismo y a Dios ƒ. En pocas palabras: Hay utopía en una brizna de hierba ƒ, como ya afirmó Platón.

Asesinatos de ETA   Secuestros de ETA

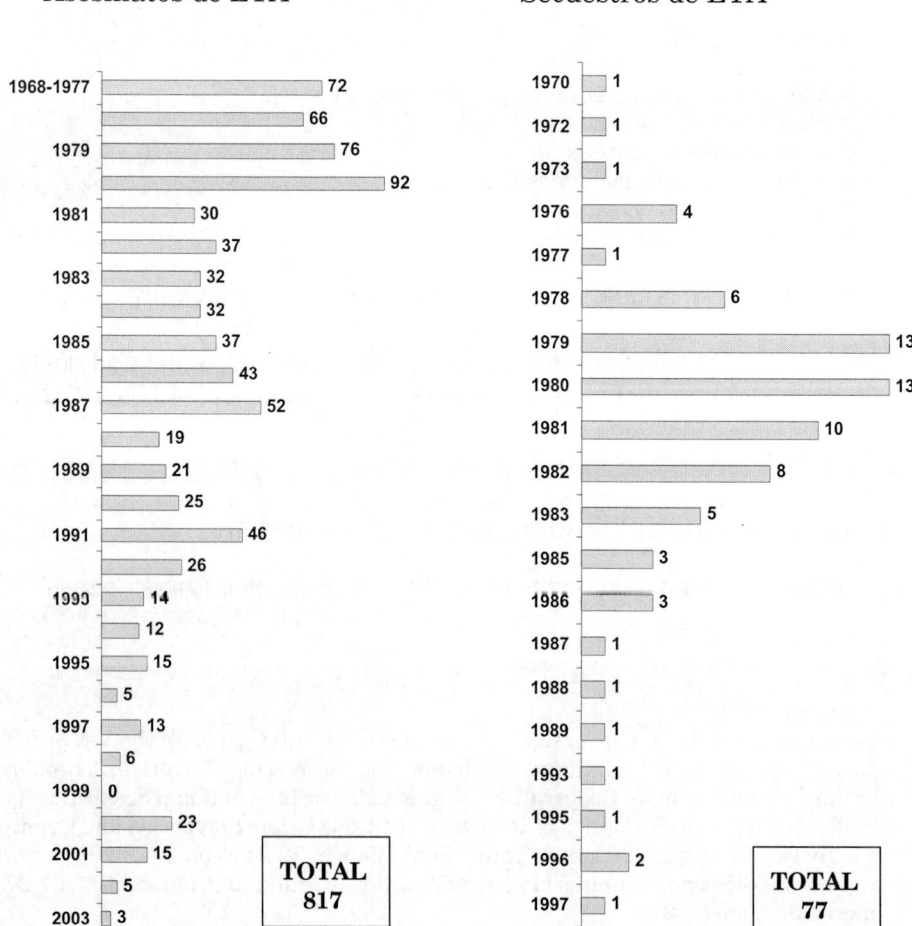

Estas cifras, como la mayoría de las publicadas en los medios de comunicación, se refieren únicamente a las víctimas directas, pero no olvidemos la necesidad de añadir las cifras muy superiores de las víctimas indirectas que causa todo acto de terrorismo. El volumen de las personas e instituciones victimizadas por el terrorismo en España y fuera de España supera notablemente los números que se conocen y divulgan.

Por ejemplo, cuando la organización terrorista asesina o secuestra a un funcionario de instituciones penitenciarias (en El Puerto de Santa María, Cádiz), o a un empresario (en Madrid) se aterrorizan en España los demás funcionarios y empresarios y sus familiares porque, lógicamente, temen que la próxima vez sean ellos las víctimas directas.

Los daños que causa el terrorismo de ETA no se circunscriben sólo al País Vasco. Se extienden a toda España. Podemos encontrar una prueba en Andalucía, donde se ha creado el año 2000 una Asociación Andaluza de Víctimas del Terrorismo, que reúne a varios centenares de personas familiares de víctimas directas de ETA.

2. Cátedra innovadora de victimología en las universidades

"¿Qué es homicidio? Según la doctrina tradicional: la muerte que una persona causa a otra dolosa o culposamente. Hoy, los familiares de la víctima formulan otra definición: un infierno tan negro que incluso el respirar nos resulta insoportable".
Deborah SPUNGEN, en U.S. DEPARTMENT OF JUSTICE (1998), *New Directions from the Field: Victims' Rights and Services for the 21 st Century*, Washington, p. 165.

El mes de agosto de 2000, del 6 al 11, se celebró en Montreal (Canadá) el décimo Symposio internacional de la Sociedad Mundial de Victimología, con la participación de especialistas de los cinco continentes. Los diversos temas que se abordaron en ponencias, mesas redondas, talleres, visitas a instituciones, etcétera, patentizan   en mi opinión   que actualmente, toda universidad de cierta entidad debe crear (si todavía no tiene) una Cátedra o un Instituto de Victimología.

Considero muy laudables, pero insuficientes, las nuevas instituciones universitarias que ya existen en los diversos países de nuestro ámbito cultural. No han logrado todavía que los juristas sepan detalladamente qué es y qué investiga y para qué sirve la Victimología. La podemos definir como una nueva ciencia y arte   multi, inter y transdisciplinar   que difiere radicalmente de varias ciencias afines como el Derecho penal, la Criminología, la Ética y la Sociología, que se preocupa de problemas propios de ella, para conseguir que se respeten y se desarrollen los derechos de las víctimas, pues surge, en la década de los setenta, principal aunque no únicamente como reacción frente a la macrovictimación del Holocausto y de la segunda guerra mundial.

Entre los principios básicos de la Victimología destacan el de la Justicia restaurativa no vindicativa, el de humanidad, de repersonalización del victimario y de las víctimas, de preferencia de éstas sobre aquél, in dubio pro victima *f*, de mediación y reconciliación, etcétera. Especial atención merece la Declaración de Viena, aprobada en esta ciudad, el 17 de abril del año 2000, en el Décimo Congreso de las Naciones Unidas para prevención del crimen y tratamiento de los Delincuentes, cuyo texto se puede encontrar en http:// www.restorativejustice.org

Un resumen esquemático de los numerosos e importantes temas y problemas victimológicos puede bosquejarse en el cuadro siguiente:

TEMAS VICTIMOLÓGICOS PRINCIPALES

1. PUBLICACIONES TEÓRICAS Y CONCEPTUALES SOBRE VICTIMOLOGÍA
2. PROGRAMA DE ASISTENCIA A LAS VÍCTIMAS
3. PROGRAMAS DE COMPENSACIÓN Y RESTITUCIÓN
4. DERECHO RELATIVO A LAS VÍCTIMAS ᵛ VÍCTIMAS EN EL PROCESO PENAL
5. LISTA DE DERECHOS DE LAS VÍCTIMAS
6. INVESTIGACIÓN Y POLÍTICA
7. VICTIMIZACIÓN CAUSADA POR LA VIOLENCIA:
   a. Víctimas de terrorismo internacional
   b. Víctimas de homicidio y sus familias
   c. Delitos sexuales
8. VÍCTIMAS DE ACCIDENTES ᵛ ACCIDENTES LABORALES, TRÁFICO, ETC.
9. VÍCTIMAS DEL ABUSO DE PODER
10. VÍCTIMAS DE HOLOCAUSTO Y GENOCIDIO
11. VÍCTIMAS DE SECUESTRO Y SUS FAMILIAS
12. VÍCTIMAS DEL MEDIO AMBIENTE Y NUCLEARES
13. VICTIMIZACIÓN DE GRUPOS ESPECIALES:
    a. Ancianos
    b. Niños y adolescentes desaparecidos y fugados
    c. Mujeres
    d. Niños
    e. Personas con handicaps y retrasados
    f. Minorías ᵛ Étnicas, homosexuales, etc.
    g. Reacción estatal e institucional hacia las personas con SIDA

A la Victimología le corresponde formular e introducir en nuestra Alma Mater con métodos sistemáticos, propios, racionales y metarracionales nuevas cosmovisiones ordenadas (lógicas y axiológicas) acerca del homicidio, de los demás delitos, de las sanciones, etcétera, como sugiere el texto que hemos citado de SPUNGEN. Le corresponde también la investigación y la docencia de nuevos temas de estudio y de divulgación sobre el terrorismo. Y, más aún, acerca de nuevos paradigmas en este campo. Actualmente ya no basta el Derecho penal, ni el Derecho procesal, ni la Criminología, ni la Política criminal, ni el sistema policial, ni la Ética tradicionales. Urge injertar en la Universidad cuando estudia y enseña estas cuestiones una pupila, una cátedra, nueva e innovadora.

Los principales penalistas, procesalistas y penitenciaristas españoles dedican cada día más atención a la Victimología. También los medios de comunicación. Pero, no basta. El respeto y el desarrollo de los derechos humanos de la tercera generación ƒ exigen algo distinto, cualitativamente mejor.

Las numerosas leyes que todos los países están promulgando acerca de los problemas y los progresos victimológicos, especialmente a partir de la Declaración sobre los Principios Básicos de Justicia para las Víctimas del Delito y del Abuso de Poder[154], de las NN. UU., de 1985, necesitan ser conocidas, comentadas y modernizadas en las Universidades. Acierta el Estatuto del Tribunal Penal Internacional al dedicar a las víctimas varios e importantes artículos: 15, 43.6, 57, 64, 68, 75, 79, etc. (R. RAGUÉS i VALLŸ S, 2001).

Como ciencia y praxis autónoma, la Victimología resulta indispensable en la política criminal europea y mundial para cooperar en la prevención, respuesta y superación del terrorismo. La doctrina, la técnica y el arte victimológicos reúnen las características requeridas para que toda universidad haya dotado o procure dotar cátedras de Victimología. Ésta, y sólo ésta, le puede brindar los cada día más imprescindibles nuevos fundamentos y programas de la Política criminal, policial, procesal y penitenciaria. Entre otros, los siguientes: las víctimas indirectas requieren no menos atención que las directas en muchas ocasiones, los Jueces y Tribunales escucharán principalmente a las víctimas, éstas si lo desean podrán relacionarse con los condenados a privación de libertad o, al contrario, exigirán que ellos sean destinados a establecimientos lejanos, las estadísticas policiales y judiciales deben recoger más datos acerca de las víctimas que de los victimarios[a] (Aunque parezca increíble, en el año 2001, las amplias

---

[154] Más información puede verse en Website//www.victimology.nl

estadísticas anuales de la Interpol —de tanto valor internacional y comparativo— sólo se refieren a los delincuentes y a los delitos. Nada informan de las víctimas).

Llegados ya al siglo XXI, la educación formal y la no formal (SARRAMONA, 1992) han de prestar a los victimólogos más atención que a los penalistas y a los criminólogos. Aquéllos, como fruto de sus atenciones a la macrovictimación, insisten constantemente sobre la importancia inexorable de la formación e instrucción victimológica, porque dentro de un terrorista siempre se esconde un ser humano y, casi siempre, una institución pedagógica deficitaria durante su infancia o su juventud, ya que el terrorismo se aprende, no se hereda (F. SAVATER, 1991: 116 ss., 130 ss.; IDEM, 2001).

El insigne Miembro de Número de la Real Academia de la Historia, Miguel BATLLORI, S.J., reconoce que el informe de esa Academia, de principios del año 2000, acerca de «La enseñanza de la historia de España», recoge datos dignos de tenerse en cuenta acerca de la ignorancia —cuando no de la tergiversación— de la historia de España que padecen los alumnos en la E.S.O. y en el bachillerato en distintas comunidades autónomas —y concretamente en la del País Vasco— por la vigencia de unos planes de estudio y de unos libros de texto que dejan mucho que desear. Esa tergiversación influye más o menos directamente en factores etiológicos del hodierno terrorismo juvenil callejero.

A la cátedra victimológica compete adoctrinar y convencer a los ciudadanos de cuestiones fundamentales ignoradas hasta nuestros días: que la Justicia y el Poder Judicial deben girar alrededor de las víctimas más que alrededor de los delitos y de los delincuentes, que la policía ha de proteger a las víctimas más que perseguir a los victimarios, y que algo similar ha de pensarse y practicarse en el ámbito del proceso penal (para evitar la victimación secundaria) y de las instituciones prisionales, que frente al tradicional dogma «in dubio pro reo» debemos proclamar «in dubio pro victima». Al terminar de leer cualquier libro sobre la tortura (de la CUESTA, 1990; AMNISTÍA INTERNACIONAL, 2000), a nadie le extrañará afirmar «in dubio pro victima».

Quizás una de las aportaciones más positivas de la Victimología universitaria se dirija a la radical metamorfosis de la cosmovisión y la praxis de la sanción penal. Todavía hoy muchos juristas piensan que la pena tiene como finalidad la venganza, el castigo, infligir al delincuente un mal igual o semejante al que él causó al sujeto pasivo del delito. Por eso, autorizados estudios, aun sensatos y progresistas, piden que algunos tipos penales[a] se castiguen con mayor virulenciaf (J. SENA ARGÜELLES, 2000: 129). Con formulación parecida se manifiesta SCHEERER en su inteligente análisis Kritik der strafenden Vernunftf (2001: 69-83), al que me refiero en páginas anteriores.

Un alto porcentaje de los jóvenes entrevistados en la investigación llevada a cabo por el Instituto Vasco de Criminología, de San Sebastián, para analizar las Representaciones sociales de los jóvenes sobre la criminalidad. Investigación transfronteriza, en San Sebastián y Bayona (Francia), opina que la sanción pretende el castigo al delincuente, como aparece en los datos siguientes:

CUANDO A UN DELINCUENTE SE LE JUZGA Y SE LE CONDENA, CU L CREES QUE ES LA FINALIDAD DE LA PENA?
Fines que tienen en la actualidad las penas

	TOTAL		LUGAR		EDAD		ESTUDIOS	
	N	%	S.Sebast	Bayona	18	+ 18	FP	COU
Castigarle por lo que ha hecho	451	51,7	56,9	35,4	46,8	58,5	55,5	49,8
Castigarle para no reincidir	197	22,6	20,5	29,2	28,2	15,6	15,4	26,2
Reparar a la víctima	69	7,9	7,5	9,1	8,3	6,5	8,9	7,4
Escarmiento para que otros no hagan lo mismo	82	9,4	8,7	11,5	8,3	11,1	9,9	9,1
Oportunidad de rehabilitación	73	8,4	6,3	14,8	8,3	8,2	10,3	7,4
En blanco	12	0	-	-	-	-	-	-
TOTAL	884	100	673	211	511	365	296	588

Fuente: Manuel GONZ LEZ AUDŸCANA, Jocelyne CASTAIGNŸ DE, Iñaki DENDALUZE, Pedro LARRAÑAGA (1995, 441).

También para los ciudadanos canadienses, según la investigación de A. N. DOOB, la reparación-compensación a las víctimas ocupa un lugar secundario entre los cinco fines de la sanción penal.

Importancia de los diferentes fines de la condena de adultos y jóvenes delincuentes (Estimación de la importancia: alta = muy importante)

Finalidad:	Delincuentes adultos	Jóvenes delincuentes
Expresar la desaprobación social hacia el delito	7.38	7.69
Disuadir al delincuente y a otras personas de cometer delitos	8.16	8.19
Separar a los delincuentes de la sociedad	7.07	6.21
Asistir a los delincuentes en su rehabilitación	7.77	8.10
Compensar a las víctimas o a la comunidad	7.64	7.63

Fuente: A. N. DOOB (2000, 329)

En cambio, para la Victimología la sanción penal pretende, ante todo y sobre todo, la atención y acción reparadora de los victimarios a sus víctimas, y mediante esta conducta compensadora la inocuización y la reinserción social del delincuente. El diagrama que los penalistas alternativos alemanes, austríacos y suizos publicaron en su Proyecto alternativo sobre reparación (1992) ilustra facetas básicas de esta nueva finalidad restaurativa de la sanción.

PROYECTO ALTERNATIVO SOBRE REPARACIӬN PENAL

Consecuencias jurídicas en el derecho criminal

Delito

Restauración controlada y garantía de la paz

| Renuncia a reacción como peligro social | Reparación como asunción de responsabilidad | Pena como soportabilidad-responsabilidad | Medidas en caso de prevención-imposición |

Fuente: AA.VV. (1998, 42)

Lo hasta aquí indicado nos autoriza concluir lo ya comentado al comienzo de este punto: que en el ámbito nacional e internacional las

Universidades deben intensificar la docencia y la investigación victimológica, deben crear una Cátedra o un Instituto de Victimología, por diversos motivos; también para prevenir y superar el terrorismo y preparar programas de atención a sus víctimas. No para desactivar*f*las asociaciones que protegen a las víctimas, como argumenta atinadamente José Luis MANZANARES SAMANIEGO (2001). Urge pues, apostar por la nueva ciencia victimológica. Pretender alcanzar las metas deseadas con sólo el aumento del Derecho penal tradicional sería, como ironiza José Luis REQUERO IB ÑEZ (1999: 2), pretender modernizar la armada con la recluta de fogoneros, gavieros y remeros para unas galeras vetustas.

3. La justicia crea una norma victimológica superadora del destierro

> "Es un debate equivocado el pensar que mayores derechos a las víctimas van en perjuicio del delincuente, o que supone de alguna forma alimentar la venganza privada".
> Esther GIMÉNEZ-SALINAS I COLOMER, 1999, p. 26.

En este apartado sería lógico comentar la citada Declaración de las Naciones Unidas, de 1985, y las importantes leyes que España y otros muchos países están promulgando en el ámbito de la Victimología. Sin embargo, no vamos a tratar de esas leyes, pues rebasa el espacio que se nos ha asignado. Nos limitamos a dos observaciones positivas. La primera, brevísima, para elogiar la atención que presta a las víctimas la Ley Orgánica de 28 de diciembre de 1988, creadora del Procedimiento abreviado para determinados delitos*f*. En concreto, la obligación que el nuevo artículo 781 de la Ley de Enjuiciamiento criminal impone al Fiscal de velar por la protección de los derechos de la víctima y de los perjudicados por el delito*f*.

La segunda, no tan lacónica, para decir algo sobre una novísima norma introducida el año 1999   sumamente acertada, que producirá abundantes frutos en política criminal: la nueva institución, superadora del destierro, contenida en los artículos 48 y 57 del código penal actualmente vigente en España. El código anterior regulaba el destierro en el artículo 88 con estas palabras: El sentenciado a destierro quedará privado de entrar en el punto o puntos que se designen en la sentencia y en el radio que en la misma se señale, el cual comprenderá una distancia de 25 kilómetros al menos y 250 a lo más del punto o puntos designados, entre los que se comprenderá, si el ofendido lo pidiere, el lugar en que el reo delinquió y el de residencia habitual del mismo y del perjudicado y sus parientes próximos*f*. Este tradicional artículo 88 ha sido derogado. En su lugar, a tenor de la Ley Orgánica del 9 de junio de 1999, los artículos 48 y 57 del código actualmente vigente facultan a los Jueces y a los Tribunales para que impongan nuevas y eficientes obligaciones concretas a las personas condenadas por ciertos delitos; y también, sin duda, por los delitos de terrorismo. En concreto, autorizan a los Tribunales y a los Jueces para que impongan a los victimarios una o varias de las prohibiciones establecidas en el artículo 57. El conjunto de estas prohibiciones protege directamente a las víctimas e, indirectamente, inocuizan y resocializan a sus victimarios. La separación y distancia   no sólo geográfica   evitará muchos sufrimientos y problemas a las víctimas, y facilitará su repersonalización psicológica. (SUBIJANA, 2001: 660).

En Estados Unidos, según informan Kennetht L. GILLIS y Iain D. JOHSTON (1994: nota 289), alguna norma parecida a nuestros artículos 48 y 57, faculta a los Tribunales para que durante la Sentencing pueden imponer al condenado la prohibición de entrar en determinados lugares, refrain from entering a geographic area*f*, frecuentados por las víctimas.

Un precepto semejante al español, centrado en torno a las víctimas, debería introducirse en los códigos penales de otros países. No existe en códigos penales avanzados, como el de Alemania (no figura entre las instrucciones*f* del parágrafo 68b), Austria (SCHMOLLER, 2000: 79, 109 s.), Bélgica, etcétera, que mantienen el tradicional destierro, con algunas actualizaciones.

Además, si pasamos al ámbito penitenciario, estos dos artículos del actual Código penal español pueden y deben tomarse en consideración   con gran provecho para las víctimas   cuando la autoridad competente determina a qué establecimiento penitenciario será enviado o trasladado un condenado a penas privativas de libertad. En concreto, la Junta de Tratamiento, cuando, a tenor del artículo 102. 1, del Reglamento Penitenciario de 1996, decide el Centro al que será enviado cada penado, además de aplicar las normas penitenciarias que regulan las variables y criterios de clasificación, deberá tener en cuenta también los dos artículos del Código que estamos comentando. De modo similar se deberá proceder   en mi opinión   para ordenar el traslado a otro Establecimiento, a la luz de los artículos 95 y 106 del mismo Reglamento.

Deseamos que se corrijan muchos artículos del Reglamento penitenciario que debían hacer referencia   pero no la hacen   a las víctimas directas e indirectas del delito en cuestiones del régimen penitenciario de su victimario que les afectan a las víctimas, más o menos directamente. Por ejemplo, en los informes del Trabajador Social y del Educador, cuando éstos detectan las áreas carenciales y las necesidades del interno (artículo 20 del Reglamento), cuando las Juntas de Tratamiento y los Equipos Técnicos deciden proponer al Centro Directivo, en informe razonado, la progresión o regresión de grado y/o el traslado del interno a otro Centro (artículo 273 e), en la Central Penitenciaria de Observación para el asesoramiento en materia de observación, clasificación y tratamiento de los internos (artículo 109) y en muchas de las actuaciones de los Jueces de Vigilancia cuando deciden acerca de las propuestas de libertad condicional, sobre beneficios penitenciarios, permisos de salidas, destinos o traslados, etcétera (artículo 76 de la Ley General Penitenciaria).

Antes de pasar al apartado siguiente, repito lo que he argumentado ampliamente en mi estudio sobre los derechos de las personas privadas de libertad, que aparece publicado en páginas anteriores: los artículos 48 y 57 confirman que los internos en establecimientos penitenciarios no tienen derecho a exigir ser trasladados a lugares próximos a sus familiares. Menos aún los condenados por delitos terroristas.

4. Frente al fanatismo religioso reaparece el buen samaritano

"Las Iglesias deben intensificar su mensaje y su praxis en favor de la asistencia a las víctimas del crimen".
Pastor Roderick MITCHELL, en U. S. Department of Justice, *New Directions from the Field: Victims' Rights and Services for the 21st Century*, p. 285.

Considero oportuno desarrollar ahora dos facetas contradictorias de las religiones que, hace un par de años, insinué en este mismo foro del ISPAC. Primero comentaré que, en muchas ocasiones, personas e instituciones religiosas se dejan llevar por el fanatismo o el desprecio de la justicia y el derecho, se convierten en factores etiológicos del terrorismo. Después mostraré que, con más frecuencia, al contrario, fomentan eficazmente los positivos valores de ética, fraternidad y de paz, y contribuyen a la neutralización del terrorismo e incluso llegan a superar, en los creyentes, la supuesta irreversibilidad de sus daños y perjuicios que muchos consideran imposible. (A. BERISTAIN, 1998 b: 299-306).

Por desgracia, en España y más aún en mi País Vasco, una parte de la iglesia católica cumple deficientemente su misión de atender a las víctimas. Algunos teólogos, cuyos nombres y numerosos seudónimos prefiero evitar, y algunas corporaciones eclesiales dejan bastante que desear cuando actúan, hablan y escriben sobre el terrorismo de ETA. A éste le consideran, con frecuencia, como mero conflicto entre dos partes igualmente culpables, evitan el vocablo terrorismo, equiparan a los asesinos con los asesinados (en cuanto que el problema terrorista lo reducen a dos bandos enfrentados), poquísimas veces hacen referencia alguna directa ni indirecta a las víctimas de ETA. (A. BERISTAIN, 1998: 139 ss.). Cuando comentan cómo se deben solucionar esos conflictos*f*, aconsejan el diálogo ilimitado inter pares, rara vez se refieren a la justicia o a consideraciones jurídicas, opinan que la voz del pueblo es la voz de Dios, Vox populi, vox Dei, patentizan que padecen el inconsciente síndrome de Estocolmo y que   por miedo o por convicción o por falta de valentía   consienten o colaboran en una profunda degradación ética, como explica Constanze STELZENMÜLLER (2000: 7 s.), corresponsal del diario hamburgués Die Zeit, al describir el funeral-homenaje al etarra (fallecido al explosionarle una carga de 30 kg. de dinamita) Francisco REMENTERŸA, Patxi*f*, en la iglesia de Marquina, el domingo 20 de agosto del año 2000, presidido por diez sacerdotes (en contraste con los funerales de algunas víctimas de ETA, celebrados por sólo uno o dos sacerdotes).

Repetidos comentarios eclesiásticos o paraeclesiásticos equiparan a las víctimas del terrorismo con todas las víctimas de cualquier otro delito, incluso con las de lesiones leves que se tipifican como faltas en el Libro III del código penal español, artículos 617-622. Además, al comentar los crímenes de ETA hablan casi siempre de violencia*f*, y casi nunca de terrorismo*f*. Consideran que se trata de delitos políticos. Añaden que, en este campo, la sociedad puede prescindir de los Jueces y los Tribunales, ya que éstos, como la Policía, practican la violencia justificada*f*. Consideran que mientras ésta exista siempre habrá también violencia no justificada*f*[a] por inevitable reacción. Afirman que las víctimas deben pedir perdón a los victimarios. Para que cese la violencia etarra exigen, como requisito indispensable, que se prescinda de la violencia justificada[a] por coherencia con el respeto radical a la dignidad de todo ser humano, es el único (sic!) modo de romper la espiral de violencias justicieras*f*. (Cfr., entre otros, J. UGARTE, 1999: 31 ss.; Razón y Fe, artículos editoriales de 2000). Estos ámbitos ético-religiosos traducen equivocadamente el axioma de Max WEBER, Das Monopol der Gewalt. Tal como ellos la entienden, significa El monopolio de la violencia justificada*f*. Olvidan que significa el monopolio del uso de la fuerza, o de la coerción, o de la potestasªf. También algunos proclaman que, si ETA deja definitivamente las armas, sus cuatrocientos y pico miembros que están presos, por delitos de asesinatos y secuestros y extorsiones, deben salir inmediatamente libres a la calle. Olvidan que la justicia y el derecho siempre han sido imprescindibles, y que también la Biblia los considera tales. Olvidan que los juristas no consideran violencia justificada$f$la coerción policial o la condena judicial. Tampoco denominan asesinato justificado$f$ a la muerte causada en legítima defensa. Todavía en enero de 2001 la Iglesia vasca expresa su postura y peticiones a ETA con fórmulas muy suaves (Santos JULI , 2001: 24). (No hace falta recurrir a R. M. RILKE, para saber que cada palabra cántaro, árbol, ventana, puente$f$ª y violencia o asesinato , tiene su valor sustantivo que no admite adjetivos opuestos).

También las iglesias alemanas, católica y evangélica, incumplieron su misión ante la macrovictimación del Holocausto. Por eso en los años siguientes han pedido perdón varias veces públicamente. A mí, como jesuita y admirador del fecundo escritor Karl RAHNER (1904-1984), me duele especialmente la lamentable omisión que él cometió, antes e incluso después de 1945, al silenciar el genocidio de los judíos. RAHNER jamás escribió acerca del Holocausto nazi. Algunos sacerdotes, a los que se lo he comentado, le disculpan porque él, como teólogo, se ocupaba de los temas de Dios$f$. Les pregunto: Dios está en los campos de concentración menos que en el cielo?f.

Si observamos el fenómeno de las guerras santas$f$, así como la fuerte vinculación del terrorismo con el fanatismo religioso en muchos países durante siglos y actualmente, podemos sospechar que algo permanente se oculta en ciertos sectores religiosos que confunde la justicia de los hombres con la justicia de Dios, y desconoce que aquélla exige la sanción de todo delito grave, mientras que ésta no gira alrededor de los crímenes y de su inexorable respuesta aquí y ahora, hic et nunc. Acertadamente Concepción ARENAL (1897: 92) afirmaba que la religión, a veces, se halla en antagonismo con la justicia$f$.

Sin negar estas constataciones negativas de lo religioso, hasta aquí indicadas, hemos de reconocer, no menos, sus aportaciones positivas en el ámbito de la Victimología y también del terrorismo. La historia demuestra que las religiones tan preocupadas y esclarecedoras del amor a Dios y a los hombres, de la ética, de la equidad, del sentido del vivir y del morir pueden contribuir, y contribuyen a veces, muy positivamente a la superación del terror. En concreto, ellas fomentan y desarrollan la paz como fruto de la justicia, y también la compasión y la fraternidad especial con las víctimas de la criminalidad violenta organizada. Como escribe Tomás MUÑOZ ROJAS (1999: 1), la consideración cristiana concibe a la aequitas como realidad mitigadora (humanitas, benignitas , etc.) del rigor excesivo del imperativo legal f y/o de la victimación injusta.

En esta línea avanzan cada día más algunas instituciones eclesiales, por ejemplo, la Conferencia preparada por la iglesia ortodoxa en Tesalónica (Grecia), los días 29-31 de mayo del año 2000, con la colaboración de representantes de las comunidades católica, judía, musulmana y ortodoxa. También la Conferencia organizada durante la misma semana por la Comisión húngara de Justicia y Paz, en Budapest, que ha estudiado especialmente el papel de las religiones en la resolución de conflictos. (Cfr. Oficina Católica de Información e Iniciativa para Europa (OCIPE), 2000: 7 s.). Igualmente, en Lisboa, del 12 al 15 de septiembre del año 2000, la Comunidad de San Egidio organizó el XIII Encuentro Internacional f, sobre el tema Océanos de paz, religiones y cultura en diálogo, con la participación de políticos y religiosos cristianos, hebreos, musulmanes y de otras confesiones. También percibía esta faceta positiva de lo sacro C. ARENAL cuando, en su libro antes citado El Pauperismo—, consideraba las creencias religiosas como un elemento social de grande y benéfica influencia f.

Nadie niega que las grandes religiones cultivan el poder regenerador del espíritu ínsito en cada persona, y que proclaman la antropología recreativa, según la cual el hombre y la mujer pueden hacer nuevas todas las cosas. Esta difícil dimensión transformadora la vislumbró y expresó científicamente Pierre TEILHARD DE CHARDIN, no sólo en su libro Le Milieu divin (El medio divino). Siguiendo esta línea de renovación radical de todo lo humano, me atrevo a declarar que a las religiones compete superar el pesimismo de autorizados especialistas, como JANKÉLÉVITCH, (209-220), Hannah ARENDT (255-262), SULLY PRUDHOMME (Premio Nobel de Literatura en 1901), con su Vase brisé f, etcétera, cuando afirman que la culpa la señal de Caín y la macrovictimación del terrorismo son irreversibles.

Se puede comprender que esa macrovictimación mortífera conlleva algunos ámbitos o resultados irreversibles: el hijo asesinado no va a resucitar. Pero opino que no es todo irreversible. A todo ser ens, verum, bonum le hemos de atribuir cierta relatividad, temporalidad, mutabilidad y transformabilidad[a] Basta ojear las 142 páginas de Rudolf

SCHNEIDER en su libro Das wandelbare Sein, del año 1938, o recordar el mensaje de las Elegías de Duino. RILKE busca en la muerte la salvación de la vida. Desde esa perspectiva, cabe afirmar que la poesía de R. M. RILKE, rebosante de fuerzas transformadoras, logra descubrir en la victimación una cierta salvación de la víctima, al mirar la victimación no como una compulsión tanática autodestructiva, sino como una forma de enfrentarse a la victimación para integrarla en la vida. La transformación, metamorfosis$f$, Wandel, Verwandel$^a f$, es la experiencia, figura y símbolo más recurrente en las Elegías y en Los Sonetos a Orfeo. En concreto se repite en las Elegías 4 (vers. 60), 5 (vers. 83), 7 (vers. 19, 47-51), 9 (vers. 65-70), etcétera. Parece obligado citar, al menos, un par de versos de la cuarta Elegía y la estrofa inicial del primero de Los Sonetos a Orfeo:

> "Entonces se congrega lo que nosotros continuamente estamos escindiendo mientras estamos aquí.
> Entonces surge de nuestras estaciones por primera vez el ciclo de toda la transformación. Por encima de nosotros actúa entonces el ángel".

> "Entonces ascendió un árbol. ¡Pura superación!
> ¡Oh, canta Orfeo! ¡Alto árbol en el oído!
> Y calló todo. Mas hasta en el silencio
> nació un nuevo comienzo, seña y transformación".

Como en este Soneto 1 , las frecuentes referencias rilkeanas al árbol sugieren siempre transformación, ciclo unitario de vida y muerte, indistinción entre una y otra.

El hombre religioso, como el buen samaritano del evangelio de Lucas, capítulo X, cura y hace desaparecer las lesiones de las víctimas que la criminalidad deja tendidas al borde del camino. Las heridas se transforman en cicatrices. La persona con experiencia transcendente o mística, con convicciones profundamente vividas, coincide con san Pablo cuando, en su carta a los romanos, capítulo 5, versículo 20, proclama que donde abunda la culpa, sobreabunda la gracia$f$.(Lo cito por diversos motivos. También porque lo cita aunque lo considera desacertado JANKÉLÉVITCH, en su última página de El perdón).

Aun prescindiendo de la dogmática y la fenomenología religiosa, la historia y la evolución de la humanidad patentizan, como repite Luis ROJAS MARCOS (pp. 216 ss.), que si el mal fuese tan fuerte como el bien, el mundo hace tiempo que habría desaparecido. Ya lo anticipó un humanista del Quattrocento$f$, Giovanni PICO DELLA MIRANDOLA (1463-1494), en su Oratio de hominis dignitate: el hombre está en el centro de la creación[a]   y puede degenerarse hasta el nivel animal, pero también puede regenerarse hasta el nivel de la divinidad$f$ (M. SIEVERNICH, 2000: 55).

Permítaseme terminar con una conclusión: El terrorismo actual merece la calificación de macrovictimación, cuya prevención y superación exige mayor colaboración internacional, como indica el programa de nuestra Conferencia, haciéndose eco de la preocupación de las Naciones Unidas. Exige también que las Universidades creen Cátedras o Institutos de Ciencias Victimológicas, y que la legislación policial, penal, procesal y penitenciaria formule nuevas normas de Justicia restaurativa para atender preferentemente a las víctimas, antes y más que a los victimarios. Por fin, esperamos que las grandes religiones evitarán el fanatismo y colocarán la parábola del buen samaritano como piedra sillar de su cosmovisión y su praxis agápica de respeto y servicio fraterno.

Bibliografía citada

AMNISTŸA INTERNACIONAL (2000): ¡Actúa ya! Tortura, nunca más, Madrid.

ARENAL, Concepción (1897): Obras completas de D . Concepción Arenal. Tomo decimosexto. El pauperismo, Madrid, Librería V. Suárez.

ARENDT, Hannah (1998): La condición humana, trad. de Ramón Gil Novales, ed. Paidós, Barcelona. (Original en inglés, Chicago, 1958).

AA.VV. (1998): Proyecto alternativo sobre reparación penal, traducción de Beatriz de la Gándara, Konrad-Adenauer-Stiftung, Buenos Aires. (Original en alemán, 1992).

BERISTAIN, Antonio (1999 b): Paz y reconciliación en el País Vasco$f$, en J. UGARTE (Comp.), Razones contra la violencia. Por la convivencia democrática en el País Vasco, vol. III, Bilbao, pp. 91-112.

BERISTAIN, Antonio (1998): De los delitos y de las penas desde el País Vasco, Dykinson, Madrid.

BERISTAIN, Antonio (1998 b): Religion as Aetiology and Solution of the Crime/Migration Problem$f$, en A. P. SCHMID [edit.], Migration and Crime, ISPAC, Milano, pp. 299-306.

de la CUESTA, José Luis (1990): El delito de tortura. Concepto. Bien jurídico y estructura típica del art. 204 bis del Código penal, Bosch, Barcelona.

DOOB, Anthony N. (2000): Transforming the punishment environment: Understanding public Views of what should be accomplished at sentencing$f$, Canadian Journal of Criminology (2000), vol. 42, N 3, julio, pp. 323-340.

ETXEBERRIA, Xabier (2000): La noviolencia en el ámbito educativo*f*, Cuadernos Bakeak, N 37, Bilbao, pp. 4 s.

GESCHE, Adolphe (1995): Dios para pensar, volumen I, El mal-El hombre, trad. A. Ortiz García, ed. Sígueme, Salamanca. (Original en francés, 1993).

GILLIS, Kennetht L., JOHSTON, Iain D. (1994): Sentencing*f*, Il. Crim. Proc., 2 ed., pp. 6-41, nota 289.

GIMÉNEZ-SALINAS I COLOMER, Esther (1999): La mediación y la reparación. Aproximación a un modelo*f*, en D. RÖSSNER et alli, La mediación penal, Centre d Estudis Jurídics i Formació Especialitzada, Instituto Vasco de Criminología, Barcelona, pp. 15-30.

GONZ LEZ AUDŸCANA, Manuel, CASTAIGNÿDE, Jocelyne, DENDALUZE, Iñaki, LARRAÑAGA, Pedro (1995): Representaciones sociales de los jóvenes sobre la criminalidad. Investigación transfronteriza*f*, Revista de Derecho penal y Criminología, núm. 5, Universidad Nacional de Educación a Distancia (UNED), Madrid, pp. 335-490.

HOPKINS, Gerard Manley, citado en Manuel LINARES MEGŸAS (1988): Gerard Manley Hopkins. Poemas completos, Universidad de Deusto, Bilbao.

JANKÉLÉVITCH, Vladimir (1999): El perdón, trad. de Núñez del Rincón, Seix Barral, Barcelona. (Original en francés, 1967).

JULI , Santos (2001): De la declaración a la plegaria*f*, El País, 11 febrero.

MANZANARES, José Luis (2001): La desactivación de las víctimas*f*, www.estrelladigital.es, 4 junio.

MITCHELL, Pastor Roderick (2000): en U. S. Department of Justice, New Directions from the Field: Victims Rights and Services for the 21st Century.

MUÑOZ ROJAS, Tomás (1999): Ética, equidad y proceso jurisdiccional*f*, La Ley. Revista Jurídica Española de Doctrina, Jurisprudencia y Bibliografía, año XX, núm. 4910, 21 octubre, pp. 1-4.

OFICINA CAT›LICA DE INFORMACI›N E INICIATIVA PARA EUROPA (OCIPE) (2000): Europe infos, Revista mensual de la Comece y de la Ocipe, Bruselas, julio-agosto, pp. 7 s.

PICO DELLA MIRANDOLA, Giovanni Oratio de hominis dignitate, citado en M. SIEVERNICH, S.J. (2000): Homo jesuiticus*f*, en Der neue Mensch. Perspektiven der Renaisance, ed. F. Pustet, Regensburg, pp. 53-78.

PLAT›N, El banquete, 196 a y 205 b.

RAGUÉS i VALLŸ S, Ramón (2001): El Tribunal Penal Internacional. La última gran institución del siglo XX*f* (I), La Ley. Revista Jurídica Española de Doctrina, Jurisprudencia y Bibliografía, año XXII, núm. 5289, 17 abril.

RAZ›N Y FE (2000): Cómo salir de la violencia sin caer en su espiral?*f*, Artículo editorial, Madrid, N 1.223, Octubre, pp. 135-142. Cuatro lecturas del problema vasco*f*, Artículo editorial, N 1.220, Junio, pp. 565-578.

REQUERO IB ÑEZ, José Luis (1999): Poder judicial y desarrollo económico*f*, La Ley. Revista Jurídica Española de Doctrina, Jurisprudencia y Bibliografía, año XX, núm. 4882, 13 septiembre, pp. 1-3.

R. M. RILKE (1984): Elegías de Duino, traducido por José M Valverde, 2 edición, Lumen, Barcelona. (Original en alemán, 1923); IDEM (1987), Los Sonetos a Orfeo, traducido por Eustaquio Barjau, Cátedra, Madrid.

Luis ROJAS MARCOS (1995): Las raíces de la violencia, Espasa-Calpe, Madrid.

Jaime SARRAMONA (1992): La educación no formal, CEAC, Barcelona.

Fernando SAVATER (1991): Ética para Amador, Ariel, Barcelona; IDEM (2001): Perdonen las molestias. Crónica de una batalla sin armas contra las armas, 2 ed., Ediciones El País, Madrid.

Sebastian SCHEERER (2001): Kritik der strafenden Vernunft*f*, Ethik und Sozialwissenschaften, Streitforum für Erwägungskultur, núm. 12, pp. 69-83.

Kurt SCHMOLLER (2000): Grundstrukturen eines künftigen strafprozessualen Vorverfahrens. Stellungsnahme zum Diskussionsentwurf des Justizministeriums*f*, en Österreichsche Juristenkommission, Kritik und Fortsschriftt im Rechtsstaat, Verlag Österreich, Wien, pp. 73-113.

Rudolf SCHNEIDER (1938): Das wandelbare Sein, editorial V. Klostermann, Frankfurt am Main.

J. SENA ARGÜELLES (2000): La tutela penal de la indemnidad sexual del menor*f*, Revista del Ministerio Fiscal, Ministerio de Justicia, Madrid.

Deborah SPUNGEN, en U.S. DEPARTMENT OF JUSTICE (1998): New Directions from the Field: Victims Rights and Services for the 21 st Century, Washington.

Constanze STELZENMÜLLER (2000): Er war einer von uns*f*, Die Zeit, Hamburgo, 31 agosto.

Ignacio José SUBIJANA (2001): La violencia familiar y la función judicial*f*, Actualidad Penal, núm. 29, 16-22 julio, pp. 655-666.

Pierre TEILHARD DE CHARDIN (1957). Épilogue. L attente de la Parousie*f*, en Le Milieu divin, Editions du Seuil, Paris.

Josu UGARTE (Comp.) (1999): Razones contra la violencia. Por la convivencia democrática en el País Vasco, vol. III, Bilbao, pp. 13-37.

Bibliografía consultada

Juan AVILÉS FARRE (2000): Violencia terrorista y conflicto político en el País Vasco*f*, Cuadernos de la Guardia Civil. Revista de Seguridad pública, 2 época, N XXII, Madrid, 111-118.

Antonio BERISTAIN (2000): Victimología. Nueve palabras clave, Tirant lo Blanch, Valencia.

A. BERISTAIN (2000 b): Protagonismo de las víctimas en la ejecución penal$f$, Actualidad penal, Madrid, 9-15 octubre.

A. BERISTAIN (1999): Nuevas soluciones victimológicas, Centro de Estudios de Política Criminal y Ciencias Penales, México.

A. BERISTAIN (1998): Criminología y Victimología. Alternativas Re-creadoras al delito, ed. Leyer, Bogotá, Colombia.

A. BERISTAIN (1996): Criminología, Victimología y Cárceles, 2 vols., Universidad Javeriana, Bogotá, Colombia.

Pierre-Henri BOLLE (1989): Le sort de la victime des actes de violence criminels en droit pénal suisse: de l enfer au paradis$f$,en DE LA CUESTA, DENDALUZE, ECHEBUR‡A, comps., Criminología y Derecho penal al servicio de la persona, Instituto Vasco de Criminología, San Sebastián, pp. 53-64.

M. E. I. BRIENEN and E. H. HOEGEN (2000): Victims of Crime in 22 European Criminal Justice Systems. The Implementation of Recommendation (85) 11 of the Council of Europe on the Position of the Victim in the Framework of Criminal Law Procedure, Wolf Legal Production, Nimega, 1178 pp. (España, en pp. 839-879, con bibliografía).

Robert CARIO (2000): Victimologie. De l effraction du lien intersubjectif á la restauration sociale, L Harmattan, Paris.

José L. DIEZ RIPOLLÉS et alii (1996): Delincuencia y víctimas, Tirant lo Blanch, Valencia.

Juan Antonio ESTRADA (1997): La imposible teodicea, Trotta, Madrid.

Xabier ETXEBERRIA (1999): La educación ante la violencia en el País Vasco$f$, en J. UGARTE (Comp.), Razones contra la violencia. Por la convivencia democrática en el País Vasco, vol. III, Bilbao, pp. 13-37.

A. GARCŸA-PABLOS(1993): El redescubrimiento de la víctima: victimación secundaria y programas de reparación del daño. La denominada victimación terciaria (El penado como víctima del sistema legal)f, en Consejo General del Poder Judicial, La Victimología, Madrid, pp. 287-320.

V. GARRIDO, P. STANGELAND, S. REDONDO, (1999): Principios de Criminología, Tirant lo Blanch, Valencia, pp. 659-681.

Arlène GAUDREAULT and Tony PETERS, edits. (2000): La Victimologie: quelques enjeux, in Criminologie. Acta criminológica, (Montréal, volumen 33, n 1).

Luiz Flávio GOMES (2002): Principio da ofensividade, Editora Revista dos Tribunais, Sao Paulo.

Myriam HERRERA MORENO (1996): La hora de la víctima. Compendio de Victimología, Edersa, Madrid.

César HERRERO HERRERO (2001): Criminología (Parte General y Especial), 2 edición aumentada y autorizada, Dykinson, Madrid.

G. J UREGUI (2000): ETA: orígenes y evolución ideológica y política*f*, en A. ELORZA (coordinador), La historia de ETA, Planeta, Barcelona, 211-260.

G. LANDROVE DŸAZ (1998): La moderna Victimología, Tirant lo Blanch, Valencia.

Reyes MATE (1991): La razón de los vencidos, Anthropos, Barcelona.

Elías NEUMAN (1995): Victimología supranacional. El acoso de la soberanía, ed. Universidad, Buenos Aires.

Abelardo RIVERA LLANO (1997): La Victimología un problema criminológico?, ed. Radar, Bogotá, Colombia.

L. RODRŸGUEZ MANZANERA (1996): Victimología. Estudio de la víctima, 3 ed., Porrúa, México.

J.A. SAMPEDRO (2000): Reflexión sobre la posición de las víctimas del delito en el proceso penal*f*, Revue internationale de Droit pénal, 3 y 4 trimestre de 2000, pp. 355-382.

Jon SOBRINO (1999): La fe en Jesucristo. Ensayo desde las víctimas, Trotta, Madrid. (También se ha editado en Méjico, pero omite algunos índices).

Josu UGARTE (Comp.) (1999): Razones contra la violencia. Por la convivencia democrática en el País Vasco, vol. III, Bilbao, pp. 91-112 (101 s.).

Emilio VIANO (1999): La vida diaria y la victimación*f*, Victimología, Centro de asistencia a la víctima del delito, Córdoba, Argentina, 7-35.

Michael WALTER et alii (1999): Täter-Opfer-Ausgleich aus der Sicht von Rechtsanwälten*f*, Bundesministerium der Justiz, Bonn.

Eugenio Raúl ZAFFARONI, Alejandro ALAGIA, Alejandro SLOKAR (2000): Derecho Penal. Parte General, Ediar, Buenos Aires.

XVIII. OBSERVACIONES SOBRE ÉTICA VICTIMOLÓGICA EN LA IGLESIA VASCA[*]

A José María DÍEZ ALEGRÍA, impar Amigo y Maestro, Amante del País Vasco, de la Justicia y la Ética, con ocasión de su merecido homenaje del día 27.

En la portada, sobre fondo rojo, leemos el título del libro ETA pro nobis. El pecado original de la Iglesia vasca, en tinta negra. Del mismo color vemos la serpiente venenosa que rodea la cruz, sin Jesucristo. En

---

[*] Cfr. Hay pecado original en la iglesia vasca?*f*, ABC, 5 julio 2002, p. 66.

ésta, como en sus publicaciones anteriores, Iñaki EZKERRA es un notario que da fe de la realidad socio-politico-religiosa, histórica y actual, en el País Vasco y en su iglesia. Nos brinda un amplio informe innovador y esperanzador acerca del delito no político de ETA y acerca del pecado original no bautizado de la Iglesia, mirando al futuro próximo, porque como indica Jaime Mayor Oreja ha llegado el momento de que la Iglesia vasca decida si quiere prolongar el problema que supone ETA*f*.

Cuántos valores positivos rezuman estas 274 páginas? Muchos. Ahora espumaré sólo cuatro: 1 Objetividad en la abundante informa- ción, como lo demuestran los 20 documentos fotografiados en las páginas finales. 2 Argumentación irrefutable de que los condenados por críme- nes de terrorismo deben estar en cárceles lejos de sus familiares (pp. 90 s., 140 s.,). Lo contrario violaría la legislación y la jurisprudencia humanitaria de todos los países democráticos, obstaculizaría la libre resocialización de los presos. Además, olvidaría los derechos elementa- les de las víctimas y de los funcionarios penitenciarios, así como los factores etiológicos hogareños y amicales de la reincidencia terrorista. 3 Metodología científica que analiza y comprende más que condena. Con agua transparente exorciza el pecado original de la iglesia vasca y también, aunque menos, del resto de España. No olvidemos que las víctimas de Hipercor (Barcelona), el 19 de junio 2002, quince años después del atentado cometido por ETA, han denunciado en los medios de comunicación la falta de apoyo de la iglesia.

Diversos capítulos (8, 14, etcétera) recogen múltiples pruebas eviden- tes que hacen añicos algunos importantes documentos, escorados, de nuestras instituciones diocesanas. Demuestran y reprochan su relativismo moral (tan criticado por Juan Pablo II), su unilateralidad política, con escasa teología postconciliar, multi e interdisciplinar. Basta leer los textos oficiales que se transcriben. Así (página 89), el editado por el Secretariado diocesano de Vizcaya, en la cuaresma de 1999: Una chata visión del Estado hace que una abundante masa de políticos, tanto del PSOE como del PP, enarquen las cejas cuando ven en crisis su visión cerrada, unívoca, centralizada de su España*f*.

Ahora, mi cuarto comentario se refiere al mensaje subliminal del libro que rememora y representa el paradigmático ejemplo del teólogo alemán Dietrich BONHÖFFER. Merece que recordemos aquí su figura señera. El año 1939 BONHÖFFER vivía en Estados Unidos, becado como docente e investigador. Pero al ver que Alemania caía en la miseria

moral del nazismo y masacraba a tantos inocentes, decidió dejar su vida
tranquila en Chicago y regresar a Alemania para estar junto a los
perseguidos y hacer todo lo que pudiera en su defensa. Aunque ya sabía
que ello implicaba graves peligros para él, para sus familiares y sus
amigos.

Llegó a Berlín. Trabajó inteligente y valientemente contra el nazismo
y en favor de la convivencia. Pronto constató que sus sospechas en
América no eran infundadas. Le detuvieron, le internaron en prisión, le
condenaron a muerte, le ejecutaron. Unos meses antes, el 11 de abril de
1944, escribe desde la cárcel de Tegel a su amigo Eberhard BETHGE:
Nunca me he arrepentido de la decisión que adopté en Chicago de
regresar a Alemania, el verano de 1939ª *f*

Los dieciséis capítulos de este libro muestran al lector la situación
actual en el País Vasco, parecida   aunque en tono menor   a la de
aquella Alemania, que obligó a BONHÖFFER a una opción fundamental muy desagradable. Que obliga a muchas personas a comprometerse
a riesgos mayores o menores, pero cotidianos, para desvelar tanta
mentira, tanto resentimiento paranoico, para superar el terrorismo,
para atender a las víctimas directas, indirectas y anónimas.

Analizar y publicar la verdad es peligroso, sí, pero necesario. Lo sabía
D. BONHÖFFER. Igualmente Ignacio ELLACURIA, en El Salvador.
También lo saben las personas heroicas que en España hablan y
escriben, a pesar de experimentar   y padecer   una incesante
macrovictimación que los ciudadanos honrados debíamos reconocer y
agradecer públicamente, de diversos modos y maneras.

En el principio era el verbo, la verdad, que nos hace libres, que
proclama: nunca asesinar, nunca colaborar con los que secuestran y
extorsionan; ni encubrirlos. En el País Vasco hay personas que lo
practican. Encubridores, colaboradores y, aun los aquejados por el
síndrome de Estocolmo pueden ser también, más o menos, culpables del
crimen cometidoª Lo afirma el Derecho penal de todos los países
democráticos. También la teología de las grandes religiones.

Este libro contribuirá a que sigamos constatando y certificando el
milagro increíble de que, a pesar del incesante terror, nadie en el País
Vasco ha tomado la justicia por su mano (pp. 185 s.). Ni tan siquiera lo
ha pedido. Este milagro merece constatarse y honrarse en monumentos
públicos en muchas ciudades, algo así como el erigido en Valencia en
memoria del Profesor Manuel BROSETA. Cuando la casa está ardiendo,
cruzarse de brazos es criminógeno. Y el mutismo también.

Urge lavar a la iglesia de su mancha original. Muchas personas e instituciones religiosas tienen una misión que cumplir, antes y por encima de todas las demás: analizar la verdad del terrorismo (enfermedad epidémica tanto como actos criminales), y sus cómplices[a] y comprometerse con acciones concretas, públicas, para que pronto desaparezca ETA. Tenemos obligación de hacer algo eficaz. No es quijotería. Una parte de la Iglesia ha de pedir perdón porque no ha cumplido su misión debidamente. Y ha de empezar una etapa radicalmente nueva. Ha de ganarse el agradecimiento de las víctimas. No lo ha conseguido todavía. Este libro da un paso imprescindible en este camino. Enseña que la paz es fruto de la justicia. No de una equivocada compasión con los victimarios.

Termino con palabras de Juan A. ESTRADA, S.J.: Yo asumo el papel de defender la perspectiva de las víctimas como la única válida para los cristianos, y anterior a cualquier creencia, ideología o proyecto político f. Y añado una observación de ética cristológica, eucarística, de agradecimiento popular: En el centro de la catedral de Lovaina se encuentra el altar mayor, de mármol. Representa un pabellón de los campos de concentración nazis en Alemania, con las reliquias de sus mártires que dan sentido al altar. Lo regalaron los belgas supervivientes del Holocausto. Por qué no colocamos en nuestras iglesias altares similares? Será un testimonio de impar pedagogía. La traducción de este libro en piedra para los que no quieren leer.

A pesar del panorama tan inhumano e injusto que ensombrece hoy el País Vasco, muchos amigos y discípulos de DŸEZ ALEGRŸA repetimos con él y con su carismática hermenéutica evangélica: Yo creo en la esperanza f.

XIX. LA IGLESIA VASCA DEBE PEDIR PERDÓN PÚBLICAMENTE[*]

Antonio Beristain, a sus más de setenta años, encarna la historia de la transición del pueblo vasco hacia la paz, del cambio y de la conversión de ideas. Este jesuita, director honorario y fundador del Instituto de Criminología Vasco, ha dedicado toda su vida a estar al lado del torturado, y del privado de libertad sobre todo, durante la época

---

[*] Entrevista publicada en La Razón, 2 agosto 1999, pp. 10-11.

franquista. El asesinato de Miguel Angel Blanco tambaleó los cimientos de este vasco español*f* como le gusta definirse. Del espíritu de Ermua nació el Foro de El Salvador, al que pertenece. Aunque defiende a las víctimas directas e indirectas*f* del terrorismo de ETA, resta importancia a una cuestión transcendental para el resto del Estado español: la independencia del País Vasco.

fi ¿*ETA nació dentro de la Iglesia?*

Dentro de las grandes religiones siempre brota mucho trigo y también un poco de cizaña. Si algunos ayudaron al nacimiento de ETA, esos deben colaborar a que entregue las armas y repare a sus víctimas.

˜   Por qué la Iglesia vasca ha protegido a ETA, frente a las víctimas del terrorismo?

Esta cuestión no ha sido investigada todavía suficientemente. Sí podemos repetir lo que, hace pocos días, ha escrito el jesuita Javier Gafo: La Iglesia vasca no está jugando el papel reductor y de moderación que se le debía exigir ante el grave problema vasco y que surge del mensaje evangélico.

fi ¿*Eso es lo que ha pasado en el País Vasco?*

Lo que ha pasado y sigue pasando en el País Vasco rebosa complejidad. Necesita nuevas investigaciones con más objetividad y, sobre todo, con más justicia y más comprensión. Pero, evitemos la coletilla que suele añadirse, evitemos eso de por ambas partes, porque esas ambas partes no existen. Existen víctimas y victimarios, en nada equiparables.

fi ¿*Una parte de la Iglesia vasca es independentista?*

Las elecciones del 13 de junio han aclarado esta pregunta. Nadie debe alarmarse porque una parte de los cristianos vascos lo sean. Pero, cualquier catedrático de Derecho penal se alarma si los independentistas emplean medios antidemocráticos, más o menos graves, desde embadurnar los papeles propagandísticos de otros partidos políticos, abuchear, insultar y amenazar a sus representantes cuando toman posesión de sus cargos en las instituciones, hasta incendiar su automóvil, etcétera. La amenaza en determinados supuestos es delito. El odio no es delito, pero es peor.

fi *¿Le interesa el fenómeno sociológico del terrorismo?*

Denominar conflictos a las acciones terroristas tipificadas con graves sanciones en el Código Penal de todos los países linda con la ceguera axiológica, enfermedad contagiosa. De manera similar, considerar presos políticos a los condenados por esos delitos. Tal deformación del lenguaje da pie a reacciones sociales violentas y a resentimientos criminógenos.

fi *¿El País Vasco sin Espa a tiene razón de ser?*

No parece que el problema grave de hoy vaya por ahí. Los miembros de ETA que no han entregado las armas siguen cometiendo delitos de tenencia ilícita de armas y de pertenencia a banda terrorista. Algunos se vanaglorian de tal situación.

fi *¿Usted es nacionalista?*

Soy vasco y español, con sentido de fraternidad universal, como mi padre. El actuó como tal, dentro del nacionalismo moderado y católico. Yo de otra manera, por mi condición de sacerdote. Como ha escrito el Superior General de los Jesuitas, nosotros no debemos meternos en política de partidos. Aunque sí, en política con mayúscula, de defensa y desarrollo de los derechos humanos, sobre todo de los más necesitados. No creo que Euskal Herria sea una tierra sagrada, muy distinta de las demás. Buceo, busco la igualdad fraterna también en este campo. Rechazo la exclusión étnica. Amo profundamente al País Vasco. Varios de mis libros se han traducido al vascuence.

fi *¿Alg n día la Iglesia vasca deberá pedir perdón?*

Sin duda. Lo que se llama coloquialmente Iglesia vasca (y también la española) debe pedir perdón públicamente, como lo han hecho, más de una vez, las Iglesias católica y protestante alemanas por su negligencia en defensa de las víctimas del nazismo. La revista jesuítica Orientierung, del 15 de junio de este año, comenta el Diario de Etty Hillesum, y elogia el hacerse cargo de las víctimas, su solidaridad activa, hasta la muerte, pues no basta lavarse las manos como Pilatos. Sobre este problema, desde otra perspectiva, ha escrito el catedrático de Etica, Aurelio Arteta, en su libro Fe de horrores. Sería deseable más sensibilidad y formación jurídica en ciertos ámbitos eclesiales. El poco aprecio de la Justicia humana choca con su estima en la Biblia y en la Iglesia universal, como argumenta el jesuita Pietro Bovati, en la Civiltà Catolica, del pasado mes de mayo, y su colega Joseph Joblin, en la misma revista del mes de junio. También González Valles, en su libro Por la fe a la Justicia.

fi ¿A qu achaca que se critique al Foro de El Salvador por no condenar la violencia del GAL?

A que no han leído el Manifiesto, pues en él se condenan los crímenes del GAL. Además, gran parte de los miembros del Foro de El Salvador, me dicen que ya se han adherido más de setecientas personas, sacerdotes, religiosas, religiosos y seglares, hemos trabajado y hemos sufrido mucho por atender y proteger a las víctimas de la dictadura en tiempo de Franco. Nos hemos comprometido en privado y en público. Entre paréntesis le diré que, en Oviedo, en los años setenta sufrí amenazas graves y se suprimió por prudencia la misa dominical de la una, en la que yo predicaba. Desde mi llegada a San Sebastián, el curso 1972-1973, hasta el establecimiento de la democracia trabajé continuamente con un grupo de media docena de personas que nos reuníamos cada mes o dos meses, en Villa Gentza, para defender a las víctimas del franquismo, para denunciar los malos tratos policiales y prisionales, etcétera. Un abogado, conocido y apreciado como defensor de las víctimas, conserva todavía documentos de nuestras investigaciones y acciones.

fi ¿Los religiosos vascos act an dentro del marco constitucional?

Apliquemos la presunción de inocencia.

fi ¿Qu puede hacer la Iglesia vasca para que el País Vasco camine hacia un proceso de paz?

Enfocar hacia la paz la educación de los jóvenes. Saber y proclamar que la paz es fruto de la justicia. Todo pueblo necesita tribunales de Justicia. Necesita el Código Penal que tipifique y sancione los delitos terroristas pues, con palabras del jesuita González Faus: el terrorismo no es sólo violencia, sino la más inmoral de todas las formas de violencia.

¿En las escuelas vascas se educa para el terrorismo?

Supongo que la mujer del César es honesta, pero convendría saberlo, con investigaciones y análisis científicos. Con nuevos e innovadores programas mirando al futuro.

¿La paz pasa por la excarcelación de los presos etarras?

En mi libro De los delitos y de las penas desde el País Vasco (Dykinson, Madrid, 1998), exijo que no se cumplan íntegramente las sanciones privativas de libertad. El condenado debe salir de la prisión mucho antes, a tenor de las normas de la libertad condicional y del más elemental humanismo. Pero este humanismo debe aplicarse, no menos, a las víctimas directas e indirectas de la criminalidad. Alguien ha dicho que si ETA abandona las armas todos sus presos deben salir al día siguiente. Parece injusto, pues la impunidad conllevaría la desmoralización social, como afirma el jesuita Tojeira. El añade: los crímenes impunes son siempre fuentes de nuevos crímenes. El perdón tiene sus límites, la ética sigue a la justicia, pero no la antecede, ni la suprime. Así, argumentan las encíclicas Dives in Misericordia y Redemptor Hominis.

¿Es partidario del acercamiento de los presos al País Vasco?

Que se cumplan los requisitos del Acta de diciembre de 1998 del Parlamento Europeo, como se argumenta, en el número 12 extraordinario de Eguzkilore, la revista del Instituto Vasco de Criminología. Desde 1958, en libros y artículos, he criticado los abusos en las instituciones penitenciarias y policiales. Pero, a pesar de sus limitaciones, las cárceles españolas están en la proa de la nave mundial.

¿Sería una bomba de relojería acercar a todos?

Quizás implique un grave problema de derecho comparado teórico y práctico. Faltan estudios científicos al respecto.

¿La independencia del País Vasco es requisito indispensable para la paz?

El 13 de junio ha clarificado este punto. Cada día se ausculta más indispensable la justicia y el amor. Atención cordial y eficiente a los más desposeídos, más pobres y más vulnerables. Ahí se esconde Dios.

Parte 5ª

Enaltecer la memoria de las víctimas

XX. NECESITAMOS EL PREFERENCIAL PROTAGONISMO P BLICO DE LAS VÍCTIMAS[*]

A Joseba PAGAZAURTUNDUA,
a su esposa, hijos, familiares y amigos,
con profundo respeto, dolor ilimitado
y fraternal empatía.

Los ecos del asesinato anunciado de Joseba PAGAZAURTUNDUA, el sábado 8 de febrero, no se han apagado ni se apagarán en mucho tiempo, en muchos años. Procurar o permitir su silencio, su olvido, sería una segunda erosión de la conciencia cívica, otra devaluación axiológica, sería añadir un crimen a otro crimen. Con frecuencia nos llegan sus ecos, amargos como olas del océano; también, paradójicamente, pletóricos de esperanza. Esta acrece al percibir que los líderes jurídicos, criminológicos, victimológicos y culturales de los cinco continentes, colocan a las víctimas de las graves violaciones de los derechos de la persona en el sitial que tradicionalmente ocupaba la atención a los delincuentes. Así lo confirma entre otros testimonios que después aduciremos un libro presentado en París (enero 2003), Victimes: du Traumatisme à la Restauration, que recoge investigaciones de diecinueve especialistas de distintos países (Bélgica, Canadá, Francia, Reino Unido), de complementarias disciplinas académicas, y de personas comprometidas en programas humanitarios. Robert CARIO, de la Universidad de Pau y Países del Adour, dirige este libro que edita la Escuela Nacional de la Magistratura Francesa. Afortunadamente, rebasa los límites de la Magistratura y del Derecho penal. Llega al terreno fértil de la Criminología victimológica después de Auschwitz, radicalmente distinta y más multi, inter y transdisciplinar que aquél.

También elevan nuestra esperanza los mensajes paradigmáticos que hemos escuchado, desde el trágico ocho de febrero, quienes hemos

---

[*]   Cfr. El Correo, 8 abril 2003, p. 30.

asistido a las manifestaciones de miles de personas que, en Andoain y Vitoria, enarbolaban banderas de todos los colores y cantaban himnos de colectivos muy diversos. No menos, las Jornadas donostiarras (14 y 15 de febrero) de ¡Basta ya!ƒ (www.bastaya.org), y su libro Contra el Nacionalismo obligatorio, Madrid, Aguilar, 2003, con artículos de veinte escritores, adalides del quinto mandamiento, que ETA y sus colaboradores-encubridores ningunean.

En el actual mundo democrático, los poderes públicos contribuyen cada día más a la indemnización de los daños y perjuicios que sufren las víctimas directas e indirectas de los delitos, como establece la legislación y la jurisprudencia nacional e internacional al respecto, y las muchas instituciones que trabajan en este ámbito. Sin embargo, falta por andar un camino todavía virgen, pero de necesidad urgente. Falta descubrirƒ que los ciudadanos, además de nuestra obligación de atender y ayudar a las víctimas, hemos de admitir su protagonismo como agentes sociales y morales de una convivencia altruista, lejos de todo victimismo. Por eso erigimos monumentos   horizontes abiertos   en su memoria, como el de Agustín IBARROLA que se inaugurará este mes, en Vitoria.

Urge indemnizar a las víctimas inmediatas y mediatas, pero más importa devolverles su voz y su protagonismo axiológico. En este punto coinciden, con sólidos argumentos, autorizados investigadores como Ernesto GARZ› N VALDÉS, y múltiples informes de la Sociedad Mundial de Victimología. A las Universidades y a los medios de comunicación compete investigar y divulgar con mayor insistencia, desde otra hermenéutica, tres fenómenos antropológicos y sociales: 1 .- la victimación y sus metástasis; su trauma, su dolor, sus heridas físicas, morales, psicológicas; las inmediatas   el día   de la victimación y las subsiguientes a ella. 2 .- la restitución completa que se debe hacer efectiva con inmediatez y generosidad. Hemos de crear nuevos medios y técnicas de reparación de los daños que se les ha causado a ellas, a sus familiares, etcétera. A tenor de la Recomendación 4 , de 6 de Marzo de 1998, del Consejo de Europa, pedimos que se elaboren más estadísticas cuantitativas y cualitativas de quienes sufren crímenes graves, pues sin más y nuevos datos empíricos no se pueden resolver elementales problemas victimológicos.

Y, en tercer lugar, pero el más importante y el más ignorado: el derecho de las víctimas a su rehabilitación, como proclama la Resolución 2002/44, de la Comisión de los Derechos del hombre, de las Naciones Unidas, sobre Derechos a la restitución, la indemnización y la rehabilitación (subrayo) de las víctimas de violaciones graves de los derechos del hombre y de las libertades fundamentales,*f* comentado por el profesor Cherif BASSIOUNI, en Chicago, y Presidente de la Asociación Internacional de Derecho penal. La Comisión, al exigir a todos los Gobiernos este innovador derecho de las víctimas a su protagonismo social especialmente   el formulado en los números 25 d) y 25 g) , proclama públicamente el enriquecedor venero de ellas para el respeto y desarrollo de la convivencia privada y pública. Cae en la cuenta de algo que frecuentemente se silencia: el justo y primordial deseo de las víctimas, cuando, más que su indemnización personal, piden que les reconozcamos su derecho a que les consideremos orfebres del bien común, de la reconstrucción social, de la ética cívica, de la cultura de la tolerancia y la justicia que engendra la paz. A este punto tercero le dedicamos unas líneas a continuación.

Hoy, la justicia exige que, además de indemnizar a las víctimas, se les otorgue el papel que pueden y deben representar   mejor que nadie   en la vida pública. Las respuestas a la victimación competen al aparato judicial, pero también a otras instituciones oficiales y privadas, y a los ciudadanos. Veamos y experimentemos a las víctimas como los partenarios más altruistas y eficaces de la convivencia y de la cultura de la paz. Ha llegado la hora de que nuestras coordenadas sociales, políticas y religiosas les otorguen más protagonismo regenerativo en todos los ámbitos comunitarios.

Algo parecido propugna Paul LEBEAU, S. J., con su biografía (Un itinerario espiritual) sobre el Holocausto de Etty Hillesum, secuestrada por las SS hitlerianas en Amsterdam, el año 1941, y desaparecida*f* en Auschwitz, en 1943. Estas macrovíctimas ofrecen al mundo la profunda experiencia de la fraternidad que brota de los abismos de la angustia de su sufrimiento. Evocan el paso*f* existencial de Cristo que, frente al morir y el sentirse abandonado por todos, incluso por Dios, se entrega en sus manos haciendo de su muerte un acto filial, que des-fataliza así toda muerte humana y la transfigura en un acto de libertad, en una acción más que una pasión, un hacer más que un padecer.

No acallemos los ecos de quienes han vivido situaciones límite. Siguen el surco trazado por Cristo en la historia de la humanidad. No sienten desaliento, sino al contrario una irresistible intensidad de amor y de talante altruista. Merecen que respetemos (y cooperemos a) su derecho de preferencial actividad social, pública y axiológica. Quizá con más exactitud digamos que nosotros, los ciudadanos y nuestras instituciones, necesitamos que se respete el derecho de las víctimas a su impar protagonismo en y para la convivencia más humana y fraternal. Son personas que viven en plenitud el hoy y aquí como Joseba PAGAZAURTUNDUA para los demás^a para nosotros.

XXI. ACUERDO POR LAS LIBERTADES, CONTRA EL TERRORISMO ¿Y POR LAS MACROVÍCTIMAS?[*]

El apartado 7 del Acuerdo por las libertades y contra el terrorismo, consensuado por el PP y el PSOE, merece unas reflexiones desde la Universidad y en especial desde la, cada día más apreciada, ciencia Victimológica. Ésta nos promete resultados preñados de esperanza: cumpliremos lo que propone el punto 7, y lograremos atender casi totalmente a las víctimas del terrorismo. Cabe preguntarnos si al título del Acuerdo podríamos añadirle Y POR LAS MACROVÍCTIMAS?ƒ. (Después indicaré algún argumento para la respuesta afirmativa y, además, para horizontes internacionales).

Acierta el Acuerdo cuando deja constancia de que la democracia nunca podrá devolver a las víctimas lo que han perdidoƒ. Ciertos daños resultan irreversibles (a no ser que medie una espiritualidad recreadora, como la del jesuita Pierre TEILHARD DE CHARDIN). Conviene que todos seamos conscientes de la deuda que tenemos pendiente con las víctimas de ETA. Nunca recibirán todo el reconocimiento que merecen. Cuando PP y PSOE prometen que la Sociedad española preservará su memoria y mantendrá un sistema de atención cotidiana y permanente, rememora un axioma que nos vincula a todos: el axioma elemental de la responsabilidad universal compartida, que con frecuencia se olvida en este campo.

Probablemente muchas personas e instituciones, gracias a este Acuerdo, superarán el miedo y el pánico que inconscientemente padecen, impuesto por los terroristas. Caerán en la cuenta de que habían incumplido la inexorable obligación de colaborar para evitar la impunidad y que se ejercite la justicia restaurativa con las decenas de miles de víctimas directas e indirectas de ETA. Debemos intentar que desaparez-

---

[*] Cfr. ABC, 26 febrero 2001, p. 20.

ca la marca de Caínƒ.Todos los ciudadanos somos partenarios implicados en la erradicación del terrorismo y en la reparación psicológica, económica, moral, material, espiritual, etcétera, a las víctimas. Su memoria debe permanecer activa, especialmente en el campo de la docencia. Urge tener en cuenta la Victimología ya en los centros que atienden a la infancia. Dentro de un terrorista siempre, o casi siempre, se esconde una institución pedagógica deficitaria durante su niñez o juventud, ya que el terrorismo se aprende, no se hereda. Deben crearse Cátedras de Victimología en la Universidad española. Pueden servir de modelo los centros victimológicos que se han implantado en Croacia (Victimology, Victim Assistance and Criminal Justice Inter-University Center, de Dubrovnik), en Japón (Asian Post Graduate Course on Victimology and Victim Assistance, de Tokiwa University) y en América Latina (Córdoba y Méjico, dirigidos por H. MARCHIORI y M. LIMA MALVIDO, respectivamente).

Ha llegado la hora de superar la cosmovisión tradicional que veía a las víctimas sólo como las personas a las cuales nosotros debemos atender y reparar. Sin negar esta verdad indudable, hoy proclamamos, con el Acuerdo: nadie mejor que las víctimas para defender los valores (subrayo) de convivencia y respeto mutuo[a] ƒ. Ellas son las pioneras para la defensa y el desarrollo de los valores superiores que exigen las modernas Constituciones: libertad, justicia, fraternidad, igualdad[a] Recordemos que la justicia, además de ser el prototipo de los valores superiores, es también la puerta necesaria para la paz. Y sólo después de pasado su dintel puede iniciarse el diálogo[a] que ninguna Constitución estatal proclama como valor superior.

Este número 7 brinda aportaciones de máximo interés para las macrovíctimas de ETA, y también aunque indirectamente para transformar toda la justicia vindicativa en otra justicia (nacional e internacional) radicalmente distinta: la restaurativa. La que no se venga, la que no castigaƒ, sino que sanciona, restaura, rehace y repersonaliza a víctimas y victimarios. En cierto sentido puede decirse que los autores de estos dos párrafos del Acuerdo han escrito más de lo que (conscientemente?) deseaban. Como otras veces, la voluntas legis rebasa la voluntas legislatoris. Caían en la cuenta del revolucionario injerto que introducen en el árbol de toda la Política criminal?

La polisemia de víctimas desborda lo que a primera vista ofrece este Acuerdo. Víctimas en el lenguaje científico desde 1979, año en que nació la Sociedad Mundial de Victimología, significa algo distinto y superior a lo que se entiende vulgarmente por ese vocablo. Para el ciudadano de la calle la víctima coincide con el sujeto pasivo*f* de un crimen, como se ha entendido desde hace siglos en los Tribunales. Otro contenido muy diverso le atribuyen hoy los especialistas. Para éstos víctimas significa y crea*f* algo cualitativamente superior al tradicional perjudicado*f* de la extorsión o el secuestro. A las víctimas nadie debe considerarlas como algo periférico al delito y al delincuente. Al contrario, son el eje, las pioneras, del Derecho penal y la Criminología del futuro inmediato. Víctimas quiere decir alfa y omega*f* de la justicia, del régimen prisional, del sistema policial radicalmente innovadores. Esto implica que el Magistrado, el personal penitenciario y los medios de comunicación, al encontrarse ante una persona asesinada por un terrorista y sus cómplices (conviene recordar que sin muchos cómplices no hay terroristas), deben dirigir su mayor atención no al asesinato, ni al asesino, sino a la víctima herida, a sus familiares y amigos. De modo semejante, el proceso penal subsecuente a cualquier crimen terrorista girará alrededor de las macrovíctimas. A éstas, sobre todo, se escuchará y se dará la palabra. No seguirán siendo meros convidados de piedra*f* ante el Tribunal. Ni permanecerán desapercibidas para muchos ciudadanos, incluso para algunos especialistas. Ni continuarán omitidas en las estadísticas criminales, que todavía hoy, salvo excepciones, sólo se ocupan de los delitos y los delincuentes pero nada de las víctimas inmediatas y mediatas. Éstas superan a aquéllos en número, y deben superarles también en recibir atenciones.

Si la Política criminal les reconoce su papel de primer actor, se comprende que el título de este artículo añada ¿y por las macrovíctimas? Lógicamente, se plantean los problemas dentro de un paradigma más positivo, más en consonancia con nuestra principal preocupación*f*. Incluso los conceptos fundamentales como homicidio, violación, narcotráfico, etc., cambian.

Si nos comprometemos a impulsar la Fundación acordada, cumpliremos nuestro deber con las víctimas y, además, se transformarán las coordenadas del crimen y la prisión. Se iniciará una nueva Política criminal. Su centro no será el delito ni el delincuente; éstos cederán su protagonismo a las víctimas. En los Tribunales de Justicia se iniciará un eón humano, altruista y solidario alrededor de la dignidad impar de las personas vulneradas.

XXII. JUSTICIA RESTAURATIVO-AGÁPICA, NO VINDICATIVA[*]

Ante todo gracias y Agur Jaunak, bienvenidos Señores al País Vasco, que tanto amamos, por múltiples motivos, y que se honra con vuestra visita, como máximas autoridades de nuestra Justicia. Hoy, 12 de julio, hace cuatro años, a esta hora, en esta sala, clausurábamos el Curso de Verano sobre Criminología. Hablaba el Rector de la Universidad de Granada, Excmo. y Mgfco. Sr. D. Lorenzo MORILLAS, y pedía a ETA que no asesinaran a Miguel ngel BLANCO[a]

Esta condecoración que nos habéis entregado, Excmo. Sr. Presidente del Consejo General del Poder Judicial y del Tribunal Supremo, deseo dedicarla a las víctimas del terrorismo. Nos duele que ellas no puedan estar jamás entre nosotros. Cada día nos resulta más imposible olvidarlas. Ellas sí merecen ésta y mayores condecoraciones! Nos superan en calidad. Han dado la vida para que otros vivan o para que vivan con dignidad; han realizado la Justicia con plenitud de significado*f*, en formulación de E. RUIZ VADILLO. Son lo mejor de nuestra sociedad. Por eso nos apoyamos en su ejemplo y rememoramos su doctrina.

Desde un hondo respeto y cordial agradecimiento intento comentar, ahora, cuatro sentimientos: quiénes somos los destinatarios de esta condecoración, su mensaje de justicia restaurativo-agápica no vindicativa, a quiénes se la agradecemos, y qué prometemos mirando al mañana.

Las ciencias jurídicas nos patentizan que la persona es referibilidad a otras personas, como la rama y la hoja son referibilidad al árbol. Ninguna hoja cae del árbol si las demás verdean. Todos somos corresponsables, más o menos, de lo que hacen nuestros conciudadanos. Por eso afirmamos que nadie delinque solo. Y también cabe decir que ninguna persona merece ella sola tal o cual condecoración. Esta Gran Cruz de San Raimundo de Peñafort honra, más que a A. BERISTAIN, a las muchas personas sin fronteras geográficas, ni políticas que durante largos decenios han navegado y navegan con él en el mismo velero criminológico y victimológico, comprometido en el desarrollo de los Derechos humanos. Estas personas son las destinatarias de la Gran Cruz: personas académicas, de administración y servicios, alumnado del

[*]   Palabras de agradecimiento al recibir en San Sebastián, el 12 de julio de 2001, la Gran Cruz de la Orden de San Raimundo de Peñafort . Cfr. Justicia restaurativo-agápica, no vindicativa*f*,Universitas, núm. 102, Pontificia Universidad Javeriana, Santafé de Bogotá (Colombia), diciembre 2001, pp. 531-534.

Instituto Vasco de Criminología (que dirige José Luis de la CUESTA, con sus dinámicas relaciones internacionales), de mi Facultad de Derecho donostiarra, del Centre d Estudis Jurídics de Barcelona (creado por E. GIMÉNEZ-SALINAS, pionera de la mediación), de las Sociedades mundiales de Criminología, Victimología y Derecho penal (con su vicepresidente, Reynald OTTENHOF), así como del Instituto Max-Planck de Freiburg, de Amnistía Internacional, del Consejo de Europa y las Naciones Unidas, etcétera. Superan la endogamia y la globalización, la teocracia y la tecnocracia.

El principio de responsabilidad universal compartida coloca esta insignia también, aunque parezca paradójico, en el pecho de algunas personas privadas de libertad en prisiones europeas y americanas con las que hemos compartido, sufrido y aprendido   y seguimos aprendiendo   un no sé qué que quedan balbuciendo *f*, quedéme no sabiendo, toda sciencia transcendiendo *f*, como experimentó durante su encarcelamiento San Juan de la Cruz y otros como él, aunque en grado menor. Algo de esto narra SOLZHENITSYN, en su Archipiélago Gulag.

Este collar pone ante nuestros ojos símbolos de notable riqueza hermenéutica, especialmente dos: la balanza de la Justicia y el busto de un místico solidario. Con satisfacción vemos la evocación de la Justicia. Pero no se refiere a la justicia vindicativa, sino a la bicéfala *f* restaurativo-agápica. La justicia recreativa no pretende hacer sufrir al victimario, pero sí que éste reconozca su crimen y restaure el perjuicio causado a las víctimas directas e indirectas. Y, así, se repersonalice, como sugiere DOSTOIEWSKI, en su Crimen y castigo. Exige que el delito no quede impune y acepta la sanción restaurativa, que puede hacer surgir, palabras textuales de DOSTOIEWSKI, un manantial de vida inagotable *f*. Sí, la justicia es un valor superior, y condición inexorable de la paz.

En línea parecida a la del humanista ruso, juristas y filósofos más cercanos a nosotros, cuando hablan de la justicia insisten en su integración con el amor. Para E. RUIZ VADILLO, la justicia sin amor es una parodia[a] se hace verdadera Justicia a través del Amor[a] *f*. La semana pasada, el Profesor de Derecho, José Ramón RECALDE, públicamente nos ha interpelado si hemos intentado construir la Justicia y si hemos amado al prójimo *f*. Coincide, desde la perspectiva ético-filosófica, F. SAVATER cuando aconseja a su hijo Amador una justicia simpática[a] no hay más remedio que amarle un poco al otro, aunque no sea más que porque también es humano[a] *f*

Junto al símbolo de la Justicia, esta insignia reproduce el busto de San Raimundo, que nació en el castillo de Peñafort, cerca de Barcelona, el año 1175. Fue profesor de Filosofía y, después, en Bolonia, de Derecho. Posteriormente, a los 50 años, ingresó en los Dominicos. Destacó por su carisma de la contemplación y el servicio a los necesitados. Sabía que la religión sin justicia es inquisición, idolatría tiránica. Eminente profesional del Derecho, compiló las Decretales que presentó al Papa GREGORIO IX, del que era confesor. A él solía imponerle como penitencia: atienda generosamente las peticiones de los pobres*f*. Con Pedro NOLASCO fundó la Orden de la Merced, para la redención de cautivos. Hoy necesitamos la figura actualizada   de San RAIMUNDO. Nuestra sociedad debe mantenerse aconfesional pero no arreligiosa. Nuestra juventud hambrea símbolos transcendentes como este hombre místico hiperactivo, como Maximiliam KOLBE, Pedro ARRUPE, Teresa de CALCUTA, de vida interior y preocupados por los demás, nos resultan leaderes imprescindibles. Una sociedad que prescinda del Logos significante que oculta toda materia (HER CLITO) queda ahuecada, reducida a mera fachada, piel sin entrañas. Lo exterior se desvanece y cae, canta RILKE en su VII Elegía de Duino. Sólo lo interiorizado permanece, da vida plena, gravita y eleva. Acierta el criminólogo Pierre-Henri BOLLE cuando, en el Consejo de Europa, hablando del código penal, recuerda el axioma de André MALRAUX: la sociedad del siglo XXI será mística o no será*f*. Con HORKHEIMER y ADORNO, hemos de reflexionar sobre la Irracionalidad de la racionalidad postmoderna. Ésta echa de menos su correspondiente metarracionalidad y metasensibilidad. Existen realidades las más sublimes que no pueden ser verificadas por nuestra inteligencia. Nos lo atestigua el CHILLIDA leku, el bosque de Oma de A. IBARROLA y también el Orfeón Donostiarra (no sólo cuando canta el Aleluya de HÄNDEL). Si nos privamos de la dimensión espiritual, nos reducimos a meros prehomínidos del paleolítico inferior, muy anteriores a las cuevas de Altamira y Lascaux, del siglo XX-XVIII antes de nuestra era. El dominio hegemónico de la razón y la técnica acaban abocando a la sinrazón, al terrorismo, totalitarismo, genocidio y holocausto. La Universidad, los Tribunales, las prisiones, necesitan ideas, pero no bastan. Necesitan creencias, pero tampoco bastan. Necesitan convicciones y valores, pero seguimos con sed y hambre. Necesitan algo que sólo brota en otro eón: el misterio, las experiencias de cada uno, intransferibles, transcendentes, escatológicas. Éstas no encuentran terreno abonado en la unidimensionalidad racional y pragmática, que agostan lo vivencial.

Me acerco al final. Para nosotros implica un honor excepcional entrar a formar parte del colectivo de las paradigmáticas personas que poseen esta Gran Cruz. Recuerdo a mi Maestro Hans-Heinrich JESCHECK, y con emoción a los Excmos. Sres. D. Luis PORTERO y D. José Francisco QUEROL vilmente asesinados. Reiteramos nuestra profunda gratitud a quienes nos han otorgado esta condecoración. Hemos de nombrar, especialmente, al Excmo. Sr. Presidente del Consejo General del Poder Judicial y del Tribunal Supremo, don Javier DELGADO. Sabemos que a él le debemos el Libro Blanco de la Justicia, también la creación del más que moderno Centro de Documentación Judicial, en San Sebastián. Nos agrada que desde el puerto donostiarra se pueda extender esta red a los juristas de todo el mundo.

Nuestro agradecimiento se manifestará en más que meras palabras. Nos comprometemos a trabajar en favor de una justicia restaurativo-agápica, acercarnos a las causas perdidas, rescatar los derechos de los vencidos, dar fe, ser notarios, de que la historia del mundo muestra que la fuerza del bien supera a la del mal. En la puerta de nuestras casas está clavada nuestra flor, Eguzkilore, que impide penetre el odio, pero nos inunda con ríos de esperanza ilimitada. Rechazamos el axioma de Giuseppe Tomasi di Lampedusa, en Gatopardo: Las cosas tienen que cambiar para seguir siendo las mismas*f.* Nosotros, al contrario, nos conjuramos a que las cosas cambien para transformarnos todos en personas más fraternales, excéntricas, que colocan su centro en el otro, giran alrededor del otro, el victimizado.

Termino. Aunque no sea bien visto, aunque tengamos que pagar el fielato de cada día, seguiremos buscando y construyendo la justicia recreativa y agápica con todos; en particular, proclamaremos como Alfa y Omega de los derechos humanos el interés superior de las víctimas. Devolverles su protagonismo, su excelencia.

Muchas gracias, Eskerrik asko.

XXIII. UN MONUMENTO A LAS VÍCTIMAS EN BERLÍN   Y EN EL PAÍS VASCO[*]

Al recibir la primera noticia de los dos asesinatos terroristas del 22 de febrero de 2000 en Vitoria, de don Fernando Buesa, que en importan-

---

[*]   Cfr. El Ciervo, año XLIX, núm. 589, abril 2000, pp. 11 s.

tes ocasiones colaboró con el Instituto Vasco de Criminología, y de don Jorge Díez Elorza, ex alumno de nuestro Master en Criminología, muchos docentes y discentes de este Centro Universitario sentimos, ante todo, un dolor profundo que, durante varias horas, impide y ahoga cualquier otro sentimiento o pensamiento.

Después, empiezan a asomar otras vivencias. Reaparecen, desde el pozo negro de la noche, unas pequeñas luces de esperanza. La muerte no es el final. Aunque han muerto dos amigos queridos un   colega y un discípulo ,   seguiré viéndolos en todos los actos académicos. Me brindarán ánimos e ilusión para encontrar sentido positivo incluso en dar la vida por los derechos a la verdad, la libertad y la igualdad, como ellos.

Posteriormente, al leer y escuchar en los medios de comunicación los comentarios de las diversas personas e instituciones acerca de esos dos crímenes terroristas, se observa que va surgiendo en la sociedad una nueva cosmovisión de esta delincuencia organizada, de sus múltiples responsables (autores principales, ejecutores, cómplices, encubridores, ideólogos, etcétera) y de las respuestas científicas que merecen.

Se va avanzando en la percepción axiológica de lo que implica un asesinato terrorista: es mucho más grave que un asesinato, y mucho más aún que un homicidio, pues aquél (además de causar dos o tres o cuatro víctimas directas) aterroriza a cientos o miles de víctimas indirectas, desconocidas, anónimas, pero víctimas de carne y hueso a las que los victimarios (y, en cierto sentido, subrogándose, los ciudadanos) tienen obligación de reparar todo el mucho daño que les han causado. Mientras no lo hagan, no pueden dormir tranquilos[a]   no podemos dormir tranquilos.

Además, se va progresando y rebasando el paradigma tradicional del delito, que era principalmente vindicativo. Se va creando una innovadora reacción social centrada en favor de las víctimas inmediatas y mediatas, más que en los autores del terror. Hasta hace algunos decenios las respuestas al crimen giraban alrededor de los delincuentes, de su sanción privativa de libertad por más o menos años. Actualmente, nos preocupamos principalmente por atender y tener atenciones con las víctimas, lo cual significa un progreso en la manera de ver la justicia penal (hacer justicia no equivale a castigar) y sus sanciones   reparadoras sí, pero no vindicativas   que miran primero a las víctimas para darles satisfacciones reales y eficaces y, después, a los criminales, victimarios, para exigirles su deber inexorable e imprescriptible de indemnizar todos los perjuicios que han causado a las víctimas inocentes y a toda la sociedad.

Esto lo conocía y lo vivía Fernando Buesa. Lo testimoniaba con sus obras y sus palabras. De éstas permítaseme recordar algunas entresacadas de su conferencia en el Acto Solemne de Clausura del Coloquio Internacional sobre Movimientos de Población, Integración cultural y Paz *f*, en el Instituto Vasco de Criminología el día 23 de abril de 1994. Puede leerse en Eguzkilore, revista del IVAC-KREI, Número 7 extra, 1994, páginas 261-273.

Habló convencido de que la integración cultural, la paz y el desarrollo efectivo de los Derechos Humanos necesitan foros como éste en el que, desde un punto de vista preferentemente científico, se puede discutir y poner en común experiencias, logrando abrir vías de reflexión y debate *f*. Analizó el reto que para un político socialista supone la voluntad de crear una sociedad abierta, solidaria y multicultural[a] para hacer imposible un auge de la xenofobia y el racismo en nuestro país, integrando a los inmigrantes, dándoles una personalidad legal que les permita contar con un trabajo digno y con los mismos derechos sociales que posee cualquier otro trabajador, y estudiando la posibilidad de apertura en el campo de los derechos políticos a quienes deseen ejercerlos como instrumento de integración y reconocimiento de su dignidad *f*.

La segunda parte de su exposición lleva por título La educación como forma de lograr la integración cultural, la superación de la discriminación y la paz *f*. Según él, la educación entendida en su sentido más amplio, aparece como el medio idóneo para lograr instalar en la conciencia de los ciudadanos y ciudadanas ideas sólidas y duraderas de rechazo de toda forma de discriminación, y de respeto hacia las diferencias, logrando una verdadera integración social que, por definición, no será permanente más que cuando se trate de una verdadera integración cultural. Se pretende no sólo respetar al que es distinto procurando hacerle como nosotros, sino respetarle siendo distinto e incluso primando el que pueda mantener sus elementos de diferenciación[a] Es obligación de todos y de todas, desde la escuela hasta los medios de comunicación, influir en nuestros ciudadanos para crear un espíritu de convivencia frente a la intolerancia *f*.

Al constatar que las investigaciones realizadas sobre rendimiento escolar y nivel socioeconómico comprueban, en todos los países, una alta correlación entre fracaso escolar y pertenencia a clase económicamente baja *f*, aboga por una Educación compensatoria *f* que equilibre la balanza mediante unas medidas de discriminación positiva: programas específicos, recursos didácticos, ayudas sociales, etcétera *f*. Termina su ponencia con unas palabras de esperanza que hoy debemos releer con admiración y gratitud: estas carencias no deben desanimarnos en la lucha diaria por conseguir una sociedad cada vez más solidaria, respetuosa con los demás, abierta y multicultural*f*.

Quien ha tenido los ojos y el corazón abiertos para ver y oír cómo han contestado los españoles al doble asesinado terrorista de ETA habrá deducido eficaces conclusiones reparadoras. Una de las más elementales: urge levantar en Vitoria un monumento público en homenaje a las víctimas del terrorismo de ETA, como el del Holocausto que se está erigiendo en Berlín, después de diez años de discusión, desde el 7 de noviembre de 1989 hasta el 25 de junio de 1999. Ese día el Parlamento Federal aprobó el proyecto antisimbólico de Peter Eisenmann, por 314 votos a favor frente a 209 en contra. Se trata de un amplísimo bosque de estelas en el centro de Berlín. No ofrece un mensaje, sino una experiencia que el visitante proyecta hacia su interior, pierde el terreno firme bajo sus plantas, la posibilidad de la verdad-justicia-paz se encarna en las piedras imponentes que le rodean, se le tornan corpóreas y apocalípticas. Surge la pregunta: son pirámides fúnebres?, fósiles catárticos?, dioses de la reconciliación?

Si de verdad queremos que nuestra respuesta a tanta macrovictimación terrorista no quede en mera palabrería hueca, urge que inmediatamente se erija en Vitoria un monumento público en homenaje a las víctimas del terrorismo de ETA. Sólo así podemos evitar la desmoralización social que produce el tener que convivir con verdugos disfrazados de próceres, como ha escrito el jesuita José M. Tojeira.

XXIV. RECTORES UNIVERSITARIOS Y LA ASOCIACIÓN DE FISCALES EN EL PAÍS VASCO[*]

El 15 de febrero de 2001 sesenta y un Rectores de las Universidades españolas acudieron a Lejona, en la margen izquierda del Nervión, para, en un solemne Acto Académico, firmar el paradigmático documento LA UNIVERSIDAD EN DEFENSA DE LA LIBERTAD*f*, donde manifiestan su compromiso con la libertad y su apoyo a cuantas personas viven

---

[*]   Cfr. La Razón, 12 abril 2001, p. 28.

hoy amenazadas y a cuantas sufren el ataque, la extorsión y el acoso de los terroristas. Expresan también su solidaridad con las víctimas. Pocos días antes, la Asociación de Fiscales vino a Bilbao para entregar el Premio CARMEN TAGLE 2000ƒ al Foro de Ermua. Estos dos Actos Académicos tuvieron una importancia excepcional y un eco positivo en toda la Unión Europea por múltiples motivos; especialmente por su triple compromiso, que merece un comentario público, en favor de la memoria victimal, la moderna justicia restaurativa y el posterior diálogo recreador.

La memoria victimal se destaca entre los rasgos diferenciales de los humanos sobre los primates. Estos no tienen evocación de sus antepasados. Los olvidan. En cambio, las personas retenemos, celebramos, el recuerdo de quienes nos han precedido. Principalmente de cuantos se hicieron más dignos de él. Nosotros colocamos un espejo al final de la vida de todas las víctimas. En él se perpetúa activa su imagen, y nos orienta por qué sendero de libertad y solidaridad fraterna debemos avanzar.

Ese recuerdo victimal es una energía más que mágica, como sugiere RILKE. Gracias a ella se progresa aunque aparentemente se retrocede. En vez de convertirse el fuego en cenizas, zu Asche werden Flammen, el polvo   la muerte   se transfigura en llamas perpetuas que iluminan y calientan, zur Flamme wird der Staub. Las personas rememoradas   pebetero ígneo   dejan huellas imborrables, superan su mortalidad individual y rompen el caduco círculo de todas las cosas que nacen, crecen y mueren. Ellas no mueren. Entran en un movimiento rectilíneo, ascendente, sin fin. Cortan el orden cíclico de lo humanoƒ y penetran en lo transcendenteƒ. El ángel rilkeano transforma la tragedia visible de las víctimas en luz invisible que aclara la noche. Abel nos guía desde una estrella más resplandeciente que la de Caín. Para mejor percibirla, urge erigir monumentos   materiales e inmateriales   en memoria de las víctimas que han dado su vida por los demás. Elogiamos al Parlamento y Gobierno alemán que, con impar generosidad, han consagrado y ornamentado en Berlín un magno espacio en Homenaje a las víctimas del Nazismo. También, las universidades españolas, de una u otra manera, honran a las víctimas. La Universidad del País Vasco honró decididamente   con ciertos riesgos   a Francisco TOM S Y VALIENTE. Quizás convenga complementar lo poco que se hizo en su día, cuando fueron asesinados los profesores Juan de Dios DOVAL y Francisco Javier G› MEZ EL› SEGUI, y el ex miembro del Consejo Social Universitario, José Luis L› PEZ DE LA CALLE. Coincide esta memoria que pedimos con la de Jesús, en su cena última: Haced esto en memoria mía*f*? Borra la línea divisoria entre el tiempo y la eternidad? Desentierra, alumbra, la fuente inaccesible que subyace oculta en el misterio del sufrir y del morir? Eleva a las víctimas de su humilde condición de criaturas al imperturbable rango de lo sacro, lo fascinante, lo numinoso?

Todo acto rememorativo consigue que nuestras víctimas escapen de la fragilidad y temporalidad de la Historia, se acerquen e incorporen en la realidad supratemporal, profunda. Ésa que CHILLIDA llega casi a tocar cuando introduce su mano en las corpulentas moles, de varias toneladas de mármol, hierro, cemento, para abrir una brecha hacia el dentro*f* de la materia. O Agustín IBARROLA cuando mira las cosas buscando el fondo , el contenido de las cosas*f*.

La Universidad española y la Asociación de Fiscales están comprometidas a favor de la Justicia hodierna, restaurativa, que difiere sustancialmente de la medieval y postmedieval. No gira en torno al delito, ni al delincuente, sino que coloca en el centro la reparación a las víctimas. En siglos pretéritos, el Poder Judicial, al sancionar optaba por la vindicta: al autor de un daño tipificado como delito, le infería otro daño proporcional. Actualmente, no cabe mantener esa cosmovisión. La sanción no pretende castigar, causar perjuicios, expiar. Nadie acepta aquella obligación de los jueces medievales de aplicar un mal, malum passionis propter malum actionis. (No olvidemos que el Papa Juan Pablo II ha rechazado la vetusta creencia de un lugar físico espacial para la pena del infierno[a]). En el tercer milenio, una parte cada día mayor de los operadores del Poder Judicial, y de los docentes universitarios superan radicalmente la teoría y la praxis talional, ya no se inspiran sólo en el Derecho penal sino también en la Criminología (el equipo técnico, con psicólogos, psiquiatras, médicos forenses, etcétera) y en la Victimología. Fomentan la tutela del interés superior de las víctimas*f* que se reivindica mediante la prestación personal de los victimarios. Así lo postula hoy y lo postulará más mañana la Ley del Menor, vigente desde enero de 2001. También el Informe del Parlamento Europeo sobre el Estatuto de las víctimas en el proceso penal, de diciembre de 2000.

Si hace cuatro siglos Francisco SU REZ demostró que sancionar era obligación del Juez, hoy, la evolución progresiva, imparable, de la justicia, su implantación en cuanto instancia restitutiva, nos la muestra como virtud, no sólo como obligación. Ya el año 1985 las Naciones Unidas, en su Declaración sobre los principios fundamentales de justicia para las víctimas de delitos y del abuso de poder, establecieron que las víctimas ª tendrán derecho al acceso a los mecanismos de la justicia y a una pronta reparación del daño que hayan sufrido ª Obtener reparación mediante procedimientos oficiales u oficiosos que sean expeditos, justos, poco costosos y accesibles ª ƒ No serán meros convidados de piedra.

Antes de poner punto final, permítanseme unas líneas a favor del diálogo. Pero, no el anterior a la acción de la Justicia y, peor aún, el anclado en viejos criterios estáticos y dualistas. No el diálogo con los asesinos, sus cómplices y encubridores, en plano de igualdad, sin límite alguno, pues legitima la violencia terrorista e implica impunidad. Sí, en cambio, el diálogo después de que el delincuente ha reconocido su crimen. Y, sobre todo, el diálogo vivo desarrollándose, creciendo, dentro de un esquema muy distinto del tradicional. Más que borrar el iter criminis pasado, construye el iter futuro de la reparación íntegra y la repersonalización de las partes. No se limita a recomponer el puente que reúne las dos márgenes víctimas y victimarios , sino que se dedica, tanto o más, a renovar ambas. Este diálogo postmoderno injerta una pupila joven que proyecta hacia el mañana. Por eso, los interlocutores, además de mirar hacia atrás para diluir y desleir el crimen, pronostican hacia adelante, recrean. Que las heridas de los delitos, reconocidos, dejen las menos cicatrices posibles, o las transmuten con vigor primaveral, las arborezcan. (Sonetos de Orfeo).

Fomentemos el diálogo posterior o simultáneo con la justicia, como proponen los Congresos Internacionales de la World Society of Victimology, los modernos especialistas programas de mediación, reconciliación y Probation. En ese marco sí, pero sólo en ese marco no dualista , cabe dialogar.

Termino repitiendo las palabras del Rector de la Universidad del País Vasco en el discurso que pronunció en el indicado Acto Académico: exijo a las autoridades públicas que defiendan a la Universidad ƒ.

XXV. EL PREMIO SAJAROV 2000 DEL PARLAMENTO EUROPEO AL COLECTIVO " BASTA YA"*

El miércoles 13 de diciembre de 2000 el Parlamento Europeo, en solemne sesión plenaria entregó al movimiento ciudadano vasco-espa-

---

* Cfr. Vida Nueva, núm. 2.266, 27 enero 2001.

ñol Basta ya!ƒ,el Premio SAJAROV a la libertad de concienciaƒ. Este Premio, dotado con 50.000 EUROS, se celebra, desde 1988, alrededor del 10 de diciembre, aniversario de la Declaración de los Derechos humanos de 1948. El Parlamento Europeo creó este Premio para honrar a personas e instituciones eminentes en el trabajo y el compromiso incondicional la   lucha no violenta, democrática y pacificadora   por la dignidad del hombre y la mujer, por el respeto y el desarrollo de los Derechos Humanos, la justicia y la libertad de expresión. Este Premio Andrei SAJAROV (1921-1989), físico de renombre y Premio Nobel de la Paz de 1975, desde su inicio el año 1988 se ha otorgado a personas e instituciones de fuera de la Unión Europea: MANDELA MARCHENKO, DUBBCEK, AUNG SAN SUUKYI, DEMAÇI, LAS MADRES ARGEN-TINAS, OSLOBODJENJE, NASREEN, ZANA, WEI JINGSHENG, GHEZALI, TUGOVA, GUSMAO, y en el año 2000 se entregó por primera vez a una asociación dentro de la Unión Europea.

La Presidenta de la Eurocámara, Nicole FONTAINE, antes de poner en las manos del filósofo Fernando SAVATER el pergamino correspondiente, pronunció un valiente discurso ante el pleno del Parlamento, en el que acusó a ETA, el grupo terrorista vasco, de intentar destruir un sistema político que ha sido democráticamente elegido por los ciudadanosƒ. Dirigiéndose a unos setenta españoles, representantes de la Asociación BASTA YA! que estaban presentes en la Sala, les felicitó y agradeció su trabajo en favor de la defensa y el desarrollo de los derechos humanos, de la justicia y la democracia. Por eso la Eurocámara galardona vuestro noble esfuerzo y vuestro compromiso. Europa, aña-dió, es ante todo una comunidad de valores fundados en el respeto del Estado de Derecho y cada vez que el terrorismo asesina en España a una persona, es el conjunto de la Unión Europea el que se siente afectadoƒ.

A continuación cedió la palabra al representante de la Asociación que, ante una Cámara inusualmente llena de cargos electos, explicó la trágica macrovictimación que en el País Vasco y en el resto de España sufren muchos miles de personas y familias, víctimas directas e indirec-tas del terrorismo de ETA.

El terrorismo vasco de ETA dijo   no es un fenómeno aislado y su perpetuación se debe a un clima político del cual son responsables las autoridades nacionalistas que gobiernan el país desde hace más de veinte añosƒ. También comentó algunos factores etiológicos de esta macrovictimación: Estos terroristas no son extraterrestres llegados de otro planeta para hacer el mal, sino jóvenes educados en el fanatismo étnico y en el odio a más de la mitad de los conciudadanos y a todo lo considerado español , jóvenes a los que se ha imbuido una historia distorsionada y una antropología demencial que les hace creer ser víctimas y les convierte en verdugos*f.*

Tuve la suerte de poder acompañar desde San Sebastián a los setenta ciudadanos vascos que acudieron a Estrasburgo, invitados por el Parlamento, para compartir con este colectivo uno de los momentos más importantes vividos desde su fundación: la recepción de un merecido premio internacional. He procurado cumplir el mensaje evangélico del Buen Samaritano. Los tres días que conviví con estos familiares y amigos de personas asesinadas por ETA fueron para mí una experiencia profunda inolvidable. Desde entonces leo con otro paradigma el sermón del monte, especialmente su bienaventurados quienes sufren por amor a la justicia*f*. Ningún perteneciente al colectivo   Basta ya!*f* ha acudido a la respuesta violenta. Aprendí que una inalienable riqueza distinguirá siempre a las víctimas del terrorismo. Y cuánto agradecen la presencia fraternal y solidaria de la Iglesia[a] y cuánto lamentan su olvido (cfr. pp. 283 s., 293), del cual   por fin, afortunadamente   pidió perdón el obispo de Bilbao, en noviembre de 2000 (tal y como aparece en el artículo La paz es fruto de la Justicia, antes y más que del diálogo*f*, pp. 200).

XXVI. ¿LAS VÍCTIMAS   TAMBIÉN LAS ANÓNIMAS   ACRECEN LA CONVIVENCIA?[*]

Molt Honorable President de la Generalitat Valenciana, Excma. Sr . Alcaldesa de Valencia, Ilmo. Sr. Presidente de la Fundación Profesor Manuel Broseta, Amigas y Amigos:

En este momento, ante tan eminente auditorio, mis primeras palabras se dirigen a la Fundación Profesor BROSETA para agradecerle muy cordialmente el Premio de CONVIVENCIA que me ha otorgado, aunque lo considero inmerecido. Si algo he logrado en este campo victimal, ha sido por la labor de muchas personas que trabajamos en colaboración de sinergia multidisciplinar. El galardón les

[*]   Intervención al recibir en Valencia el 15 de enero de 2002 el X Premio de Convivencia de la Fundación Profesor Manuel Broseta. Cfr. Sal Terrae, Revista de Teología Pastoral, Tomo 90/3, núm. 1054, marzo 2002, pp. 227-231.

corresponde a ellas. (Lógicamente, el importe económico lo destinaré a las víctimas).

Con profunda empatía, saludo a todas las víctimas directas e indirectas del terrorismo, protagonistas del solemne acto que ahora celebramos. Todas están aquí. También las fallecidas. Sentimos su presencia virtual y real, aunque no las veamos. Están aquí, el carismático Prof. Manuel BROSETA, eximio y amigable conciliador f y, con él, innúmeras víctimas: búcaros exteriormente vulnerables, pero interiormente inmortales: son azahares blancos y rojos en perpetua primavera. Sangre seminal que germina convivencia humana, sobrehumana.

Manos cainianas nos arrebataron sus cuerpos. Pero no sus lecciones magistrales, sus convicciones, sus ideales contagiosos. Ellas están siempre volviendo a nosotros, en retroversión esperanzada, desde la meta a donde llegaron. Meta, y también fuente, de amor que mana sin origen y sin fin, como canta San Juan de la Cruz.

Aquí y ahora, en recuerdo respetuoso de todas nuestras víctimas, comprendo, con ustedes, el vacío abismal que nos han dejado, comprendo el dolor cruel de tantos familiares y amigos. Pero experimentamos también el roce del ala de la paloma del espíritu, misterio y milagro. (Convivencia vertical, transcendente). La epopeya de nuestras víctimas nos hace llorar cada mañana; pero, por otra parte, colma nuestra convivencia onírica. Para agradecérselo, nos hemos reunido aquí.

Como catedrático en una Facultad de Derecho, colega de Manuel BROSETA (el Profesor que ha merecido el Liber amicorum más voluminoso y cálido), Francisco TOM S Y VALIENTE, Ernest LLUCH, José María LID›N, Juan de Dios DOVAL y de otros Maestros de maestros, permítanme recordar algunas aportaciones de las víctimas a la convivencia, en relación con cuatro ramas del árbol de la Justicia: Derecho penal, Criminología, Victimología y Teología.

A los especialistas del Derecho penal nos compete la cognición de los fenómenos criminales y, después, conseguir el puente que acerque las partes separadas, para que vuelvan a convivir. Como la escultura de Chillida, en la entrada de la Cancillería de Berlín. Decían los romanos: Da mihi factum, dabo tibi ius, Preséntame un hecho y te devolveré un derecho f. Ahora les voy a presentar un hecho insólito, algo que muchas personas no ven, pero merece recordarse en España y fuera de España. Desde que surgió ETA en el País Vasco, allá por los años 60, cientos de víctimas directas, miles de víctimas indirectas, aunque parezca increíble, ni una sola vez han pretendido vengarse. Ante este hecho impar, los penalistas creamos un derecho. Mejor dicho, reconocemos el nuevo derecho que adquieren las víctimas: alcanzan la cumbre de la dignidad humana por su talante heroico en favor de la convivencia horizontal. Por su aprecio silente y elocuente al Poder judicial renuncian a la venganza. Así, anuncian la necesidad de la justicia sancionadora. Anuncian algo fundamental: que presentar a los delincuentes graves ante los Tribunales pertenece a los deberes insoslayables, ineludibles, del ciudadano. Que encubrirlos, o colaborar activamente con ellos, se sanciona como delito en todas las legislaciones democráticas. Renuncian a la violencia; así enuncian, con E. RUIZ VADILLO: El Derecho penal se erige en defensor máximo de los valores más esenciales de una sociedad f^{a} Sin la sanción penal la dignidad de la persona, la existencia con un mínimo de respeto, no se puede garantizar. A través del Derecho y la Justicia penal llega la armonía social, la belleza, la convivencia. En pocas palabras, la paz brota de la Justicia. Quienes afirman que nace del diálogo distinto de la mediación jurídica , y hablan sólo de conflicto y enfrentamiento f (no de crimen y terrorismo), se enquistan en teorías hace varios decenios superadas. Lo aclara desde diferentes perspectivas y matices José Ramón Recalde.

Como el Derecho penal, también la Criminología nos manifiesta que las víctimas aportan una contribución fecunda a la convivencia universal. Son ellas quienes, ya en el Congreso Mundial de Criminología Budapest, 1993 y en el reciente Symposium Internacional Lovaina, diciembre, 2001 motivan un giro copernicano de la Justicia penal. Pergeñan una revolucionaria cosmovisión que transforma radicalmente la tradicional, vindicativa, en restaurativa f. En el sitial de Hugo GROCIO colocan la reparación completa y dinámica de los perjuicios actuales y futuros causados por el crimen. Reparación que llega más allá de la indemnización pecuniaria (fundamental, pero no lo más importante). Reparación completa, iluminada por una filosofía existencial, postheracliana, según la cual todos los daños producidos por el delito son, en cierto sentido, metarracionales, metafísicos y reversibles. (R.P. FEYNMAN prueba que lo físico es irreversible, pero no lo metafísico). De manera que a las víctimas se les puede y debe devolver todos sus derechos privados y públicos, incluso su protagonismo en la vida política, etcétera. Se les debe liberar individual y colectivamente del autismo impuesto o, al menos, pretendido por los victimarios. Desgraciadamente, en España, ni ellas ni sus asociaciones tienen todavía la paz, la palabra y la libertad que merecen. Menos aún en el País Vasco.

Exigimos para ellas poder llevar a sus hijos al colegio, poder mantener abierta su librería señera en la parte vieja de San Sebastián[a] A la Criminología hemos de agradecer también una adición conceptual y estadística. Descubre que, además de las víctimas directas e indirectas hasta hoy conocidas, existen también muchas otras antes inexistentes, ignoradas. Las podemos denominar víctimas anónimas. Personas, por ejemplo, que, conocedoras del peligro que implica ir con tal amigo en el coche o de paseo, sin embargo, le acompañan[a] conscientes del riesgo que corren. Se dejan afectar voluntariamente por el terrorismo, en formulación de Jon SOBRINO. La ciencia y praxis criminológica bucea dentro de las personas y de los acontecimientos, algo así como el jesuita HOPKINS, y adivina el alma de las cosas (de la que gusta escribir BLASCO IB ÑEZ). La Criminología nos evidencia que las víctimas, en el nivel hondo de la realidad fontal, logran la victoria siempre; aun cuando aparentemente figuren como vencidas. ANTÝGONAtriunfa, sin duda, sobre CREONTE.

Unas palabras ahora acerca de la rama tercera de nuestro árbol: la Victimología. Otra vez aquí las víctimas fallecidas   y no fallecidas influyen eficazmente en pro de la convivencia, de múltiples maneras. Por brevedad, indico sólo un dato. Ellas han conseguido que el Consejo de la Unión Europea haya adoptado la Decisión marco de 15 de marzo de 2001 (cfr. Anexo 2), que regula el proceso penal sobre el axioma de que los jueces han de procurar, ante todo, el interés superior de las víctimas. Los Tribunales, en caso de duda, no aplicarán el in dubio pro reo, sino in dubio pro victima; reconocerán la preeminencia de las víctimas. Éstas ocuparán permanentemente el centro de la Política criminal. El Código penal continuará siendo el protector de los criminales, como avizoró DORADO MONTERO, pero será más el protector de las víctimas. La Victimología fomenta una cultura protectora, totémica, como la que enriquece IBARROLA, en sus troncos pintados, cuando restriega con ahínco el color en la superficie de sus pinos, para que toda la madera, toda su textura, quede impregnada de color, de protección[a] y, a veces, constata él, entre árbol y árbol, se filtra el cielo en la lejanía*f*.

Hasta aquí hemos hablado principalmente de la convivencia horizontal, entre ciudadanos. Escuchemos finalmente la voz que emerge de las grandes religiones sobre la convivencia vertical, transcendente. Si ustedes visitan la catedral de Lovaina, les llamará la atención el altar mayor. Una gran piedra marmórea, regalo de las víctimas belgas que lograron salir de los campos de concentración nazis. Al contemplarlo, viene a la memoria el mensaje paradójico: Bienaventurados los que sufren por amor de la justicia. Pertenece al núcleo de las religiones, ya antes del homo erectus, el hacer memoria de las víctimas. También en la capilla de San Pablo, a pocos metros de las Torres Gemelas, GIULIANI, el alcalde de Nueva York, ha pedido que el nivel cero se transforme en un memorial sacro. Requerimos que las capitales del País Vasco y del resto de España erijan monumentos a las víctimas del terrorismo. Sirven de ejemplo, además de Valencia, muchas ciudades alemanas, no sólo Berlín (como indico en páginas anteriores). Pues la convivencia de hoy y mañana no se construye sobre el olvido.

Palabras conclusivas. Hemos comentado algunos frutos del árbol de la justicia que nos han brindado las víctimas con su compromiso ético sin fisuras, con su caminar paradigmático por la experiencia profunda de los valores de verdad, paz y reconciliación pacífica. Ellas nos sacan de la caverna de Platón en la que realmente vivimos y nos facilitan la libertad y la convivencia fraternal (artículo primero de la Declaración Universal de Derechos Humanos). Jamás les agradeceremos bastante todo lo que continuamente nos aportan para la alteridad comprensiva, agápica. Gracias a las víctimas pronto llegará la paz al País Vasco y a España.

Gracias, Fundación Profesor Manuel BROSETA. Gracias, amigas y amigos.

XXVII. EL ARTE Y LA ETICA DE IBARROLA TRANSFORMAN EL TERRORISMO[*]

Queridos Mari Luz y Agustín!

Todos nosotros   y muchos más que no han podido venir   estamos muy contentos por múltiples motivos. También porque coincidimos en una afirmación jubilosa, que nos colma de esperanza. Se puede resumir en esta frase: Mari Luz, Agustín: vuestro arte y vuestra ética limpian, y limpiarán cada día más, la mancha sangrienta del terrorismo vasco. Lo transformarán. Crearán un País Vasco que, a España y a Europa, irradiarán belleza, libertad, justicia, democracia, fraternidadjª Esta

---

[*]   Palabras pronunciadas en el marco del Acto de Homenaje al escultor Agustín Ibarrola, organizado por la Plataforma Cívica Basta Ya!, y celebrado en el Teatro Arriaga de Bilbao, el 17 de mayo de 2003.

afirmación puede ser comentada en una reunión de profesores universitarios. Ahora, sólo caben dos pinceladas sobre cómo vuestro arte y
vuestra ética influyen hoy e influirán mañana[a] después de ETA.

En la parte baja de vuestras obras se lee un título (el escrito en el
cuadro o en el catálogo). Pero puede leerse aunque no está escrito un
subtítulo: toda ética exige la mirada al otro*f*. Algo semejante dicen los
libros de HABERMAS, recién homenajeado con el galardón Príncipe de
Asturias*f* de Ciencias sociales, cuando vinculan simétricamente filosofía, derecho, ética y política. Por eso le han concedido el premio. Mucho
similar vemos en vuestro arte, arte de máxima calidad, vasco y universal, social, comunicativo. Es una macla, un agregado simétrico de
ilusión, amor, ética, derechos humanos, transformación, creación utópica y compasión.

También merecéis nuestro homenaje por vuestra ética. Sois, desde
jóvenes, un matrimonio adalid de ética civil, religiosa y postreligiosa. Me
explico. Vuestra ética ha logrado recopilar y vivificar herencias de
muchas religiones (incluso preindoeuropeas) y actualizarlas con la ética
de JUAN XXIII, cuando escribe (encíclica Pacem in Terris, n 96): que
los poderes públicos cooperen para mejorar las condiciones de vida de las
minorías étnicas[a]*f* Y, en el n 97: Ha de advertirse, no obstante, que los
miembros de tales minorías ya por reaccionar contra su actual
situación, ya por recordar sucesos pasados no raras veces se sienten
inclinados a realzar más de lo justo sus propias peculiaridades, hasta
ponerlas por encima de los valores humanos universales, como si el bien
de la familia humana entera debiera subordinarse a los intereses de su
propio pueblo. Lo racional sería que los tales ciudadanos supieran
reconocer también ciertas ventajas que les vienen de esa su especial
situación, pues contribuye no poco a su propio perfeccionamiento el
contacto permanente con una cultura diversa de la suya[a]*f*

Vuestro arte y vuestra ética coinciden en cómo captan lo pretérito y
lo futuro. Recogen lo hiperhumano protohistórico, desde hace más de
20.000 años, en las cuevas de Santimamiñe. Lo transforman en actual,
sin conservadurismo integrista que fosiliza la cultura de ayer. Miran al
futuro y lo adelantan. Lo crean rebosante de utopía de justicia, libertad[a] Miran hacia el futuro, y evolucionan con innovador dinamismo.
Nos dan ejemplo. Y nos exigen hacernos cargo del débil, del peregrino,
de las macrovíctimas[a] Las transforman en esclavos felices, a la luz de
la ópera de nuestro J. Crisóstomo ARRIAGA. Y, a más de uno, nos exigen
superar el síndrome de Estocolmo, inconsciente, pero eficaz fuente de

macrovictimaciones. Vuestro arte y ética provocan en las personas de buena voluntad el descontento que, en palabras de UNAMUNO, es el primer motor de todo progreso y de todo bien *f*. Vuestro arte y ética de hoy y de mañana nos hace experimentar y sentir las afirmaciones de HABERMAS. Por ejemplo, cuando critica con severidad a los alemanes que se defienden de su silencio y colaboración omisiva a veces con el nazismo, y se disculpan diciendo yo no tuve nada que ver con aquello*f*, y se creen no responsables de lo que vieron pero dicen que no vieron. (JES‡S de Nazaret conoció y criticó estas actitudes. Lo recuerda el evangelio de San Marcos, capítulo 11: Bajaba un hombre de Jerusalén[a] cayó en manos de salteadores[a] le golpearon[a] se marcharon dejándole medio muerto. Por casualidad, un sacerdote bajaba por el mismo camino, y habiéndole visto, dio un rodeo y pasó de largo*f*).

Vuestro arte y ética aborrecen la neutralidad axiológica. Quien no está en favor de la justicia, está en favor de la injusticia. No se puede servir a dos señores. Por eso, muchas personas e instituciones, cuando alguien apedrea vuestro caserío, no se enteran; cuando alguien corta los árboles que os acogen, no se enteran. Ellas boicotean vuestros cuadros, pues no son bien vistos*f* en sus hogares. Vuestro arte y ética emerge de una radical, profunda, reflexión y experiencia acerca de los vínculos entre arte, derecho, moral, pobreza y política.

Agustín, naciste en Bilbao. Eso te ha marcado. Te pido un favor: prepara un homenaje a la industria metalúrgica bilbaína, sus chimeneas[a]

Queridos Mari Luz, y Agustín, vuelvo al comienzo, a HABERMAS, rememoro dos conversaciones de él con MARCUSE. Cuando éste, casi octogenario, no le respondió a su pregunta cómo argumentar los fundamentos de la ciencia social y moral*f*. Pero después, MARCUSE, ya en el hospital, dos días antes de morir, le recordó: Ahora te digo cuál es el fundamento de nuestros juicios de valor más elementales: la compasión, nuestro sentimiento por el dolor del otro*f*. Vuestro arte y ética merecen este homenaje, pues atienden, entienden y tienen atenciones con el sufrimiento de los otros. Especialmente con el dolor de las macrovíctimas de nuestro terrorismo.

Como dije al comienzo: vuestro arte y ética influyen e influirán, cada día más, en el País Vasco, en España y en Europa, frente a ETA y después de ETA. Entonces aplicaremos la ética agápica que vosotros y muchas buenas personas estáis creando.

GRACIAS. ESKERRIK ASKO.

XXVIII. VÍCTIMAS CRUENTAS E INCRUENTAS ANTE LOS JURISTAS Y TEÓLOGOS[*]

"No se entiende siquiera por qué hablarían de reconciliación cuando ya estaban reconciliados con el criminal al día siguiente del crimen, cuando jamás han pedido cuentas a los asesinos".

V. JANKÉLÉVITCH, *El perdón*, 1999, 76.

Hace pocas fechas leí, con profunda emoción, la trágica nota que don Salvador ULAYAR hizo pública acerca del asesinato terrorista de su padre, don Jesús, en Echarri Aranaz, cuando él era niño; así como del vergonzoso nombramiento de hijo predilecto del pueblo al autor del delito. Decidí ponerme en contacto con su familia, para trasmitirle mi empatía y brindarle mi apoyo fraternal, como sacerdote jesuita y como jurista. Ahora, ante la noticia de que el sábado 24 de enero, en Echarri Aranaz, se celebrará un acto solemne en recuerdo de don Jesús ULAYAR y don Francisco BERLANGA, con motivo del XXV aniversario del asesinato de ambos, lamento no poder asistir, por tener un compromiso académico. Pero deseo, con estas líneas, unirme a todas las personas que participarán en este merecido recuerdo, y manifestar públicamente algo que muchos ciudadanos pensamos, muchos juristas sabemos, y muchos religiosos consideramos necesario hacer ante estas victimaciones. Algo que los cristianos sentimos como grata obligación que nos inculca el Evangelio y la experiencia religiosa personal.

Como jurista, constato que eminentes personalidades e instituciones del Derecho (especialmente la Asociación Internacional de Derecho penal y su presidente el profesor M. Cherif BASSIOUNI) coinciden en proclamar cada día con más insistencia: que las macrovíctimas del terrorismo tienen más derechos de los que la sociedad, las autoridades políticas, sociales, culturales e incluso quizás las eclesiásticas les conceden. Concretamente, resumo ahora un argumento que los especialistas desarrollan desde diversas perspectivas: las macrovíctimas del terrorismo tienen derecho a la indemnización económica, médica, psicológica, etc., que les reconoce la mayoría de los países democráticos actuales. Pero inteligentes juristas, sociólogos, psicólogos, etc., exigen que se promulguen legislaciones mucho más avanzadas, más solidarias y, mejor dicho, más justas. Que, no contentos con mantener las amplias reparaciones ya establecidas, vayamos más adelante y caigamos en la

---

[*]   Cfr. La Razón, 22 enero 2004, p. 36.

cuenta que las macrovíctimas deben recibir también rehabilitaciones de otro rango superior.

Las víctimas son pebeteros ígneos que   de manera impar   nos dan luz y calor para avanzar en el camino de la libertad, la justicia, la verdad y la fraternidad[a] , frente al camino del odio, el miedo y la amenaza que fomentan los victimarios y sus cómplices conscientes e inconscientes. Las víctimas activas, que viven y trabajan a favor de la paz, los valores y los prójimos   como Maximiliam KOLBE (que en agosto de 1941, en Auschwitz, quiso le matasen a él en sustitución de su compañero de cautiverio, el sargento Franciszek GAJOWNICZEK, casado y con hijos), como don Jesús y don Francisco , además de su inherente dignidad humana, acumulan la nueva suprema dignidad de haber expuesto y dado su vida conscientemente en beneficio de los otros. Si nuestros dos homenajeados, ante los crímenes y las amenazas de los terroristas, no se hubieran comprometido de palabra y de hecho, nadie les habría asesinado. Ellos pusieron en peligro y dieron su vida en favor de los demás, para que nosotros y las generaciones siguientes disfrutemos de una convivencia liberada del totalitarismo terrorista.

La justicia humana, agápica, no retributiva, ni vindicativa, exige que a éstas, y similares macrovíctimas, se les reconozca revestidas de una mayor legitimidad axiológica y de una mayor credibilidad en el orden de los diagnósticos políticos y propuestas de solución; que hagamos de su condición personal un estatus social y de su ejercicio un rol y protagonismo moral; que proclamemos in dubio pro victima f; que éstas merecen nuestra continua discriminación positiva. Por esto, las Naciones Unidas, en su Resolución sobre Principios y directrices básicos sobre el derecho de las víctimas de violaciones de las normas internacionales de derechos humanos y del derecho internacional humanitario a interponer recursos y obtener reparaciones f, de 18 de enero de 2000, firmada por unanimidad en la Comisión de Derechos Humanos, piden que a las víctimas del terror se les debe erigir monumentos para enaltecer su memoria; que a esas víctimas se les debe homenajear en el aniversario de su victimación. Que a ellas se les debe dedicar todos los años un día señalado: el día de conmemoración de las macrovíctimas.

Permítaseme una reflexión desde mi sacerdocio. Considero muy acertado que esta tarde se celebre la Eucaristía   acción de gracias   por el vivir y el morir de estas dos personas emblemáticas. Son, lo repito, otros san Maximiliam KOLBE. Como él, como el Siervo de Yahveh (capítulos 50 y 51 del profeta Isaías), como Jesucristo, entregaron su vida por nosotros no se la quitaron , por eso merecen más   que el Buen Samaritano   nuestro sumo reconocimiento y agradecimiento.

Algunas veces, los familiares y amigos de las víctimas directas escuchan con asombro un comentario equivocado: que a ellas (víctimas incruentas por ser familiares y amigos de las víctimas cruentas) el Evangelio les pide perdonar a los asesinos de sus familiares totalmente, tal y como lo hizo Jesús al Buen Ladrón   hoy estarás conmigo en el Paraíso*f* y a la mujer adúltera   vete en paz*f* . Quienes les dan este consejo tan absoluto tergiversan el Evangelio, confunden dos realidades: el perdón en el paradigma divino y el perdón en las relaciones de los hombres entre sí. El perdón inmediato, gratuito e ilimitado de Jesús pertenece única y exclusivamente al Hijo de Dios, no a los hombres. A quien ha delinquido y causado perjuicios notables si, pudiendo, no los repara (como los reparó Zaqueo), ni nosotros, ni la autoridad podemos, ni debemos, perdonarle de la misma manera más   allá de todo horizonte   que lo hizo Jesús al buen ladrón y/o a la mujer adúltera. Todavía más, el Evangelio recrimina y niega la absolución a quienes no recomponen todo lo posible el daño producido por el delito, y a quienes fomentan la impunidad para los autores de crímenes como el asesinato u otros similares. Las religiones cristianas nos mandan a todos perdonar siempre[a] pero nunca saltarnos los límites (como indica la encíclica Dives in misericordia, de JUAN PABLO II). Así mismo, las grandes religiones condenan a quienes   en circunstancias normales   encubren a los autores inmediatos y mediatos de delitos graves. También exigen que la autoridad y los ciudadanos cumplamos las leyes democráticas que regulan las respuestas punitivas a los condenados. No fomentan un perdón que implique impunidad, salvo cuando medien motivos y razones extraordinarias, a tenor de la legislación correspondiente, es decir, cuando ya no se trata de impunidad, sino de perdón judicial. El Papa Juan Pablo II nunca ha pedido a las autoridades públicas que no sancionen, según las leyes, a quien intentó matarle. El Papa le ha perdonado en su interior, pero no con el perdón público   inmediato, general, sin obligación de reparar   que aparece en los pasajes Evangélicos que suelen citarse.

El jesuita José M TOJEIRA, Rector de la Universidad de El Salvador, cuando comenta los asesinatos de Ellacuría y sus compañeros, concluye tajantemente: es necesario declarar la verdad aquellas muertes fueron delitos de asesinato, no meros conflictos políticos   y los victimarios deben ser condenados por la autoridad judicial a la pena correspondiente[a] porque la justicia es un elemento clave a la hora de dar la reparación debida a las víctimas*f*.

XXIX. LAS VÍCTIMAS, AGENTES ÉTICOS DE LA CONVIVENCIA[*]

Hoy conmemoramos el aniversario del vil asesinato de nuestro querido y admirado Joseba que tanto, y cada día más, lamentamos pues su bondad, su valentía, su inteligencia, su generosidad, su afecto y su servicialidad gratuita hacia los demás[a] nos siguen guiando y animando a imitarle en todo, y especialmente en su talante de entrega para los otros.

Este rasgo fundamental suyo   de persona para los demás, persona excéntrica (en el sentido positivo, laudatorio, de Jacques LACAN)   es el que deseo comentar brevemente en estas líneas, ante la imposibilidad de asistir hoy al homenaje que se le ofrece en Andoain, pues salgo hacia Méjico, para mañana iniciar un Congreso Internacional sobre el Derecho Penal del futuro, a la luz de la Sociedad Mundial de Criminología y de Victimología. Este rasgo tan suyo y de otras macrovíctimas del terrorismo es afortunadamente el que ya se está empezando a conocer y reconocer en el País Vasco y en el resto de España, sobre todo desde hace pocos días, con ocasión del I Congreso Internacional de Víctimas del Terrorismo, celebrado en Madrid los días 26 y 27 de enero.

Pero, por desgracia, determinados medios de comunicación, algunos políticos y algunos tratadistas desconocen todavía y tergiversan el perfil de las macrovíctimas de ETA pues ellos olvidan, omiten y silencian lo que buscan y piden principalmente las macrovíctimas directas e indirectas, activas y pasivas, con sus familiares: que se les reconozcan como personas protagonistas axiológicas de la nueva convivencia en justicia y en paz, según proclaman las Naciones Unidas desde 1985, y con más insistencia y claridad desde la Resolución sobre Principios y directrices básicos sobre el derecho de las víctimas de violaciones de las normas internacionales de derechos humanos y del derecho internacional humanitario a interponer recursos y obtener reparaciones f, de 18 de enero de 2000.

Como amigo y admirador de Joseba y de cientos de víctimas cruentas e incruentas (que no debemos olvidar, pues su victimación, aunque incruenta, causa grandes dolores y sufrimientos), me permitiría discrepar de algunas manifestaciones del señor Julio MEDEM y de su opinión, expresada en algún diario. Según él, a las víctimas de ETA, nada les da más razón política o ideológica f. Decenas de eminentes especialistas se

---

[*]   Cfr. El Diario Vasco, 8 febrero 2004, p. 27.

apartan de esta opinión y argumentan, como Ernesto GARZ﹥ N VALDÉS (Universidad de Maguncia), que a las víctimas les debemos conceder su rol de agentes éticos en pro de la convivencia fraternal. El señor MEDEM añade que mucho menos, les da licencia para insultar, calumniar[a]f. El puede tomar conciencia del ejemplar comportamiento de las macrovíctimas, privado y público, en favor de los demás. No, como indica, para calumniar[a] Ni lo hacen, ni lo intentan. Nadie lo constata.

Puede recordar el señor MEDEM, de cuya buena voluntad no dudo, que la Antropología, la Psicología, la Política criminal, etc., formulan un axioma indiscutible: quien siente mucho odio (como él parece afirmar de algunos miembros de la AVT), lo manifestará con comportamientos violentos y delictivos. Afortunadamente, las macrovíctimas del terrorismo y los miembros de la AVT nunca han cometido, ni planeado cometer el delito tipificado en el artículo 455 del Código penal español, de la realización arbitraria del propio derechof. Este fenómeno real, muchos lo consideran como lo que vulgarmente pero también inteligente y fundadamente se llama milagro heroicof.

Apoyado en mi formación como catedrático de Derecho penal, y sacerdote jesuita, cultivador de la justicia anamnésica, del recuerdo y la memoria, cum ira et studio (J.M. MARDONES, J.B. METZ, J. SOBRI-NO), me pregunto si ante la mayor extensión y gravedad del terrorismo internacional conviene tipificar un nuevo delito, que condene la falta al respeto debido a la memoria de las macrovíctimas[a] f. Porque éstas merecen mayor respeto que el resto de los ciudadanos. A las macrovíctimas, como a Maximiliam KOLBE, no debemos equipararlos a la mayoría de las personas. El legislador y el juez deben diferenciarlos en su tratamiento judicial. Considero que así lo proclaman los Derechos Humanos, y la Decisión Marco sobre el Estatuto de las Víctimas en el Proceso penal, del Consejo de la Unión Europea, de 15 marzo 2001. También, la ética, desde el Corof de los ciudadanos de Atenas, varios siglos antes de Cristo, cuando juzgan y honran a Antígona, en la tragedia de Sófocles.

Por fin, aprovecho la ocasión para agradecer al insigne artista vasco e internacional, Agustín IBARROLA, por su generosa aportación, su monumento que se inaugura hoy, para honrar a JOSEBA PAGAZAURTUNDUA, semejante al bello monumento en Ermua[a] Estos homenajes se deben en estricta justicia no sólo como solidaridad a tenor de las Naciones Unidas, en su citada Resolución.

Epílogo

UNA FUENTE INAGOTABLE DE FUERZA

Confesamos que cuando D. Antonio Beristain nos pidió que hiciéramos el epílogo de este libro nos sentimos muy honrados y realmente contentos de poder contribuir humildemente con nuestra aportación a una de las obras de una gran persona y uno de los Catedráticos de Derecho Penal que más sabe de terrorismo en nuestro país. Libro en el que los protagonistas son unas víctimas del terrorismo que deberían desempeñar un papel todavía más activo en el control de delitos de sangre derivados de una barbarie terrorista que desde el año 1960 ha hecho sufrir en nuestro país a más de ocho mil españoles inocentes, mártires todos ellos de la historia de nuestra democracia.

Han pasado tres años y medio desde que el 9 de octubre de 2000 ETA asesinara vilmente en el portal de nuestra casa de Granada a Luis Portero García, Fiscal Jefe del Tribunal Superior de Justicia de Andalucía, Ceuta y Melilla. Luis contaba con 59 años de edad. Dejaba viuda y cuatro hijos huérfanos, a los que ETA destrozaba como a tantas otras familias[a]

Para iniciar nuestra reflexión, quisiéramos en primer lugar tener un sentido recuerdo hacia todas las víctimas que han sufrido en nuestro país el zarpazo terrorista desde hace casi cuarenta y cuatro años, especialmente hacia las del pasado 11 de marzo. Y queremos hacerlo porque sólo recordando y pensando en las víctimas del terrorismo pueden darse cuenta el mundo y España de que el terrorismo no tiene justificación y de que no tiene sentido que pongamos apelativos o calificaciones al terrorismo.

Cualquier persona que ha pasado por un trance de este tipo suele padecer una serie de problemas transitorios. Aprender a vivir con el dolor no es fácil. El golpe sufrido es demasiado duro, el dolor inmenso, y afrontar una realidad tan cruda se hace complicado. Una muerte de este tipo no es natural, está fuera de lo que se puede considerar una muerte aceptable, aunque fuese traumática. Tras una vivencia así surge un trastorno psicológico llamado estrés postraumático. Dicho síndrome se produce en personas que han experimentado una situación extrema, directa o indirectamente, como puede ser un ataque terrorista. La duración de este trastorno varía según la persona, y al menos en nuestro caso, se ha manifestado en tiempos y de formas diferentes. Los psicólogos dicen que un duelo normal suele durar un año, pero uno de tipo traumático más tiempo, en función de la personalidad y circunstancias del sujeto que lo sufre. Estamos hablando de este síndrome como víctimas que han vivido el mismo, no como especialistas. Aun así, desde nuestra experiencia y desde las personas que conocemos que han sufrido un dolor similar, podríamos citar como problemas emocionales, mentales y físicos que surgen, tras un estado de shock transitorio: la desesperanza, una honda tristeza, la incomprensión, la depresión, la desconcentración, la sensación de culpabilidad, de abandono, de desinterés por todo, sentimiento de inutilidad y vacío interior, confusión, incapacidad para retener ideas o falta de atención y de memoria, irritabilidad acusada, insomnio, taquicardias, rabia contenida, tensión, fatiga física y mental, cambios inestables de humor, de apetito e impulso sexual, problemas de autoestima, sensación de ser incomprendido y rechazado, desconfianza, inseguridad, malestar interno, trastornos digestivos y de otros tipos, dolores de cabeza[a] La mejor forma de superar el estrés es compartiendo las experiencias, canalizando estos sentimientos a través de cualquier forma de expresión y sentir compañía y apoyo. Estos síntomas pueden durar meses o años[a]

Tras una masacre tan terrible como la del 11-M, ni estas víctimas, ni las que han ido cayendo con cuentagotas asesinadas por ETA durante tantos años, deben olvidarse. Cuando hablamos de víctimas nos referimos a la persona ausente y a sus familiares. No importa que tipo de terrorismo haya segado una u otra vida, siempre nace de la misma intolerancia, causa el mismo dolor, y se pierde la vida humana cuyo valor, en todos los casos, es el mismo.

Tras los atentados terroristas del 11-M en Madrid, parece haber surgido una corriente de opinión en algunos sectores y ámbitos políticos que a las víctimas del terrorismo nos empieza a preocupar. Parece como si el terrorismo de ETA no tuviera ya importancia, como si ya hubiéramos solucionado el problema, como si ahora sólo nos amenazara el terrorismo radical islámico y no el de una banda terrorista que tanto daño ha hecho a España. Y estos comentarios, deliberada e intencionadamente vertidos a la opinión pública, nos preocupan, y mucho, a las familias de víctimas del terrorismo porque para nada reflejan la realidad del terrorismo en nuestro país.

Como bien sabe parte de la población española, España y Francia no ocupan injustamente los territorios vascos. Basta hacer consulta de una historiografía seria, rigurosamente profesional e independiente para confirmar la veracidad de esta afirmación que hacemos. Para empezar el pueblo vasco no ha sido nunca una unidad política independiente ni puede, por tanto, considerarse un país ocupado por otro. Hay y ha habido, desde hace siglos, muchas personas no vascas viviendo en paz y armonía con los vascos. De hecho, históricamente, la integración de las provincias vascongadas en el seno de la Monarquía española moderna ha sido natural y plena (con toda una pléyade de marinos y conquistadores vascos incorporados con entusiasmo a la empresa de América; otros tantos haciendo carrera en la corte madrileña de los Austrias. Unos vascos que han ocupando a lo largo de siglo y medio casi el 22 por ciento de los cargos de Secretarios reales y una sociedad vasca contemporánea que, gracias al régimen de autonomía fiscal de los conciertos económicos otorgados por España, experimentó a finales del siglo XIX un espectacular despegue con una industrialización, bancos, vida intelectual, arquitectura y pintura vascas que han hecho de la región una de las más prósperas y ricas de España. Unos vascos que desde 1979 gozan de un estatuto de autonomía de tipo casi federal, que les permite disfrutar de uno de los autogobiernos más libres y autónomos de Europa; vascos que, además, han participado recientemente en la tarea de gobernar España a lo largo de la Legislatura de los años 1996-2000).

Dónde está entonces el problema? Qué sentido tiene entonces el nacionalismo vasco y el terrorismo de ETA en España? El terrorismo de ETA no trae causa en determinadas circunstancias políticas e históricas en España ni es la consecuencia de una confrontación entre españoles y vascos. Todo es fruto de una educación en una mentira que ha envilecido la historia que se enseña en muchas escuelas vascas a los niños, la de una Euskadi ancestral invadida por los españoles que explica la agresividad nacionalista y el odio que muchos vascos profesan a España. El punto clave del problema está además en la sociedad vasca, que está dividida al cincuenta por ciento en sus preferencias políticas: un poco más de la mitad son nacionalistas mientras que la otra mitad prefiere seguir viviendo como ciudadanos vascos y españoles a la vez. Se trata de una mafia de asesinos a sueldo que desgraciadamente sigue asentada en el País Vasco, una banda de terroristas que sobrevive gracias a una estructura compleja en la que juegan su papel la amenaza política y el apoyo de todo un conglomerado de formaciones, asociaciones, empresas e instituciones que la financian; de pistoleros, de comandos logísticos, encubridores, agitadores e incluso medios de información y entramados culturales afines a los postulados de los terroristas.

En España, la banda terrorista ETA ha matado a casi mil personas, desde el 28 de junio de 1960, fecha en la que quitó la vida a la niña de año y medio Begoña Urroz Ibarrola, en San Sebastián, hasta hace unos cuantos meses. Del total de víctimas asesinadas a lo largo y ancho del Estado español, 30 son menores de edad, de ellos tres bebés no nacidos, y el resto contaban con más de 18 años. Por sexos, 63 eran mujeres y el resto varones. 363 víctimas eran civiles y el resto guardias civiles, policías y militares. A ello hay que añadirle un total de 84 secuestrados (de los que 9 fueron asesinados) y numerosos actos de extorsión a empresarios vascos a través del cobro del impuesto revolucionario*f*, que para ETA han sido, y siguen siendo, sus dos principales vías de financiación y medidas de presión y chantaje frente al Gobierno español. La tremenda masacre del 11-M segó en un solo día cerca de 200 personas, a lo que se añaden miles de heridos, cuyas secuelas, físicas y psíquicas serán de por vida. Aún en estas fechas quedan heridos graves de aquel terrible acontecimiento en varios hospitales de Madrid. Entre las víctimas desaparecidas físicamente, desde bebés y adolescentes a gente más y menos joven, incluyendo a una mujer embarazada[a] A pesar de los adelantos en las investigaciones al respecto, y los terroristas arrestados, queda aún mucho por esclarecer sobre este atentado tan reciente.

Si a esto añadimos los continuos atentados que se llevan produciendo desde hace demasiados años en Oriente Medio, nos encontramos con seres humanos que se han acostumbrado a vivir bajo un eterno cotidiano violento, en el que la convivencia con la barbarie se considera normal*f*. Sólo ante impactos de gran barbarie la ciudadanía despierta su conciencia adormecida. España lleva más de cuarenta años con terrorismo. Ante asesinatos cometidos con anterioridad por ETA, esta sociedad española ha salido a las calles, pero no sin que antes, las víctimas, hayan sufrido el rechazo y el olvido de la misma, pues en el País Vasco, las víctimas del terrorismo hasta bien entrada la década de los noventa, han tenido que soportar funerales indecentes, en los que se sacaba por la puerta de atrás el féretro llevándoselo a continuación a otro lugar de España. Un País Vasco donde se ha tenido que aguantar el que se señalara con el dedo a los familiares y se dijera de las víctimas que algo habrían hecho*f* para recibir ese final. Parece increíble, pero recientemente este comentario tan descabellado, aún lo hemos podido escuchar.

A finales del año 2000, las dos grandes fuerzas políticas democráticas firmaron un histórico Acuerdo por las libertades y contra el
terrorismo con el que decidieron abordar el problema del terrorismo
como una cuestión de Estado. Desde entonces, el Gobierno español ha
iniciado una verdadera ofensiva política, legislativa, judicial y policial que, con la ayuda de la cooperación internacional, ha reducido
significativa y eficazmente la violencia callejera de colectivos de
jóvenes afines a la banda terrorista ETA, así como el número de
atentados con víctimas mortales. Gracias a medidas tales como el
recrudecimiento de las condenas por atentados terroristas, la
tipificación y sanción de conductas delictivas que antes quedaban
impunes, la reciente ilegalización del brazo político de ETA, la cada
vez más intensa colaboración de Francia, gracias a la reacción de las
instituciones europeas y gracias a la nueva conciencia internacional
ante el fenómeno del terrorismo surgida tras los atentados del 11-S,
se ha conseguido que esta banda terrorista se encuentre hoy más
enferma y debilitada que nunca, y que se estén llevando a cabo
múltiples detenciones de los artífices de los atentados del 11-M. El 11
de marzo de 2004, de triste recuerdo para todos los españoles, ha
demostrado que España se encontraba y se encuentra en el punto de
mira del terrorismo radical islámico, pero eso no significa que el
peligro del terrorismo procedente del País Vasco haya desaparecido
o que haya dejado de tener potencial para seguir matando.

A mediados del mes de marzo de 2001 el Comisario de Derechos
Humanos del Consejo de Europa emitió un esclarecedor informe sobre
la situación en el País Vasco, que trasladó a las instituciones comunitarias y a los Gobiernos de España y de la Autonomía Vasca. El resultado
de sus indagaciones fue demoledor y constató las graves vulneraciones
de derechos fundamentales y humanos de las personas que no se
identifican con opciones políticas independentistas. Culpaba directamente del problema a la banda terrorista ETA, pero también ponía de
manifiesto el funcionamiento anormal de la policía autónoma vasca
(dependiente del gobierno vasco) en cuanto a la represión y a la
investigación de conductas delictivas en el País Vasco, concluyendo con
un juicio que apreciaba cierta responsabilidad del gobierno vasco, no
sólo en este asunto, sino también en el uso de los medios de transmisión
de la cultura y del conocimiento que podrían rozar a veces la incitación
a posiciones racistas o xenófobas, lo que es sin duda incompatible con
una concepción democrática de la sociedad y constituye un germen de
violaciones de los derechos humanos.f

En el País Vasco no se respeta la pluralidad de ideas. Reina el miedo de unos a ser asesinados o a ser aislados por parte de la sociedad y el miedo de otros a significarse y a ser excluidos si se manifiestan como nacionalistas. ETA mata por defender*f*(sería más correcto decir imponer*f*) sus ideas. El terrorismo islámico, como cualquier terrorismo, repite los mismos patrones de intolerancia, haciendo lo mismo.

Con respecto a la solución dialogada del problema del terrorismo se refiere, creemos que, en principio, para las familias de víctimas del terrorismo no caben soluciones ni fórmulas mágicas que supongan negociar gratuitamente con el sufrimiento de las víctimas. Defendemos el diálogo siempre y cuando se respete el Pacto por las Libertades y contra el Terrorismo, y a las víctimas se les dé apoyo social e institucional.

El terrorismo ha llegado a convertirse en un término hueco. Hueco en comprensión, comunicación y reflexión. Es triste comprobar que los avances tecnológicos corren paralelos a los grandes desastres humanos que, paradójicamente, nos conducen al progreso*f*. Quizás no tenemos referentes, hemos perdido el rumbo y nos estamos sumergiendo en una época de explosión caótica. Esta reconstrucción referencial nos lleva a una era de vacío cargada de individualismo exacerbado que supone la inmersión en un pozo de confusión y una herramienta para la ignominia colectiva. El olvido se alimenta del miedo, del terror[a] Dónde queda la memoria de los inocentes? Construyamos esa memoria, huyendo de convertirnos en víctimas de nuestra inocencia. No cerremos los ojos a la memoria que conlleva presente.

Acabamos ya. Para cualquier familia dañada por el terrorismo siempre hay un antes y un después de la fecha del atentado. La violencia intencional es mucho más traumática que las calamidades o percances fortuitos, porque no forma parte de lo que esperamos en general y porque contradice los principios que dan sentido a la existencia. Por eso las víctimas del terrorismo hemos tenido que esforzarnos por alcanzar, a partir de entonces, un nuevo equilibrio.

El golpe emocional y el dolor que produce un atentado terrorista son tan fuertes y de tal brutalidad, que quedan para siempre muy dentro de ti. Desde el momento que matan a un ser querido uno comienza a convivir con el dolor, que estará ahí para siempre. Pero se trata de un dolor que, paradójicamente, suele ser fecundo y nos enriquece como personas. Así, muchas de las víctimas y familiares de víctimas del terrorismo nos encontramos a diario con una rara habilidad para distinguir lo importante de lo que no lo es, para recrearnos en las pequeñas cosas, se aprende a ser más solidarios, más generosos, más comprensivos y tolerantes, más sensibles al dolor ajeno y, sobre todo, se aprende a valorar, si cabe aún más, la vida. En el caso de mi familia el fulgor deslumbrante de la bondad, la solidaridad y el altruismo nos ha iluminado como no lo había hecho nunca. Y esta luz se ha convertido, para nosotros, en el signo más seguro de que algún día superaremos el profundo trauma del atentado terrorista.

Hoy día, las víctimas y familiares de víctimas del terrorismo intentamos sobrellevar la muerte de nuestros seres queridos con dignidad y con la fuerza que nos insufla su memoria y ejemplo. Con esperanza y fe en la segura derrota, algún día, del terrorismo. Con reflexión y con serenidad pero también con unos firmes planteamientos de memoria, dignidad, paz y justicia. Nos ayudamos, sobre todo, a tener en nuestro interior suficiente energía y ganas de vivir para seguir luchando por una sociedad más libre, tolerante, justa e igualitaria, para lograr que el entorno en el que vivimos se transforme y hacer así posible una España en paz, una sociedad, en definitiva, mejor.

La vida es un trayecto difícil, en el que continuamente nos encontramos obstáculos que, a veces, parecen insalvables. Ahí es donde verdaderamente, hay que sacar fuerzas de flaqueza para seguir adelante. Y para las víctimas el recuerdo de nuestros seres queridos constituye una fuente inagotable de fuerza. Por eso encontramos especialmente oportunas para terminar unas palabras de Pablo Neruda, un cántico a la esperanza que dice así:

"Es verdad que el mundo no se limpia de guerra, no se limpia de sangre, no se corrige el odio. Es verdad.

Pero es igualmente verdad que nos acercamos a una evidencia: los violentos se reflejan en el espejo del mundo y su rostro no es hermoso ni para ellos mismos.

Continúa Neruda:

"Y sigo creyendo en la posibilidad del AMOR.
Tengo la certidumbre del entendimiento entre los seres humanos logrado sobre el dolor, sobre la sangre y sobre los cristales quebrados"

Familia de **Luis Portero García** asesinado por ETA en Granada el 9 de octubre de 2000

A LAS VÍCTIMAS Y A LOS DEFENSORES DE LAS VÍCTIMAS DEL TERRORISMO

Agradezco a mi hermano en la Compañía de Jesús y compañero académico, Antonio Beristain Ipiña, la oportunidad que me ofrece, al escribir este epílogo, de solidarizarme con él y con su compromiso vital por la libertad y por la dignidad de las víctimas del terrorismo. Nada hay, nada más digno para un hombre y un creyente que la defensa de la vida humana y la solidaridad con las familias que han sufrido y sufren en sus carnes el asesinato y ausencia de familiares muy queridos e inocentes. Mi amistad con Luis Portero, Fiscal Jefe del Tribunal Superior de Justicia de Andalucía (asesinado por ETA el día 9 de octubre de 2000), con su mujer Charo y con sus hijos Luis, Daniel, Susi y Charito me han posibilitado sentir y vivir algo, nunca como ellos, de lo que sienten y viven los que han perdido de una manera tan injusta e irracional a un marido y a un padre tan extraordinario. Y también la sociedad, con el asesinato de Luis Portero, ha perdido a un excelente profesional tan justo y honesto como cabal. Para toda su familia (y para todas las familias víctimas del fanatismo terrorista) mi amistad, solidaridad y admiración por cómo han vivido y están viviendo, humana y cristianamente, este triste y deplorable acontecimiento familiar.

Las muertes causadas por el terrorismo retrotrae la civilización a épocas prehistóricas, cuando no existía ningún indicio de vida política. El primer objetivo de la vida política consiste en eliminar la violencia, es decir sustituir la eliminación por muerte del que se considera adversario, por formas de convivencia menos brutales y más racionales. La vida política supone el reconocimiento y la aceptación propia y de los otros como seres libres y diferentes. Los que matan ni son libres ni conocen el valor de la libertad, ni aceptan al otro *f* (la alteridad) y, por consiguiente, tampoco soportan la riqueza y el valor de la diferencia *f*. El reconocimiento de una sociedad de hombres libres supone el reconocimiento de la igualdad de todos. Es decir, la libertad *c est la garantie de la dignité d homme à tout citoyen f* (J.-I. Calvez, 1967: 40). Para Berger y Luckman el estado primitivo de la humanidad se caracteriza porque la lucha política, la lucha por las ideas, lo decidían los que blandían las mejores armas más que los que poseían los mejores argumentos *f* (1972: 142). El terrorista actual no emplea los mejores argumentos para convencernos de sus ideas, quiero imponérnoslas por la fuerza y por el miedo, matando a los que consideran disidentes y a inocentes.

Mi compañero jesuita y catedrático de filosofía, Juan Antonio Estrada, ha realizado una serie de análisis muy pertinentes sobre nacionalismo y religión (2003: 139-150). Permitidme esta larga cita que expresa muy bien las funciones religiosas de los nacionalismos: el nacionalismo ha sido la gran religión secularizada del siglo XX, heredera de la capacidad motivacional, afectiva y normativa de las antiguas religiones. La crítica a la religión ha sido acompañada frecuentemente por la sacralización de ideologías y proyectos seculares, entre las que destacan el nacionalismo y el marxismo. Frecuentemente esto ha hecho que los grupos religiosos se suban al carro nacionalista como instancias legitimadoras. Han encontrado ahí una forma de luchar contra el secularismo y la pérdida de funciones de la religión, vinculándose a la lucha nacional. El ideal trascendente pasaba de Dios a la Nación, suscitando vocaciones y sacrificios parangonables a los de los mártires y confesores de las religiones tradicionales. El fundamentalismo religioso se desplaza a la patria, nueva instancia absoluta en cuyo nombre se legitimaban guerras y violencias contra los derechos humanos. La transcendencia intramundana, el proyecto colectivo de la Nación-Estado, acaba imponiéndose y relativizando la otra trascendencia, la del Dios Universal que se identifica con las víctimas, con lo que se pervierte el ideal histórico, por absolutizarse e inmunizarse a la crítica ([a]) En consecuencia han acabado absolutizando, según el slogan de que el fin justifica los medios *f* (Estrada, 2003: 145 y 148).

Para Juan A. Estrada el nacionalismo es una ideología que recrea la idea de Nación como entidad metafísica. Se margina el universalismo de los derechos humanos y ciudadanos, así como las teorías políticas del contrato social, a favor de la etnia, que se equipara con el pueblo, sobre una base naturalista, histórica y cultural en buena parte inventada *f*. El patriotismo que primitivamente encarnaba la piedad para los ancestros y donde se ubicaba la pertenencia, se traslada a una entidad metafísica sacralizada, en la que se integra el concepto de ciudadanía del liberalismo político. El altar de la patria, la tumba del soldado desconocido, la exaltación de la bandera, la invención del himno, el desarrollo de paraliturgias militares y la masiva entrada del lenguaje religioso en la política muestran la nueva contribución de lo religioso al estamento político, y, más, en concreto, al orden estatal *f*. El trasvase de creencias religiosas al nacionalismo se completa con el desplazamiento del culto a los mártires y confesores a los patriotas por la causa (Estrada, 2003: 143, 144 y 147). Con ocasión de esta mistificación de unas convicciones políticas surge la imagen de un Dios que hace acepción de personas, actuando la religión de nuevo como amalgama legitimadora y afectiva, legitimando lo que únicamente son intereses políticos y económicos. Una vez más la religión se pone al servicio de un conflicto político y social, olvidando algo tan fundamental en el cristianismo como es la fraternidad universal y la defensa de los derechos humanos por encima de toda ideología y creencia, avalando una concepción política tan excluyente que hasta justifica la aniquilación del que consideran adversario por medio del asesinato. Este problema persiste hasta nuestros días, y la contradicción se establece en el cristianismo mismo, que ya no opta por las víctimas sino por los defensores de la identidad nacional, y que ya no entiende la situación humana desde la clave jesuana del sufrimiento sino desde lo que beneficia a perjudica a la causa nacionalista ([a]) Los representantes eclesiásticos institucionales se convierten así en tontos útiles del movimiento nacionalista o en conscientes propulsores de un trasvase contrario a la religión a la que representan ƒ(Estrada, 2003: 146 y 148).

Con ocasión del asesinato de los jesuitas de la Universidad Centroamericana José Simeón Cañas en el Salvador, José María Tojeira, S.I., escribió un interesantísimo artículo titulado Verdad, justicia, perdón ƒ (1997) que, mutatis mutandis, tiene algunas aplicaciones a la situación del terrorismo en nuestro país. Primeramente es necesario mostrar el rostro verdadero del terrorismo, desenmascarar sus mentiras históricas y sus falsas justificaciones políticas. Como Tojeira, estoy convencido de que la racionalidad humana y la racionalidad de la realidad coinciden con la verdad ƒ. Y la verdad no es sólo indispensable para acabar con el terrorismo, sino para que el futuro se construya con solidez. Porque una paz construida sobre la falsedad del terrorismo, sobre la criminalización de la víctima, sobre el olvido irresponsable del dolor injusto, aunque pueda parecer un remedio momentáneo a la situación inhumana que vivimos, no garantiza la perduración de la convivencia pacífica ni, mucho menos, la construcción de una sociedad pluralista y democrática.

En segundo lugar es necesario hacer justicia, pues la verdad sobre realidades aberrantes sólo es completamente verdad cuando los crímenes observados son sometidos a la justicia. La verdad sin justicia queda coja y corre el peligro de abonar el cinismo o el fariseísmo ([a]) Porque la justicia es un elemento clave a la hora de dar una reparación a las víctimas. Y sin reparación las semillas del odio permanecen enterradas en el campo social demasiado tiempo (ª) Sólo la racionalidad de una justicia que defienda con especial empeño a las víctimas repara, al menos parcialmente, la irracionalidad de quienes se creen dueños de la vida del prójimo. Y no hay justicia verdadera si no hay reparación*f*.

Y respecto a la posibilidad del perdón, soy de la misma opinión que Tojeira. El perdón no puede enarbolarse como coartada para evitar la justicia., porque el perdón legal sólo se puede otorgar cuando se conoce y reconoce la realidad de la ofensa (ª) Un perdón cristiano, por otra parte, que renunciara a la defensa de las víctimas no sería perdón cristiano, sino sucia connivencia con los autores del crimen. Lo mismo que un perdón legal que encubra a los verdugos y olvide a las víctimas podrá ser legal, pero nunca ético o moral*f*. Tojeira fundamenta sus afirmaciones en las primeras predicaciones de los Apóstoles, en las que insisten en que para la conversión, para el perdón, es necesario primero el reconocimiento del crimen o pecado. Es decir, no hay reconciliación sin reconocimiento del mal cometido. No es posible la conversión y el perdón sin haberse reconocido antes culpable del mal cometido: Ustedes dice Pedro en su primera predicación lo entregaron a los malvados, dándole muerte, clavándole en la Cruz*f* (He, 2, 23). Y en la segunda no duda en repetir: Dios (ª) ha glorificado a su siervo Jesús, a quien ustedes entregaron y a quien negaron ante Pilato cuando éste quería ponerlo en libertad. Ustedes renegaron del Santo y del Justo y pidieron como una gracia la libertad de un asesino, mientras que al Señor de la gloria lo hicieron morir*f* (He. 3, 13-14). No hay llamadas al perdón y al olvido, sino exhortación al reconocimiento del crimen. Y sólo desde este reconocimiento la muerte del justo se convierte en salvación para el verdugo*f* (Tojeira, 1997: 263). Esto es lo que hizo el Hijo Pródigo para poder ser perdonado, reconocer ante su padre el mal que había realizado: Padre, pequé contra el cielo y ante ti; ya no merezco ser llamado hijo tuyo*f* (Lc. 15, 21). Juan Pablo II, en el Mensaje para la Jornada Mundial de la Paz de 2002, decía que no hay paz sin justicia, no hay justicia sin perdón*f* (que nunca significa impunidad). El perdón, pues, no se contrapone a la justicia, porque no consiste en inhibirse antes las legítimas exigencias de reparación del orden violado. Por el contrario, el perdón conduce a la plenitud de una justicia que pretende la curación de la herida abierta*f*.

Juan Pablo II, él mismo víctima de atentados terroristas, decía en Loyola en 1982 a los jóvenes del País Vasco que la violencia no es un medio de construcción. Ofende a Dios, a quien la sufre y a quien la practica. Una vez más repito que el cristianismo comprende y reconoce la noble y justa lucha por la justicia a todos los niveles, pero prohíbe buscar soluciones por caminos de odio y de muerte*f.* Y en mayo de 2003, les volvía a decir a los jóvenes en Cuatro Caminos *Responded a la violencia ciega y al odio inhumano con el poder fascinante del amor. Venced la enemistad con la fuerza del perdón. Manteneos lejos de toda forma de nacionalismo exasperado, de racismo y de intolerancia. Testimoniad con vuestra vida que las ideas no se imponen, sino que se proponenf.*

Recientemente la Instrucción Pastoral *Valoración moral del terrorismo en España* de la Conferencia Episcopal Española hablaba del terrorismo en España como *una realidad perversa en sí misma, que no admite justificación alguna apelando a otros males sociales, reales o supuestosf,* extendiendo este calificativo moral absolutamente negativo *a las acciones u omisiones de todos que, sin intervenir directamente en la comisión de atentados los hacen posibles, como quienes forman parte de los comandos informativos o de su organización, encubren a los terroristas o colaboran con ellos; quienes justifican teóricamente sus acciones o verbalmente las aprueban. Debe quedar muy clara que todas estas acciones son objetivamente un pecado gravísimo que clama al cielof.* El terrorismo de ETA *es una realidad intrínsecamente perversa, nunca justificablef,* extendiendo a su alrededor *una cultura de la muerte en la medida en que desprecia la vida humana, rompe el respeto sagrado a la vida de las personas, cuenta con la muerte injustificada y violenta de personas inocentes como un medio provechoso para conseguir unos fines predeterminados* (ª) *La vida humana queda así degradada a un mero objeto, cuyo valor se calcula en relación con otros bienes supuestamente superioresf.* Y apelan al olvido que sufren las víctimas del terrorismo y su drama humano: *Atender a las personas golpeadas por la violencia es un ejercicio de justicia y caridad social y un camino necesario para la pazf.*

Termino este breve epílogo, mostrando mi rechazo frontal, como persona y como creyente, a las ideas que justifican y a los que, por los motivos que sean, asesinan a personas inocentes y buenas, como a mi amigo Luis Portero, imponiendo la violencia y una cultura de muerte; mi solidaridad plena con los que han sufrido o sufren esta violencia, especialmente las familias víctimas de cualquier tipo de terrorismo; y mi apoyo a todos aquellos que son constructores de paz y de reconciliación, a todos aquellos que su conciencia no les permite callar, siendo perseguidos e incomprendidos por una tarea tan humana y tan profundamente cristiana. Y hago totalmente mías las palabras de otro compañero jesuita, Manuel Segura, en su artículo Posible carta de los obispos vascos*f*: Matar, en cualquier moral, es un crimen. No es lícito, ni para conseguir fines económicos o políticos, ni siquiera, en el caso de la pena de muerte, para acabar con delincuentes peligrosos. Siempre será mejor morir por los propios ideales que matar por ellos; pero lo mejor de todo no es morir, sino vivir en condiciones humanas. Por eso repetimos: no al terrorismo, no a la muerte, no a la extorsión, no al secuestro. Rechazamos toda equidistancia injusta entre los asesinos y los que mueren: nuestro corazón está con las víctimas del terrorismo y con sus familiares, así como con aquellos que se siente amenazados por el simple hecho de militar en partidos políticos no nacionalistas (ª) No podíamos callar por más tiempo, aunque el hablar nos traiga amenazas y represalias. El Evangelio nos exige repetir: no a la muerte, no a ETA, no a los que apoyan directa o indirectamente a ETA. Sí a la vida, sí a convivir como hermanos, sí a un futuro de paz y de justicia*f*.

Pedro Castón Boyer S.I.
Catedrático de Sociología
Universidad de Granada

Referencias bibliográficas

BERGER, Peter L. y LUCKMAN Th. (1972) La construcción social de la realidad, Amorrortu, Buenos Aires.

CALVEZ, J.-I. (1967) Introduction à la vie politique, Aubier-Montagne, Paris.

CONFERECIA EPISCOPAL ESPAÑOLA (2002) Valoración moral del terrorismo en España, de sus causas y de sus consecuencias*f*, Ecclesia, n 3.129, pp. 20-30.

ESTRADA, J. A. (2003) Imágenes de Dios. La filosofía ante el lenguaje religioso, Trotta, Madrid.

JUAN PABLO II, (2002) Mensaje para la Jornada Mundial de la Paz de 2002.

SEGURA, M. (2002) Posible carta de los obispos vascos*f*, El Día de Tenerife, 8 de junio.

TOJEIRA, J. M. (1997) Verdad, justicia, perdón*f*, Eguzkilore, n 11, pp. 251-265.

Anexos

Resolución de la Comisión de Derechos Humanos del Consejo Económico y Social de las Naciones Unidas, de 18 de enero de 2000, sobre "Los derechos civiles y políticos, en particular las cuestiones relacionadas con: la independencia del poder judicial, la Administración de Justicia, la impunidad; (El derecho de restitución, indemnización y rehabilitación de las víctimas de violaciones graves de los derechos humanos y las libertades fundamentales)"

INFORME FINAL DE RELATOR ESPECIAL, SR. M. CHERIF BASSIOUNI, PRESENTADO EN VIRTUD DE LA RESOLUCI› N 1999/33 DE LA COMISI› N

1. En su resolución 1998/43, la Comisión de Derechos Humanos pidió a su Presidente que designara un experto para que preparase una versión revisada de los principios y directrices básicos elaborados por el Sr. Theo van Boven con miras a su adopción por la Asamblea General[1]. De acuerdo con el párrafo 2 de dicha resolución, el Presidente de la Comisión de Derechos Humanos designó para esa función al Sr. M. Cherif Bassiouni.

2. El presente informe se ha preparado en virtud de la resolución 1999/33 de la Comisión, en la que ésta pidió   al experto independiente que concluya su trabajo y presente a la Comisión en su 56 período de sesiones una versión revisada de los principios y directrices básicos preparados por el Sr. Theo van Boven (E/CN.4/1997/104, anexo), mandato encomendado por la Comisión mediante la resolución 1998/43, teniendo en cuenta las opiniones y comentarios de los Estados, las organizaciones intergubernamentales y no gubernamenta-

---

[1]   De conformidad con su resolución 1989/13, la Subcomisión de Prevención de Discriminaciones y Protección a las Minorías encomendó al Sr. Theo van Boven la tarea de realizar un estudio relativo al derecho de restitución, indemnización y rehabilitación de las víctimas de violaciones flagrantes de los derechos humanos y las libertades fundamentales (E/CN.4/Sub.2/1993/8), que posteriormente tomó la forma de un proyecto de principios y directrices básicos (E/CN.4/1997/104, anexo). En su resolución 1996/35, la Comisión de Derechos Humanos consideró que los principios y directrices básicos propuestos por el Sr. van Boven eran una base útil para dar prioridad a la cuestión de la restitución, indemnización y rehabilitación de las víctimas.

les ʃ, y decidió continuar el examen de esta cuestión en su 56 período de sesiones, en relación con el subtema del programa titulado La independencia del poder judicial, la administración de justicia, la impunidad ʃ.

3. El experto independiente empezó a preparar una versión revisada del proyecto de principios y directrices básicos haciendo un examen de los proyectos anteriores sobre el particular elaborados por el Sr. van Boven y comparándolos con otras normas y principios de las Naciones Unidas sobre el derecho de reparación de las víctimas[2]. Concretamente, los proyectos anteriores se examinaron a la luz de la Declaración sobre los principios fundamentales de justicia para las víctimas de delitos y del abuso de poder (anexa a la resolución 40/34 de la Asamblea General), las disposiciones pertinentes del Estatuto de Roma de la Corte Penal Internacional (A/CONF.189/9)[3], y otras normas y principios aplicables de las Naciones Unidas. Fruto de este examen fue el primer informe (E/CN.4/1999/65) presentado por el experto independiente a la Comisión de Derechos Humanos, en cumplimiento de la resolución 1998/43.

4. Al preparar la revisión de los principios y directrices, el experto independiente aprovechó los informes anteriores y las observaciones de diversos gobiernos acerca del proyecto que sirvió de base para la revisión. Hicieron observaciones los Gobiernos de Alemania, Benin, Chile, Colombia, Croacia, Filipinas, Japón, Paraguay, Suecia y Uruguay, así como diversos órganos de las Naciones Unidas, organizaciones intergubernamentales, el Comité Internacional de la Cruz Roja y organizaciones no gubernamentales[4].

---

[2] El Sr. van Boven preparó tres versiones de los principios y directrices básicos sobre el derecho de reparación de las víctimas. La primera figura en el documento E/CN.4/Sub.2/1993/8, de 2 de julio de 1993, sección IX, la segunda en el documento E/CN.4/Sub.2/1996/17, de 24 de mayo de 1996, y la tercera en el documento E/CN.4/1997/104, de 16 de enero de 1997. Además, el experto independiente examinó los trabajos del Sr. Louis Joinet, quien, en calidad de Relator Especial sobre la cuestión de la impunidad de los autores de violaciones de los derechos humanos (derechos civiles y políticos), había redactado principios y directrices básicos sobre la impunidad. Se analizaron dos versiones de estas directrices (E/CN.4/Sub.2/1997/20, de 26 de junio de 1997, y E/CN.4/Sub.2/1997/20/Rev.1, de 2 de octubre de 1997) en la medida en que guardaban relación con la reparación a las víctimas de violaciones de derechos humanos.

[3] Véase también The Statute of the International Criminal Court: A Documentary History, M. Cherif Bassiouni (ed.), 1999.

[4] Se trata de los órganos y organizaciones siguientes: Catholic Women s League Australia Incorporated, Comisión Económica de las Naciones Unidas para América Latina y el Caribe, Tribunal Europeo de Derechos Humanos, Federación de Mujeres Cubanas, Federación General de Mujeres rabes, Comisión Internacional de Juristas, Oficina Internacional del Trabajo, Asociación Internacional de Policía, Consejo Internacional para la Rehabilitación de las Víctimas de la Tortura, Organización de Cooperación y Desarrollo Económicos, Redress Trust, Partido Radical Transnacional, Fondo de las Naciones Unidas para la Infancia (UNICEF), Oficina de las Naciones Unidas de Fiscalización de Drogas y de Prevención del Delito, y Unión Dominicana de Periodistas por la Paz.

5. El experto independiente convocó dos reuniones consultivas en Ginebra para todos los gobiernos y organizaciones intergubernamentales y no gubernamentales interesados. Las reuniones, a las que concurrieron numerosos asistentes, se celebraron respectivamente el 23 de noviembre de 1998 y el 27 de mayo de 1999. Las observaciones formuladas fueron de utilidad para el experto independiente, que las tuvo en cuenta en la preparación de la revisión.

6. Sobre la base de esas consultas y de las observaciones anteriores, el 1 de junio de 1999 el experto independiente distribuyó a los gobiernos y organizaciones intergubernamentales y no gubernamentales un primer proyecto de revisión de los principios y directrices, con objeto de que hicieran las observaciones oportunas. A continuación, el experto independiente preparó un segundo proyecto revisado, que distribuyó el 1 de noviembre de 1999 a los gobiernos y las organizaciones intergubernamentales y no gubernamentales. Formularon observaciones sobre esos proyectos los Gobiernos de Alemania, Argentina, Burkina Faso, Colombia, Cuba, Estados Unidos de América, Francia, Japón, Países Bajos, Perú, República rabe Siria y Singapur, así como el Comité Internacional de la Cruz Roja, varias organizaciones no gubernamentales y diversos expertos a título individual[5]. Sobre la base de las observaciones hechas acerca de los dos proyectos, el experto independiente redactó los principios y directrices que figuran en el anexo del presente informe.

7. El experto independiente preparó los principios y directrices de conformidad con el derecho internacional vigente, teniendo en cuenta todas las normas internacionales aplicables en virtud de los tratados, el derecho internacional consuetudinario y las resoluciones de la Asamblea General, el Consejo Económico y Social, la Comisión de Derechos Humanos y la Subcomisión de Promoción y Protección de los Derechos Humanos.

8. El experto se consideró vinculado por los elementos esenciales del proyecto en que se basaba su mandato. En dicho proyecto se abordaba conjuntamente la vulneración del derecho internacional de los derechos humanos y la del derecho internacional humanitario. En proyectos anteriores se habían utilizado expresiones como violaciones flagrantes de los derechos humanos y violaciones del jus cogens. Sin embargo, varios gobiernos y organizaciones opinaron que esas expresiones no eran lo bastante precisas y, en consecuencia, el experto independiente ha optado por referirse a ciertos hechos como crímenes de derecho internacional. Los principios 3 a 7, que abordan dichos crímenes, representan normas internacionales en vigor. Los principios y directrices están escritos en futuro para indicar obligaciones internacionales vigentes, y en condicional para indicar normas en formación y principios en vigor.

---

[5]   Se trata de las organizaciones siguientes: Amnistía Internacional, Acción Mundial de Parlamentarios (programa de derecho internacional y derechos humanos), Centro Internacional de Reforma del Derecho Penal y de la Política Penal, Redress Trust, Group Project for Holocaust Survivors and their Children, Comisión Internacional de Juristas e INTERIGHTS.

9. Asimismo, los principios y directrices se han redactado de manera que sean compatibles con la evolución del derecho internacional. Así, por ejemplo, no se definen las expresiones violaciones𝑓, normas de derechos humanos𝑓 o derecho internacional humanitario𝑓; aunque son conceptos que todo el mundo entiende, su contenido y significado concretos pueden evolucionar con el tiempo.

10. El experto independiente da las gracias a los gobiernos, las organizaciones y los particulares que han dado a conocer sus observaciones durante el proceso de redacción, y agradece también su apoyo a la Oficina del Alto Comisionado para los Derechos Humanos.

Anexo
PRINCIPIOS Y DIRECTRICES BÁSICOS SOBRE EL DERECHO DE LAS VÍCTIMAS DE VIOLACIONES DE LAS NORMAS INTERNACIONALES DE DERECHOS HUMANOS Y DEL DERECHO INTERNACIONAL HUMANITARIO A INTERPONER RECURSOS Y OBTENER REPARACIONES

La Comisión de Derechos Humanos,

De conformidad con su resolución 1999/33, de 26 de abril de 1999, titulada El derecho de restitución, indemnización y rehabilitación de las víctimas de violaciones graves de los derechos humanos y las libertades fundamentales𝑓, en la que tomó nota con agradecimiento de la nota del Secretario General (E/CN.4/1999/53) presentada en cumplimiento de la resolución 1998/43, de 17 de abril de 1998, y del informe del experto independiente (E/CN.4/1999/65),

Recordando la resolución 1989/13 de la Subcomisión de Prevención de Discriminaciones y Protección a las Minorías, de 31 de agosto de 1989, en la que ésta decidió encomendar al Sr. Theo van Boven la tarea de realizar un estudio relativo al derecho de restitución, indemnización y rehabilitación de las víctimas de violaciones flagrantes de los derechos humanos y las libertades fundamentales, que se incluyó en el informe final del Sr. van Boven (E/CN.4/Sub.2/1993/8) y que posteriormente tomó la forma de un proyecto de principios y directrices básicos (E/CN.4/1997/104, anexo), y la resolución 1994/35 de la Comisión de Derechos Humanos, de 4 de marzo de 1994, en la que ésta consideraba que los principios y directrices básicos propuestos en el estudio del Relator Especial constituían una base útil para dar prioridad a la cuestión de la restitución, la indemnización y la rehabilitación de las víctimas,

Recordando las disposiciones que reconocen a las víctimas de las violaciones de las normas internacionales de derechos humanos y del derecho internacional humanitario el derecho a un recurso efectivo, que figuran en numerosos instrumentos internacionales, en particular el artículo 8 de la Declaración Universal de Derechos Humanos, el artículo 2 del Pacto Internacional de Derechos Civiles y Políticos, el artículo 6 de la Convención Internacional sobre la Eliminación de todas las Formas de Discriminación Racial, el artículo 11 de la Convención contra la Tortura y Otros Tratos o Penas Crueles, Inhumanos o Degradantes, y el artículo 39 de la Convención sobre los Derechos del Niño,

Recordando las disposiciones de diversos convenios regionales, en particular el artículo 7 de la Carta Africana de Derechos Humanos y de los Pueblos, el artículo 25 de la Convención Americana sobre Derechos Humanos, y el artículo 13 del Convenio para la Protección de los Derechos Humanos y de las Libertades Fundamentales, que reconocen el derecho a obtener reparación a las víctimas de violaciones de los derechos humanos internacionales,

Recordando la Declaración sobre los principios fundamentales de justicia para las víctimas de delitos y del abuso de poder, resultante de los debates del Octavo Congreso de las Naciones Unidas sobre Prevención del Delito y Tratamiento del Delincuente, así como la resolución 40/34, de 29 de noviembre de 1985, en la que la Asamblea General aprobó el texto recomendado en dicho Congreso,

Reafirmando los principios enunciados en la Declaración sobre los principios fundamentales de justicia para las víctimas de delitos y del abuso de poder, entre ellos que las víctimas serán tratadas con compasión y respeto por su dignidad, tendrán derecho a acceder a los mecanismos de justicia y reparación, y se fomentará el establecimiento, reforzamiento y ampliación de fondos nacionales para indemnizar a las víctimas, juntamente con el rápido establecimiento de derechos y recursos apropiados para ellas,

Recordando la resolución 1989/57 del Consejo Económico y Social, de 24 de mayo de 1989, titulada Aplicación de la Declaración sobre los principios fundamentales de justicia para las víctimas de delitos y del abuso de poder ƒ , así como la resolución 1990/22 del Consejo Económico y Social, de 24 de mayo de 1990, sobre Víctimas de delitos y del abuso de poder ƒ ,

Tomando nota de que, en su resolución 827 (1993) de 25 de mayo de 1993, por la que aprobó el Estatuto del Tribunal Penal Internacional para la ex Yugoslavia, el Consejo de Seguridad decidió que la labor del Tribunal Internacional se llevará a cabo sin perjuicio del derecho de las víctimas a reclamar, por los medios apropiados, reparación por los daños sufridos como resultado de las violaciones del derecho internacional humanitario ƒ ,

Tomando nota con satisfacción de la aprobación, el 17 de julio de 1998, del Estatuto de Roma de la Corte Penal Internacional, que obliga al Tribunal a establecer principios aplicables a la reparación, incluidas la restitución, la indemnización y la rehabilitación ƒ , obliga también a la Asamblea de los Estados Partes a establecer un fondo fiduciario en beneficio de las víctimas de crímenes que son de la competencia de la Corte, así como de sus familias, y encomienda a la Corte que adopte las medidas adecuadas para proteger la seguridad, el bienestar físico y psicológico, la dignidad y la vida privada de las víctimas ƒ y que permita la participación de éstas en las fases del juicio que considere conveniente ƒ ,

Reconociendo que, al reconocer a las víctimas el derecho a interponer recursos y obtener reparaciones, la comunidad internacional hace honor a su palabra y demuestra solidaridad humana con las víctimas, los supervivientes y las generaciones futuras, y reafirma los principios jurídicos internacionales de responsabilidad, justicia e imperio del derecho,

Convencida de que, al adoptar un punto de partida orientado a las víctimas, la comunidad afirma, a los niveles local, nacional e internacional, su solidaridad humana y su compasión por las víctimas de violaciones de las normas internacionales de derechos humanos y del derecho internacional humanitario, así como por la humanidad en general,

Decide aprobar los principios y directrices básicos siguientes sobre el derecho de las víctimas de violaciones de las normas internacionales de derechos humanos y del derecho internacional humanitario a interponer recursos y obtener reparaciones.

I. OBLIGACIÓN DE RESPETAR Y HACER RESPETAR LAS NORMAS INTERNACIONALES DE DERECHOS HUMANOS Y EL DERECHO INTERNACIONAL HUMANITARIO

1. Todo Estado tiene la obligación de respetar y hacer respetar las normas internacionales de derechos humanos y del derecho internacional humanitario, entre otras:

a) Las contenidas en los tratados en los que el Estado sea parte;

b) Las recogidas en el derecho internacional consuetudinario; o

c) Las incorporadas a su derecho interno.

2. Con ese fin los Estados se asegurarán, si no lo han hecho ya, de que su derecho interno sea compatible con sus obligaciones internacionales, para lo cual:

a) Incorporarán las normas internacionales de derechos humanos y del derecho internacional humanitario a su derecho interno;

b) Adoptarán procedimientos administrativos y judiciales apropiados y eficaces que den acceso imparcial, efectivo y rápido a la justicia;

c) Pondrán a disposición de las víctimas las reparaciones suficientes, eficaces y rápidas que se definen más abajo; y

d) En caso de discrepancia entre las normas internas y las internacionales, velarán por que se apliquen las normas que proporcionen el mayor grado de protección.

II. ALCANCE DE LA OBLIGACIÓN

3. La obligación de respetar y hacer respetar las normas internacionales de derechos humanos y el derecho internacional humanitario incluye, entre otros, el deber de:

a) Adoptar medidas jurídicas y administrativas apropiadas para prevenir las violaciones;

b) Investigar las violaciones y, cuando proceda, adoptar medidas contra los violadores de conformidad con el derecho interno e internacional;

c) Dar a las víctimas acceso imparcial y efectivo a la justicia con independencia de quien sea en definitiva el responsable de la violación;

d) Poner recursos apropiados a disposición de las víctimas; y

e) Proporcionar o facilitar reparación a las víctimas.

III. VIOLACIONES DE NORMAS INTERNACIONALES DE DERECHOS HUMANOS Y DEL DERECHO INTERNACIONAL HUMANITARIO QUE SON CRÍMENES DE DERECHO INTERNACIONAL

4. Las violaciones de normas internacionales de derechos humanos y del derecho internacional humanitario que son crímenes de derecho internacional conllevarán el deber de enjuiciar y castigar a los autores a quienes se imputen esas violaciones y de cooperar con los Estados y los órganos judiciales internacionales competentes y prestarles asistencia en la investigación y el enjuiciamiento de esas violaciones.

5. Con tal fin, los Estados incorporarán en su derecho interno disposiciones apropiadas que establezcan la competencia universal sobre los crímenes de derecho internacional y normas apropiadas que faciliten la extradición o entrega de los delincuentes a otros Estados o a órganos judiciales internacionales, la asistencia judicial y otras formas de cooperación en la administración de la justicia internacional, incluida la asistencia y protección de víctimas y testigos.

IV. PRESCRIPCIÓN

6. No prescribirán las violaciones de las normas internacionales de derechos humanos y del derecho internacional humanitario que sean crímenes de derecho internacional.

7. La prescripción de otras violaciones o de las acciones civiles no debería limitar indebidamente la posibilidad de que la víctima interponga una demanda contra el autor, ni aplicarse a los períodos en que no haya recursos efectivos contra las violaciones de las normas de derechos humanos y del derecho internacional humanitario.

V. VÍCTIMAS DE VIOLACIONES DE LAS NORMAS INTERNACIONALES DE DERECHOS HUMANOS Y DEL DERECHO INTERNACIONAL HUMANITARIO

8. Se considerará «víctima» a la persona que, individual o colectivamente, como resultado de actos u omisiones que violan las normas internacionales de derechos humanos o el derecho internacional humanitario, haya sufrido daños, inclusive lesiones físicas o mentales, sufrimiento emocional, pérdida financiera o menoscabo sustancial de sus derechos fundamentales. Se podrá considerar también «víctimas» a los miembros de la familia directa o personas a cargo de la víctima directa, así como a las personas que, al intervenir para asistir a la víctima o impedir que se produzcan otras violaciones, hayan sufrido daños físicos, mentales o económicos.

9. La condición de una persona como «víctima» no debería depender de que se haya identificado, capturado, enjuiciado o condenado al autor de la violación, y debería ser independiente de toda relación que pueda existir o haber existido entre la víctima y ese autor.

VI. TRATAMIENTO DE LAS VÝCTIMAS

10. Las víctimas deberían ser tratadas por el Estado y, en su caso, por las organizaciones intergubernamentales y no gubernamentales y por las empresas privadas, con compasión y respeto por su dignidad y sus derechos humanos, y deberían adoptarse medidas apropiadas para garantizar su seguridad e intimidad, así como la de sus familias. El Estado debería velar por que, en la medida de lo posible, el derecho interno previera para las víctimas de violencias o traumas una consideración y atención especiales, a fin de evitar que los procedimientos jurídicos y administrativos destinados a lograr justicia y reparación den lugar a un nuevo trauma.

VII. DERECHO DE LA VÝCTIMA A INTERPONER RECURSOS

11. Los recursos contra las violaciones de los derechos humanos y del derecho internacional humanitario incluirán el derecho de la víctima a:
a) El acceso a la justicia;
b) La reparación del daño sufrido; y
c) El acceso a información fáctica sobre las violaciones.

VIII. DERECHO DE LAS VÝCTIMAS A ACCEDER A LA JUSTICIA

12. El derecho de la víctima a acceder a la justicia comprende todas las acciones judiciales, administrativas o de otra índole que ofrezca el derecho interno o internacional en vigor. El derecho interno debería garantizar las obligaciones de respetar el derecho individual o colectivo a acceder a la justicia y a un juicio justo e imparcial previstas en el derecho internacional. Con tal fin, los Estados deberían:
a) Dar a conocer, por medio de mecanismos oficiales y privados, todos los recursos disponibles contra las violaciones de las normas internacionales de derechos humanos y del derecho internacional humanitario;
b) Adoptar, durante los procedimientos judiciales, administrativos o de otra índole que afecten a los intereses de las víctimas, medidas para reducir al mínimo las molestias a las víctimas, proteger su intimidad según proceda, y garantizar su seguridad, así como la de sus familiares y la de los testigos, contra todo acto de intimidación o represalia;
c) Utilizar todos los medios diplomáticos y jurídicos apropiados para que las víctimas puedan ejercer su derecho a interponer recurso y obtener reparación por las violaciones de las normas internacionales de derechos humanos o del derecho internacional humanitario.
13. Además del acceso individual a la justicia, deberían tomarse las disposiciones necesarias para que las víctimas pudieran presentar demandas de reparación colectivas y obtener una reparación colectiva.
14. El derecho a interponer un recurso adecuado, efectivo y rápido contra una violación de las normas internacionales de derechos humanos o del derecho internacional humanitario comprende todos los procedimientos internaciona-

les disponibles en que pueda personarse un individuo y será sin perjuicio de cualesquier otros recursos nacionales.

IX. DERECHO DE LAS VÍCTIMAS A UNA REPARACIÓN

15. Se tratará de obtener una reparación suficiente, efectiva y rápida para promover la justicia, remediando las violaciones de las normas internacionales de derechos humanos y del derecho internacional humanitario. Las reparaciones serán proporcionales a la gravedad de las violaciones y al daño sufrido.

16. De conformidad con su derecho interno y sus obligaciones internacionales, los Estados resarcirán a las víctimas de sus actos u omisiones que violen las normas internacionales de derechos humanos y el derecho internacional humanitario.

17. Cuando la violación no sea imputable al Estado, quien la haya cometido debería resarcir a la víctima, o al Estado si éste hubiera resarcido a la víctima.

18. Cuando el responsable de la violación no pueda o no quiera cumplir sus obligaciones, los Estados deberían esforzarse por resarcir a las víctimas que hubieran sufrido daños físicos o mentales y a sus familiares, en particular cuando dependan de personas que hayan muerto o hayan quedado incapacitadas física o mentalmente a causa de la violación de las normas. Con este propósito, los Estados deberían crear fondos nacionales para resarcir a las víctimas y buscar otras fuentes de financiación cuando fuera necesario para complementarlos.

19. El Estado garantizará la ejecución de las sentencias de sus tribunales que impongan una reparación a personas o entidades privadas responsables de violaciones, y tratará de ejecutar las sentencias extranjeras válidas que impongan reparaciones de esa clase.

20. Cuando el Estado o el gobierno bajo cuya autoridad se hubiera producido la violación hayan dejado de existir, el Estado o el gobierno sucesor deberían resarcir a las víctimas.

X. FORMAS DE REPARACIÓN

21. De conformidad con su derecho interno y sus obligaciones internacionales, y teniendo en cuenta las circunstancias del caso, los Estados deberían dar a las víctimas de las violaciones de las normas internacionales de derechos humanos y del derecho internacional humanitario una reparación en forma de: restitución, indemnización, rehabilitación, satisfacción y garantías de no repetición.

22. La restitución, que, en la medida de lo posible debería devolver a la víctima a la situación anterior a la violación de las normas internacionales de derechos humanos o del derecho internacional humanitario, comprende el restablecimiento de la libertad, los derechos, la situación social, la vida familiar y la ciudadanía de la víctima; el retorno a su lugar de residencia, la reintegración en su empleo y la devolución de sus propiedades.

23. Debería indemnizarse todo perjuicio evaluable económicamente que fuera consecuencia de una violación de las normas internacionales de derechos humanos o del derecho internacional humanitario, tal como:

a) El daño físico o mental, incluido el dolor, el sufrimiento y la angustia;

b) La pérdida de oportunidades, incluidas las de educación;

c) Los daños materiales y la pérdida de ingresos, incluido el lucro cesante;

d) El daño a la reputación o a la dignidad; y

e) Los gastos de asistencia jurídica o de expertos, medicinas y servicios médicos, psicológicos y sociales.

24. La rehabilitación debería incluir la atención médica y psicológica, así como servicios jurídicos y sociales.

25. La satisfacción y garantías de no repetición deberían incluir, cuando fuere necesario:

a) La cesación de las violaciones continuadas;

b) La verificación de los hechos y la difusión pública y completa de la verdad en la medida en que no provoque más daños innecesarios a la víctima, los testigos u otras personas ni sea un peligro para su seguridad;

c) La búsqueda de los cadáveres de las personas muertas o desaparecidas y la ayuda para identificarlos y volverlos a inhumar según las tradiciones familiares y comunitarias;

d) Una declaración oficial o decisión judicial que restablezca la dignidad, reputación y derechos de la víctima y de las personas más vinculadas con ella;

e) Una disculpa, que incluya el reconocimiento público de los hechos y la aceptación de responsabilidades;

f) La aplicación de sanciones judiciales o administrativas a los responsables de las violaciones;

g) Conmemoraciones y homenajes a las víctimas;

h) La inclusión en los manuales de enseñanza de los derechos humanos y del derecho internacional humanitario, así como en los libros de texto de todos los niveles de una relación fidedigna de las violaciones cometidas contra los derechos humanos y el derecho internacional humanitario;

i) La prevención de nuevas violaciones:

i) asegurando un control efectivo de las fuerzas armadas y de seguridad por la autoridad civil;

ii) limitando exclusivamente la competencia de los tribunales militares a los delitos específicamente militares cometidos por personal militar;

iii) fortaleciendo la independencia del poder judicial;

iv) protegiendo a los profesionales del derecho, de la información y de otros sectores conexos, y a los defensores de los derechos humanos;

v) impartiendo y fortaleciendo de modo prioritario y continuo capacitación en materia de derechos humanos a todos los sectores de la sociedad, y en particular a las fuerzas armadas y de seguridad y a los funcionarios encargados de hacer cumplir la ley;

vi) fomentando el cumplimiento de los códigos de conducta y las normas éticas, en particular las normas internacionales, por los funcionarios públicos, incluido el personal de policía, prisiones, información, salud, servicios de psicología y sociales y fuerzas armadas, además del personal de empresas; y

vii) creando mecanismos para vigilar la resolución de conflictos y la intervención preventiva.

XI. ACCESO PÜBLICO A LA INFORMACIÞN

26. Los Estados deberían arbitrar medios de informar al público en general, y en particular a las víctimas de violaciones de las normas internacionales de derechos humanos y del derecho internacional humanitario, de los derechos y recursos incluidos en los presentes principios y directrices y de todos los servicios jurídicos, médicos, psicológicos, sociales, administrativos y de otra índole a disposición de las víctimas.

XII. NO DISCRIMINACIÞN ENTRE LAS VÏCTIMAS

27. La aplicación e interpretación de estos principios y directrices se ajustará a las normas de derechos humanos internacionalmente reconocidas sin hacer ninguna distinción perjudicial por motivos de raza, color, género, orientación sexual, edad, idioma, religión, creencia política o religiosa, origen nacional, étnico o social, situación económica, nacimiento, situación familiar o de otra índole o impedimento físico.

Decisión Marco del Consejo de la Unión Europea, de 15 de
marzo de 2001, relativa al estatuto de la víctima en el proceso
penal

(2001/220/JAI)

EL CONSEJO DE LA UNI› N EUROPEA,
Visto el Tratado de la Unión Europea y, en particular, su artículo 31 y la letra
b) del apartado 2 de su artículo 34,
Vista la iniciativa de la República Portuguesa[1],
Visto el dictamen del Parlamento Europeo[2],
Considerando lo siguiente:

(1) De acuerdo con el plan de acción del Consejo y de la Comisión sobre la
mejor manera de aplicar las disposiciones del Tratado de Amsterdam relativas
a la creación de un espacio de libertad, seguridad y justicia, y en particular con
el punto 19 y la letra c) del punto 51 del mismo, en un plazo de cinco años a partir
de la entrada en vigor del Tratado se debe abordar la cuestión del apoyo a las
víctimas mediante un estudio comparativo de los sistemas de compensación
para las víctimas y evaluar la viabilidad de una actuación a escala de la Unión
Europea.

(2) El 14 de julio de 1999, la Comisión presentó al Parlamento Europeo, al
Consejo y al Comité Económico y Social una comunicación titulada Víctimas
de delitos en la Unión Europea-Normas y medidas∫. El Parlamento Europeo
aprobó el 15 de junio de 2000 una resolución relativa a la comunicación de la
Comisión.

(3) Las conclusiones del Consejo Europeo de Tampere de los días 15 y 16 de
octubre de 1999, en particular su punto 32, establecen que deberán elaborarse
normas mínimas sobre la protección de las víctimas de los delitos, en particular
sobre su acceso a la justicia y su derecho a ser indemnizadas por los daños
sufridos, también por lo que respecta a los gastos judiciales. Además, deberán
crearse programas nacionales para financiar medidas, tanto públicas como no
gubernamentales, de asistencia y protección de las víctimas.

(4) Conviene que los Estados miembros aproximen sus disposiciones legales
y reglamentarias en la medida necesaria para realizar el objetivo de ofrecer a
las víctimas de delitos un elevado nivel de protección, con independencia del
Estado miembro en que se encuentren.

(5) Es importante concebir y tratar las necesidades de la víctima de forma
integrada y articulada, evitando soluciones parciales o incoherentes que puedan acarrear una victimación secundaria.

---

[1]   DO C 243 de 24.8.2000, p. 4.
[2]   Dictamen emitido el 12 de diciembre de 2000 (no publicado aún en el Diario Oficial).

(6) Por esta razón, las disposiciones de la presente Decisión marco nó se limitan a atender a los intereses de la víctima en el marco del procedimiento penal en sentido estricto. Engloban asimismo algunas medidas de asistencia a las víctimas, antes o después del proceso penal, encaminadas a paliar los efectos del delito.

(7) Las medidas de ayuda a las víctimas de delitos, y en particular las disposiciones en materia de indemnización y de mediación, no afectan a las soluciones que son propias del proceso civil.

(8) Es necesario armonizar las normas y prácticas en lo que respecta al estatuto y a los principales derechos de la víctima, prestando especial atención al respeto de su dignidad, a su derecho a declarar y ser informada, a comprender y ser comprendida, a ser protegida en las diversas fases de las actuaciones y a que se tenga en cuenta la desventaja de residir en un Estado miembro distinto del de la comisión del delito.

(9) Las disposiciones de la presente Decisión marco, sin embargo, no obligan a los Estados miembros a garantizar a las víctimas un trato equivalente al de las partes en el proceso.

(10) Es importante la intervención de servicios especializados y organizaciones de apoyo a la víctima antes, durante y después del proceso penal.

(11) Es necesario que las personas que están en contacto con la víctima reciban una formación adecuada y suficiente, algo fundamental tanto para la víctima como para la realización de los objetivos del proceso.

(12) Conviene utilizar las redes de puntos de contacto existentes en los Estados miembros, ya sea dentro del sistema judicial, ya en el sector de las organizaciones de apoyo a la víctima.

HA ADOPTADO LA PRESENTE DECISI› N MARCO:

Artículo 1. **Definiciones**.- A efectos de la presente Decisión marco, se entenderá por:

a) víctima f: la persona física que haya sufrido un perjuicio, en especial lesiones físicas o mentales, daños emocionales o un perjuicio económico, directamente causado por un acto u omisión que infrinja la legislación penal de un Estado miembro;

b) organización de apoyo a la víctima f: la organización no gubernamental constituida legalmente en un Estado miembro y cuyas actividades de apoyo a las víctimas de delitos, sean gratuitas y ejercidas en condiciones adecuadas, sean complementarias de la actividad del Estado en este ámbito;

c) proceso penal f: el prescrito en la legislación nacional aplicable;

d) actuaciones f: en sentido lato, además del proceso penal, todos los contactos que la víctima establezca, como tal, con cualquier autoridad, servicio público u organización de apoyo a la víctima en relación con su causa, antes, durante o después del proceso penal;

e) mediación en causas penales f: la búsqueda, antes o durante el proceso penal, de una solución negociada entre la víctima y el autor de la infracción, en la que medie una persona competente.

Artículo 2. **Respeto y reconocimiento.**- 1. Los Estados miembros reservarán a las víctimas un papel efectivo y adecuado en su sistema judicial penal. Seguirán esforzándose por que las víctimas sean tratadas durante las actuaciones con el debido respeto a su dignidad personal, y reconocerán sus derechos e intereses legítimos en particular en el marco del proceso penal.

2. Los Estados miembros velarán por que se brinde a las víctimas especialmente vulnerables un trato específico que responda de la mejor manera posible a su situación.

Artículo 3. **Audición y presentación de pruebas.**- Los Estados miembros garantizarán a la víctima la posibilidad de ser oída durante las actuaciones y de facilitar elementos de prueba.

Los Estados miembros tomarán las medidas oportunas para que sus autoridades sólo interroguen a la víctima en cuanto sea necesario para el proceso penal.

Artículo 4. **Derecho a recibir información.**- 1. Los Estados miembros garantizarán que la víctima tenga acceso, en particular desde el primer contacto con las autoridades policiales, por los medios que consideren adecuados y, cuando sea posible, en lenguas de comprensión general, a la información pertinente para la protección de sus intereses. Dicha información incluirá, como mínimo:

a) el tipo de servicios u organizaciones a los que puede dirigirse para obtener apoyo;

b) el tipo de apoyo que puede recibir;

c) el lugar y el modo en que puede presentar una denuncia;

d) las actuaciones subsiguientes a la denuncia y su papel respecto de aquéllas;

e) el modo y las condiciones en que podrá obtener protección;

f) la medida y las condiciones en que puede acceder a:

i)　asesoramiento jurídico, o

ii) asistencia jurídica gratuita, o

iii) cualquier otro tipo de asesoramiento,

siempre que, en los casos contemplados en los incisos i) y ii), la víctima tenga derecho a ello;

g) los requisitos para tener derecho a una indemnización;

h) si reside en otro Estado, los mecanismos especiales de defensa de sus derechos que puede utilizar.

2. Los Estados miembros garantizarán que la víctima que lo solicite sea informada: a) del curso dado a su denuncia; b) de los elementos pertinentes que le permitan, en caso de enjuiciamiento, seguir el desarrollo del proceso penal relativo al inculpado por los hechos que la afectan, salvo en casos excepcionales en que el correcto desarrollo de la causa pueda verse afectado; c) de la sentencia del tribunal.

3. Los Estados miembros adoptarán las medidas necesarias para garantizar, al menos en el caso de que pueda existir un riesgo para la víctima, que en

el momento de la puesta en libertad de la persona inculpada o condenada por la infracción, se pueda decidir, en caso necesario, informar de ello a la víctima.

4. En la medida en que un Estado miembro transmita por iniciativa propia la información a que se refieren los apartados 2 y 3, deberá garantizar a la víctima el derecho a optar por no recibir dicha información, salvo en el caso en que su envío sea obligatorio en el marco del proceso penal de que se trate.

Artículo 5. **Garantías de comunicación**.- Los Estados miembros tomarán las medidas necesarias para reducir cuanto sea posible las dificultades de comunicación que afecten a la comprensión y a la participación de la víctima en las fases importantes del proceso penal, cuando ésta sea testigo o parte en las actuaciones, en términos comparables a los aplicables al procesado.

Artículo 6. **Asistencia específica a la víctima**.- Los Estados miembros garantizarán que, de forma gratuita cuando esté justificado, la víctima disponga de asesoramiento con arreglo al inciso iii) de la letra f) del apartado 1 del artículo 4 sobre su papel en las actuaciones, y, si procede, de asistencia jurídica con arreglo al inciso ii) de la letra f) del apartado 1 del artículo 4 cuando pueda ser parte en el proceso penal.

Artículo 7. **Gastos sufragados por la víctima en relación con un proceso penal**.- Los Estados miembros, con arreglo a las disposiciones nacionales aplicables, darán a la víctima, cuando ésta sea parte o testigo, la posibilidad de que le sean reembolsados los gastos que le haya ocasionado su participación legítima en el proceso penal.

Artículo 8. **Derecho a la protección**.- 1. Los Estados miembros garantizarán un nivel adecuado de protección a las víctimas y, si procede, a sus familiares o personas en situación equivalente, por lo que respecta a su seguridad y a la protección de su intimidad, siempre que las autoridades competentes consideren que existe un riesgo grave de represalias o claros indicios de una intención clara de perturbar su vida privada.

2. Para ello, y no obstante lo dispuesto en el apartado 4, los Estados miembros garantizarán que, en caso necesario, sea posible adoptar, en el marco de un proceso judicial, las medidas adecuadas para proteger la intimidad o la imagen física de la víctima y de sus familiares o de las personas en situación equivalente.

3. Los Estados miembros velarán además por que, en las dependencias judiciales, pueda evitarse el contacto entre víctima y procesado, salvo que el proceso penal lo requiera. A tal fin, si ha lugar, los Estados miembros dispondrán progresivamente lo necesario para que las dependencias judiciales estén provistas de espacios de espera reservados a las víctimas.

4. Los Estados miembros garantizarán, cuando sea necesario proteger a las víctimas, y sobre todo a las más vulnerables, de las consecuencias de prestar declaración en audiencia pública, que éstas puedan, por resolución judicial,

testificar en condiciones que permitan alcanzar ese objetivo, por cualquier medio adecuado compatible con los principios fundamentales de su Derecho.

Artículo 9. **Derecho a indemnización en el marco del proceso penal.-** 1. Los Estados miembros garantizarán a la víctima de una infracción penal el derecho a obtener en un plazo razonable y en el marco del proceso penal una resolución relativa a la indemnización por parte del autor de la infracción, salvo cuando la legislación nacional disponga que, para determinados casos, la indemnización se efectúe por otra vía.

2. Los Estados miembros adoptarán las medidas pertinentes para propiciar que el autor de la infracción indemnice a la víctima adecuadamente.

3. Salvo en caso de necesidad absoluta impuesta por el proceso penal, los objetos restituibles pertenecientes a la víctima y aprehendidos durante las actuaciones se devolverán a la víctima sin demora.

Artículo 10. **Mediación penal en el marco del proceso penal.-** 1. Los Estados miembros procurarán impulsar la mediación en las causas penales para las infracciones que a su juicio se presten a este tipo de medida.

2. Los Estados miembros velarán por que pueda tomarse en consideración todo acuerdo entre víctima e inculpado que se haya alcanzado con ocasión de la mediación en las causas penales.

Artículo 11. **Víctimas residentes en otro Estado miembro.-** 1. Los Estados miembros velarán por que sus autoridades competentes estén en condiciones de tomar las medidas necesarias para paliar las dificultades derivadas del hecho de que la víctima resida en un Estado miembro distinto de aquél en que se haya cometido la infracción, en especial en lo que se refiere al desarrollo de las actuaciones. A tal fin, dichas autoridades deberán sobre todo estar en condiciones de:

 ˇ   decidir si la víctima puede prestar declaración inmediatamente después de cometerse la infracción,

 ˇ   recurrir en la mayor medida posible, para la audición de las víctimas residentes en el extranjero, a las disposiciones sobre videoconferencia y conferencia telefónica previstas en los artículos 10 y 11 del Convenio relativo a la asistencia judicial en materia penal entre los Estados miembros de la Unión Europea, de 29 de mayo de 2000[3].

2. Los Estados miembros velarán por que la víctima de una infracción cometida en un Estado miembro distinto de aquél en que reside pueda presentar la denuncia ante las autoridades competentes de su Estado de residencia en caso de que no haya podido hacerlo en el Estado miembro en el que se cometió la infracción o, si se trata de una infracción grave, en caso de que haya optado por no hacerlo.

---

[3]   DO C 197 de 12.7.2000, p. 1.

La autoridad competente ante la que se haya presentado la denuncia, en la medida en que ella misma no ejerza su competencia a este respecto, la transmitirá sin demora a la autoridad competente del territorio en que se haya cometido la infracción. Esta denuncia se tramitará con arreglo al Derecho interno del Estado en el que se haya cometido la infracción.

Artículo 12. **Cooperación entre Estados miembros.**- Los Estados miembros deberán apoyar, desarrollar y mejorar la cooperación entre sí para facilitar la defensa más eficaz de los intereses de la víctima en el proceso penal, ya mediante redes directamente vinculadas al sistema judicial, ya mediante vínculos entre organizaciones de apoyo a la víctima.

Artículo 13. **Servicios especializados y organizaciones de apoyo a la víctima.**- 1. Los Estados miembros fomentarán, en el contexto de las actuaciones, la intervención de servicios de apoyo a la víctima que organicen la acogida inicial de ésta y le presten apoyo y asistencia posteriormente, ya sea mediante personal especialmente preparado de los servicios públicos nacionales, ya sea mediante el reconocimiento y la financiación de organizaciones de apoyo a la víctima.

2. Los Estados miembros propiciarán la participación en las actuaciones de dicho personal o de las organizaciones de apoyo a la víctima, en particular por lo que respecta a:

a) la transmisión de información a la víctima;

b) la prestación de apoyo a la víctima en función de sus necesidades inmediatas;

c) el acompañamiento de la víctima, en caso necesario y siempre que resulte posible, durante el proceso penal;

d) la asistencia a la víctima, cuando ésta lo solicite, una vez que haya finalizado el proceso penal.

Artículo 14. **Formación de las personas que intervienen en las actuaciones o que tienen otro tipo de contacto con la víctima.**- 1. Los Estados miembros propiciarán, a través de sus servicios públicos o mediante la financiación de organizaciones de apoyo a la víctima, iniciativas en virtud de las cuales las personas que intervienen en las actuaciones o que tienen otro tipo de contacto con la víctima reciban la adecuada formación, con especial atención a las necesidades de los grupos más vulnerables.

2. El apartado 1 se aplicará en especial a los agentes de policía y a los profesionales del derecho.

Artículo 15. **Condiciones prácticas relativas a la situación de la víctima durante las actuaciones.**- 1. Los Estados miembros propiciarán la creación gradual, en el marco de las actuaciones en general y especialmente en los lugares en los que puede incoarse el proceso penal, de las condiciones necesarias para tratar de prevenir la victimación secundaria o evitar que la víctima se vea sometida a tensiones innecesarias. Para ello velarán en particular por que se dé una acogida correcta a las víctimas en un primer momento y por que se creen en dichos lugares condiciones adecuadas a la situación de la víctima.

2. A efectos de la aplicación del apartado 1, los Estados miembros tendrán especialmente en cuenta los medios de que disponen las dependencias judiciales, comisarías de policía, servicios públicos y organizaciones de apoyo a la víctima.

Artículo 16. **mbito de aplicación territorial.**- La presente Decisión marco se aplicará a Gibraltar.

Artículo 17. **Aplicación.**- Los Estados miembros pondrán en vigor las disposiciones legales, reglamentarias y administrativas necesarias para dar cumplimiento a lo estipulado en la presente Decisión marco: ˘ en lo que se refiere al artículo 10, a más tardar el 22 de marzo de 2006, ˘ en lo que se refiere a los artículos 5 y 6, a más tardar el 22 de marzo de 2004, ˘ en lo que se refiere a las demás disposiciones, a más tardar el 22 de marzo de 2002.

Artículo 18. **Evaluación.**- Los Estados miembros transmitirán a la Secretaría General del Consejo y a la Comisión, en las fechas establecidas en el artículo 17, el texto de las disposiciones que incorporen al ordenamiento jurídico nacional las obligaciones impuestas por la presente Decisión marco. El Consejo evaluará, en el plazo de un año consecutivo a dichas fechas, las medidas adoptadas por los Estados miembros en aplicación de lo estipulado en la presente Decisión marco; se basará para ello en un informe elaborado por la Secretaría General a partir de la información recibida de los Estados miembros y en un informe escrito presentado por la Comisión.

Artículo 19. **Entrada en vigor.**- La presente Decisión marco entrará en vigor el día de su publicación en el Diario Oficial de las Comunidades Europeas.

Hecho en Bruselas, el 15 de marzo de 2001.
Por el Consejo
El Presidente
M-I. Klingvall

Decisión Marco del Consejo de la Unión Europea, de 13 de junio de 2002, sobre la lucha contra el terrorismo

(2002/475/JAI)

EL CONSEJO DE LA UNI› N EUROPEA,

Visto el Tratado de la Unión Europea y, en particular, su artículo 29, la letra e) de su artículo 31, y la letra b) del apartado 2 de su artículo 34,

Vista la propuesta de la Comisión[1],

Visto el dictamen del Parlamento Europeo[2],

Considerando lo siguiente:

(1) La Unión Europea se basa en los valores universales de la dignidad humana, la libertad, la igualdad y la solidaridad, el respeto de los derechos humanos y las libertades fundamentales. Tiene como fundamento el principio de la democracia y el principio del Estado de Derecho, principios que son comunes a los Estados miembros.

(2) El terrorismo constituye una de las violaciones más graves de estos principios. La Declaración de La Gomera, adoptada en la reunión del Consejo informal de 14 de octubre de 1995, afirmó que el terrorismo constituye una amenaza para la democracia, para el libre ejercicio de los derechos humanos y para el desarrollo económico y social.

(3) Todos o algunos Estados miembros son parte de diversos convenios relativos al terrorismo. El Convenio del Consejo de Europa, de 27 de enero de 1977, para la represión del terrorismo, establece que los delitos de terrorismo no pueden considerarse delitos políticos, ni delitos relacionados con los delitos políticos, ni delitos inspirados por motivos políticos. Las Naciones Unidas adoptaron el Convenio para la represión de los atentados terroristas cometidos con bombas de 15 de diciembre de 1997, y el Convenio para la represión de la financiación del terrorismo, de 9 de diciembre de 1999. En la actualidad se está negociando en dicha organización un proyecto de convenio general contra el terrorismo.

(4) A escala de la Unión Europea, el Consejo adoptó el 3 de diciembre de 1998 el Plan de acción del Consejo y de la Comisión sobre la mejor manera de aplicar las disposiciones del Tratado de Amsterdam relativas a la creación de un espacio de libertad, seguridad y justicia[3]. Conviene asimismo tener en cuenta las conclusiones del Consejo extraordinario del 20 de septiembre de 2001 así como el plan de acción en materia de terrorismo del Consejo Europeo extraordinario de 21 de septiembre de 2001. Se hizo referencia al terrorismo en las conclusiones del Consejo Europeo de Tampere

---

[1]   DO C 332 E de 27.11.2001, p. 300.

[2]   Dictamen emitido el 6 de febrero de 2002 (no publicado aún en el Diario Oficial).

[3]   DO C 19 de 23.1.1999, p. 1.

de 15 y 16 de octubre de 1999 y del Consejo Europeo de Santa María da Feira de 19 y 20 de junio de 2000. También se mencionó en la comunicación de la Comisión al Consejo y al Parlamento Europeo sobre la actualización semestral del marcador para supervisar el progreso en la creación de un espacio de libertad, seguridad y justicia*f* en la Unión Europea (segundo semestre de 2000). Además, el Parlamento Europeo adoptó el 5 de septiembre de 2001 una recomendación sobre la lucha contra el terrorismo. Conviene, por otro lado, recordar que el 30 de julio de 1996, en una reunión de los países más industrializados (G7) y Rusia, en París, se preconizaron veinticinco medidas para luchar contra el terrorismo.

(5) La Unión Europea ha adoptado numerosas medidas específicas para combatir el terrorismo y la delincuencia organizada, entre las cuales figuran las siguientes: la Decisión del Consejo, de 3 de diciembre de 1998, por la que se encomienda a Europol la lucha contra los delitos cometidos o que puedan cometerse en el marco de actividades terroristas que atenten contra la vida, la integridad física, la libertad o los bienes de las personas[4]; la Acción común 96/610/JAI del Consejo, de 15 de octubre de 1996, relativa a la creación y mantenimiento de un Directorio de competencias, técnicas y conocimientos antiterroristas especializados para facilitar la cooperación antiterrorista entre los Estados miembros de la Unión Europea[5]; la Acción común 98/428/JAI del Consejo, de 29 de junio de 1998, por la que se crea una red judicial europea[6], con competencias sobre los delitos de terrorismo, y en particular su artículo 2, la Acción común 98/733/JAI del Consejo, de 21 de diciembre de 1998, relativa a la tipificación penal de la participación en una organización delictiva en los Estados miembros de la Unión Europea[7]; y la Recomendación del Consejo, de 9 de diciembre de 1999, relativa a la cooperación en la lucha contra la financiación de grupos terroristas[8].

(6) Es conveniente realizar una aproximación de la definición de los delitos de terrorismo en los Estados miembros, incluidos los delitos relativos a los grupos terroristas. Por otra parte, deberían preverse para las personas físicas y jurídicas que cometan o sean responsables de tales delitos penas y sanciones acordes con la gravedad de los mismos.

(7) Conviene establecer normas sobre competencia para garantizar que puedan emprenderse acciones judiciales eficaces contra cualquier delito de terrorismo.

(8) Las víctimas de delitos de terrorismo son vulnerables, por lo que debería imponerse la adopción de medidas específicas en lo que les concierne.

---

[4]   DO C 26 de 30.1.1999, p. 22.
[5]   DO L 273 de 25.10.1996, p. 1.
[6]   DO L 191 de 7.7.1998, p. 4.
[7]   DO L 351 de 29.12.1998, p. 1.
[8]   DO C 373 de 23.12.1999, p. 1.

(9) Dado que los objetivos de la acción prevista no pueden ser alcanzados de manera suficiente por los Estados miembros unilateralmente, y, por consiguiente, en aras de la necesaria reciprocidad, pueden lograrse mejor a nivel comunitario, la Unión puede adoptar medidas, de conformidad con el principio de subsidiariedad. De acuerdo con el principio de proporcionalidad, la presente Decisión marco no excede lo necesario para lograr esos objetivos.

(10) La presente Decisión marco respeta los derechos fundamentales tales como están garantizados por el Convenio Europeo para la Protección de los Derechos Humanos y las Libertades Fundamentales, y tal como resultan de las tradiciones constitucionales comunes a los Estados miembros, como principios de derecho comunitario. La Unión observa los principios reconocidos en el apartado 2 del artículo 6 del Tratado de la Unión Europea, reflejados en la Carta de los Derechos Fundamentales de la Unión Europea, y en particular su capítulo VI. Nada de lo dispuesto en la presente Decisión marco podrá interpretarse como un intento de reducir u obstaculizar derechos o libertades fundamentales tales como el derecho de huelga, la libertad de reunión, de asociación o de expresión, ni, en particular, el derecho de fundar un sindicato con otras personas o de afiliarse a un sindicato para defender los intereses de sus miembros, así como el correspondiente derecho a manifestarse.

(11) La presente Decisión marco no rige las actividades de las fuerzas armadas en período de conflicto armado, en el sentido de estos términos en Derecho internacional humanitario, que se rigen por dicho Derecho, ni las actividades de las fuerzas armadas de un Estado en el ejercicio de sus funciones oficiales en la medida en que se rigen por otras normas de Derecho internacional.

HA ADOPTADO LA PRESENTE DECISI› N MARCO:

Artículo 1. **Delitos de terrorismo y derechos y principios fundamentales.**- 1. Todos los Estados miembros adoptarán las medidas necesarias para que se consideren delitos de terrorismo los actos intencionados a que se refieren las letras a) a i) tipificados como delitos según los respectivos Derechos nacionales que, por su naturaleza o su contexto, puedan lesionar gravemente a un país o a una organización internacional cuando su autor los cometa con el fin de:
- ˇ intimidar gravemente a una población,
- ˇ obligar indebidamente a los poderes públicos o a una organización internacional a realizar un acto o a abstenerse de hacerlo,
- ˇ o desestabilizar gravemente o destruir las estructuras fundamentales políticas, constitucionales, económicas o sociales de un país o de una organización internacional;
- a) atentados contra la vida de una persona que puedan tener resultado de muerte;
- b) atentados graves contra la integridad física de una persona;
- c) secuestro o toma de rehenes;
- d) destrucciones masivas en instalaciones gubernamentales o públicas, sistemas de transporte, infraestructuras, incluidos los sistemas

informáticos, plataformas fijas emplazadas en la plataforma continental, lugares públicos o propiedades privadas, que puedan poner en peligro vidas humanas o producir un gran perjuicio económico;

e) apoderamiento ilícito de aeronaves y de buques o de otros medios de transporte colectivo o de mercancías;

f) fabricación, tenencia, adquisición, transporte, suministro o utilización de armas de fuego, explosivos, armas nucleares, biológicas y químicas e investigación y desarrollo de armas biológicas y químicas;

g) liberación de sustancias peligrosas, o provocación de incendios, inundaciones o explosiones cuyo efecto sea poner en peligro vidas humanas;

h) perturbación o interrupción del suministro de agua, electricidad u otro recurso natural fundamental cuyo efecto sea poner en peligro vidas humanas;

i) amenaza de ejercer cualesquiera de las conductas enumeradas en las letras a) a h).

2. La presente Decisión marco no puede tener como consecuencia la modificación de la obligación de respetar los derechos fundamentales y los principios jurídicos fundamentales sancionados por el artículo 6 del Tratado de la Unión Europea.

Artículo 2. **Delitos relativos a un grupo terrorista.-** 1. A efectos de la presente Decisión marco, se entenderá por grupo terroristaƒ toda organización estructurada de más de dos personas, establecida durante cierto período de tiempo, que actúa de manera concertada con el fin de cometer delitos de terrorismo. Por organización estructuradaƒ se entenderá una organización no formada fortuitamente para la comisión inmediata de un delito y en la que no necesariamente se ha asignado a sus miembros funciones formalmente definidas ni hay continuidad en la condición de miembro o una estructura desarrollada.

2. Todos los Estados miembros adoptarán las medidas necesarias para tipificar como delitos los actos intencionales siguientes:

a) dirección de un grupo terrorista;

b) participación en las actividades de un grupo terrorista, incluido el suministro de información o medios materiales, o mediante cualquier forma de financiación de sus actividades, con conocimiento de que esa participación contribuirá a las actividades delictivas del grupo terrorista.

Artículo 3. **Delitos ligados a las actividades terroristas**.- Todos los Estados miembros adoptarán las medidas necesarias para que se consideren delitos ligados a actividades terroristas las conductas siguientes:

a) el hurto o robo con agravantes cometido con el fin de llevar a cabo cualesquiera de los actos enumerados en el apartado 1 del artículo 1;

b) el chantaje con el fin de proceder a alguna de las actividades enumeradas en el apartado 1 del artículo 1;

c) el libramiento de documentos administrativos falsos con el fin de llevar a cabo cualesquiera actos enumerados en las letras a) a h) del apartado 1 del artículo 1 y en la letra b) del apartado 2 del artículo 2.

Artículo 4. **Inducción, complicidad, tentativa.-** 1. Todos los Estados miembros adoptarán las medidas necesarias para tipificar como delito la inducción o la complicidad para cometer un delito contemplado en el apartado 1 del artículo 1 y en los artículos 2 ó 3.

2. Todos los Estados miembros adoptarán las medidas necesarias para tipificar como delito la tentativa de cometer un delito contemplado en el apartado 1 del artículo 1 y en el artículo 3, excepto la tenencia prevista en la letra f) del apartado 1 del artículo 1 y el delito previsto en la letra i) del apartado 1 del artículo 1.

Artículo 5. **Sanciones.-** 1. Todos los Estados miembros adoptarán las medidas necesarias para que los delitos mencionados en los artículos 1 a 4 sean sancionados con penas efectivas, proporcionadas y disuasorias, que puedan tener como consecuencia la extradición.

2. Todos los Estados miembros adoptarán las medidas necesarias para que los delitos de terrorismo que se mencionan en el apartado 1 del artículo 1 y los mencionados en el artículo 4, siempre y cuando estén relacionados con los delitos de terrorismo, sean sancionados con penas privativas de libertad superiores a las que el Derecho nacional prevé para tales delitos cuando no concurre la intención especial requerida en virtud del apartado 1 del artículo 1, excepto en los casos en los que las penas previstas ya sean las penas máximas posibles con arreglo al Derecho nacional.

3. Todos los Estados miembros adoptarán las medidas necesarias para que los delitos mencionados en el artículo 2, sean sancionados con penas privativas de libertad, de las cuales la pena máxima no podrá ser inferior a quince años para los delitos mencionados en la letra a) del apartado 2 del artículo 2 y ocho años para los delitos mencionados en la letra b) del apartado 2 del artículo 2. En la medida en que los delitos enumerados en la letra a) del apartado 2 del artículo 2 se refieran únicamente al acto contemplado en la letra i) del apartado 1 del artículo 1, la pena máxima contemplada no podrá ser inferior a ocho años.

Artículo 6. **Circunstancias específicas.-** Todos los Estados miembros podrán considerar la posibilidad de tomar las medidas necesarias para que las penas mencionadas en el artículo 5 puedan reducirse si el autor del delito:

a) abandona la actividad terrorista, y

b) proporciona a las autoridades administrativas o judiciales información que éstas no hubieran podido obtener de otra forma, y que les ayude a:

i) impedir o atenuar los efectos del delito,

ii) identificar o procesar a los otros autores del delito,

iii) encontrar pruebas, o

iv) impedir que se cometan otros delitos de los previstos en los artículos 1 a 4.

Artículo 7. **Responsabilidad de las personas jurídicas.**- 1. Todos los Estados miembros adoptarán las medidas necesarias para que las personas jurídicas puedan ser consideradas responsables de los delitos mencionados en los artículos 1 a 4, cuando dichos delitos sean cometidos por cuenta de éstas por cualquier persona, actuando a título particular o como parte de un órgano de la persona jurídica, que ostente un cargo directivo en el seno de dicha persona jurídica basado en:

a) un poder de representación de dicha persona jurídica;

b) una autoridad para tomar decisiones en nombre de dicha persona jurídica;

c) una autoridad para ejercer un control en el seno de dicha persona jurídica.

2. Sin perjuicio de los casos previstos en el apartado 1, todos los Estados miembros adoptarán las medidas necesarias para que las personas jurídicas puedan ser consideradas responsables cuando la falta de vigilancia o control por parte de una de las personas a que se refiere el apartado 1 haya hecho posible que una persona sometida a su autoridad cometa uno de los delitos mencionados en los artículos 1 a 4 por cuenta de una persona jurídica.

3. La responsabilidad de las personas jurídicas en virtud de los apartados 1 y 2 se entenderá sin perjuicio de la incoación de acciones penales contra las personas físicas que sean autores, incitadores o cómplices de alguno de los delitos a los que se refieren los artículos 1 a 4.

Artículo 8. **Sanciones a las personas jurídicas.**- Todos los Estados miembros adoptarán las medidas necesarias para que toda persona jurídica a la que se haya declarado responsable con arreglo al artículo 7 sea sancionada con penas efectivas, proporcionadas y disuasorias, que incluirán multas de carácter penal o administrativo y, en su caso, otras sanciones, en particular:

a) medidas de exclusión del disfrute de ventajas o ayudas públicas;

b) medidas de prohibición temporal o permanente del desempeño de actividades comerciales;

c) sometimiento a vigilancia judicial;

d) medida judicial de liquidación;

e) cierre temporal o permanente del establecimiento que se haya utilizado para cometer el delito.

Artículo 9. **Competencia y acciones penales.**- 1. Todos los Estados miembros adoptarán las medidas necesarias para establecer su competencia respecto de los delitos a que se refieren los artículos 1 a 4, en los siguientes casos:

a) el delito se ha cometido, total o parcialmente, en su territorio; todos los Estados miembros podrán ampliar su jurisdicción cuando el delito se cometa en el territorio de un Estado miembro;

b) el delito se ha cometido a bordo de un buque que enarbole su pabellón o una aeronave matriculada en dicho Estado miembro;

c) el autor del delito es uno de sus nacionales o residente en él;

d) el delito se ha cometido por cuenta de una persona jurídica establecida en su territorio;

e) el delito se ha cometido contra sus instituciones o ciudadanos, o contra una institución de la Unión Europea o de un organismo creado en virtud del Tratado constitutivo de la Comunidad Europea o del Tratado de la Unión Europea y que tenga su sede en el Estado miembro de que se trate.

2. Cuando un delito sea competencia de más de un Estado miembro y cualquiera de estos Estados pueda legítimamente iniciar acciones judiciales por los mismos hechos, los Estados miembros implicados colaborarán para decidir cuál de ellos llevará a cabo las acciones judiciales contra los autores del delito con el objetivo de centralizar, en la medida de lo posible, dichas acciones en un solo Estado miembro. Con este fin, los Estados miembros podrán recurrir a cualquier órgano o mecanismo creado en el marco de la Unión Europea con el fin de facilitar la cooperación entre sus autoridades judiciales y la coordinación de sus actuaciones. Se tendrán en cuenta sucesivamente los siguientes elementos para sumarse a ellas:

˘ ser el Estado miembro en cuyo territorio se hayan cometido los hechos,

˘ ser el Estado miembro del que el autor sea nacional o residente,

˘ ser el Estado miembro de origen de las víctimas,

˘ ser el Estado miembro en el que se haya encontrado al autor.

3. Los Estados miembros que denieguen la entrega o extradición a otro Estado miembro o a un tercer país de una persona sospechosa o condenada por uno de los delitos mencionados en los artículos 1 a 4 adoptarán las medidas necesarias para establecer asimismo su competencia sobre dichos delitos.

4. Todos los Estados miembros procurarán que se incluyan dentro de sus competencias los casos en los que un delito de los mencionados en los artículos 2 y 4 se haya cometido, parcial o totalmente, en su territorio, sea cual fuere el lugar en el que el grupo terrorista tenga su base o ejerza sus actividades delictivas.

5. El presente artículo no excluye el ejercicio de una competencia en materia penal establecida en un Estado miembro con arreglo a su legislación nacional.

Artículo 10. **Protección y asistencia a las víctimas.-** 1. Los Estados miembros garantizarán que las investigaciones o el enjuiciamiento de los delitos a que se refiere la presente Decisión marco no dependan de la formulación de denuncia o acusación por una persona que haya sido víctima de tales delitos, al menos si los hechos se cometieron en el territorio de un Estado miembro.

2. Además de las medidas previstas en la Decisión marco 2001/220/JAI del Consejo, de 15 de marzo de 2001, sobre el estatuto de la víctima en el procedimiento penal[9], los Estados miembros tomarán, en caso necesario, todas

---

[9]   DO L 82 de 22.3.2001, p. 1.

las medidas posibles para garantizar una adecuada asistencia a la familia de la víctima.

Artículo 11. **Aplicación e informes.**- 1. Los Estados miembros adoptarán las medidas necesarias para dar cumplimiento a la presente Decisión marco el 31 de diciembre de 2002, a más tardar.

2. Ateniéndose al mismo plazo, los Estados miembros transmitirán, a más tardar el 31 de diciembre de 2002, a la Secretaría General del Consejo y a la Comisión el texto de las disposiciones por las que incorporan en su Derecho nacional las obligaciones que la presente Decisión marco les impone. Tomando como base un informe elaborado a partir de estos datos y un informe escrito de la Comisión, el Consejo evaluará, antes del 31 de diciembre de 2003, si los Estados miembros han adoptado las medidas necesarias para dar cumplimiento a la presente Decisión marco.

3. El informe de la Comisión precisará, en particular, la incorporación al Derecho penal de los Estados miembros de la obligación que establece el apartado 2 del artículo 5.

Artículo 12. **mbito de aplicación territorial.**- La presente Decisión marco será aplicable a Gibraltar.

Artículo 13. **Entrada en vigor.**- La presente Decisión marco entrará en vigor el día de su publicación en el Diario Oficial de las Comunidades Europeas.

Hecho en Luxemburgo, el 13 de junio de 2002.

Por el Consejo
El Presidente
M. Rajoy Brey

ndice analítico

ABEL, 252

ABOGADOS
  - colegio de, 137
  - donostiarras, 30

ABORTO, 128

ACADÉMICAS, 301

ACERCAMIENTO, de presos, 226

ACTITUDES
  - altruistas, 155
  - fanáticas, 201

ACUERDO por las libertades y contra el terrorismo, 305

ADORNO, 309

ADVERSARIOS (no enemigos), 254

AGAPICA, 68
  - alteridad, 322

AGENTES
  - éticos, 328
  - morales, 23, 155, 174, 188

AGUIRRE, Rafael, 240

AL QAEDA, 192

ALARMA pública, 142

ALBRECHT, H.J., 111

ALELUYA, 309

ALEMANIA, 93

ALFABETIZACIÍN, 151

ALIUD EST PUNIRE, 113

ALLAIS, Maurice, 138

ALTRUISTAS, 303

AMBIVALENTE, 181

AMÉRICA LATINA, 305

AMNISTÍA INTERNACIONAL, 37, 41, 59, 157, 189, 205, 278, 308

AMOR, 119, 125, 303, 323

ÁNGELES humanos, 204

ANGELISMOS pueriles, 131

ANGUSTIA, 354

ANUARIO EL PAÚS, 148

ARANGUREN, José Luis, 69, 242

ARCHIPIÉLAGO GULAG, 308

ARENAL, Concepción, 119, 285

ARENDT, Hannah, 153, 177, 241

ARGALA, 26

ARRESTO
  - fin de semana, 53

ARRIAGA, J. Crisóstomo, 323

ARRUPE, Pedro, 155

ARTE, 133, 179, 322

ARTETA, Aurelio, 138, 146, 160, 214, 298

AUSCHWITZ, 41, 301, 303

AUTOCRÍTICA, 123

AUTOESTIMA, 37

AUTORITAS, 202

ASOCIACIÓN DE VÍCTIMAS DEL TERRORISMO, 329

AXIOLÓGICO, 115

AXIOMA, 35

BACHELET, Adolfo (S.J.), 203

BARANDIARÁN, José Miguel, 119

BASSIOUNI, Cherif, 72, 173, 179, 181, 189, 303, 325, 345

BASTA YA, 316

BASTENIER, A., 175

BASTIANEL, Sergio, 210

BATLLORI, Miguel (S.J.), 278

BECCARIA, 123, 177, 195

BÉLGICA, 93

BELLEZA, 320, 322

BERLÍN, 310

BIBLIA, 110, 199

BIBLIOGRAFÍA, 60, 77, 161, 182, 288

BILBAO, 230

BLANCO, Miguel Ángel, 307

BLOCH, Ernst, 122, 328

BOIX, Javier, 31

BONHÖFFER, Dietrich, 29, 38, 77, 78, 293

BRASIL, 93

BROSETA, Manuel, 294, 318

BRUJAS, 116

BUEN SAMARITANO, 108, 116, 283, 318

BUENOS AIRES, 173

BUESA, Fernando, 310

CADÁVERES, búsqueda de los, 354

CADENA PERPETUA, 263

CAÍN, 28, 203, 252
– señal de, 28, 240, 286, 305

CALVO BUEZAS, 143

CAMPOAMOR, 169

CAMPS, Victoria, 239, 240

CAMUS, A., 68, 181

CANCIO, M., 173

CAPELLANÍAS, 58
– asociación internacional de capellanes de prisiones, 270
– de pastoral penitenciaria, 58

CÁRCEL(ES) (ver PRISIONES), 59, 124
– cáncer de las, 132
– fraternidad en las, 207

CARIDAD, 135

CARO BAROJA, Julio, 124, 182, 236

CARRERA, J., 67

CASTIGAR, 113, 311

CASTILLA DEL PINO, 175

CASTÓN BOYER, S.J., 339-344, 32

CATALUÑA, 213

CATHOLIC WOMEN'S LEAGUE AUSTRALIA, 346

CAUTIO CRIMINALIS, 116

CEGUERA AXIOLÓGICA, 297

CENTRE D'ESTUDIS JURIDICS, 308

CHAGAL, 182

CHILLIDA, 19, 182, 309, 315, 319

CHIVO EXPIATORIO, 153

CHRISTIE, Nils, 16, 56, 111, 146, 227

CIENCIA(S), 30, 125
– criminología, 123
– jurídicas, 34
– moral, 324
– transdisciplinar, 112, 122, 133, 301
– victimológicas
– cátedras o institutos, 288

CIRCULAR sobre la política Penal de ayuda a las víctimas de infracciones Penales, París, 1998, 257

CÓDIGO CIVIL, 220, 231

CÓDIGO de Hammurabi, 135

CÓDIGO PENAL, 30, 146, 225, 228, 255, 282
– alemán, 233
– español, 43
– Art. 21, 255
– Art. 48, 228
– Art. 48 y 57, 225, 261, 281, 283

COERCIÓN, 202

COLOQUIO internacional, 312

COMBATIR, 84

COMISIÓN EUROPEA, 148, 303

COMPASIÓN, 323, 324

COMPENSACIÓN de culpas, 260

CÓMPLICES, 36, 306, 316

COMPRENSIÓN, 296

COMPROMISO ético, 322

COMUNICACIÓN, medios de, 153

COMUNIDADES AUTÓNOMAS, 137

CONCEPCIONES ético sociales, 53

CONCIENCIA
- cívica, 301
- intranquila, 254

CONCILIACIÓN, 129, 131, 264

CONDE-PUMPIDO FERREIRO, Cándido, 31, 53, 96

CONDECORACIONES, 307

CONFLICTO(S), 297
- divergentes, 129
- graves, 129
- mero, 284
- políticos, 327

CONGRESOS penitenciarios, 252

CONOCIMIENTO PNEUMÁTICO, 125

CONSEJO DE EUROPA, 89, 117, 149, 160, 193, 252, 269, 302
- consejo europeo de Tampere, 363
- bulletin d'information penologique, 252, 271

CONSEJO GENERAL DEL PODER JUDICIAL, 46

CONSENSO ABOLICIONISTA, 192

CONSTITUCIÓN(ES), 44, 222
- democráticas, 88
- estatal, 305
- española, 109, 138, 156, 231, 237

CONVIDADOS de piedra, 306

CONVIVENCIA, 173, 181, 188, 303, 318, 320, 326, 328
- más humana, 304
- pública, 180
- universal, 320

CORAZÓN abierto, 313

CORREIA, 133

CORTINA, A. 159

COSMOVISIÓN unitaria, 133

COVITE, 31, 329

CREACIÓN utópica, 323

CREATIVIDAD, 122

CREENCIAS Y CONVICCIONES, 96

CRÍMENES terroristas, 311

CRIMINAL(ES), 56
- deshacer su hecho, 237
- protector de los, 56

CRIMINALIDAD organizada, 132, 286

CRIMINOLOGÍA, 112, 306, 315
- congreso internacional de, 270
- instituto de, 257
- instituto vasco de, 171, 279, 308
- victimológica, 301

CRIMINÓLOGO vidente, 126

CRISTIANISME I JUSTICIA, 214

CRISTIANISMO expiacionista, 92

CRISTIANOS, 295, 325

CRUZ ROJA, comité internacional, 347

CUESTA, J.L. de La, 53, 56, 158, 233, 238, 243, 269, 308

CULPABILIDAD, 253

CULTURA, 155, 167, 175, 323

CURSO DE VERANO, 307

DANTE, 115

DAÑOS, 215

DÉBIL, hacerse cargo del, 323

DEFENSOR del menor, 54

DELGADO PINTO, J. 172

DELINCUENCIA
- juvenil, 180
- organizada, 74

DELINCUENTE(S)
- como víctima, 118
- de conciencia, 37

DELITOS
- competencia respecto a los, 368
- complicidad, 367
- de terrorismo
- definición, 364
- víctimas de, 364
- inducción, 367
- políticos, 363

DEMOCRACIA, 322
- amenaza para la, 363

DERECHO
- a indemnización, 360
- a interponer un recurso adecuado, 352
- a la protección, 359
- comparado, 53, 299
- de las víctimas, 334, 348
- estado de, 317
- facultad de, 308, 319
- internacional, 348
- evolución del, 348
- humanitario, 326, 348
- natural, 125
- penal
- anacronismo del, 124
- asociación internacional de, 189, 206, 303
- del amigo, 173
- del enemigo, 188
- kantiano, 110
- transformación de, 206

DERECHOS
- civiles y políticos, pacto internacional, 192
- del niño, 97, 198

DERECHOS HUMANOS (ver UNIÓN EUROPEA y NACIONES UNIDAS), 124, 312, 345
- declaración universal, 127, 158, 207, 322
- desarrollo de los, 297, 317
- evolución de los, 181
- convención americana de, 192
- convenio europeo de, 44, 76, 221, 231

DESARRAIGO SOCIAL, de los condenados, 261

DESJURIDIZACIÓN, 112

DESMORALIZACIÓN, 299
- social, 313

DESTIERRO, 281

DEVALUACIÓN axiológica, 301

DÍA de conmemoración, 326
- internacional, 216

DIÁLOGO, 198
- postmoderno, 316
- recreador, 314

DÍEZ ALEGRÍA, José María, 138, 295

DÍEZ ELORZA, Jorge, 311

DIGNIDAD, 358
- humana, 320, 326
- valores universales de la, 363

DILIGENCIAS PREVIAS (o sumariales), 95

DIMENSIÓN ético-espiritual, 58

DINAMISMO innovador, 323

DIOS, dónde está, 130

DISCRIMINACIÓN, 312
- positiva, 23, 156, 312

DISCURSO penalista autónomo, 123

DISPERSIÓN prisional, 213

DOGMÁTICA, 108
- axiológica, 108
- funcionalista, 108

DORADO MONTERO, 119, 123, 133, 254, 321

DOSTOIEWSKI, 308

DOVAL, Juan de Dios, 314, 319

DREWERMANN, E., 176

ECCLES, John C., 132

ECHEBURUA, E., 243

ECKHART, Johann, 240

ECLESIÁSTICA, 325

EDUCACIÓN, 139, 195, 196, 312
- no formal, 278
- oportunidades de, 354

EFICACIA preventiva, 197

EGUZKILORE, 310, 312

EJECUCIÓN PENAL, 251

ELLACURIA, Ignacio, 38, 157, 242, 294

ENCÍCLICA(S), 299, 327

ENCUBRIDORES, 36, 302, 316

ENERGÍA, 155

ENFERMOS mentales, 191

EPISTEMOLOGÍA, nueva, 157

ÉPOCA franquista, 296

EQUIDAD, 37

ERRORES judiciales, 190

ESCATOLÓGICO, 107

ESCOLARIZACIÓN, 151

ESCUELAS vascas, 299

ESER, Alvin, 115, 227, 257

ESPAÑA, 94, 273

ESPERANZA, 82, 216, 236, 295, 301, 304, 311

ESPÍRITU (PNEUMA), 133

ESPIRITUAL(ES), 113, 178, 305
 − aspectos, 115
 − renacimiento, 206
 − talantes, 179

ESQUILO, Eumenides, 173

ESTABLECIMIENTOS penitenciarios (ver CÁR-
CEL y PRISIÓN), 265

ESTADÍSTICA(S), 35, 52, 211
 − bureau of Justice statistics, 102
 − nuevas, 98
 − victimológicas, 148, 266

ESTADOS MIEMBROS, cooperación entre, 361

ESTADOS UNIDOS (EE.UU.), 189, 193
 − department of Justice, 283
 − Furman contra Georgia, 194

ESTATUS SOCIAL, 38, 326

ESTRADA, Juan A. (S.J.), 26, 257, 295

ESTUDIO(S)
 − de seguridad y policía, 98
 − interdisciplinar, 110
 − sociológicos, 229

ETA, 31, 139, 195, 209
 − presos de, 213
 − acercamiento de los, 217
 − dispersión de los, 45, 213
 − terroristas de, 217

ÉTICA, 38, 65, 113, 159, 198, 283, 292, 299, 322
 − agápica, 324
 − criterios, 198
 − nueva, 77
 − social, 40
 − universal, 201

EUROCÁMARA, 317

EUROETIC victimológica, 157

EUROJUST, 157

EUROPA, 252

EUROPOL, 157

EUTONOLOGÍA, 65

EVANGELIO, 325, 327

EVOLUCIÓN, 67, 121, 181, 269

EXCARCELACIÓN, 299

EXCLUSIÓN étnica, 297

EXPERIENCIA(S)
 − mística 179
 − óptimas, 176
 − profunda, 318, 322
 − religiosa, 58, 325

EXTRADICIÓN, 367, 369

EZKERRA, I., 170

FACTOR CRIMINÓGENO
 − la familia, 262

FANATISMO étnico, 318

FATALIDAD, 176

FE, 155

FELICIDAD, 136

FERRAJOLI, L., 154, 180

FILOSOFÍA, 309

FINITUD, 253

FONTAINE, Nicole, 317

FORO DE EL SALVADOR, 296, 298

FOUCAULT, 171

FRACASO escolar, 312

FRANCIA, 93

FRANCO, dictadura de, 298

FRANKL, Víctor, 242

FRATERNAL, 304, 322, 326

FUERZA legítima, 202

FUNDACIÓN ENCUENTRO, 233

FUNERAL, 26, 27

FUTURO, 85, 323

GADAMER, 134

GAL, 209

GALERAS, 281

GALILEO, 177

GARANTÍAS
 − de comunicación, 359

– de no repetición, 353

GARAPÓN, Antoine, 228

GARCÍA ANDRADE, J.A., 170

GARCÍA DE CORTÁZAR, 26

GARRALDA, Jaime, 32, 213

GARRIDO, V., 146, 180

GARZÓN VALDÉS, Ernesto, 154, 194, 302, 329

GENEROSO, 198

GENOCIDIO, 240

GIMÉNEZ-SALINAS, Esther, 19, 23, 24, 88, 150, 227, 233, 270, 281, 308

GIRARD, R., 86

GIRO COPÉRNICANO, 270

GOBIERNO VASCO, 117

GÓMEZ ELOSEGI, Francisco Javier, 167, 171, 229, 268, 314

GONZÁLEZ CATARAIN, Mº Dolores (Yoyes), 262

GONZÁLEZ FAUS, 298

GONZÁLEZ VALLES, 298

GOYA, 122, 130

GRACIA, sobreabunda la, 287

GRATITUD, 31

GRAVEDAD mayor, 35

GROCIO, Hugo, 320

GRUPO(S) TERRORISTA(S)
– chantaje, 366
– financiación de, 364, 366
– organización estructurada, 366

GUANTÁNAMO, 188

GUARDIA CIVIL, 266

HABERMAS, 160, 323

HACINAMIENTO, 211

HAMMERSKJÖLD, Dag, 206

HEIDEGGER, 135

HERACLITO, 66, 241, 309

HERMENÉUTICA, 96, 107, 124
– compasiva, 116

HILLESUM, Etty, 303

HOBBES, 119
– hombre, lobo para el hombre, 119, 195

HOLOCAUSTO, 70, 276, 313

HOMBRE CREADOR, 274

HOMBRE DOLIENTE, 242

HOMO HOMINI
– sacra res, 195

HOPKINS, 321

HORACIO, 120

HORIZONTES
– abiertos, 213
– internacionales, 304

HORKHEIMER, Max, 134, 309

HOSPITALIDAD, 35

HUMANISMO, 76, 299

IBARROLA, Agustín, 182, 302, 309, 315, 322, 329

IGLESIA(S), 25, 131, 273, 295
– de Marquina, 284
– española, 29
– independentista, 296
– secretariado diocesano de Vizcaya, 293
– vasca, 25, 292, 295
– el pecado original de la, 292

IGNACIO DE LOYOLA, 236

ILLINOIS, 187

ILUSTRACIÓN francesa, 131

IMPUNIDAD, 73, 299, 304, 345

INCORREGIBLE, 271

INDEMNIZACIÓN, 345
– médica, 302, 325
– psicológica, 325

ÍNDICE de libros prohibidos, 177

IN DUBIO PRO VICTIMAS, 23, 74, 227, 276, 321, 326

INMIGRANTES, 150, 156
– macrovíctimas, 151
– tráfico ilegal de, 150

INNOVADOR, 306

INOCENCIA, presunción de, 298

INSTITUCIÓN
  – desocializadora, 131
  – eclesial, 254
  – pedagógica, 305

INTEGRACIÓN
  – diferenciada, 148
  – instrumento de, 321

INTELECTUALES, los trece, 38

INTELIGENCIA sentiente, 157

INTERACCIÓN simbólica, 72

INTERDISCIPLINARIEDAD criminológica, 223

INTERNO
  – abogado-criminólogo del, 214
  – repare, 215

INTERPOL, 278

INTERROGAR a las víctimas, 358

INTOLERANCIA, 312

INTUICIÓN, 179

INVESTIGACIÓN(ES), 312
  – empíricas, 124

IRENOLÓGENO, 167
  – misión, 172

IRREVERSIBLES, pérdidas, 47

ISAÍAS, profeta, 24, 326

IVAC, 31, 171, 279, 308

JÄGER, W., 16, 157, 241

JANKELEVITCH, Vladimir, 242, 286
  – el perdón, 287, 325

JASPERS, 129

JERUSALÉN, 88

JESCHECK, Hans-Heinrich, 53, 57, 108, 125, 179, 259, 310

JESUITAS, 199
  – compañía de Jesús, 199
  – jesuit refugee service, 160
  – llamada al cambio, 189

JIMÉNEZ DE ASUA, 270

JORNADAS de penalistas, 40

JÓVENES, 167, 195

JUICIO FINAL, 109
  – mito del, 115

JURISPRUDENCIA, 170
  – comparada, 170, 226
  – penal, 255
  – penitenciaria, 265

JUSTICIA, 24, 30, 71, 198, 273, 296, 316, 320, 322, 326, 364
  – acceso a la, 338
  – agápica, 174, 307, 326
  – diosa, 125
  – divina, 58, 83
  – expiatoria, 73
  – hacer, 311
  – humana, 83
  – just desert, 77
  – libro blanco de la, 105, 310
  – mundial, 203
  – nueva, 39
  – palacio de, 195
  – penal agápica, 173
  – reparadora, 258
  – restaurativa, 40, 44, 47, 109, 304, 305
  – restorative Justice, 269
  – *http://www.restorativejustice.org,* 276
  – sancionadora, 320
  – simpática, 308
  – superior, 257
  – tomarse la, por su mano, 87
  – vindicativa, 305
  – y paz, 286

KAISER, 125, 179

KANT, 112, 135
  – razón kantiana, 113

KAUFMANN, Hilde, 133

KOLBE, Maximiliam, 34, 78, 178, 309, 326, 329

KOLVENBACH, 157, 200

KUHN, Thomas, 118, 122

KÜNG, Hans, 148, 160, 177

LA MISIÓN (película), 121

LABORIT, Henri, 69, 237

LACAN, Jacques, 328

LADRIERE, Jean, 159

LAIN ENTRALGO, Pedro, 138, 242, 243

LANDENNE, Philippe (S.J.), 253, 256

LeBLANC, Lloyd, 194

LEGISLACIÓN internacional, 192

LEGITIMIDAD axiológica, 326

LÉVINAS, 38

LEY
 – 32/1999, de 8 de octubre, de solidaridad con las víctimas del terrorismo, 256
 – de enjuiciamiento criminal
 – Arts. 109 y 110, 260
 – general penitenciaria, 222, 231, 235, 237
 – reglamento de 9 febrero 1996, 229, 235, 282
 – orgánica 14/1999 de 9 junio, modificación del código penal, 261

LEZERTUA RODRÍGUEZ, Manuel, 222

LIBERTAD(ES), 53, 314, 322, 326, 364
 – fundamentales, 345, 365
 – privación de, 53
 – alternativa a la, 53

LIBRO VERDE, comisión de las comunidades europeas, 48

LIBROS de texto, 340

LIDÓN, José María, 319

LIMA (Perú), 208

LIMA MALVIDO, Luis de, 305

LÓPEZ DE LA CALLE, José Luis, 314

LOVAINA, catedral de, 321

LLUCH, Ernest, 319

MACROVÍCTIMA(S), 31, 35, 304, 306, 324, 325
 – de ETA, 31, 328
 – inmigrantes, 151
 – macrovictimación, 313
 – qué esperan, 33

MAL absoluto, 131

MALLEUS MALEFICARUM, 119, 177

MALUM PASSIONIS, 119, 127

MANIQUEÍSMO, 117, 124, 254

MANUALES de enseñanza, 340

MANZANARES, J.L., 54, 55, 281

MARBURG, 233

MARDONES, J.M., 329

MARÍAS, Julián, 168

MARIETÁN, Hugo, 169, 173

MÁRQUES DE LA ROMANA, 130

MARTILLO DE LAS BRUJAS, el, 177

MEDIACIÓN, 24, 50, 129, 203, 264, 360
 – en causas penales, 357

MEDIDAS
 – cautelares, 197
 – recreadoras, 48

MEDIOS DE COMUNICACIÓN, 153, 197

MEDIOS violentos, corrompen el fin, 202

MÉJICO, 94

MEMORIA, 326
 – victimal, 314

MEMORIAL sacro, 322

MENORES de edad, 190, 191, 216
 – ley orgánica 5/2000, 195, 315
 – red europea de defensores del menor, 196

MENSAJE evangélico, 296

MESTIZAJE, 154

METAFÍSICA, 122

METANOIA, 251

METARRACIONALIDAD, 157, 320

MÉTODO(S), 187
 – cartesiano, 131
 – criminológico, 168
 – metadisciplinar, 180
 – transdisciplinares, 168

METZ, J.B., 329

MILAGRO(S), 179, 188, 319
 – heroico, 329

MINORÍAS étnicas, 323

MISTERIO(S), 133, 319

MÍSTICA, 125
 – laica, 132
 – solidario, 308

MONOPOLIO MAXWEBERIANO de la coerción, 205

MONUMENTOS, 302, 326
  – a las víctimas, 310

MOOS, 107

MORAL, 305, 324
  – protagonismo, 326
  – rol, 326

MORELLO, Gustavo, 137

MORENO CUENCA, el Vaquilla, 31

MUJER, 130
  – adúltera, 327

MULTA, 53, 211

MUNDO MEJOR, 179

MUÑOZ CONDE, F. 50, 105, 146, 170

NACIONES UNIDAS, 41, 42, 74, 114, 158, 160,
  192, 198, 218, 224, 225, 228, 269, 281, 308,
  315, 328, 345, 363
  – carta de las, 205
  – comisión de derechos humanos, 331
  – consejo económico y social, 345
  – Cour Mayeur Mont Blanc, 160
  – declaración de 25 de noviembre de 1981,
    170
  – principios básicos para el tratamiento de los
    reclusos, 228, 261, 271
  – declaración de 29 de noviembre de 1985, 42,
    89
  – principios básicos para víctimas del delito y
    abuso de poder, 276
  – reglas mínimas de las, 221, 235
  – resolución de las, 329

NEOLIBERALISMO capitalista, 78

NEUTRALIDAD axiológica, 324

NIETZSCHE, 109, 157, 177, 240

NIVEL autonómico, 55

PRESCRIPCIÍN, 337

NOLL, Peter, 130, 159

NON FACTUM, transformarse en, 239

NOUWEN, J.M. Henri, 243

NOVALES, F.
  – de los GRAPO, 262

NUBE del no saber, 132

NUMINOSO, 199, 315

OBISPOS
  – católicos franceses, 189, 199
  – de Bilbao, 318

OBLIGACIÓN de reparar, 327

OBSERVATOIRE INTERNATIONAL DES
  PRISONS, 209

OBSERVATORIO DE LA SEGURIDAD PUBLI-
  CA, 97

ODIO, 36, 318

OLVIDO, 301, 322

OPUS JUSTITIAE, PAX, 208

ORFEBRES del bien común, 303

ORGANIZACIONES no gubernamentales, 346

ORTEGA LARA, José Antonio, 224

OTTENHOF, Reynald, 243, 308

OTTO, Rudolf, 241

PAGAZAURTUNDUA, Joseba, 33, 301, 304, 329

PAÍS VASCO, 37, 74, 106, 201, 207, 218, 283,
  296, 307, 310, 317, 319
  – II encuentros penitenciarios del, 253
  – realidad social del, 223
  – víctima de un conflicto, 201

PAÍSES democráticos, 325

PANIKKAR, R., 32

PAPA
  – Juan XXIII, 178, 323
  – Juan Pablo II, 315, 327

PARADIGMA(S)
  – nuevos, 277
  – tradicional del delito, 311

PARLAMENTO EUROPEO, 51, 74, 219, 299,
  315, 316

PARTENARIOS, 303

PASIÓN, 303

PAZ, 24, 65, 198, 312

PECES BARBA, Gregorio, 202

PECULIO del privado de libertad, 268

PEDAGÓGICO, 305

PENA(S), 48, 56
  – de muerte, 187, 192, 253

– es venganza, 111
– evolución progresiva de las, 56
– fines de la, 57, 279
– máximas, 367
– puedan reducirse, 367
– recreadoras, 48

PERCEPCIÓN
– axiológica, 311
– extrasensorial, 179

PERDÓN, 295, 299
– controlado, 84
– pedir, 295, 327

PERMISOS de salida, 228

PERSONA(S), 59
– excéntricas, 310
– formación de las, 361
– internas, seguridad de las, 229
– jurídicas, 368
– sanciones a las, 368
– maduración humana de las, 131
– para los demás, 328
– recreación como, 119
– referibilidad a otras, 307
– vulneradas, dignidad de las, 115, 306

PERSONALIDAD, 167
– gravemente perturbada, 271

PETERS, Tony, 114, 227, 233, 263

PINATEL, J., 179, 226, 230, 231, 242, 243

PINOCHET, 201

PIRÁMIDE de control social, 232

PLATÓN, 240, 273, 322

POBLACIÓN reclusa, 141

POBRES, 151, 300, 324

PODER JUDICIAL, 315, 320, 345
– independencia del, 354

POESÍA, 179

POLEMÓGENO, 167

POLÍTICA, 198, 324
– criminal, 121, 200, 212, 305, 306
– nueva, 306
– criminológica, 123
– penitenciaria, 207, 227
– restaurativa, 72

POPPER, Karl R., 132

PORTERO, Familia, 331-337

PORTERO, Luis, 273, 310

PREJUICIO
– racial, 190, 191
– social, 190

PREMIO
– de convivencia, 318
– internacional, 33
– COVITE, 33, 329
– Sajarov, 316

PRE-POLÍTICA(S)
– clave, 36
– cuestiones, 35

PRE-RAZÓN, 35

PRESCRIPCIÓN, 351

PRESO(S), 41, 132
– acercamiento de los, 299
– de conciencia, 41
– derechos-deberes del, 236
– dispersión, 213
– políticos, 217

PRINCIPIOS FUNDAMENTALES
– atentados contra la vida, 365
– fabricación de armas de fuego, 366
– provocación de incendios, 366
– secuestro, toma de rehenes, 365

PRISIÓN(ES) (ver CÁRCEL)
– deberes humanofraternales, 207
– de Martutene, 171
– informe general de 1997, 266
– reforma en las, 209

PROBATION, 211, 264, 316

PROBLEMAS
– económicos, 139
– psicopáticos, 172

PROCEDIMIENTO abreviado, 281

PROCERES, 313

PROCESO(S), 83
– centro del, 92
– due process, 84
– jurídicos, 352
– nuevo trauma, 352
– penal, 83, 85, 96, 115, 329
– vindicativo, 85

PROFESIONAL(ES)
– abogado-criminólogo, 214
– fiscales, 92, 214, 313
– funcionarios penitenciarios, 131
– guardia civil, 266

– jueces, 92
– de vigilancia, 45, 264
– juristas, 325
– legislador, 125
– magistrados, 92
– médicos forenses, 92
– penitenciaristas, 219, 232
– policías, 113, 125, 128, 150, 190, 266
– prelados, 116
– psicólogos, 325
– sanitario, 36
– sociólogos, 325
– teólogos, 325

PROFETAS, 199

PROGRAMAS humanitarios, 301

PROSTITUCIÓN, 130

PROTAGONISMO, 304, 320

PSICOPATÍA, 167, 180

PÚBLICO, medios de información al, 355

QUEROL, José Francisco, 310

QUIJOTE, 77

R.D. 858/2003, 25

RACISMO, 312

RADBRUCH, Gustav, 118, 231, 252

RADICALISMO étnico, 207

RAHNER, Karl, 285

RAWLS, J., 154, 180

RAZÓN punitiva, 112

RAZÓN Y FE, 282

READAPTACIÓN social, 231, 252

REALIDAD(ES), 37, 125
– sociológica-epistemológica, 138
– supratemporal, 315
– tres, 170
– utópica, 37

RECONCILIACIÓN, 24, 48, 50, 129, 131, 203, 313, 322

RECONOCIMIENTO PÚBLICO de los hechos, 354

RECREADOR, 241

RECURSOS disponibles, 352

RECURSOS HUMANOS, director de, 265

REDONDO, S., 146

REFUGIADOS, 147

RÉGIMEN prisional, 306

REHABILITACIÓN(ES), 302, 345, 353
– de otro rango superior, 325

REINSERCIÓN social, 55

RELATIVISMO
– axiológico, 180
– moral, 293

RELIGIONES, 167
– grandes, 296, 321

RELIGIOSO(S), 26, 325
– experiencias, 58, 325
– fanatismo, 283

REMENTERÍA, 27

REPARACIÓN(ES), 195, 203, 258
– a las víctimas, 255, 350
– formas de, 353
– penal, 280
– suficientes, eficaces y rápidas, 350

RESENTIMIENTOS criminógenos, 297

RESIDENCIA, lugar de, 353

RESPETO, 358

RESPONSABILIDAD
– universal, 181
– compartida, 118, 124, 304

RESPUESTA
– punitiva, 327
– re-creadora, 129

RESTAURACIÓN, 55, 72
– de los daños, 55

RESTITUCIÓN, 345

REVERSIBLE, 320

REYES ECHANDÍA, Alfonso, 121

REYES MATE, 41, 47, 70, 159, 194, 240, 271

RICOEUR, Paul, 135, 253

RILKE, R.M., 68, 73, 285, 309
– elegías de Duino, 287
– los sonetos a Orfeo, 287
– transforma la tragedia, 314

ROJAS MARCOS, Luis, 181, 287

ROMA, 26
– corte penal internacional, 78, 204, 346
– estatuto de, 346

RÖSSNER, Dieter, 231

ROXIN, Klaus, 57, 181, 233

RUIZ GALLARDÓN, A., 146

RUIZ VADILLO, Enrique, 43, 60, 69, 137, 156, 161, 178, 181, 226, 254, 307, 320

RUPTURA epistemológica, 127

RYAN, George, 187

SACERDOCIO, 324, 326

SACRO, 286

SAN AGUSTÍN, 179

SAN EGIDIO, comunidad de, 286

SAN JUAN de la Cruz, 178, 308, 319

SAN RAIMUNDO, 309

SAN SEBASTIÁN, 230

SÁNCHEZ FERLOSIO, Rafael, 329, 240

SÁNCHEZ GALINDO, Antonio, 261

SANCIÓN(ES), 129
– alternativas, 211
– privativas de libertad, 131, 311
– suspensión de la ejecución, 258

SANTA TERESA, 178

SANTIAGO OLEAGA, 109

SANTIMAMIÑE, cuevas de, 323

SANTO TOMÁS, 257

SARTORI, G., 146, 157

SARTRE, 126

SATISFACCIÓN
– escatológica, 41
– victimológica, 56

SAVATER, Fernando, 69, 136, 175, 278, 308

SCHEERER, 111, 279

SCHILLEBEECKX, 177

SCHUMACHER, 129, 181

SECUESTRO, 306

SEGURA, María José, 168

SEGURIDAD, 364

SENTENCING, 104, 128, 259, 282

SENTIDO del morir y del vivir, 33, 176

SERVICIALIDAD gratuita, 328

SERVICIOS
– médicos, 354
– psicológicos, 354
– sociales, 354

SETIEN, 36

SIERVO SUFRIENTE, 29

SIEVERNICH, M., 288

SIGNIFICADO, 176

SISTEMA JURÍDICO, transformar, 114

SISTEMA policial, 306

SISTER HELEN PREJEAN, 194, 253
– pena de muerte, 253

SITUACIONES límite, 303

SOBRENATURAL, 199

SOBRINO, Jon (S.J.), 38, 157, 159, 200, 238, 242, 321, 329

SOCIEDAD
– abierta, 313
– multicultural, 313

SOCIOLOGÍA, 124

SÓFOCLES, 180
– Antígona, 78, 321

SOLIDARIDAD
– activa, 297
– fraterna, 314
– humana, 72

SPEE, Friedrich von (S.J.), 29, 116

STELZENMÜLLER, Constanze, 284

SUÁREZ, Francisco (S.J.), 113, 315

SUBIJANA, 282

SUBJETIVIDAD irracional, 201

SUFRIMIENTO, 78

SULLY-PRUDHOMME, 240, 286

SYLLABUS ERRORUM, 160

TAGLE, Carmen, 314

TALANTE de entrega, 328

TALBOT, Michael, 134

TAMAYO-ACOSTA, Juan José, 38, 177

TEILHARD DE CHARDIN, Pierre, 130, 243, 286, 304
 – creatividad desde la cruz, 130

TEOLOGÍA, 113, 134, 319

TERCERA GENERACIÓN, 71

TERESA de Calcuta, 178

TERRITORIOS HISTÓRICOS, 234

TERRORISMO, 29, 71, 118, 139, 254, 273, 363
 – asociación andaluza de víctimas del, 275
 – de ETA, 139, 200, 317, 322
 – definición, 29
 – internacional, 132
 – subcultura terrorista, 170
 – transformar el, 322

TOHARIA, José Juan, 32, 70, 210

TOJEIRA, José María (S.J.), 200, 235, 263, 313, 327

TOMÁS Y VALIENTE, Francisco, 314, 319

TORRES GEMELAS, 41, 203, 322

TORTURA, 278

TOTALITARISMO terrorista, 326

TRABAJADOR, 312

TRABAJO(S)
 – en beneficio de la comunidad, 50
 – en beneficio de las víctimas, 47, 51, 113
 – gratuito, 55

TRÁFICO de drogas, 128

TRANSFIGURAR, 303

TRANSFORMACIÓN, 136, 176, 306
 – las heridas se transforman, 287

TRATADO de Amsterdam, 356, 363

TRATAMIENTO de los infractores, 180

TRIBUNAL(ES)
 – alemanes, 236
 – constitucional, 109, 229

 – de justicia, 298
 – militares, 354
 – supremo, 307

TRIFFTERER, 107

ULAYAR, Jesús, 325

UNAMUNO, 129, 323

ÚNICA finalidad, 271

UNIDAD superior, 133

UNION EUROPEA, 147, 158, 193, 200, 252, 270, 314, 317, 321, 329, 356, 363, 369
 – decisión marco, 45, 56, 75, 321, 329, 356, 363, 365
 – dictamen del 17-09-2001, 147
 – tratado de la, 365

UNIVERSIDAD(ES), 25, 77, 168, 273, 313
 – de Augsburgo, 202
 – de El Salvador, 327
 – de Salamanca, 123, 172
 – españolas, 313
 – rector de la, 316
 – Sophya University, Tokio, 194

UNIVERSITARIOS, 144
 – rectores, 313

URRA, Javier, 161, 180, 196

UTOPÍA, 58, 236, 252, 274
 – de justicia, 323

VALOR(ES), 124, 195
 – defensor máximo de los, 320
 – desarrollo de los, 305
 – espirituales, 198
 – experiencia profunda de los, 322
 – superior, 308

VARONA, Gema, 148, 159, 233

VASCUENCE, 297

VATICANO, 116
 – Gaudium et Spes, 159, 205

VENGANZA, (ver PENA), 37
 – primitiva, 121

VERDAD, 322, 326

VERDAD-JUSTICIA-PAZ, 313

VERDUGOS, 313

VÍCTIMA(S), 22, 87, 109, 188, 195, 197, 203, 263, 318, 357
- activas, 325
- alfa y omega, 204
- anónimas, 174, 318, 321
- aproximación a la, 43
- asistencia a las, 57, 311, 359, 369
- benefactoras insustituibles, 120
- bien jurídico personal de las, 47
- bien superior de las, 112
- conceptos de, 22, 25, 75, 90
- congreso internacional de, 328
- cruentas, 17, 325
- culpable, 91
- deben intervenir, 259
- delito causa varias, 114
- derechos de las, 23, 127, 268
- diálogo con las, 194
- directas, 260
- en la prisión, 263
- en plural, 41, 118
- enaltecer la memoria de las, 301
- estatuto de las, 42
- fuerza renovadora, 156
- green paper on compensation, 45
- handbook on Justice for victim, 224
- homenajes, 29, 313, 354
- incruentas, 17, 325
- indirectas, 127, 260, 275, 302
- informar a las, 268
- interés superior de las, 310, 315
- lugares, condiciones adecuadas, 362
- mediatas, 306
- molestias a las, 352
- neutralización de las, 40, 87
- nuevos derechos de las, 74
- oficinas de asistencia a las, 105
- olvidadas, 87, 193
- opción preferencial por las, 96
- organización de apoyo a la, 357, 361
- participación de la, 94
- preeminencia de las, 321
- presentar demandas, 352
- protagonismo de las, 95, 114, 120, 180, 251, 254, 256, 301, 310
- quiénes son, 34
- razón anamnética de las, 271
- residentes en otro estado, 360
- respersonaliza, 305
- sentido innovador, 256
- sometida a tensiones innecesarias, 362
- "tipos" de, 23, 91
- un plus de dignidad, 109
- vulnerables, 364

VICTIMACIÓN
- carcelaria, 254

- energía vital, 129
- primaria, 23
- secundaria, 23, 92
- terciaria, 23
- victimalization of morality, 75

VICTIMARIOS, 251, 305, 311, 320

VICTIMISMO, 37

VICTIMOLOGÍA, 24, 308, 315, 321
- cátedras de, 25, 275, 281, 288, 305
- congreso internacional de, 24
- definición, 24
- facultad de, 25
- instituto de, 25, 275, 281, 288
- seminario de, 263
- simposio internacional de, 41, 49, 88, 89, 126, 275
- sociedad mundial de, 117, 194, 206, 255, 302, 316, 328
- temas Victimológicos principales, 276

VIDA
- concepción de la, 107
- dar su, 326
- experiencia del vivir, 198
- La vida es bella (película), 213
- sentido de la propia, 179

VIGILANCIA penitenciaria, 268

VILLA GENTZA, 298

VINDICATIVO, 311

VIOLADORES, 271

VIOLENCIA justificada, 282

VIRGILIO, 71, 206

VITORIA, 117, 230

VIVES ANTÓN, A., 59, 173

VOLUNTARIADO, 49, 212, 213
- caballo de Troya, 213
- laico, 49
- religioso, 49

VOLUNTARIOS penitenciaristas, 213

VOX POPULI, 154

VULNERABLES, 122, 300, 344

WASHINGTON, 102

WEBER, Max, 282

WIESEL, Elie, 130

WIESNET, Eugen, 116, 117

WOLF, Eric, 159

XENOFOBIA, 136, 312

YAHVEH, siervo de, 326

YUGOSLAVIA
 − ex, 349
 − proyecto etnicista, 175

ZAFFARONI, Raúl, 86, 219, 228

ZUBIRI, 135, 242

Publicaciones de Antonio Beristain

˘ **LIBROS:**
  * Individuales
  * Colectivos
  * Compilaciones
˘ **ARTŸCULOSEN ESPAÑA** (publicados desde finales de 1999)*
˘ **ARTŸCULOSEN EL EXTRANJERO** (publicados desde finales de 1999)*

LIBROS

Individuales:

Medidas penales en derecho contemporáneo. Teoría, legislación positiva y realización práctica, Reus, Madrid, 1974, 436 pp.

Crisis del Derecho represivo (Orientaciones de organismos nacionales e internacionales), Edicusa, Madrid, 1977, 300 pp.

Cuestiones penales y criminológicas, Reus, Madrid, 1979, 633 pp.

La pena-retribución y las actuales concepciones criminológicas, Depalma, Buenos Aires, 1982, 178 pp.

Desbideraketa, Bazterketa eta Gizarte Kontrola, Instituto Vasco de Administración Pública, Oñate, 1984, 140 pp.

El delincuente en la democracia, Ed. Universidad, Buenos Aires, 1985, 236 pp.

Problemas criminológicos, Instituto Nacional de Ciencias Penales, México, 1985, 334 pp.

---

*   Los artículos anteriores a 1989 aparecen en Criminología y Derecho penal al servicio de la persona. Libro-Homenaje al Profesor Antonio Beristain, Instituto Vasco de Criminología, San Sebastián, 1989, pp. 1.219-1.234.
Los comprendidos entre 1989 y 1993, inclusive, aparecen en Nueva Criminología desde el Derecho Penal y la Victimología, Tirant lo Blanch, Valencia, 1994, pp. 391-403.
Los comprendidos entre 1994 y 1997, inclusive, aparecen en De los delitos y de las penas desde el País Vasco, Dykinson, Madrid, 1998, pp. 331-341.
Los correspondientes a los años 1998 y gran parte de 1999 aparecen en Victimología. Nueve palabras clave, Tirant lo Blanch, Valencia, 2000, pp. 618-622.

Ciencia penal y Criminología, Tecnos, Madrid, 1985, 246 pp.; 1 reimpresión, Tecnos, Madrid, 1986, 248 pp.

Derecho penal y Criminología, Temis, Bogotá, 1986, 248 pp.

La Droga. Aspectos penales y criminológicos, Temis, Bogotá, 1986, 188 pp.

El problema socio-político de las drogas en las instituciones penitenciarias, Ed. Marcos Lerner, Córdoba (Argentina), 1986, 84 pp.

Nociones básicas en Criminología y Derecho penal, I Curso de Formación de Policías Locales de la Rioja, Logroño, 1986, 252 pp.; 1 reimpresión, 1987, 251 pp.

Presondegiak, Gazteen Gaizkintza, Drogak, Mensajero, Bilbao, 1987, 210 pp.

Elogio criminológico de la locura erasmiana universitaria. Lo religioso en lo jurídico, Universidad del País Vasco, Lejona (Vizcaya), 1990, 72 pp.

De Leyes penales y de Dios legislador (Alfa y Omega del control penal humano), Edersa, Madrid, 1990, 544 pp.

Eutanasia: Dignidad y muerte (y otros trabajos), Ed. Depalma, Buenos Aires, 1991, 170 pp.

Heriotz zigorra, Colección Gero, Ediciones Mensajero, Bilbao, 1991, 144 pp.

Nueva Criminología desde el Derecho penal y la Victimología, Tirant lo Blanch, Valencia, 1994, 404 pp.

Criminología, Victimología y cárceles, 2 tomos, Pontificia Universidad Javeriana, Santafé de Bogotá, 1996, 394 pp. (tomo I), 328 pp. (tomo II).

Epistemología penal-criminológica hacia la sanción reparadora (Narcotráfico y alternativas de la cárcel), Colección Archivo de Derecho penal, núm. 4, Universidad Autónoma de Sinaloa, México, 1996, 332 pp.

Jóvenes infractores en el tercer milenio, Facultad de Derecho, Universidad de Guanajuato, México, 1996, 350 pp.

De los delitos y de las penas desde el País Vasco, Dykinson, Madrid, 1998, 344 pp.

Aproximaciones multidisciplinares, criminológicas, al morir con dignidad (La eutanasia ayer, hoy y mañana), Ciencias Jurídicas, Colección Criminología y Victimología , núm. 1, Facultad de Ciencias Jurídicas, Pontificia Universidad Javeriana, Santafé de Bogotá (Colombia), 1998, 53 pp.

Criminología y Victimología. Alternativas re-creadoras al Delito, Leyer, Santafé de Bogotá (Colombia), 1998, 324 pp.

Futura Política Criminal en las Instituciones de Readaptación Social. (Los derechos humanos de las personas privadas de libertad), Secretaría de la Gobernación, México, 1999, 396 pp.

Nuevas Soluciones Victimológicas, Centro de Estudios de Política Criminal y Ciencias Penales, México, 1999, 328 pp.

Victimología. Nueve palabras clave, Tirant lo Blanch, Valencia, 2000, 622 pp.

Nova Criminologia à luz do Direito penal e da Vitimologia, trad. Cândido Furtado Maia Neto, Editora Universidade de Brasília, Brasília, 2000, 194 pp.

Colectivos:

Las drogas, Mensajero, Bilbao, 1974, 200 pp. (En colaboración con E. Baselga, J. Guimón, J. Segarra, y J.L. Goti).

Fuentes de Derecho penal vasco (Siglos XI-XVI). Gran Enciclopedia Vasca, Bilbao, 1980, 446 pp. (En colaboración con M.A. Larrea y R. Mieza).

Estudio criminológico de sentencias en materia penal (Datos de las sentencias dictadas en San Sebastián en 1975), Instituto de Criminología, Madrid, 1983, 184 pp. (En colaboración con B. Casares, J.L. de la Cuesta, I. Muñagorri, L.M . Muñoz, y M.J. Virto).

Criminología y dignidad humana (Diálogos), Depalma, Buenos Aires, 1989, 202 pp., (2 edición 1991); 3 ed., Pontificia Universidad Javeriana, Santafé de Bogotá (Colombia), 1997, 180 pp. (En colaboración con Elías Neuman).

Los calabozos. Centros de detención municipales y de la Ertzaintza, Ed. Ararteko-Universidad del País Vasco, Vitoria-Gasteiz, 1991, 124 pp. (En colaboración con Juan San Martín, Jesús M Arteaga, Faustino López de Foronda y José Luis de la Cuesta).

Capellanías penitenciarias. Congreso Internacional de jesuitas y colaboradores, Instituto Vasco de Criminología, San Sebastián, 1993, 180 pp. (En colaboración con Carlo M Martini, Elías Neuman y otros).

Paz dentro de la prisión, Comisión de Derechos Humanos del Distrito Federal, México, D.F., 2001, 164 pp. (En colaboración con Antonio Sánchez Galindo).

Compilaciones:

Estudios penales, Libro-Homenaje a Julián Pereda, S.J., Universidad de Deusto, Bilbao, 1965, 798 pp.

La investigación científica sobre la delincuencia y la inadaptación juvenil, XXVI Curso Internacional de Criminología, Caja de Ahorros Provincial de Guipúzcoa, San Sebastián, 1977, 448 pp. (Compilación con R. Ottenhof).

Estudios Vascos de Criminología, Mensajero, Bilbao, 1982, 930 pp.

Reformas penales en el mundo de hoy, Edersa, Madrid, 1984, 406 pp.

La droga en la sociedad actual. Nuevos horizontes en Criminología, CAP, San Sebastián, 1985, 406 pp. (Compilación con J.L. de la Cuesta).

Los derechos humanos ante la Criminología y el Derecho penal, Universidad del País Vasco, Bilbao, 1986, 502 pp. (Compilación con J.L. de la Cuesta).

El delito desde la antropología cultural: cuestiones fundamentales, Universidad del País Vasco, Bilbao, 1987, 164 pp. (Compilación con J.L. de la Cuesta).

Las drogas: reflexión multidisciplinar, Universidad del País Vasco, Bilbao, 1987, 196 pp. (Compilación con J.L. de la Cuesta).

Las víctimas del delito, Universidad del País Vasco, Bilbao, 1988, 160 pp. (Compilación con J.L. de la Cuesta).

Cárcel de mujeres. Ayer y hoy de la mujer delincuente y víctima, Mensajero, Bilbao, 1989, 208 pp. (Compilación con J.L. de la Cuesta).

Protección de los Derechos Humanos en Derecho Penal Internacional y Español, Universidad del País Vasco, Bilbao, 1989, 162 pp. (Compilación con J.L. de la Cuesta).

Victimología, Universidad del País Vasco, San Sebastián, 1990, 236 pp. (Compilación con J.L. de la Cuesta).

La violencia ayer, hoy y mañana, Universidad del País Vasco, Bilbao, 1990, 128 pp. (Compilación con J.L. de la Cuesta).

Inseguridad y vida ciudadana, Universidad del País Vasco, Bilbao, 1991, 130 pp. (Compilación con J.L. de la Cuesta).

Ignacio de Loyola, Magister Artium en París 1528-1535, J. Caro Baroja (Director), A. Beristain (Compilador), Kutxa, San Sebastián, 1991, 752 pp.

Investidura de Doctor Honoris Causa. Günther Kaiser, Rufus H. Ritchie, Universidad del País Vasco, San Sebastián, 1992, 162 pp. (Compilación con P.M. Etxenike).

La Criminología frente al abuso de poder, Universidad del País Vasco, San Sebastián, 1992, 162 pp. (Compilación con J.L. de la Cuesta).

Cárceles de mañana. Reforma penitenciaria en el tercer milenio, Instituto Vasco de Criminología, San Sebastián, 1993, 132 pp. (Compilación con J.L. de la Cuesta).

Movimientos de población, integración cultural y paz, Eguzkilore. Cuaderno del Instituto Vasco de Criminología, núm. 7 extr., San Sebastián, diciembre 1994, 428 pp. (Compilación con J.L. de la Cuesta).

Racismo, minorías, cárcel. Soluciones desde la Investigación y los Derechos Humanos, Eguzkilore. Cuaderno del Instituto Vasco de Criminología, núm. 8 extr., San Sebastián, diciembre 1995, 242 pp. (Compilación con J.L. de la Cuesta).

1997: Año europeo contra el racismo, Eguzkilore. Cuaderno del Instituto Vasco de Criminología, núm. 11 extr., San Sebastián, diciembre 1997, 308 pp. (Compilación con J.L. de la Cuesta).

Interrogantes penitenciarios en el quincuagésimo aniversario de la Declaración Universal de los Derechos Humanos. Eguzkilore. Cuaderno del Instituto Vasco de Criminología, núm. 12 extr., San Sebastián, diciembre 1998, 240 pp. (Compilación con J.L. de la Cuesta).

Estudios criminológico-victimológicos de Enrique Ruiz Vadillo. In Memoriam. Eguzkilore. Cuaderno del Instituto Vasco de Criminología, núm. 13 extr., San Sebastián, marzo 1999, 370 pp. (Compilación con J.L. de la Cuesta).

El nuevo Código penal: presupuestos y fundamentos. Libro-Homenaje al Profesor Doctor Don Angel Torío López, Comares, Granada, 1999, 956 pp. (Compilación con J. Cerezo Mir, R.F. Suárez Montes y C.M Romeo Casabona).

ART CULOS EN ESPA A

A o 1999 (artículos publicados desde finales de 1999)

301. Lo religioso como etiología y solución del crimen/migración (lo espiritual regenerador de la solidaridad)ƒ, en J. Cerezo Mir, R.F. Suárez Montes, A. Beristain Ipiña y C.M Romeo Casabona (Comps.), El nuevo Código penal: presupuestos y fundamentos. Libro-Homenaje al Profesor Doctor Don Angel Torío López, Comares, Granada, 1999, pp. 49-58.

302. La crisis del Estado de Bienestar y su incidencia en la Sanidad: perspectivas y proyectosƒ(Breve resumen), Guipúzcoa Médica - Medikuen ahotsa, Revista del Colegio Oficial de Médicos de Guipúzcoa, núm. 18, IV época, junio 1999, p. 18.

303. Tribunal Penal Internacional: ayer, hoy y mañana (Mundialización de la nueva justicia reparadora)ƒ, Nuevos Extractos de la Real Sociedad Bascongada de los Amigos del País, suplemento n 7-B del Boletín de la Real Sociedad Bascongada de los Amigos del País, Bilbao, 1999, pp. 111-126.

304. Hacia la abolición de la pena de muerteƒ, Promotio Iustitiae, núm. 71, julio 1999, pp. 99-101.

A o 2000

269. "El pensamiento ilustrado desde la Penología a la Eutonología y la Eclesiología", en Montserrat Gárate, Guadalupe Rubio (Eds.), Actas V Seminario de Historia de la Real Sociedad Bascongada de los Amigos del País: La Bascongada y Europa (Donostia-San Sebastián, 24-27 octubre 1996), Comisión de Guipúzcoa de la RSBAP, Madrid, 1999, pp. 45-56. (Aparecido en el año 2000).

293. Derechos y deberes humano-fraternales en las prisiones? (Desde el radicalismo étnico a la paz en el País Vasco)ƒ, Eguzkilore. Cuaderno del Instituto Vasco de Criminología, núm. 12, San Sebastián, 1998 (publicado en el año 2000), pp. 213-242.

296. Consideraciones jurídicas y éticas de eutanasia (El nuevo bioderecho a la muerte propia)ƒ, Actualidad Penal, núm. 15, 1 al 16 abril 2000, pp. 351-370; Claves de razón práctica, núm. 102, mayo 2000, pp. 27-36 (Publicado con el título La eutanasia como excepción (desde la Bioética, la Biomedicina y el Bioderecho)ƒ. Contiene algunas modificaciones, no sólo en el título, respecto a los publicados en Derecho y Salud, 1999, y Actualidad Penal, 2000).

305. La tregua de ETA buscaba otra cosa ?ƒ, El Ciervo, año XLIX, núm. 586, enero 2000, pp. 24 s.

306. Abolición de la pena de muerte: reflexiones criminológicas y religiosasƒ, Razón y Fe, Revista Hispanoamericana de Cultura, núm. 1.217, marzo 2000, pp. 255-264.

307. El monumento a las víctimas en Berlín[a] y en el País Vascoƒ, El Ciervo, año XLIX, núm. 589, abril 2000, pp. 11 s.

308. Proceso penal y víctimas: pasado, presente y futuro*f*, en AA.VV., Las víctimas en el proceso penal, Consejo General del Poder Judicial, Departamento de Justicia, Trabajo y Seguridad Social del Gobierno Vasco, Vitoria-Gasteiz, 2000, pp. 15-36; AA.VV., Víctimas del terrorismo y violencia terrorista (Actas de las I Jornadas sobre Víctimas del terrorismo y violencia terrorista, celebradas en San Sebastián del 21 al 23 de septiembre de 2000), Colectivo de Víctimas del Terrorismo en el País Vasco (COVITE), San Sebastián, 2000, pp. 49-78; Cuadernos de Política Criminal, núm. 72, 2000, pp. 615-642.

309. Presentación desde la Auditoría positiva-Auditoritza positibotik Aurkezpena*f*, Eguzkilore. Cuaderno del Instituto Vasco de Criminología, núm. 12, San Sebastián, 1998 (publicado en el año 2000), pp. 9-14.

310. Jean Pinatel, criminólogo transnacional y hombre bueno*f*, Cuadernos de Política Criminal, núm. 69, 1999, pp. 689-700. (Publicado en el año 2000).

311. Protagonismo de las víctimas en la ejecución penal (hacia un sistema penitenciario europeo)*f*, Actualidad Penal, núm. 37, 9-15 octubre 2000, pp. 785-799.

312. Estudiamos las raíces y soluciones del racismo y la xenofobia?*f*, El Ciervo, año XLIX, núm. 596, noviembre 2000, pp. 26-27. (Publicado en prensa diaria, núm. 48.d.).

313. Justicia restaurativa y humanista del abogado Cireneo*f*, en Joaquín Elósegui, La inquietud del compromiso, Talaia Fundazioa, San Sebastián, 2000, pp. 10-11.

314. Derechos Humanos y respuestas a la delincuencia (Reflexiones desde una ética de valores máximos)*f*, Anuario de Derecho penal y Ciencias penales, Tomo L, enero-diciembre 1997, pp. 113-132. (Publicado en 2000).

A o 2001

315. El premio Sajarov 2000 del Parlamento Europeo al colectivo Basta Ya!*f*, Vida Nueva, núm. 2.266, 27 enero 2001.

316. A modo de Prólogo*f*, en F. González Vidosa, Qué es la ayuda a la víctima?, Atelier, Barcelona, 2001, pp. 15 s.

317. Memoria, Justicia y después Diálogo*f*, Fiscales, Revista de la Asociación de Fiscales, núm. 10 nueva edición, mayo 2001, pp. 10 s.; Memoria, Justicia y después Diálogo*f* (Extracto), Papeles de Ermua, Publicación del Foro Ermua, núm. 1, abril 2001, pp. 31, 32 s.

318. La paz es fruto de la Justicia*f*, Deliberación, Asociación Profesional de la Magistratura, núm. 3, junio 2001, p. 5.

319. Prólogo*f*, en J.I. de Madariaga y Apellániz, La protección del medio ambiente frente al delito de incendios forestales. Problemática jurídica y criminológica, Universidad de La Rioja, Dykinson, Logroño, 2001, pp. 15-18.

320. Hacia una Criminología evolutiva, agápica y victimológica (el acierto de la Ley Orgánica 7/2000)*f*, Fangue, Boletín de la Asociación de Estudiantes de Criminología de Salamanca, núm. 1, año I, octubre-noviembre-diciembre 2001, pp. 3-5.

A o 2002

321. El papel de la universidad, la justicia y las iglesias ante las víctimas del terrorismo en España*f*, Actualidad Penal, núm. 4, 21-27 enero 2002, pp. 63-81.

322. Prólogo*f*, en M.A. Núñez Paz y F. Alonso Pérez, Nociones de Criminología, Colex, Madrid, 2002, pp. 17-21.

323. Acrecen las víctimas también las anónimas la convivencia?*f*, Sal Terrae, Revista de Teología Pastoral, Tomo 90/3, núm. 1054, marzo 2002 (n monográfico sobre Vida en situaciones de muerte. En camino hacia la Pascua), pp. 227-231.

324. Entrevista*f*, Mundo Inmigrante, núm. 10, julio-agosto 2002, pp. 8-9.

325. Derechos de las víctimas*f* (Los vascos comentan la Pastoral de sus obispos), El Ciervo, año LI, núm. 617-618, agosto-septiembre 2002, p. 15.

326. Cinco estrellas de Eduardo Chillida*f*, El Ciervo, año LI, núm. 619, octubre 2002, p. 19.

327. Inmigración y xenofobia ante las instituciones culturales y religiosas*f*, La Ley, año XXIII, núm. 5660, 21 noviembre 2002, pp. 1-9.

328. El juez prohíbe al victimario su aproximación a las víctimas y le obliga a atenderlas? (artículos 57 y 49 del Código penal)*f*, en J.L. Díez Ripollés, C.M. Romeo, L. Gracia y J.F. Higuera (Comps.), La ciencia del Derecho penal ante el nuevo siglo. Libro Homenaje al Profesor Doctor Don José Cerezo Mir, Tecnos, Madrid, 2002, pp. 1029-1047.

329. Pro y contra el acercamiento de los presos de ETA*f*, en Juan I. Echano (Coord.), Estudios Jurídicos en Memoria de José María Lidón, Universidad de Deusto, Bilbao, 2002, pp. 87-104.

A o 2003

19.d. Las víctimas siguen olvidadas*f*, en C. Martínez Gorriarán (Coord.), ¡Basta Ya! Contra el nacionalismo obligatorio, Aguilar, Madrid, 2003, pp. 85-88.

67.d. Necesitamos el preferencial protagonismo público de las víctimas*f*, Papeles de Ermua, Publicación del Foro Ermua, núm. 5, mayo-junio 2003, pp. 120-121.

154. Un jesuita preso durante tres meses*f*, Anuario de Derecho penal y Ciencias penales, Tomo LII, enero-diciembre 1999, pp. 909-914. (Publicado en 2003).

188. Los límites del perdón*f*, C. Martínez Gorriarán (Coord.), ¡Basta Ya! Contra el nacionalismo obligatorio, Aguilar, Madrid, 2003, pp. 115-118.

290. La Sociedad Internacional de Criminología y las prisiones vascas*f*, en C. Martínez Gorriarán (Coord.), ¡Basta Ya! Contra el nacionalismo obligatorio, Aguilar, Madrid, 2003, pp. 65-69.

330. Desaparece la pena de muerte también en Illinois?*f*, Razón y Fe, núm. 1.252, febrero 2003, pp. 105-114.

331. Inmigrantes partenarios de la convivencia integradora y en la ética mundial*f*, Mundo Inmigrante, núm. 12, enero-marzo 2003, p. 5.

332. La nueva ética indispensable en los creadores de la nueva paz (Aportaciones del devenir en la justicia, la criminología, la victimología y la eutonología)*f*, Cuadernos de Política Criminal, núm. 79, 2003, pp. 29-45.

333. Justicia restaurativo-agápica, no vindicativa (Palabras de agradecimiento al recibir la Gran Cruz de S. Raimundo de Peñafort)*f*, Proyección. Teología y mundo actual, año L, núm. 208, enero-marzo 2003, pp. 79-82.

334. Antonio Beristain y Eduardo Chillida*f*, en Susana Chillida (Comp.), Elogio del horizonte. Conversaciones con Eduardo Chillida, Destino, Barcelona, 2003, pp. 121-137.

335. Lo polemógeno y lo irenológeno en el Derecho, la Cultura y las Religiones ante los jóvenes (algunos con personalidad antisocial y psicopatía)*f*, Actualidad Penal, núm. 38, 13 al 19 octubre 2003, pp. 963-980.

336. Las macrovíctimas del terrorismo*f*, El Ciervo, año LII, núm. 632, noviembre 2003, pp. 16 s.

337. La hija da vida al padre*f* (Epílogo), en Susana Chillida, Chillida, el Arte y los Sueños. Memoria de las filmaciones con mi padre, Universidad del País Vasco, Bilbao, 2003, pp. 239-243.

338. Cinco estrellas de Eduardo Chillida fragmentos de la homilía en su funeral*f*, en Susana Chillida, Chillida, el Arte y los Sueños. Memoria de las filmaciones con mi padre, Universidad del País Vasco, Bilbao, 2003, pp. 251 s.

ART CULOS EN EL EXTRANJERO

A o 1999 (artículos publicados desde finales de 1999)

137. Jean Pinatel, criminólogo transnacional y hombre bueno*f*, Anales Internacionales de Criminología, vol. 37, núm. 37, núm. 1/2, 1999, pp. 53-64. (España, núm. 310).

138. Derechos y deberes humano-fraternales en las prisiones? (Desde el radicalismo étnico a la paz en el País Vasco)*f*, Anales Internacionales de Criminología, vol. 37, núm. 1/2, 1999, pp. 65-100. (España, núm. 293).

139. Vers l abolition de la peine de mort*f*, Promotio Iustitiae, núm. 71, juillet 1999, pp. 99-101; To Abolish Capital Punishment*f*, Promotio Iustitiae, núm. 71, July 1999, pp. 99-101; Verso l Abolizione della Pena di Morte*f*, Promotio Iustitiae, núm. 71, giulio 1999, pp. 99-101. (España, núm. 304).

A o 2000

116. Desarrollo del niño, desarrollo social y criminalidad (Ruptura epistemológica del desarrollo/economía)*f*, en Carlos Simón Bello, Elsie Rosales (Comps.), Libro-Homenaje a José Rafael Mendoza Troconis, Instituto de Ciencias penales y criminológicas, Universidad Central de Venezuela, Caracas, 1998 (aparecido en el año 2000), pp. 75-104.

123. Evolución desde el crimen al delincuente y a la víctima (Aproximaciones diacrónicas y sincrónicas a la Política Criminal)ƒ, Direito e Cidadanía, año III, núm. 9, marzo-junio 2000, Praia (Cabo Verde), pp. 9-23; Cuadernos de Criminología, núm. 10, Policía de Investigaciones de Chile, Instituto de Criminología, Santiago (Chile), 2000, pp. 97-112.

126. El nuevo ciudadano responsable y solidario: el partenario (Reflexión criminológica/victimológica)ƒ, Revista Brasileira de Ciencias Criminais, año 8, núm. 29, enero-marzo 2000, pp. 69-84.

132. Ética en la Criminología europea?ƒ, Direito e Justi a, Revista da Faculdade de Direito da Universidade Católica Portuguesa, vol. XIV, Tomo 2, 2000, pp. 5-11. (España, núm. 251).

140. Contra la pena de muerte (Reflexiones criminológicas y religiosas desde España)ƒ (publicado en japonés), en Y. Mishima, R. Inagaki, M. Shiyake (Comps.), Ningen no songen to gendai horiron. Hose Yomparuto kyoju koki shukuga, Seibundo, Tokyo, 2000, pp. 659-674. (España, núm. 306).

141. La cárcel del mañana será diferente o no seráƒ Prólogo , en José Luis Pérez Guadalupe, La construcción social de la realidad carcelaria, Pontificia Universidad Católica del Perú, Lima, 2000, pp. 17-24.

142. El pensamiento ilustrado desde la Penología a la Eutonología y la Eclesiologíaƒ, Criminalia, año LXVI, núm. 1, enero-abril 2000, México, D.F., pp. 169-179.

143. La Iglesia vive y sirve en las prisiones de todo el mundo?ƒ, Revista Mexicana de Prevención y Readaptación Social, núm. 9, septiembre-diciembre 2000, pp. 19-25.

144. Protagonismo de las víctimas en la ejecución penal (hacia un sistema penitenciario europeo)ƒ, Universitas, núm. 100, Pontificia Universidad Javeriana, Santafé de Bogotá (Colombia), diciembre 2000, pp. 331-348; Direito e Justi a, Revista da Faculdade de Direito da Universidade Católica Portuguesa, vol. XIV, Tomo 3, 2000, pp. 17-37. (España, núm. 311).

A o 2001

117. Menores infractores-víctimas ante las Naciones Unidas y el Consejo de Europaƒ, Revista Brasileira de Ciencias Criminais, año 9, núm. 34, abril-junio 2001, pp. 147-162. (España, núm. 260).

134. Cuatro observaciones sobre el Nuevo Código penal españolƒ, Revista Criminológica Universitaria, vol. 1, núm. 2, primer semestre 2001, Instituto de Criminología, Facultad de Ciencias Jurídicas y Políticas, Universidad Autónoma de Santo Domingo, pp. 26-33.

138. Derechos y deberes humano-fraternales en las prisiones? (Desde el radicalismo étnico a la paz en el País Vasco)ƒ, in www.direitocriminal.com.br, 28 febrero 2001. (España, núm. 293).

140. Contra la pena de muerte (Reflexiones criminológicas y religiosas desde España)ƒ, Direito e Cidadania, año IV, núms. 10/11, julio 2000-febrero 2001, Praia (Cabo Verde), pp. 93-106. (España, núm. 306).

144. Protagonismo de las víctimas en la ejecución penal (hacia un sistema penitenciario europeo)f, Revista Brasileira de Ciencias Criminais, año 9, núm. 35, julio-septiembre 2001, pp. 159-174; (España, núm. 311).

145. Proceso penal y víctimas: pasado, presente y futurof, in www.direitocriminal.com.br, 10 marzo 2001; AA.VV., Política criminal, Derechos Humanos y sistemas jurídicos en el siglo XXI. Volumen de Homenaje al Prof. Dr. Pedro R. David, Depalma, Buenos Aires, 2001, pp. 123-148; Nuevo proceso penal desde las víctimasf, en Ana Messuti, Julio Andrés Sanpedro (Comps.), La Administración de Justicia en los albores del tercer milenio, Universidad, Buenos Aires, 2001, pp. 17-33; en J.H. Pierangeli (Coord.), Direito Criminal, vol. 3 Colec. Jus Aeternum, Del Rey, Belo Horizonte (Brasil), 2001, pp. 13-46. (España, núm. 308).

146. Etwas Besseres als Informalisierung der Strafe Die neue Hauptrolle der Opferf, Ethik und Sozialwissenschaften. Streitforum für Erwägungskultur, Stuttgart-Paderborn, Jg. 12/2001, Heft 1, pp. 88-90.

147. La paz es fruto de la justicia, antes y más que del diálogof, Universitas, núm. 101, Pontificia Universidad Javeriana, Santafé de Bogotá (Colombia), junio 2001, pp. 9-13. (España, núm. 318).

148. University, Justice and the Churches Before the Victims of Terrorism. Commentary on Restorative Justicef, en E. Fattah, S. Parmentier (Eds.), Victim Policies and Criminal Justice on the Road to Restorative Justice. A Collection of Essays in Honour of Tony Peters, Leuven University Press, Lovaina (Bélgica), 2001, pp. 393-400.

149. Algo mejor que la desacralización de la pena kantiana (protagonismo de las víctimas)f, Universitas, núm. 102, Pontificia Universidad Javeriana, Santafé de Bogotá (Colombia), diciembre 2001, pp. 9-16.

150. Justicia restaurativo-agápica, no vindicativa (Palabras de agradecimiento al recibir la Gran Cruz de S. Raimundo de Peñafortf), Universitas, núm. 102, Pontificia Universidad Javeriana, Santafé de Bogotá (Colombia), diciembre 2001, pp. 531-534. (España, núm. 332).

151. La eutanasia como excepción desde la Bioética, la Biomedicina y el Bioderechof, en E. Kosovski y E.R. Zaffaroni (Comps.), Estudos Jurídicos em Homenagem ao Profesor Joao Marcello de Araujo Junior, Lumen Juris, Río de Janeiro (Brasil), 2001, pp. 1-21; Direito e Cidadanía, año IV, núm. 12/13, marzo-diciembre 2001, Praia (Cabo Verde), pp. 43-63. (España núm. 296).

A o 2002

138. Derechos y deberes humano-fraternales en las prisiones? (Desde el radicalismo étnico a la paz en el País Vasco)f, Direito e Justi a, Revista da Faculdade de Direito da Universidade Católica Portuguesa, vol. XVI, Tomo I, 2002, pp. 91-130. (España, núm. 293).

144. Protagonismo de las víctimas en la ejecución penal (hacia un sistema penitenciario europeo)f, Ciencias Penales, Revista de la Asociación de Cien-

cias Penales de Costa Rica, año 14, núm. 20, 2002, pp. 37-47. (España, núm. 311).

145. Proceso penal y víctimas: pasado, presente y futuro*f*, Diversa. Revista de cultura democrática, núm. 6, 2002, Xalapa-Veracruz (México), pp. 14-38. (España, núm. 308).

149. Algo mejor que la desacralización de la pena kantiana*f*, Criminalia, Academia Mexicana de Ciencias Penales, año LXVIII, núm. 2, mayo-agosto 2002, pp. 245-252.

150. Justicia restaurativo-agápica, no vindicativa (Palabras de agradecimiento al recibir la Gran Cruz de S. Raimundo de Peñafort)*f*, Criminalia, Academia Mexicana de Ciencias Penales, año LXVIII, núm. 2, mayo-agosto 2002, pp. 289-292. (España, núm. 332).

152. El papel de la Universidad, la Justicia y las Iglesias ante las víctimas del terrorismo en España*f*, in www.ibccrim.org.br; Universitas, núm. 103, Pontificia Universidad Javeriana, Santafé de Bogotá (Colombia), junio 2002, pp. 163-184. (España, núm. 321).

153. Le mal causé par le délit, est-il réversible et/ou irréversible? Rapports entre le Droit, le Théologie et l Éthique*f*, en John Vanacker (Ed.), Herstel en detentie. Hommage aan Prof. Dr. Tony Peters, Politeia NV, Bruselas, 2002, pp. 29-39.

154. Un jesuita preso durante tres meses*f*, Revista Brasileira de Ci ncias Criminais, año 10, núm. 38, abril-junio 2002, Sao Paulo, pp. 377-382.

155. El juez prohíbe al victimario su aproximación a las víctimas y le obliga a atenderlas? (Arts. 57 y 49 del Código Penal)*f*, Derecho Penal y Criminología, Revista del Instituto de Ciencias penales y criminológicas, Universidad Externado de Colombia, vol. XXI, núm. 70, septiembre-diciembre 2000, pp. 107-131. (Aparecido en noviembre 2002). (España, núm. 327).

156. Derechos humanos y respuestas a la delincuencia (Reflexiones desde una ética de valores máximos)*f*, Revista Brasileira de Ci ncias Criminais, año 10, núm. 40, octubre-diciembre 2002, Sao Paulo, pp. 181-197. (España, núm. 314).

157. La nueva ética indispensable en los creadores de la nueva paz (Aportaciones del devenir en la Justicia, la Criminología, la Victimología y la Eutonología)*f*, Direito e Cidadanía, año V, núm. 15, mayo-agosto 2002, Praia (Cabo Verde), pp. 45-61. (España, núm. 332).

A o 2003

123. Evolución desde el crimen al delincuente y a la víctima (Aproximaciones diacrónicas y sincrónicas a la Política Criminal)*f*, Anuario de Derecho penal y Ciencias penales, Tomo LII, enero-diciembre 1999, pp. 73-87. (Publicado en 2003).

140. Contra la pena de muerte (Reflexiones criminológicas y religiosas desde España)*f*, Revista Criminológica Universitaria, vol. 1, núm. 3, primer semestre 2003, Instituto de Criminología, Facultad de Ciencias Jurídicas y Políticas, Universidad Autónoma de Santo Domingo, pp. 4-13. (España, núm. 306).

145. Proceso penal y víctimas: pasado, presente y futuro*f*, en Luis Miguel Reyna Alfaro (Coord.), Victimología y Victimodogmática. Una aproximación al estudio de la víctima en el Derecho Penal, 1 edic., Ara Editores, Lima, 2003, pp. 659-700; Luis Miguel Reyna Alfaro (Dir.), Derecho, Proceso penal y Victimología, Ediciones Jurídicas Cuyo, Mendoza (Argentina), 2003, pp. 471-500. (España, núm. 308).

156. Derechos humanos y respuestas a la delincuencia (Reflexiones desde una ética de valores máximos)*f*, Anuario de Derecho, Universidad de los Andes, año 23, núm. 23, 2001, pp. 118-142. (Publicado en 2003).

157. La nueva ética indispensable en los creadores de la nueva paz (Aportaciones del devenir en la Justicia, la Criminología, la Victimología y la Eutonología)*f*, Diversa. Revista de cultura democrática, núm. 9, marzo 2003, Xalapa-Veracruz (México), pp. 18-33. (España, núm. 332).

158. Cuatro coordenadas innovadoras de la justicia victimológica del Profesor Sampedro Arrubla*f* Prólogo , en Julio Andrés Sampedro Arrubla, La humanización del proceso penal. Una propuesta desde la Victimología, Legis, Bogotá, 2003, pp. 1-3.

159. Castigar nunca*f*, en Antoine Manganas (Ed.), Human Rights. Crime-Criminal Policy. Essays in honour of Alice Yotopoulos-Marangopoulos, vol. B, Nomiki Bibliothiki, Atenas, 2003, p. 1595.

160. Desaparece la pena de muerte también en Illinois?*f*, Direito e Cidadanía, año V, núm. 16/17, septiembre 2002-abril 2003, Praia (Cabo Verde), pp. 49-56. (España, núm. 330).